les meilleurs livres
condensés

SÉLECTION
DU LIVRE

212, boulevard Saint-Germain - 75007 Paris

PARIS BRUXELLES MONTRÉAL ZURICH

PREMIÈRE ÉDITION

Les condensés figurant dans ce volume
ont été réalisés par *The Reader's Digest*
et publiés en langue française
avec l'accord des auteurs et des éditeurs des livres respectifs.

© Sélection du Reader's Digest, SA, 1993.
212, boulevard Saint-Germain, 75007 Paris.

© N. V. Reader's Digest, SA, 1993.
29, Quai du Hainaut, 1080 Bruxelles.

© Sélection du Reader's Digest, SA, 1993.
Räffelstrasse 11, « Gallushof », 8021 Zurich.

*Tous droits de traduction, d'adaptation et de reproduction
réservés pour tous pays.*

Imprimé en France (*Printed in France*)
ISBN 2-7098-0438-7

182 (3-93)
021-0441-33

Table des matières

Dans ce volume…

LES LOIS DE LA GUERRE
William P. Kennedy

Le soir du 6 mai 1915, dans les salons luxueux du paquebot anglais *Lusitania*, les passagers dansent avec insouciance, sans se douter que, sous leurs pieds, dorment des tonnes d'explosifs. Mais, à bord des sous-marins allemands, requins d'acier qui rôdent dans la nuit, on le sait...

TIGNES, MON VILLAGE ENGLOUTI
José Reymond

Qui, de nos jours, se souvient encore du village de Tignes ? Englouti dans les eaux d'un barrage géant, il a été rayé des cartes en 1952. Mais peut-on vraiment anéantir un village ? Dans ce vibrant hommage, José Reymond, Tignard de souche et de cœur, nous montre qu'il n'en est rien.

LE VIEIL HOMME
ET LE LOUP
Georges Bordonove

A la fin du siècle dernier, au cœur des farouches solitudes de la forêt de Brocéliande, un vieux veneur, dévoré d'amers secrets mais encore animé d'une ardeur juvénile, affronte, dans une chasse mémorable, un loup gigantesque qui terrorise la région.

MORTEL TRAQUENARD
Louis Charbonneau

Angela et Barney ont beau vivre ensemble, ils ne savent rien l'un de l'autre. Pourtant, tous deux ont un passé... tourmenté. Et voilà que ce passé ressurgit pour les plonger dans l'enfer d'un mortel traquenard.

LES LOIS
DE LA
GUERRE

William P. Kennedy

Traduit de l'américain par Didier Sénécal
Illustrations de John Burkey

*Automne 1914. Winston Churchill,
premier lord de l'Amirauté,
a compris que le sort de la guerre
dépend de l'engagement des États-Unis
aux côtés de la Grande-Bretagne.
Mais par quel subterfuge les y amener,
alors que le président
Woodrow Wilson s'obstine à jouer
les arbitres pacifiques ?
Une dramatique partie d'échecs s'engage.
Sur l'échiquier, manipulés
tels des pions, trois jeunes patriotes,
passionnés et courageux...*

AUTOMNE 1914

Chapitre 1

Londres

— Les États-Unis sont un pays pacifique et très attaché au maintien de la concorde internationale. Le président Woodrow Wilson s'est engagé à préserver la neutralité américaine au milieu de cette terrible guerre mondiale. Il entretient des relations cordiales avec les belligérants des deux camps. Et c'est au nom de l'amitié qui nous unit à l'Angleterre que je vous soumets ses propositions visant à obtenir une paix honorable.

Le colonel Edward House était l'ami intime, le confident et l'émissaire personnel de Woodrow Wilson auprès des pays en guerre en Europe. Il était venu à Londres pour rencontrer les principaux dirigeants du gouvernement de Sa Majesté et leur présenter le plan très idéaliste que Wilson avait élaboré dans l'espoir de faire sortir les adversaires des tranchées et de les réunir autour d'une table de conférence.

Ses interlocuteurs ne lui prêtèrent qu'une oreille distraite. Pour en finir avec l'Allemagne, l'Angleterre n'avait pas besoin d'un médiateur, mais d'un allié.

Les troupes de Guillaume II avaient envahi la France avec une incroyable rapidité. L'armée anglaise avait traversé la Manche pour soutenir son alliée, mais elle n'avait pu résister à la poussée allemande. Au moment où la défaite paraissait inéluctable, les Russes, avec leur armée sous-équipée, avaient attaqué la Prusse. Contraints d'envoyer des troupes sur le front de l'est, les Allemands avaient vu la victoire leur échapper. La guerre s'était figée le long d'une ligne de tranchées, dans le nord-est de la France.

Mais ce n'était qu'un répit. Dès qu'ils auraient battu les Russes, les Allemands reviendraient. Le seul espoir des généraux et des amiraux britanniques était de réussir à renforcer leurs positions avant l'effondrement de la Russie. Et un seul pays pouvait leur apporter son aide : les États-Unis. Ils voulaient que l'Amérique entrât en guerre à leurs côtés, et non pas qu'elle se contentât de présider une conférence internationale.

— Voilà pourquoi le président Wilson est partisan de la liberté des mers, poursuivit le colonel House d'une voix monotone. Il souhaite garantir à tous les navires, quel que soit leur pavillon, l'accès à tous les ports du monde.

« Quelle absurdité ! » songèrent les dirigeants britanniques. Leur arme la plus efficace était le blocus naval de la mer du Nord, qui interdisait tout commerce maritime avec l'Allemagne. Ils n'avaient pas l'intention de laisser le moindre navire approcher à moins de cent milles des côtes allemandes.

Des applaudissements polis saluèrent la fin de l'exposé de House. Il saisit la carafe posée sur son pupitre et but un verre d'eau en attendant les questions.

— Colonel House…, dit un homme au visage poupin.

Il ne devait pas avoir plus de quarante ans et il était vêtu du traditionnel costume gris, l'uniforme des grands commis de l'État.

— Oui, monsieur…

— …Winston Churchill, répondit l'Anglais. (Puis il ajouta avec un sourire malicieux :) A ma connaissance, je suis premier lord de l'Amirauté.

House essaya de se rattraper :

— Bien sûr. Où avais-je la tête ?

— La volonté de neutralité de votre président nous inspire le plus grand respect, dit Churchill. Néanmoins, je me demande si certains arguments ne seraient pas susceptibles de le persuader de jouer un rôle plus actif dans la guerre.

— Plus actif ?

Woodrow Wilson se proposait d'être l'architecte d'une paix durable. Pouvait-on imaginer rôle plus actif ?

Churchill mit les points sur les « i » :

— Comme de déclarer la guerre à l'Allemagne.

Le colonel se raidit :

— Monsieur Churchill, les États-Unis ne prendront pas part à ce conflit, quoi qu'il arrive.

— Quoi qu'il arrive ? répéta Churchill, feignant l'étonnement.

— Eh bien… si les Allemands agressaient des citoyens américains, nous serions sans doute amenés à combattre. Mais cette hypothèse demeure hautement improbable.

— Effectivement, acquiesça Churchill en se calant plus confortablement dans son fauteuil.

A la fin de la réunion, il quitta la salle d'un pas allègre. Le général John French, commandant en chef des armées anglaises sur le territoire français, le rattrapa.

— Pas d'espoir de ce côté-là.

— Oh si ! Je crois que nous pouvons compter sur les Américains.

French le regarda avec stupéfaction :

— Il nous a pourtant clairement fait entendre que nous ne devions pas attendre d'aide d'outre-Atlantique.

— A moins que les Allemands n'agressent des citoyens américains, lui rappela Churchill. Il nous faut donc regrouper des Américains et convaincre les Allemands de les agresser.

— Vous ne parlez pas sérieusement ? dit French. Comment rassembler des Américains devant un canon allemand ?

— Je pensais à un navire, répondit le premier lord.

Mer du Nord

L'AUBE. Une lueur blafarde perça la brume, dégageant des ténèbres les contours lointains de la côte hollandaise. Le vent d'ouest faiblit brusquement et l'on entendit à l'est les premiers cris des goélands. Debout sur la passerelle de l'*Aboukir*, le capitaine de frégate William Day distingua soudain la proue de son propre navire et la gerbe d'écume soulevée par l'étrave.

— Lever du soleil, quartier-maître.

L'astre blanc apparut à l'horizon. La mer du Nord avait revêtu son manteau terne d'automne, et les embruns estompaient l'arc lumineux du soleil.

— Lever du soleil à 6 h 14, récita le quartier-maître en notant l'heure sur le livre de bord.

Puis il se pencha à l'extérieur du poste de timonerie et leva les yeux vers la passerelle de signalisation.

— Envoyez les couleurs! ordonna-t-il.

Le pavillon britannique fut hissé le long de la hampe.

Ils faisaient route au nord-nord-est, en suivant le littoral. Les trois navires formaient un large triangle. Day entrevoyait le *Hogue*, qui longeait la côte, et le *Cressy*, situé à l'avant-garde.

Le capitaine de vaisseau Drummond le rejoignit.

— Bonjour, numéro un, dit Drummond.

Il avait la manie de s'adresser à ses officiers en fonction de leur rang dans la hiérarchie.

— Bonjour, commandant.

— Tout ça n'est pas très emballant, marmonna Drummond en humant l'air saturé d'humidité. Où en est le baromètre?

— Il indique 725 mm, répondit Day.

— J'ai l'impression qu'on va encore passer la journée dans cette purée de pois.

Le commandant se dressa sur la pointe des pieds, posa les mains sur ses reins et se pencha en arrière. Sa colonne vertébrale émit une série de craquements.

— Ça vous pénètre jusqu'à la moelle!

Les deux hommes semblaient venir de deux planètes différentes. Day, âgé de trente ans, dominait son supérieur du haut de son mètre quatre-vingt-cinq; son docker de père lui avait légué de larges épaules et des bras puissants. Drummond, au contraire, était un petit homme fluet dont la silhouette évoquait davantage le rat de bibliothèque que le travailleur de force. Ses cheveux blancs très fins et son visage rond et rose contrastaient avec le teint basané, les traits anguleux et le regard sombre de Day.

— Pas de message du chef d'escadre?

Ce dernier se trouvait à bord du *Cressy*.

— Si, répondit Day. Nous devons virer au deux cent quatre-vingt-cinq à 7 heures.

— Pourquoi diable s'obstiner à tourner en rond au large des côtes hollandaises ? grogna Drummond. Si la flotte allemande fait une sortie, elle ne viendra pas vers nous. Elle mettra le cap au nord.

Il jeta un coup d'œil au chronomètre du poste de timonerie.

— Je vais prendre mon petit déjeuner avant le début de la manœuvre, numéro un.

— Très bien, commandant.

Day se tourna vers la côte. A présent, il distinguait les super-structures du *Hogue* et du *Cressy* : les mâts supportant les antennes de radio et les quatre cheminées de chacun des deux bâtiments. Ces navires vétustes étaient les seuls disponibles pour surveiller l'entrée du pas de Calais. En effet, tous les cuirassés britanniques patrouillaient au nord des Orcades afin d'empêcher les Allemands de gagner l'Atlantique. « Mon Dieu, songea Day, faites que leur flotte de haute mer ne tente pas de sortie ! » Que pourraient le *Cressy*, le *Hogue* et l'*Aboukir*, avec leurs canons de 240 mm, contre des croiseurs ultramodernes équipés de pièces de 380 ? Les Allemands avaient les moyens d'envoyer une pluie d'obus sur leurs adversaires une demi-heure durant, avant que ceux-ci ne parviennent à une distance suffisante pour riposter.

Le chronomètre indiquait 6 h 25. D'ici à trente-cinq minutes, le *Cressy* abaisserait ses pavillons, ordonnant ainsi au reste de l'escadre de mettre le cap à l'ouest. Day entra dans la timonerie et souleva le couvercle d'un des tuyaux acoustiques.

— Chambre des machines, ici la passerelle.

Une voix s'éleva des profondeurs du navire :

— Ici la chambre des machines.

— Nous allons manœuvrer dans quelques minutes. Vous pouvez commencer à faire monter la pression.

— Très bien, commandant, répondit la voix caverneuse.

Day braqua ses jumelles sur l'horizon. A l'est, les côtes plates de la Hollande étaient faiblement éclairées. Le nord et l'ouest étaient encore plongés dans l'obscurité.

Le navire fit alors une brusque embardée. On aurait dit qu'un gigantesque marteau s'était abattu sur son flanc blindé qui résonna comme une cymbale. Déséquilibré, Day glissa sur la passerelle et alla heurter la cloison de la timonerie. Il vit un mur d'eau noire comme de l'encre s'élever au-dessus de lui à bâbord et retomber dans une explosion d'écume. Aussitôt, des sonneries d'alarme se déclenchèrent dans les profondeurs de la coque.

— Une torpille! s'écria l'homme de barre que la réaction brutale de la roue avait projeté sur la passerelle.

— Reprenez votre cap! aboya Day en se redressant à grand-peine.

Il se précipita dans la timonerie et ouvrit le tuyau acoustique.

— Chambre des machines, ici la passerelle.

L'homme qui lui répondit dut hurler pour couvrir le sifflement des fuites de vapeur :

— La chaufferie est inondée. Il y a une voie d'eau dans la soute de bâbord. Des conduites de vapeur ont été touchées.

Day se rendit compte que le pont s'inclinait sur bâbord.

— Ouvrez les robinets de tribord! cria-t-il dans le tuyau. Il faut noyer les soutes à charbon de tribord.

— L'eau entre déjà trop vite pour que nous puissions la pomper.

— Ouvrez ces robinets! Compris?

Après un instant d'hésitation, l'autre répondit :

— Très bien, commandant.

La torpille avait fracassé la paroi de la soute à moitié vide de bâbord ; l'eau s'engouffrait à flots et déséquilibrait le navire. Day savait que l'*Aboukir* chavirerait d'ici à quelques minutes si l'on n'ouvrait pas les robinets de prise d'eau du côté opposé.

Il se rua à l'extérieur et escalada l'échelle menant à la passerelle de signalisation.

— Envoyez un message au *Cressy*, cria-t-il. « Touché par mine ou torpille. Le navire perd de la vitesse et donne de la gîte. »

— Très bien, commandant, dit le matelot signaleur en découvrant la lampe à arc.

Le commandant Drummond les rejoignit.

— Numéro un! Que s'est-il passé? Avez-vous un rapport d'avarie?

— Une torpille, dit sèchement Day. La mer envahit nos soutes à charbon de bâbord. J'ai donné l'ordre d'inonder celles de tribord. Je vais dire aux mécaniciens d'évacuer la vapeur.

Drummond hocha la tête en signe de résignation. Une seule voie d'eau suffisait à condamner l'*Aboukir*. A présent, il s'agissait seulement de prolonger son agonie afin de laisser à l'équipage le temps d'abandonner le navire en détresse.

— Un message du chef d'escadre ! hurla le signaleur.

Et il déchiffra à haute voix les signaux lumineux provenant de la passerelle du *Cressy* :

— « Arrivons… pour… prêter… assistance… Le… *Hogue*… assurera… rideau… de… protection. »

Drummond et Day regardèrent le *Cressy* virer au plus serré et mettre le cap droit sur eux.

Treize mètres plus bas, les mécaniciens, de l'eau jusqu'à la taille, s'affairaient à ouvrir les soupapes les unes après les autres pour évacuer la vapeur. Dans la chaufferie, les soutiers éteignaient les feux.

La voix du chef mécanicien parvint du tuyau acoustique :

— Ici la chambre des machines, j'appelle la passerelle. Nous avons ouvert tous les robinets, mais sans résultat. La cale de tribord doit déjà être au-dessus du niveau de la mer.

— Faites monter tous vos hommes sur le pont, dit Day.

Il ne leur restait plus que quelques secondes. A l'intérieur du navire, tous les objets non arrimés glissaient vers bâbord. Les lourdes machines rompraient bientôt leurs amarres. Le navire pouvait se retourner d'un instant à l'autre.

Du haut de la passerelle, le commandant Drummond observait les vagues qui filaient le long de la coque. Il aurait préféré attendre que le navire se fût immobilisé avant de mettre les canots à la mer et d'ordonner l'évacuation. Mais comme l'*Aboukir* commençait à se coucher tout en continuant à avancer sur son erre, il prit sa décision :

— Abandonnez le navire !

— Coupez les garants des canots ! hurla Day.

Il n'était plus possible d'amener les canots normalement. Ceux de bâbord étaient hors de portée, à trois mètres de la lisse. Quant à ceux de tribord, ils étaient suspendus au-dessus du pont.

Les matelots organisèrent des chaînes humaines pour se passer les gilets de sauvetage rangés dans des coffres. Dès qu'ils les eurent enfilés, ils sautèrent par-dessus la lisse de bâbord.

— A vous, numéro un, dit Drummond.

— Nous quitterons le navire ensemble.

Drummond secoua la tête :

— J'attendrai l'arrivée du *Cressy*.

— Vous n'en aurez pas le temps, commença Day.

Mais un fracas de métal déchiqueté emporta ses paroles. La

première cheminée venait de se rompre. Elle s'écrasa, comme un arbre qu'on abat, sur les hommes qui se débattaient dans la mer.

Day saisit le commandant Drummond à bras-le-corps et essaya de le pousser par-dessus bord. Tandis que l'*Aboukir* chavirait, une vague souleva les deux hommes et les entraîna loin de la passerelle. Le navire demeura un instant couché sur le flanc, puis ses ponts et ses superstructures s'engloutirent. Il continua à pivoter sur lui-même, et l'on vit se dresser sur la mer sa quille d'acier en forme de baleine, dont seules les hélices brisaient l'arrondi.

Dispersées sur plusieurs centaines de mètres derrière l'épave, les têtes des naufragés oscillaient à la surface comme des bouchons. Des hommes à bout de souffle tentaient d'atteindre les canots renversés. D'autres poussaient des hurlements de douleur. D'autres encore, immobiles, muets, le regard vide, ne flottaient plus que grâce à leur gilet de sauvetage.

Sans lâcher le commandant Drummond, Day nagea en direction des coffres contenant les pavillons, qui étaient tombés de la passerelle de signalisation. Grâce à lui, le vieil officier réussit à s'agripper et à se hisser sur un des coffres avant de tendre à Day une main secourable, mais celui-ci nageait déjà vers un signaleur en difficulté.

Dès qu'il fut à sa portée, le garçon se jeta sur Day qui réussit à lui passer un bras autour du cou et l'obligea à se mettre sur le dos. Puis il reprit la direction des coffres. C'est alors qu'il vit le *Cressy* contourner la coque de l'*Aboukir*.

Le navire du chef d'escadre avançait à vitesse réduite vers les naufragés qui appelaient au secours en agitant frénétiquement les bras. Alignés le long de la lisse, les matelots descendaient des filets et des cordages. Loin derrière le *Cressy*, Day aperçut le *Hogue* qui filait à toute vapeur en crachant d'épais nuages de fumée, à la recherche d'un éventuel sous-marin aux aguets entre deux eaux.

Tandis que Drummond se penchait pour attraper le signaleur par le col, Day le souleva avec son épaule. Ils parvinrent ainsi à le hisser sur le coffre.

— A vous, dit Drummond. Montez.

Au moment où il tendait la main à Day, un éclair zébra le ciel, et un coup de tonnerre retentit.

— Mon Dieu! s'écria Drummond.

Au loin, le *Hogue* frémit, et l'on vit s'élever une colonne de fumée. Il fit une embardée et s'arrêta net en soulevant une vague écumante. Puis il y eut une seconde explosion, à hauteur de la poupe. Le vieux navire se coucha sur tribord. Ses ponts, puis les affûts de ses canons furent engloutis. Les matelots tombèrent dans la mer par grappes entières.

A bord du *Cressy*, l'équipage s'écarta de la lisse, abandonnant filets et cordages. Le navire s'éloigna des naufragés pour se diriger à pleine vapeur vers le *Hogue* en perdition.

Le *Cressy* n'avait pas d'autre solution que d'attaquer. S'il avait continué à secourir les rescapés de l'*Aboukir*, il aurait offert une cible facile au sous-marin, qui devait se trouver non loin du *Hogue*. Dès qu'il eut acquis une vitesse suffisante, il commença à avancer en zigzags. Autour de l'épave, les marins crurent un instant qu'ils allaient être secourus. Mais leurs appels se muèrent en cris d'horreur lorsque le *Cressy* continua droit sur eux, les écartant comme des bouchons de liège dans son sillage.

Sous les yeux de Drummond et de Day, le *Cressy* fit route au nord sur environ un kilomètre, avant de revenir vers l'*Aboukir*. Des hurlements retentirent alors autour d'eux. Les matelots de l'*Aboukir* avaient vu le *Cressy* broyer les rescapés du *Hogue* sous son étrave tandis qu'il poursuivait l'ennemi invisible. A présent, il fonçait droit sur eux.

C'est alors qu'il explosa. Le souffle de la déflagration fit jaillir une gerbe d'eau à tribord, et un nuage de poussière de charbon s'échappa de la coque éventrée. Le *Cressy* s'inclina aussitôt sur tribord. Ses soutes s'emplirent d'eau aussi vite que celles des deux autres navires. Bientôt, sa situation fut désespérée. Un coup de sirène retentit, tel un râle, et le *Cressy* s'abîma dans les flots, partageant le sort funeste du *Hogue* et de l'*Aboukir*.

A présent, un millier d'hommes tentaient désespérément de s'accrocher aux débris flottants. L'écho de leurs cris résonnait à la surface de la mer, redevenue d'huile.

Day reconnut la voix de l'homme de barre et se laissa glisser du haut du coffre pour lui venir en aide. Tandis qu'il hissait le malheureux aux côtés du commandant Drummond, il entendit un autre appel au secours. Une tête apparut à quelques mètres de là. Day réussit à attraper le matelot par son gilet et à le haler. En quelques minutes, il sauva six naufragés : les trois premiers s'installèrent sur le coffre, les trois autres restèrent dans l'eau avec lui.

Soudain, parmi les gémissements de centaines de voix, il perçut un nouveau bruit : le ronronnement d'un moteur.

Du fait de sa position dominante, le commandant Drummond fut le premier à repérer son origine.

— Salauds d'assassins !

Day se retourna et vit émerger de la brume la silhouette spectrale d'un sous-marin. Le ronronnement s'intensifia, et il distingua peu à peu les détails des superstructures de l'engin, ainsi que le sommet de son étrave fendant l'écume. Puis il discerna, debout en haut du kiosque, un homme qui contemplait avec stupeur le désastre dont il était l'auteur.

Le sous-marin approcha. Un silence de plomb s'établit autour de lui. Les malheureux naufragés ravalaient leurs plaintes devant cette image de mort s'insinuant parmi eux comme un requin d'acier.

— Salaud ! hurla Drummond, tout à coup.

Le commandant du sous-marin fit un geste d'impuissance, puis indiqua avec les mains l'étroitesse de son bâtiment. Comment une embarcation aussi minuscule aurait-elle pu secourir autant d'hommes ? Le rythme du moteur s'accéléra, et le vaisseau fantôme s'évanouit dans une nappe de brume.

Les mains de Day se crispèrent sur le rebord du coffre. Il était épuisé, et le poids de ses vêtements l'attirait vers le fond. Une odeur de soufre émanait de l'eau qui, souillée par le charbon, lui léchait le menton.

Londres

ALFRED BOOTH porta le verre de porto à ses lèvres et fit une pause pour humer son bouquet délicat. Assis en face de lui, son cousin George l'observait avec appréhension.

— Très agréable, déclara Alfred.

Puis il but une gorgée, les yeux clos, afin de mieux savourer.

— Oui, excellent.

— Je suis heureux qu'il te plaise, dit George en faisant signe au garçon de leur apporter un coffret à cigares.

Alfred se servit, mais ses yeux soupçonneux demeurèrent fixés sur son cousin. Ils avaient beau diriger chacun la moitié de l'entreprise familiale, ils se voyaient rarement en dehors du cadre professionnel. En tant que président de la compagnie Cunard, Alfred fréquentait surtout les grands armateurs de Liverpool, tandis que George, financier de génie, passait son temps à Londres. Il n'avait pas invité Alfred à dîner à son club depuis plus d'un an, et celui-ci s'inquiétait de cette soudaine sollicitude.

George s'éclaircit la gorge :

— Tu as sans doute deviné que je souhaitais avoir une discussion avec toi.

— L'idée m'en avait effleuré, répondit Alfred en allumant son cigare.

George consulta sa montre.

— En fait, je ne suis pas seul en cause. L'un de mes amis va se joindre à nous. Il sera ici d'une minute à l'autre.

— Qui donc ? demanda Alfred avec une certaine contrariété.

— Winston.

George vit les traits de son cousin se crisper.

— Je t'en prie. Je n'aurais pas agi ainsi si ce n'était pas absolument indispensable.

Alfred s'écarta de la table.

— C'est une insulte, gronda-t-il. Tu connais mon opinion sur ce... parvenu.

— Il s'agit de l'effort de guerre.

— Il s'agit du *Lusitania*, répliqua Alfred.

— Eh bien, oui. Effectivement.

Alfred bondit sur ses pieds.

— Dans ce cas, le premier lord de l'Amirauté peut me demander un rendez-vous durant mes horaires de travail.

— Assieds-toi, Alfred. Assieds-toi !

A voir son expression, on aurait cru qu'Alfred Booth venait de recevoir une gifle. Il n'avait pas l'habitude qu'on lui parle sur ce ton. Il se laissa lentement retomber dans son fauteuil.

— Je suis désolé, dit George. Mais si j'ai organisé cette réunion, c'est dans ton intérêt. Churchill n'a pas besoin de solliciter ta coopération. Sa fonction l'autorise à l'exiger.

— Je sais, acquiesça Alfred. Si l'Amirauté veut le *Lusitania*, elle a le droit de le réquisitionner. Ce ne serait d'ailleurs pas plus mal, car la Cunard n'a plus les moyens de le maintenir en activité. Il est peut-être temps de le transformer en croiseur.

Le *Lusitania* n'avait jamais été rentable. Pour obéir aux

exigences de l'Amirauté, ce grand transatlantique avait été conçu pour être deux fois plus puissant que ses concurrents. Ses turbines perfectionnées faisaient de lui le navire le plus rapide du monde, mais les vingt-cinq chaudières géantes chargées de les alimenter en vapeur consommaient davantage de charbon en une seule traversée que la plupart des autres paquebots durant un aller et retour.

Dès sa mise en chantier, il avait été prévu de le transformer en croiseur si une guerre éclatait. Ses ponts abritaient déjà huit affûts destinés à des canons de longue portée, et l'on avait largement empiété sur l'espace destiné au fret pour installer des soutes à munitions et des monte-charge conçus pour des obus de 150 mm.

Mais George Booth secoua la tête :

— Winston veut qu'il continue à assurer la ligne régulière de transport de passagers.

A en juger par son air inexpressif, Alfred ne comprenait pas.

George se pencha vers lui avec un sourire rassurant.

— Il ne s'agit en fait que d'acheminer du matériel de guerre. En France, nous utilisons plus d'obus en une journée que nous ne pouvons en fabriquer en une semaine. Nous manquons aussi de coton-poudre. Nous avons assez de mines pour bloquer la flotte allemande en mer du Nord, mais pas de coton-poudre pour les faire exploser. La seule solution, c'est de se fournir en Amérique. Voilà pourquoi j'ai organisé une commission d'achats et obtenu de la banque Morgan qu'elle finance nos importations. Cette question étant réglée, il nous reste à étudier le problème du transport. C'est de cela que Winston veut te parler.

A cet instant précis, Churchill entra dans la salle à manger. Son impeccable tenue de soirée faisait presque oublier son physique courtaud et replet. Il s'arrêta pour commander une bouteille de champagne au maître d'hôtel et pour choisir un cigare, puis il se dirigea vers la table.

— Bonsoir, George.

George Booth se leva et lui indiqua un siège.

— Bonsoir, Alfred, dit Churchill en se tournant vers le garçon qui lui donnait du feu. Quel plaisir…

Il aspira deux ou trois bouffées avant de continuer :

— … de vous revoir !

De nouveau, il tira sur son cigare, puis exhala la fumée.

— Un plaisir réciproque, fit Alfred d'une voix glaciale.

Le sommelier vint présenter la bouteille de champagne.

— Ce sera parfait, dit Churchill. George, puis-je la faire mettre sur votre compte ?

Ce dernier fit un signe de tête affirmatif tandis qu'Alfred fronçait les sourcils.

— Alfred, votre cousin vous a-t-il exposé notre problème ?

— Oui, il m'a expliqué que vous vouliez acheminer du matériel de guerre. Mais le rôle de la compagnie Cunard ne m'apparaît pas très clairement. Il me semble que des cargos seraient plus appropriés que des paquebots.

— Pour certaines cargaisons, dit Churchill, nous avons besoin de paquebots rapides. Vous connaissez les lois de la guerre navale ?

— Bien entendu.

L'ensemble des États respectait en effet un certain nombre de conventions lors des conflits armés. Les bâtiments de guerre avaient le droit de couler des navires marchands, à condition de pourvoir à la sécurité des passagers civils. Ils étaient aussi autorisés à les arraisonner et à les fouiller. Lorsqu'un bâtiment de commerce ne transportait pas de contrebande, il fallait le laisser poursuivre sa route. Mais si l'on trouvait à son bord du matériel ou du personnel militaire, on pouvait le confisquer en tant que prise de guerre ou tout bonnement le saborder après avoir transbordé les civils dans des canots de sauvetage.

— Nous avons l'intention d'acheminer des munitions américaines par paquebots, dit Churchill en sirotant son champagne. Les sous-marins ne peuvent pas les torpiller sans avertissement. Les conventions internationales prévoient qu'ils doivent d'abord faire surface et leur intimer l'ordre de s'arrêter. Or, ils ne pourront jamais monter à bord du *Lusitania* pour le fouiller, car ils n'ont aucune chance de le rattraper. Même s'ils y parvenaient, ils ne seraient pas en mesure de le couler. Comment pourraient-ils pourvoir à la sécurité de deux mille passagers ?

— Des sous-marins ? dit Alfred. Je pensais que vous redoutiez plutôt la flotte allemande de haute mer.

Churchill enfonça la tête dans les épaules.

— La flotte allemande de haute mer ne m'inquiète pas. Si elle tente une sortie, nous la coulerons. Le problème vient des sous-marins. La semaine dernière, nous avons perdu une escadre entière en une demi-heure. Un seul sous-marin a suffi à nous couler trois croiseurs à douze milles de la côte hollandaise.

— Je l'ignorais, dit Alfred, stupéfait.

— Nous n'avons pas ébruité la nouvelle. Inutile de déclencher une panique. En toute franchise, la Royal Navy est incapable de protéger l'ensemble des routes maritimes. (Churchill plaça un cendrier au milieu de la table :) Voici l'Angleterre. (Il posa son verre de champagne juste à côté :) Et voici l'Irlande. Eh bien, tout le matériel que George achète en Amérique doit passer par ici pour parvenir en Angleterre.

Du bout de son cigare, il contourna le verre, puis parcourut l'espace qui le séparait du cendrier.

— Nos navires doivent longer la côte méridionale de l'Irlande et remonter le canal Saint George. Il suffirait aux Allemands d'envoyer six sous-marins dans le secteur pour nous asphyxier.

Alfred le regarda droit dans les yeux. Il n'était plus en face d'un petit arriviste vaniteux, mais d'un homme d'État réellement soucieux de la menace qui pesait sur l'Angleterre.

— Ils en seraient capables ? bredouilla-t-il.

Churchill hocha la tête.

— Le sort de la guerre ne se jouera pas en France, dit-il en appuyant l'extrémité humide de son cigare sur la nappe. Il se jouera ici, au large de la côte irlandaise.

— Mais si le *Lusitania* embarque des munitions, il se mettra hors la loi.

— Les munitions ne figureront jamais sur le manifeste de douane, répondit Churchill.

— Mais si les Allemands soupçonnent…

— Il y aura des passagers civils à bord, dont de nombreux Américains. Même si les Allemands se doutent que le paquebot transporte des munitions, je ne crois pas qu'ils prendront le risque d'entraîner les États-Unis dans la guerre.

— Mais où les munitions seront-elles entreposées ? demanda Alfred.

— Vous allez interrompre brièvement le service du *Lusitania* sous prétexte de le réviser, répondit Churchill. En gros, nous comptons réaménager tout l'espace compris sous le pont principal, entre la poupe et la première chaufferie, pour faire de l'avant du navire une gigantesque soute à munitions.

Alfred Booth considéra les joues de chérubin de Churchill.

— Vous voulez que je devienne un contrebandier.

— Nous vous demandons simplement de faire preuve de votre patriotisme, dit Churchill.

Alfred Booth demeura silencieux. Un paquebot en apparence, qui transportait en fait des munitions. Des passagers innocents chargés sans le savoir de protéger une redoutable cargaison au péril de leur vie. C'était inconcevable. Et hautement immoral. Mais il contempla le cendrier qui symbolisait l'Angleterre et les brins de tabac mouillés qui représentaient la sauvegarde de son pays.

— Oui, oui, bien sûr. Cela me semble très logique.

Chapitre 2

New York

DES cordes. Oui, des instruments à cordes. Aucun doute : il avait fait le bon choix.

Debout sur la terrasse de sa propriété, située sur la rive nord de Long Island, sir Peter Beecham ressentit une bouffée d'exaltation en écoutant les musiciens accorder leurs violons dans la salle de bal. Il avait d'abord songé à un orchestre dans le vent : peut-être un trio de jazzmen en manches de chemise. Après tout, cette fête était donnée en l'honneur de Jennifer et de ses amis. Mais il s'était souvenu que toutes ses fêtes sans exception avaient pour but de lui attirer les bonnes grâces des Américains. Or, en présence d'Européens, les Américains prétendaient avoir un faible pour la musique classique.

Ces gens-là étaient incompréhensibles. Ils formaient le peuple le plus indépendant et le plus démocratique du monde. Et pourtant, il avait conclu des dizaines de marchés en leur laissant entendre qu'il pourrait un jour les présenter à un membre de la famille royale anglaise.

Oui, aucun doute : il avait eu raison de porter son choix sur les cordes. Sir Peter contempla la pente douce qui descendait jusqu'au golfe de Long Island. Les arbres avaient revêtu leurs couleurs d'automne – jaune et rouge qui incendiaient le paysage. A l'ouest, il apercevait la silhouette de New York, hérissée depuis peu de gratte-ciel. Il avait bâti sa fortune en aidant les industries du Nouveau Monde à dépasser celles de l'Europe. A présent, il comptait sur elles pour sauver l'Angleterre.

Pour célébrer les débuts de Jennifer dans le monde, il avait invité quelques-uns des hommes les plus puissants des États-Unis. Parmi eux, deux rois de l'acier qui envisageaient de signer un contrat portant sur deux millions de corps d'obus, le président du premier groupe chimique américain, un fabricant d'explosifs et deux grands armateurs. Puisqu'ils étaient tous parfaitement libres de commercer avec les Allemands comme avec les Anglais, la victoire reviendrait au plus offrant.

Pour emporter les enchères, sir Peter avait besoin de crédits considérables. Aussi avait-il convié J. P. Morgan et deux de ses fondés de pouvoir. Morgan avait décliné l'invitation car il détestait les mondanités, mais ses deux lieutenants seraient là.

Restait le gouvernement. Il fallait convaincre l'administration fédérale de détourner le regard durant l'embarquement des marchandises de contrebande et de signer des manifestes de douane à l'évidence truqués. C'est pourquoi il avait convié Dudley Malone, le responsable des douanes du port de New York. Et comme l'Allemagne ne manquerait pas de se plaindre auprès du Département d'État[1] de cette scandaleuse violation de la neutralité américaine, il avait prié Robert Lansing, l'un des conseillers du Secrétaire d'État, d'être son invité d'honneur.

Ce n'était pas du pur cynisme. En une décennie de relations d'affaires avec les dirigeants de l'économie américaine, sir Peter était devenu l'ami d'au moins la moitié de ses hôtes. Depuis que George Booth lui avait demandé de créer une commission d'achats britannique, il s'était mis en quatre pour rencontrer ceux qu'il ne connaissait pas encore.

Les invités commencèrent à arriver. Beecham les accueillit au côté de sa femme Anne. Celle-ci lui était infiniment précieuse avec son allure majestueuse, son esprit vif et sa beauté toujours éclatante malgré ses cinquante ans. Non seulement elle était capable de mettre un nom sur chaque visage, mais elle savait traiter de simples relations comme autant d'amis de longue date.

Robert Lansing s'avança en compagnie de son épouse, la fille

1. L'équivalent du ministère des Affaires étrangères. Il a à sa tête le Secrétaire d'État, qui a rang de ministre.

d'un ancien Secrétaire d'État. Très grand, il arborait une épaisse chevelure grise coiffée avec recherche et une moustache soigneusement taillée. Il présenta ses compliments à Anne avec un grand sourire et des yeux pétillants.

— Des violons, remarqua-t-il. J'adore les instruments à cordes.

De petits groupes se formèrent dans la salle de bal : les industriels au centre de la piste de danse, les financiers près de l'orchestre et les armateurs devant les baies vitrées qui donnaient sur le golfe. Quant aux jeunes gens invités par Jennifer, ils se pressaient autour du bar, au milieu des éclats de rire. Des serveurs circulaient en présentant sur des plateaux des coupes de champagne et des petits fours salés.

Puis vint le grand moment. Les musiciens attaquèrent une joyeuse fanfare, et tous les regards convergèrent vers l'escalier en haut duquel Jennifer fit soudain son apparition. Sa silhouette élancée se prêtait à merveille à la mode révolutionnaire lancée au dernier printemps par les couturiers parisiens : jupe étroite descendant jusqu'au sol et tunique corsage en brocart d'un blanc laiteux qui seyait à son teint mat. Elle avait relevé ses cheveux bruns en chignon afin de mettre en valeur son long cou et ses jolies épaules.

Sir Peter alla jusqu'au bas des marches et lui tendit la main. Jennifer descendit l'escalier. Lorsqu'il se retourna vers ses hôtes, sa fille à son bras, des larmes de joie brillaient dans ses yeux. Il la conduisit dans la salle de bal sous les applaudissements.

Sa femme savait que Jennifer était tout pour lui. Il avait beau se prendre pour un homme d'affaires impitoyable, Anne l'avait toujours vu céder au moindre caprice de sa fille adorée.

Sir Peter présenta celle-ci à tous ses invités l'un après l'autre. Par cette cérémonie, il reconnaissait publiquement que sa petite fille était devenue une femme. Anne savoura cet instant unique : les deux êtres qu'elle chérissait le plus au monde paraissaient si heureux.

Le chef d'orchestre chuchota le titre d'une valse à ses musiciens. Sir Peter esquissa quelques pas avec sa fille sous les yeux des spectateurs radieux. Puis Jennifer demanda à ceux-ci de se joindre à eux et la piste se couvrit de couples tournoyants.

Sir Peter abandonna alors sa fille à un jeune homme et fit un tour de piste avec sa femme.

— Anne, pouvez-vous m'accorder quelques minutes avant de faire servir le dîner ?

Elle acquiesça d'un sourire et sir Peter emporta deux whiskies dans la bibliothèque, où l'attendait Robert Lansing.

— Vous avez beaucoup de chance, sir Peter, dit Lansing en portant un toast. Votre fille est ravissante.

— Merci, Robert, répondit sir Peter.

Il indiqua un des fauteuils de cuir au diplomate américain, qui s'assit avec une expression empreinte de gravité.

— L'ambassadeur von Bernstorff est venu me voir ce matin, dit Lansing. Il était accompagné de Franz von Papen.

Beecham ne sourcilla pas. La visite de l'ambassadeur d'Allemagne et de son attaché militaire n'avait rien d'étonnant. La nature véritable des marchandises qu'il embarquait à bord de cargos ou de paquebots neutres ne figurait sur aucun document officiel. Mais les démarches administratives ne pouvaient pas toujours rester secrètes et les opérations de chargement et de déchargement se déroulaient sous le nez d'inspecteurs maritimes.

— Ils nous ont avertis qu'ils s'estimaient autorisés à couler les bâtiments transportant du matériel de guerre, poursuivit Lansing d'une voix préoccupée. Von Papen nous a déclaré que l'Allemagne déclinerait toute responsabilité vis-à-vis des citoyens américains voyageant sur des navires chargés de contrebande.

— C'est scandaleux ! dit sir Peter sur un ton indigné. Je ne connais aucun gouvernement qui contrôle les manifestes de douane aussi méticuleusement que le vôtre.

— C'est exactement ce que je leur ai répondu, dit Lansing sans conviction.

Il savait pertinemment que les Britanniques embarquaient certaines marchandises *après* avoir rempli les documents officiels. La loi américaine autorisait les manifestes complémentaires en cas de chargement de dernière minute. Ceux-ci étaient remis directement au commandant du navire, sans que les inspecteurs maritimes ni les douaniers pussent vérifier leur authenticité.

— Robert, je vous assure que nous respectons les lois de votre pays. Oh ! bien sûr, des erreurs peuvent se produire. Mais nous accuser de faire passer du matériel de contrebande à bord de paquebots... c'est ridicule.

Tandis que sir Peter levait les mains dans un geste d'impuissance, Lansing quitta son fauteuil et alla vers la cheminée.

— Le problème, c'est que Bryan ne demande qu'à se laisser convaincre par les Allemands.

Le Secrétaire d'État, William Jennings Bryan, se méfiait des Britanniques et veillait à ce que la politique de neutralité des États-Unis ne fût pas faussée en leur faveur.

— Robert, je suis conscient des difficultés que vous éprouvez. Nous respectons tous la loyauté avec laquelle vous servez votre gouvernement.

— Le temps travaille en notre faveur. Le peuple américain soutient les Alliés. Le président Wilson finira bien par comprendre quelle est la volonté des citoyens.

— Lui ou son successeur, Robert. En Angleterre, beaucoup de gens très influents espèrent que vous avez l'ambition de lui succéder.

— La Maison Blanche ? protesta Lansing en essayant d'avoir l'air choqué. C'est absolument hors de question.

— Ma commission d'achats traite avec les industriels les plus puissants d'Amérique, répliqua Beecham. Bien loin d'être neutres, ces sommités veulent aider la Grande-Bretagne. A Washington, vous êtes le seul à partager leurs vues.

— Cependant…

Sir Peter ne le laissa pas continuer :

— J'ai eu tort d'aborder ce sujet. Disons simplement que nous sommes nombreux à espérer un changement de politique au lendemain des prochaines élections américaines. Un changement qui aille dans le sens de vos convictions.

Sir Peter Beecham se leva pour reconduire son hôte parmi les invités. Il savait que Lansing rêvait nuit et jour de devenir président des États-Unis. Et son allusion à de puissants industriels américains n'était pas une promesse en l'air : si Lansing les aidait à s'enrichir grâce à la vente de matériel de guerre aux Anglais, ceux-ci disposeraient d'assez d'argent pour lui offrir la Maison Blanche sur un plateau.

Lorsqu'ils rentrèrent dans la salle de bal, la fête battait son plein.

— Tiens, remarqua Lansing, Cendrillon a trouvé son prince charmant.

Au milieu de la piste, Jennifer tournoyait dans les bras d'un officier de marine élancé en grand uniforme.

— Mon nouvel assistant, dit sir Peter. Officiellement, il est attaché à notre délégation commerciale. Mais en fait il travaillera avec moi.

— Il a l'air fasciné par votre fille.

— C'est absurde, il est beaucoup plus âgé que Jennifer. J'aimerais que vous fassiez sa connaissance. C'est un type fort intéressant. Un des survivants de l'*Aboukir*.

Sir Peter s'approcha dès que la musique se fut tue.

— Monsieur le conseiller Lansing, puis-je vous présenter le capitaine de frégate William Day?

— Très honoré, dit Day en tendant la main.

— Tout l'honneur est pour moi, répondit Lansing. J'ai entendu parler de votre navire. Et de deux autres croiseurs, si je me souviens bien. Quelle affreuse tragédie!

— C'étaient de très vieux bâtiments. Malheureusement, leurs équipages étaient très jeunes.

Sir Peter avait organisé le plan de table avec le plus grand soin. Il avait placé Dudley Malone, le responsable des douanes du port de New York, entre une jeune fille qui ne cessait de glousser et le commandant Day. Exaspéré par la puérilité de sa voisine, Malone accorderait ainsi toute son attention à Day. Or, il était important que les deux hommes fissent connaissance, puisque d'ici peu le commandant serait chargé d'embarquer des marchandises de contrebande au nez et à la barbe de Malone.

Quant à Jennifer, elle aurait dû trôner au milieu de la table, encadrée par deux jeunes gens. Mais elle réduisit à néant le stratagème de son père en demandant à Day de s'asseoir à côté d'elle et en envoyant son voisin à la place du commandant. Si bien que Malone se retrouva pris au piège entre une véritable bécasse et un jeune homme qui ne savait quoi inventer pour la faire pouffer ; pendant tout le repas, ils se parlèrent par-dessus l'assiette de Malone.

Sir Peter aurait dû être furieux d'une telle entorse à l'étiquette. Mais il préféra se réjouir d'avoir procuré à sa fille un nouveau chevalier servant : elle avait accaparé à elle seule l'homme le plus intéressant de la soirée.

Lorsque les dames se furent retirées à la fin du dîner, les domestiques apportèrent alcools et cigares. Chacun attendait avec impatience d'entendre le témoignage du jeune officier britannique. Les Américains considéraient la guerre comme une sorte de match de boxe. Les premiers mois du conflit n'étaient à leurs yeux qu'un round d'observation ; le véritable combat commencerait lorsque la flotte allemande de haute mer irait défier la marine anglaise dans l'Atlantique Nord. Ils voulaient tous savoir lequel des deux pugilistes, selon William Day, l'emporterait.

Le commandant éclata de rire et secoua doucement la tête :

— Je ne crois pas que mon opinion ait une grande valeur. Mon expérience de la guerre navale se limite à deux ou trois minutes : le temps qu'a mis mon navire pour chavirer.

— Mais l'Amirauté a-t-elle confiance ? demanda un banquier.

— Confiance ? Oui. Si la flotte de haute mer tente une sortie, nous pensons que la Royal Navy se montrera à la hauteur.

— Pourquoi ce « si », dit un des armateurs. Elle sera bien obligée de sortir un jour ou l'autre.

— Je n'en suis pas certain, répondit Day. Les Allemands peuvent se contenter d'une guerre d'usure grâce à leurs sous-marins. S'ils réussissent à nous affamer, ils n'auront pas besoin de recourir à leur flotte.

Un fondé de pouvoir de la banque Morgan prit la parole :

— La Royal Navy ne peut-elle pas neutraliser une poignée de sous-marins ? Si elle en est incapable, qui se risquera à envoyer des cargos dans les eaux britanniques ?

Sir Peter intervint, car il craignait que l'Angleterre n'apparût à ses relations d'affaires comme une cause perdue :

— Vous êtes trop pessimiste. Il existe sûrement des solutions.

— Le meilleur moyen, dit Day, serait peut-être d'utiliser un grand nombre de petits bateaux plutôt qu'un petit nombre de gros navires de guerre. L'autonomie de plongée des sous-marins se limite à quelques heures seulement. Il leur faut remonter en surface pour reconstituer leurs réserves d'air et recharger leurs accumulateurs. Si nous pouvions assurer une surveillance étendue des voies maritimes, les sous-marins ne seraient plus en mesure d'y opérer.

— Est-ce la politique de l'Amirauté ? demanda un dirigeant de l'industrie électrique.

— Non, reconnut Day. Ce n'est que mon opinion personnelle. J'ai eu pas mal de loisirs récemment pour réfléchir à la question des sous-marins.

Un murmure approbateur accueillit l'ironie de cette remarque, tandis que le maître d'hôtel resservait des alcools.

Mer du Nord

ÉTAIT-CE de la fumée ? Le lieutenant de vaisseau Feldkirchner n'en était pas certain. Le roulis l'empêchait de stabiliser ses jumelles, et la hauteur des vagues ne lui laissait que de brefs aperçus de l'horizon.

L'horaire correspondait. Selon les renseignements obtenus par le capitaine de frégate Bauer, commandant la flottille de sous-marins allemande, le *Glitra* avait quitté Oslo la veille à midi et se dirigeait vers Liverpool via les Orcades, les Hébrides et le canal du Nord. De nouveau Feldkirchner consulta sa montre : 7 h 30. Le cargo *Glitra* arrivait pile au rendez-vous.

Le *U-17* avait appareillé trois jours plus tôt d'Emden, son port d'attache. Après avoir doublé les îles Frisonnes et gagné la mer du Nord, il avait atteint sa zone de patrouille — un carré de deux cents kilomètres de côté situé dans le détroit du Skagerrak, entre la pointe méridionale de la Norvège et la côte occidentale du Jutland. Bauer avait l'habitude de répartir ses sous-marins tout autour de l'Angleterre, puis d'attendre des informations précises ; il avait des espions dans presque tous les ports d'Europe et d'Amérique.

Feldkirchner se tenait en haut du kiosque, à trois mètres au-dessus de l'eau. Son étroit bâtiment roulait au gré des flots et s'immobilisait brutalement chaque fois que la proue s'enfonçait dans une vague, avant de remonter à la faveur du creux suivant. Feldkirchner devait donc esquiver à tout moment de véritables murailles liquides puis rétablir son équilibre pour ne pas être projeté contre le garde-corps métallique.

A l'intérieur, les secousses étaient encore plus violentes. La coque du *U-17* ne mesurait que vingt-six mètres de long sur trois de large. Et cette espèce de cylindre abritait deux moteurs Diesel reliés à des générateurs, des rangées d'accumulateurs en plomb, des centaines de mètres de câbles de cuivre, des pompes à eau, des réservoirs d'eau et de carburant. L'armement consistait en cinq torpilles de 5,50 mètres de long destinées aux tubes de lancement à air comprimé, et en un dispositif très ingénieux permettant de calculer la vitesse et la direction des cibles, ainsi que le moment exact de la mise à feu. Sans oublier la soute à munitions ni les engins de levage appropriés.

Les hommes devaient donc s'entasser dans les rares espaces

restants, fort exigus. Pour échapper à cet univers infernal — moisissure, air vicié et lumière électrique aveuglante — ils se réfugiaient sur le pont chaque fois que le bâtiment remontait à la surface. Mais, ce jour-là, le mauvais temps rendait ce répit beaucoup trop dangereux.

La proue s'enfonça et Feldkirchner s'abrita derrière l'écran protecteur du kiosque. La mer rugit au-dessus de sa tête, déversant sur lui des torrents d'eau salée. Le sous-marin sembla s'immobiliser quelques secondes puis il se redressa sur la crête d'une vague, et le cargo réapparut droit devant lui. Feldkirchner leva son télémètre : sa cible était encore à plusieurs milles. Il ouvrit le panneau disposé sous ses pieds, descendit l'échelle puis referma derrière lui le sas d'accès à la passerelle.

— Plongée ! ordonna-t-il à son second.

Il se dirigea vers la table de point afin de calculer sa route jusqu'au point d'interception — l'endroit précis où il referait surface avant de torpiller le *Glitra*.

Les ordres du second furent transmis d'un bout à l'autre du bâtiment. Dès que les mécaniciens eurent déconnecté les générateurs, le ronronnement des diesels se tut et les moteurs électriques prirent le relais pour actionner les hélices. Les ballasts s'emplirent d'eau de mer, et le sous-marin s'enfonça lentement.

Tous les bruits furent étouffés. Le vacarme de la surface avait fait place au silence de mort des profondeurs.

— La barre au cent dix ! ordonna Feldkirchner.

— Cent dix, répéta l'homme de barre en tournant la roue.

— En avant toute ! dit le second.

— En avant toute, répéta l'officier de quart.

Il transmit l'ordre à la chambre des machines.

— Préparez-vous à une attaque de surface.

Les canonniers disposèrent des obus de 75 mm sur le dispositif d'approvisionnement. On apporta une mitrailleuse équipée d'une bande chargeur dans le kiosque.

— Combien de temps ? demanda le second à Feldkirchner.

— Dix-huit minutes. Vérification dans dix minutes.

Ils attendirent tranquillement. Tout était paré. Les canonniers accroupis au pied de l'échelle du sas arrière. Le groupe d'abordage prêt à faire passer son canot pliant par le sas avant. Quant au servant de la mitrailleuse, il se tenait déjà sur le dernier échelon du kiosque, son arme dans les bras.

— Les dix minutes sont écoulées, dit le second.

Feldkirchner hocha la tête affirmativement et se tourna vers le périscope, tandis que le second tirait sur le câble du contrepoids. Le tube d'acier poli coulissa dans son logement.

Durant quelques instants, Feldkirchner ne distingua qu'une sorte de colline liquide. Puis il aperçut le cargo dont l'étrave fendait péniblement la crête des vagues dans sa direction.

Il se fit indiquer le cap suivi et estima les positions respectives grâce au viseur du télémètre.

— Tout va bien, dit-il en redescendant le périscope. Il est à un mille environ.

— Nous y serons dans cinq minutes, conclut le second.

Une nouvelle attente commença. Le bourdonnement des moteurs électriques ne couvrait plus leur respiration saccadée. Soudain, ils crurent entendre au loin un roulement de tonnerre : les hélices du *Glitra* perçaient le silence de la mer.

— Jetons un coup d'œil, dit Feldkirchner.

A nouveau, il haussa le périscope. Le *Glitra* lui apparut à une centaine de mètres à bâbord.

— La barre au cent soixante ! ordonna-t-il en redescendant le périscope.

Ils écoutèrent, à l'affût du moindre changement de régime. Si le *Glitra* avait repéré le périscope, il changerait sans doute de cap d'un instant à l'autre. Mais il ne se passa rien de tel. Le vrombissement se fit seulement de plus en plus proche.

— Surface ! ordonna Feldkirchner en posant un pied sur le premier barreau de l'échelle.

Le sous-marin s'inclina vers le haut. On envoya de l'air comprimé dans les ballasts afin d'augmenter la flottabilité du bâtiment. La proue et le kiosque jaillirent des flots au même instant.

Le servant de la mitrailleuse ouvrit le sas et fendit le torrent d'eau de mer qui s'engouffrait dans le kiosque. Feldkirchner lui emboîta le pas. Le *Glitra* suivait une route parallèle, à moins de cinquante mètres à bâbord.

— Mettez les diesels en route ! cria-t-il en fermant le panneau.

Dès que le pont eut émergé à la surface, les deux panneaux s'ouvrirent de part et d'autre du kiosque. Les canonniers bondirent à l'arrière et accrochèrent au rail de sécurité la ligne de vie fixée à leur ceinture. Au même instant, le groupe d'abordage sortait son canot pliant à l'avant.

Feldkirchner regarda le servant de la mitrailleuse verrouiller son arme sur son socle. Puis il se tourna vers le *Glitra*. Pendant ces quelques secondes, l'*U-17* était très vulnérable : les canons n'étaient pas encore chargés, on passait des moteurs électriques aux diesels et son équipage était à découvert. Une mitrailleuse installée à bord du cargo aurait pu faire un joli carton. Et il aurait suffi au capitaine de pointer son étrave sur le sous-marin pour le couper en deux.

Mais un calme absolu régnait à bord du *Glitra*. Personne ne les avait repérés.

Le maître canonnier fit signe qu'il était prêt. A son tour Feldkirchner leva la main, puis l'abaissa. Le canon rugit, et une gerbe d'eau jaillit devant la proue du cargo.

Un homme apparut soudain sur la passerelle : on distinguait ses yeux écarquillés par la surprise sous son bonnet de marin. Il disparut dans la timonerie, laissant place à un autre homme, coiffé cette fois-ci d'une casquette d'officier.

— Mettez-vous en panne ! cria Feldkirchner en anglais dans son mégaphone. Nous allons monter à bord.

L'officier le considéra avec incrédulité. Le sous-marin était trois fois moins long que son propre navire et émergeait à peine de la surface. Il hésita.

— Tirez dans le gréement, ordonna Feldkirchner au servant.

La mitrailleuse cracha une rafale de balles traçantes qui survolèrent la mer. Des cordages s'effilochèrent, des pièces de bois éclatèrent, un des mâts de charge s'écrasa sur le pont avant.

— Mettez-vous en panne ! répéta Feldkirchner.

L'officier disparut dans la timonerie. Le *Glitra* avançait toujours rapidement, mais l'*U-17* avait pris de la vitesse. Les deux bâtiments progressaient désormais au même rythme.

Une nouvelle silhouette se détacha sur la passerelle : l'homme, coiffé lui aussi d'une casquette, était plus petit et paraissait plus âgé que l'officier de quart. A la vue du sous-marin, il leva les bras au ciel.

— Préparez-vous à être abordés, cria Feldkirchner. Descendez une échelle. Mon second va monter à votre bord.

Le capitaine du *Glitra* hocha vigoureusement la tête. Son cargo avait déjà commencé à ralentir, et le sous-marin dut baisser de régime pour rester à sa hauteur. Lorsque les deux bâtiments furent presque immobiles, le second fit mettre le canot pliant à la mer. Il s'y embarqua avec deux matelots et se dirigea vers l'échelle. Après avoir escaladé le flanc du cargo, il enjamba la lisse et monta sur la passerelle.

— Otto Marx, commandant en second, dit-il en claquant des talons.

— Capitaine Morrissey, répondit le vieux marin anglais qui ne put se résoudre à rendre son salut à ce jeune homme barbu.

— Puis-je consulter votre manifeste de douane ? demanda Marx avec courtoisie.

Morrissey le guida à travers la timonerie et l'introduisit dans la salle des cartes. Il ouvrit le coffre-fort et en sortit le document.

Dès la première ligne, Marx secoua la tête :

— Des barres d'acier inoxydable, lut-il d'une voix où perçait une tristesse sincère.

La cargaison comprenait aussi des roulements à billes, des fils électriques et des lentilles optiques.

— La moitié de ces marchandises est du matériel de guerre. Capitaine, nous avons le droit de détruire votre cargaison. Nous vous accordons dix minutes pour évacuer votre équipage et vous éloigner du navire. Nous avons l'intention de le couler.

— Nous ne serons pas en sécurité dans un canot sur une mer aussi forte.

— Vous le serez davantage que si vous restez à bord.

L'Allemand salua et retraversa la timonerie. Morrissey le suivit sur l'échelle qui menait de la passerelle au pont principal et le regarda passer par-dessus la lisse.

La petite embarcation s'écarta du *Glitra*. Les deux matelots s'efforçaient de ramer en cadence malgré la houle qui les ballottait de droite et de gauche. Au moment où ils atteignaient l'*U-17*, une vague souleva l'esquif et le projeta vers le pont du sous-marin. En retombant, le petit bateau alla heurter le kiosque. Feldkirchner réussit à saisir l'amarre et à l'enrouler autour d'un taquet, arrimant ainsi l'embarcation au sous-marin.

Au même moment, l'équipage du *Glitra* se hâtait d'amener le canot de sauvetage. Lorsque celui-ci fut en dessous du pont principal, le capitaine Morrissey y sauta.

Dès qu'ils eurent touché l'eau, Feldkirchner brandit son mégaphone :

— Écartez-vous !

Les matelots poussèrent sur la coque du cargo, puis se mirent à ramer de toutes leurs forces pour s'éloigner le plus vite possible de la poupe.

Feldkirchner se tourna vers le maître canonnier :

— Sous la ligne de flottaison, juste au-dessous de la cheminée. Ouvrez le feu.

Les canonniers visèrent soigneusement mais le roulis nuisait à la précision de leur tir. Le premier obus déchiqueta la coque un mètre au-dessus du niveau de la mer et explosa dans l'eau. Le deuxième, trop court, souleva un geyser contre le flanc du cargo. Le troisième perça un trou en plein sur la ligne de flottaison. Le quatrième fut le bon : il fit sauter une série de rivets juste au-dessous de la surface. Le *Glitra* donna de la gîte.

— Ça devrait suffire, dit Feldkirchner au maître canonnier. Ramenez vos hommes à l'intérieur.

Il fut interrompu par une déflagration dans les profondeurs du cargo : l'eau froide avait atteint l'une des chaudières, provoquant son explosion. Les cloisons cédèrent et la mer s'engouffra dans la coque. Quelques minutes plus tard, la poupe se souleva et appuya de tout son poids sur la quille. Le navire s'ouvrit en deux dans un effroyable vacarme de métal broyé.

Feldkirchner appela le poste de contrôle :

— En avant. Vitesse aux deux tiers. La barre au cent soixante-quinze.

Quand la poupe du cargo eut été engloutie par la mer, il aperçut le canot solitaire. Les matelots du *Glitra* souquaient ferme au milieu des grosses vagues.

— Montez, Otto, cria-t-il au second.

Ce dernier le rejoignit en haut du kiosque.

— Ils n'ont aucune chance de s'en tirer, dit Feldkirchner en indiquant les naufragés. Il vaudrait mieux que nous les ramenions à la côte.

Otto Marx éclata de rire :

— On commence par les mettre à l'eau, et ensuite il faut les en sortir ! Vous ne trouvez pas ça absurde ?

— Bien sûr. Ce sont les Anglais qui ont fixé la règle du jeu.

Feldkirchner dirigea le *U-17* vers le canot de sauvetage. Au début, les marins britanniques se recroquevillèrent sur leurs avirons ; ils craignaient que la mitrailleuse, toujours en position sur le kiosque, ne leur donnât le coup de grâce. Mais lorsqu'ils virent un matelot allemand dérouler un cordage sur le pont arrière, ils se précipitèrent pour l'attraper et l'assujettirent à leur taquet de proue. Feldkirchner mit alors le cap sur le littoral norvégien, ses ennemis en remorque.

« C'est de la folie », songeait-il en observant la petite embarcation ballottée par la houle. Les lois de la guerre lui dictaient de se comporter comme un croiseur : il devait tirer un coup de semonce devant la proue de sa victime, puis lui ordonner de se mettre en panne afin de pouvoir la fouiller. Mais il existait une énorme différence entre son sous-marin et un croiseur ordinaire : si aucun navire ne pouvait lui tenir tête lorsqu'il rôdait en profondeur, en revanche il devenait une proie facile dès qu'il remontait à la surface.

Bientôt se dessinèrent les côtes de Norvège. Feldkirchner pouvait voir les vagues se briser sur les rochers. Il longea le rivage jusqu'au premier chenal navigable et ordonna à son bosco de monter sur le pont arrière et de haler le canot à flanc.

— Je ne peux pas vous emmener plus loin, capitaine, cria Feldkirchner.

Morrissey le salua.

— Merci, commandant, je rédigerai un rapport complet sur la noblesse de votre conduite.

Feldkirchner lui rendit son salut et regarda l'équipage ramer vers la plage. « Un rapport complet, pensa-t-il. Les amiraux anglais vont en faire des gorges chaudes. »

Chapitre 3

New York

L A nouvelle du torpillage du *Glitra* fit l'effet d'une bombe chez les armateurs de Manhattan. Du jour au lendemain, chacun comprit qu'il était dangereux de convoyer du matériel de guerre vers les îles Britanniques. Les compagnies de navigation qui jusque-là se disputaient les cargaisons de sir Peter Beecham ne voulurent plus entendre parler des explosifs, des corps d'obus ni des générateurs que lui vendaient les industriels américains.

Les primes d'assurance doublèrent brusquement pour les navires en partance vers l'Angleterre. Et si ces derniers embarquaient le moindre objet qui pût nuire aux Allemands, elles étaient quadruplées. Les frais de transport revenaient désormais plus cher à Beecham que l'achat du matériel de guerre.

— Tout ça pour un malheureux bateau ! s'écria-t-il devant le capitaine de frégate William Day. Quelques obus dans un vieux cargo rouillé, et les Boches réussissent à asphyxier l'Angleterre !

— Cela risque d'empirer si les Allemands abandonnent pour leurs sous-marins les règles de conduite des croiseurs et pratiquent la guerre sous-marine à outrance. Ils peuvent très bien déclarer les parages des îles Britanniques zone de combat, comme nous l'avons fait pour la mer du Nord. Dans ce cas, ils couleront systématiquement tout ce qui passera à leur portée.

— Des passagers innocents ? Sans avertissement ? C'est inconcevable.

— Tout le monde sera averti, dit Day, puisqu'ils auront délimité une zone de combat.

Aux yeux de sir Peter, la guerre était une sorte de duel entre gentlemen. Des règles strictes, dictées par la bonne éducation, la régissaient. Day, au contraire, y voyait la brutalité à l'état pur, le triomphe de la loi de la jungle. Quand un navire en route vers l'Allemagne sautait sur une mine anglaise, personne ne se souciait de l'évacuation des passagers. Pourquoi les commandants de sous-marins devaient-ils respecter un quelconque code de l'honneur avant d'ouvrir le feu ?

Beecham cherchait à longueur de journée des bâtiments neutres prêts à renforcer la flotte de vapeurs britanniques qu'il avait réquisitionnée, et William Day ne le quittait pas d'une semelle. Sir Peter en avait fait son porte-drapeau et l'utilisait sans vergogne pour arracher des concessions aux armateurs et aux assureurs.

— Il ne s'agit pas de marchandises, répétait-il avec toute sa persuasion. Il s'agit de la vie de jeunes gens courageux. Comme le commandant Day ici présent, l'un des rares survivants du drame de l'*Aboukir*. Ce que je vous demande, c'est d'offrir à ces héros les moyens de se défendre.

L'interlocuteur de sir Peter levait alors les yeux du contrat, et son expression s'adoucissait.

— Oui, j'ai appris que le sous-marin a éperonné les canots de sauvetage et broyé les naufragés qui se débattaient dans l'eau. Cela a dû être terrible.

Avant que Day pût rétablir la vérité, Beecham ramenait la conversation sur le contrat. Et l'homme d'affaires, qui aurait pu obtenir le triple du tarif ordinaire, se contentait du double.

Les états de service et l'uniforme prestigieux de Day étaient particulièrement utiles pour amadouer Dudley Malone, le responsable des douanes de New York. Ce n'était pas en changeant l'emballage des marchandises et en apposant de nouvelles étiquettes qu'on allait tromper un vieux singe dans son genre. Mais si Malone vivait dans un univers poussiéreux de paperasses et de tampons encreurs, son imagination voguait vers le grand large. Il admirait Day depuis leur rencontre, le soir du bal de Jennifer. L'officier aux galons d'or était devenu son alter ego. Tout en l'interrogeant sans relâche sur les navires de guerre et les combats héroïques, Malone signait les formulaires qu'on lui tendait sans se donner la peine de les lire.

En son for intérieur, Day aurait souhaité que Malone examinât de plus près ses cargaisons de dernière minute et ses listes additives. Les passagers se seraient-ils embarqués à bord de ces paquebots s'ils avaient eu vent des tonnes d'explosifs qui reposaient à fond de cale? Aussi protesta-t-il lorsque sir Peter lui ordonna de faire charger des cartouches de fusil sur le *Lusitania* :

— Savez-vous ce qui arriverait aux passagers si un sous-marin allemand envoyait une torpille dans cette cargaison?

— Ils n'oseront jamais attaquer un paquebot. Les passagers ne courent donc aucun risque. Et nos munitions non plus.

Le jeune capitaine de frégate ne consacrait pas seulement ses journées à la famille Beecham, mais aussi ses soirées. Jennifer, en effet, avait suivi son prince charmant de Long Island à Manhattan. Elle s'était installée dans la maison de ses parents, sur Washington Square, fuyant ainsi la tutelle maternelle pour celle, beaucoup moins vigilante, de son père.

Les premiers jours, elle attendait le retour de sir Peter pour lui servir une tasse de thé et ses pâtisseries favorites. Il l'écoutait avec plaisir lui raconter ses journées. Un soir, pendant plus d'une heure, elle lui décrivit un dîner chez Delmonico en compagnie du commandant Day.

— Tous les regards étaient braqués sur lui! s'exclama-t-elle. Dans son uniforme, il était le plus bel homme du restaurant.

— N'était-ce pas plutôt toi que les gens admiraient? plaisanta sir Peter.

— Non. C'étaient des femmes qui nous regardaient. Notre voisine a failli tomber de sa chaise lorsqu'elle a senti son eau de toilette. Pour la rendre folle de rage, j'ai pris la main du commandant.

— Pas en public, tout de même ?

Jennifer eut un rire malicieux :

— Bien sûr que si ! Vous auriez dû voir sa tête. Elle s'est figée comme une vieille institutrice.

— Scandaleux ! protesta sir Peter.

Mais il ne put retenir un sourire en montant à sa chambre. Quelle vivacité ! Quel tempérament !

Quelques semaines plus tard, ce jour-là, c'était lui qui attendait sa fille, assis devant la théière. Day la raccompagnait et il s'attarda juste le temps de présenter ses respects à sir Peter. Dès que la porte se fut refermée, Jennifer explosa :

— Oh ! papa, William est vraiment merveilleux !

— William, tiens, tiens…, répondit-il en lui servant du thé.

— On ne peut appeler quelqu'un « commandant » quand on est en train de danser avec lui.

— Vous avez donc dansé ? Où cela ?

— Au Winter Garden. L'orchestre est formidable.

Beecham se réjouissait de la voir aussi heureuse. Il était reconnaissant envers Day de se montrer aussi patient avec sa fille. Grâce à lui, il ne se sentait pas trop coupable de lui consacrer aussi peu de temps.

Mais sa femme fut vite informée des frasques de leur fille.

— J'ai vu Jennifer l'autre soir, dit à Anne une de ses amies. Elle était splendide dans cette robe décolletée.

— Comme elle a grandi ! minaudait une autre chipie. Je ne pouvais pas croire que c'était elle qui dansait un verre de vin à la main.

— Anne, est-ce sérieux ? dit une troisième. Jennifer ne quitte plus ce bel officier de marine.

En fin de compte, Anne alla décrocher le téléphone et demanda à l'opératrice de lui passer New York.

— J'aimerais savoir ce que fait Jennifer, dit-elle à son mari. Est-ce que vous ouvrez l'œil ?

— Bien entendu. Elle s'amuse beaucoup.

— Un peu trop, même, si j'en crois ce qu'on me raconte. Une de mes amies l'a vue à moitié nue. Il paraît aussi qu'elle boit du vin. De toute façon, elle est trop jeune pour sortir avec un homme, surtout avec un marin beaucoup plus âgé qu'elle.

Sir Peter soupira :

— Le commandant Day l'accompagne pour me rendre service. Il n'a aucune arrière-pensée. Comment pourrait-il espérer quoi que ce soit ? Ce n'est qu'un roturier.

Anne fut irritée d'un tel aveuglement :

— Il est grand, beau garçon, héroïque. Et votre fille est une enfant influençable qui a l'habitude de foncer tête baissée. Si on ne la retient pas, elle risque de se retrouver avec un polichinelle dans le tiroir.

Sir Peter en eut le souffle coupé :

— C'est une accusation ignoble... Le commandant Day n'aurait jamais l'idée de... de...

Il se retint de lui raccrocher au nez.

Mais ce jour-là, il observa William Day d'un œil soupçonneux. Il ne croyait absolument pas qu'il pût exister quelque chose de sérieux entre Jennifer et lui. Mais elle n'avait que dix-huit ans et il devait l'empêcher de se jeter trop vite dans la vie adulte. Sans doute valait-il mieux qu'elle retournât auprès de sa mère. Il allait lui expliquer que le commandant et lui-même seraient très occupés au cours des prochaines semaines, l'aider à faire ses valises, et l'accompagner en personne à la gare dès le lendemain matin.

Londres

Pour Winston Churchill, c'était l'évidence même. Il avait exposé les grandes lignes de son projet et le capitaine de vaisseau Reginald Hall, chef du 2e Bureau de la Royal Navy, avait fourni les détails. Pourquoi le premier lord de la mer, l'amiral John Fisher, s'obstinait-il à ne pas comprendre ?

— C'est illégal, protestait-il d'une voix râpeuse et fatiguée. C'est une violation flagrante du droit international.

Le vieil homme, enfoncé dans son fauteuil, ne possédait plus le dynamisme qui l'avait porté à la dignité suprême de la marine britannique. Il n'aimait particulièrement ni Churchill ni Hall et savait fort bien que ces jeunes gens n'en feraient qu'à leur tête, avec ou sans son accord.

Churchill était assis derrière son bureau de l'Amirauté, à

Whitehall, et ses joues roses s'empourpraient sous l'effet de la colère. Reginald Hall avait disposé une chaise à côté de façon qu'ils pussent faire face ensemble à l'amiral.

Churchill se moquait de l'opinion de Fisher, mais il avait besoin de son soutien. Quand il irait soumettre au Premier ministre son plan d'action contre la menace sous-marine, il voulait pouvoir dire que Fisher était d'accord.

Il fit une nouvelle tentative :

— Les sous-marins nous obligent à réviser nos règles de conduite en matière de combat naval, amiral. Vous avez vous-même déclaré qu'un commandant de sous-marin serait fou s'il respectait le protocole habituel.

Les yeux bouffis du vieil homme s'écarquillèrent.

— Mais je n'ai jamais dit que cela nous donnait le droit de hisser des pavillons étrangers sur nos bâtiments de commerce.

Churchill appela le capitaine de vaisseau Hall à la rescousse.

— Amiral, expliqua celui-ci, nous savons grâce à nos écoutes radio que les Allemands veulent éviter à tout prix de s'aliéner les pays neutres. Ils ont mis sur pied d'importants réseaux d'espionnage afin de repérer les navires anglais transportant du matériel de guerre et d'épargner les cargos neutres. En continuant à battre pavillon britannique, nous leur facilitons la tâche.

— Vous n'avez qu'à naviguer sans pavillon, grogna Fisher.

Hall se tourna vers Churchill. L'amiral était obnubilé par le respect des règles de chevalerie et par le jugement de l'Histoire, qui risquait de le condamner s'il dissimulait ses navires derrière des pavillons étrangers. Il ne comprenait pas que la guerre moderne était une lutte pour la survie, et que l'existence même de l'Empire britannique était en jeu.

— Ça ne servirait à rien, amiral, dit Churchill. L'absence de pavillon révélerait la nationalité de nos cargos. Nous devons prendre ceux de pays neutres.

— Alors les Allemands attaqueront tout le monde. Les neutres comme les Anglais.

— Exactement! s'écria Churchill, ravi que Fisher eût enfin compris. Ou bien ils n'attaqueront personne. S'ils sont incapables de reconnaître les nôtres, ils seront contraints de traiter tous les navires de la même façon.

— Dans ce cas, répliqua Fisher, ils arrêteront chaque bâtiment pour monter à bord et contrôler sa nationalité.

Churchill, accablé, ferma les yeux. Hall prit le relais :

— C'est pourquoi notre plan comporte un second volet, amiral. Nous interdirons à nos navires marchands d'obéir aux sous-marins. Ils devront même essayer de les éperonner. Nous sommes en train d'installer des canons sur leurs dunettes. En les camouflant, bien entendu. Les sous-marins devront donc inspecter tous les bâtiments et, chaque fois qu'ils tomberont sur un Britannique, ils seront pris sous notre feu.

Le visage de Fisher s'éclaira. Ce n'était donc pas une simple affaire de pavillon, mais une vaste contre-offensive visant à réduire la menace sous-marine.

— Quels pavillons comptez-vous utiliser ? dit-il.

— Surtout celui des États-Unis, répondit Hall. Les Allemands tiennent particulièrement à ce que les Américains restent neutres.

— Washington est-il prêt à vous suivre ?

— Nous n'avons pas l'intention de leur demander leur avis, marmonna Churchill, la mâchoire crispée. Nous changerons de pavillon une fois en mer, et nous hisserons de nouveau les couleurs britanniques avant d'entrer au port.

— Ils finiront bien par l'apprendre, rétorqua Fisher.

— Les seuls témoins éventuels seront les commandants de sous-marins allemands, dit Hall. Supposons que l'un d'entre eux connaisse déjà le navire et soit en mesure de l'identifier comme un des nôtres malgré son pavillon étranger. Le gouvernement allemand en sera réduit à élever une protestation. Et nous publierons tout simplement un démenti.

Fisher hocha la tête et s'extirpa lourdement de son fauteuil.

— Bien. Je suppose que je dois approuver toutes les initiatives qui peuvent compliquer la vie de l'amiral von Pohl.

Un éclair de malice brilla dans les yeux de Churchill.

— Magnifique ! J'espère que vous comprenez à quel point je vous suis reconnaissant de ce conseil judicieux.

Il se leva pour soutenir l'amiral, mais celui-ci refusa son aide. Il saisit son chapeau et sa canne et sortit du bureau.

Churchill se tourna alors vers le commandant Hall :

— Dites-moi, lequel de vos codes les Allemands ont-ils déchiffré ?

— Aucun à ma connaissance, s'indigna le commandant.

— J'aimerais vous croire mais je crains que ce ne soit impossible. S'ils n'ont pas encore réussi, cela ne saurait tarder.

— Vous voulez que nous en changions plus souvent ?

Churchill hocha la tête avec un sourire complice.

— Au contraire. Je voudrais qu'ils en découvrent un, après quoi nous n'en changerons pour rien au monde.

Hall fronça les sourcils :

— Vous voulez transmettre des informations aux Allemands ? Des informations qu'ils croiront top secret ? Des informations relatives à certains navires ?

— Non, à un seul navire, dit Churchill, enchanté du désarroi de son officier de renseignements. Lorsque nos bâtiments commenceront à riposter contre les sous-marins, comment réagiront les Allemands, à votre avis ?

— Ils tireront sans préavis. Ils n'auront pas le choix.

Soudain Hall eut la révélation :

— Vous aimeriez qu'ils ouvrent le feu sur un bâtiment en particulier ? Et vous comptez vous servir du code radio pour les mettre sur sa piste ? Puis-je vous demander à quel navire vous songez ?

— Bien sûr, répondit Churchill. A un navire qui entraînera l'entrée en guerre des États-Unis. A nos côtés.

New York

TOUTE activité cessa, et chacun se tourna vers les rives de l'Hudson : le *Lusitania* venait de doubler la pointe de Manhattan. Les employés de bureaux et les courtiers en bourse quittaient leur siège et se pressaient contre les fenêtres. Sur les quais, les dockers abandonnaient leurs marchandises pour se regrouper au bord de l'eau. Et, dans les rues du West Side, les badauds se précipitaient en direction des quais pour admirer le spectacle.

Les New-Yorkais l'avaient surnommé « le Lévrier » — à juste titre, puisqu'il était le navire le plus rapide du monde. Il n'était pas le plus grand : l'*Olympic*, frère jumeau du *Titanic*, l'emportait tant en longueur qu'en largeur. Mais le Lévrier avait une allure de géant. La coque noire effilée se dressait à la hauteur d'un immeuble de cinq étages. Elle était surmontée par trois ponts, d'un blanc éclatant, et par quatre énormes cheminées qui représentaient l'équivalent de sept étages supplémentaires. Bref, le Lévrier rivalisait avec les plus hauts gratte-ciel de Manhattan.

William Day entendit son coup de sirène lugubre tandis que

les remorqueurs se portaient à son aide. Ils le traînèrent lentement en direction des quais de la compagnie Cunard. Deux jours seraient nécessaires pour embarquer sa cargaison et remplir ses soutes de charbon. Puis les passagers monteraient à bord, et le paquebot repartirait vers les solitudes hostiles et glacées de l'Atlantique Nord.

Sous le regard de Day, la coque noire s'approchait du quai, masquant le soleil et plongeant dans l'ombre les bureaux de la compagnie Cunard. Tout là-haut, sur la passerelle, son commandant amenait prudemment le *Lusitania* contre le quai, tout en douceur. La prudence de Daniel Dow était légendaire et lui avait valu le sobriquet de « capitaine Beau-Temps ». C'était d'ailleurs cette prudence qui expliquait la présence de Day dans les bureaux de la Cunard.

Charles Sumner, le représentant américain de la compagnie de navigation, se tenait derrière un bureau encombré de paperasses.

— Ah, commandant ! dit-il en guise de bienvenue.

Et il se mit à fouiller dans des piles de correspondance. Il finit par trouver le message télégraphique envoyé par le *Lusitania* juste avant d'entrer dans le port de New York.

— Je ne sais pas ce qu'on attend de moi, dit-il en tendant la feuille à Day.

A mon arrivée, demande informations précises concernant réaménagement du *Lusitania*. Demande à avoir accès aux cales scellées sur ordre d'Amirauté. Refuse d'appareiller avant d'être rassuré sur sécurité navire et cargaison.

DANIEL DOW,
commandant

— Comme si le *Lusitania* ne me causait pas déjà assez de soucis ! dit Sumner. Alfred Booth me harcèle constamment à propos des dépenses. Du charbon jusqu'aux huîtres.

— Qu'est-ce que ça signifie ? demanda Day en lui rendant le message.

— Rien de plus que ce qui est écrit, répondit Sumner. Dow est le seul responsable à bord, et il ne peut assumer cette responsabilité s'il n'est pas informé de tout ce qui se passe à bord.

— Quel genre d'homme est-ce ?

Sumner ricana :

— Le genre vieille pimbêche. On l'a surnommé capitaine Beau-Temps parce qu'il est prêt à se dérouter de cent milles pour éviter un grain.

— Peut-on lui faire confiance ?

— Confiance ? Vous voulez dire…

Sumner fut interrompu par sa secrétaire :

— Le commandant Dow est arrivé.

Beau-Temps entra dans la pièce. Il était si frêle qu'on se demandait comment un si petit homme pouvait commander un pareil navire. Aussitôt, son regard méfiant se porta alternativement sur ses deux interlocuteurs.

— Je vous présente le capitaine de frégate William Day, de l'Amirauté, dit Sumner.

Day prit bien garde de ne pas broyer la main délicate aux ongles manucurés que Dow lui tendit.

— J'ai lu votre message, dit-il. Avez-vous un problème à bord du *Lusitania* ?

— Un problème ? répliqua le capitaine Beau-Temps sur un ton sarcastique. Il n'y a que des problèmes. Depuis qu'il est passé dans vos chantiers, ce n'est plus le même navire.

— C'est ridicule, rétorqua Sumner.

Dow s'adressa alors à William Day, avec l'espoir qu'un marin comprendrait mieux ses soucis :

— Le *Lusitania* a toujours été sujet au roulis. Mais même dans les mers les plus fortes, il retrouvait aussitôt son assiette. Maintenant, il est instable et n'est pas sûr. Comme je navigue avec des soutes à charbon à moitié vides, il est trop lourd en haut. Pis encore, la proue fait des embardées. Impossible d'avancer en ligne droite.

— Je suppose que vous ne rencontrez ces difficultés qu'à l'aller, lorsque vous traversez l'Atlantique à vide ?

— C'est effectivement plus prononcé à l'aller, dit Dow. Pour le retour en Angleterre, la cargaison que nous rapportons rétablit un peu l'équilibre. Mais un autre problème se pose alors : ces cargaisons de dernière minute qui sont scellées à fond de cale avant que j'aie le temps de les inspecter. Comment puis-je assurer la sécurité de mon navire si j'ignore ce que je transporte ?

Il se tourna vers Sumner :

— Je ne marche plus. J'exige d'examiner ma cargaison.

— Commandant Dow, dit Sumner sur un ton sévère, puis-je vous rappeler que votre pays est en guerre ? Ces cargaisons…

Day lui coupa la parole :

— Je suis d'accord avec le commandant Dow. Je possède les clefs de tous les espaces réservés à l'Amirauté. Voulez-vous les inspecter maintenant ?

Cette réponse stupéfia Dow et plus encore Sumner qui, malgré son poste, n'avait pas l'autorisation d'accès à ces nouveaux espaces.

Day et le commandant montèrent donc à bord du *Lusitania* et contournèrent l'immense rotonde qui, telle une coupole, s'élevait au-dessus de la salle à manger des premières classes. Ils passèrent devant les deux ascenseurs qui desservaient les cabines de luxe des deux étages inférieurs, ainsi que les salons, les bibliothèques et les salles de concert des deux étages supérieurs. Parvenus à l'avant, ils s'engagèrent dans un escalier qui s'engouffrait dans les profondeurs du paquebot. Ils descendirent deux niveaux, traversèrent le salon du troisième étage et parvinrent devant une porte blindée et cadenassée. Une petite plaque métallique indiquait : ENTRÉE INTERDITE PAR ORDRE DE L'AMIRAUTÉ. Day sortit un trousseau de clefs, ouvrit le cadenas et poussa le battant. Dow prit la tête, croyant emprunter le couloir menant aux cabines de troisième classe. Il s'arrêta si brusquement que Day se heurta à lui.

Les cabines avaient disparu ! Les soixante cabines, prévues pour accueillir près de deux cents passagers, s'étaient envolées. A leur place s'étendait une cale de trente mètres de long.

— C'est la même chose sur le pont inférieur, lui dit Day.

— Et la soute à charbon transversale ? demanda Dow.

— Supprimée. C'était un espace trop précieux pour ne pas l'utiliser.

Dow regardait autour de lui et évaluait les espaces ainsi libérés.

— Vous avez fait sauter toutes les cloisons et dégagé une partie des six ponts. Il ne reste qu'une coquille vide.

— Oui, acquiesça Day. C'est la cause des embardées que vous subissez à l'aller. Ces cales nous servent à transporter du matériel de guerre.

— Quel type de matériel ?

— Des obus. Des cartouches de fusil. Des viseurs…

— Des obus ? répéta Dow, de plus en plus pâle.

— Ils ne présentent pas de danger particulier en eux-mêmes. Nous stockons les explosifs nettement au-dessus de la ligne de flottaison, de manière à les mettre hors de portée des torpilles. Or, le seul risque éventuel viendrait d'un coup direct.

Dow secoua la tête, incrédule :

— S'il n'y a aucun danger, pourquoi toutes ces cachotteries ?

— Parce que nous sommes en pleine illégalité. Les lois américaines ne nous autorisent pas à transporter du matériel de guerre sur un paquebot.

— J'en ai assez vu, dit Dow en pivotant sur les talons.

Il attendit d'être sur la passerelle de débarquement pour annoncer sa décision :

— J'appareillerai à la date prévue. J'apprécie votre franchise. Les mensonges de l'Amirauté et des propriétaires de la Cunard commençaient à me fatiguer.

— Ils voulaient juste vous protéger, répondit Day. Je vous ai confié un secret d'État. Si jamais vous en souffliez mot à qui que ce soit, vous finiriez la guerre dans une prison militaire.

En milieu d'après-midi, le chauffeur de sir Peter Beecham vint chercher William Day à la gare de Long Island. Lorsqu'ils arrivèrent à la propriété, la nuit commençait à tomber.

Day et son hôte dînèrent sur des plateaux tout en travaillant devant la cheminée de la bibliothèque. Sir Peter consultait la liste de tout ce que devaient lui fournir les industriels américains, Day celle des navires réquisitionnés. Le but était de coordonner les livraisons et les appareillages.

Jennifer faisait les cent pas dans le couloir. Chaque fois qu'elle passait devant la porte close, elle tendait l'oreille avec l'espoir que la réunion touchait à sa fin. Mais elle n'entendait que l'écho d'une conversation très ennuyeuse.

En descendant préparer du thé, Anne surprit sa fille l'oreille collée à la porte.

— Jennifer ! s'écria-t-elle.

Celle-ci leva les yeux au ciel, exaspérée.

— William a fait tout ce chemin pour me voir et papa le garde enfermé dans la bibliothèque pendant toute la soirée.

Elle suivit sa mère dans la cuisine.

— Le commandant Day n'est pas venu te voir. Il est venu

voir ton père. Ils doivent discuter de questions très importantes.

— Ils pourraient tout de même attendre demain.

Anne se fâcha :

— Cela ne te regarde pas.

— Tout ce qui concerne William me regarde ! s'exclama la jeune fille.

Les deux femmes se défièrent en silence. Anne était choquée par la violente repartie de sa fille, tandis que Jennifer refoulait ses larmes. Soudain elle tourna le dos à sa mère et se précipita dans le salon de musique. Quelques secondes plus tard, on l'entendit marteler une berceuse sur le piano.

Anne entra le plus discrètement possible dans la bibliothèque et posa le plateau d'argent sur le bureau. Elle avait l'habitude de servir le thé elle-même à la place des domestiques : c'était une marque de tendresse à l'égard de son mari.

— Nous avons presque terminé, dit sir Peter.

Comme la musique pénétrait par la porte entrouverte, il demanda :

— Quel est ce boucan infernal ?

— C'est votre fille qui nous dévoile ses talents artistiques. Elle a hâte de vous voir, commandant Day. Peut-être espère-t-elle abréger votre séance de travail avec ce vacarme.

Day regarda Anne puis son mari.

— Voulez-vous bien m'excuser, sir Peter ?

Celui-ci acquiesça d'un signe de tête et referma sa serviette pendant qu'Anne remplissait sa tasse.

— Je suppose que le commandant ne prendra pas de thé ? dit-elle.

— Je ne pense pas, répondit sir Peter. Servez-vous, Anne, nous le prendrons tous les deux.

Tandis qu'ils étaient assis tranquillement, Anne cherchait un moyen d'aborder le sujet qui la tourmentait. En fin de compte, elle décida d'attaquer de but en blanc :

— Je suppose que vous avez remarqué la forte impression que cet officier de marine a produite sur Jennifer.

Sir Peter eut un petit rire :

— Disons qu'elle a un béguin. Après tout, c'est encore une enfant.

— Elle a dix-huit ans. Et j'en avais dix-neuf lorsque j'ai commencé à avoir le « béguin » pour vous.

— La situation est très différente. Nous étions du même monde. Dieu du ciel, ce sont nos parents qui nous avaient présentés.

— Vous vous imaginez que votre fille se soucie de savoir de quel milieu vient le commandant Day? dit Anne. J'espère que vous ne sous-estimez pas le danger.

— Faites-moi confiance, dit sir Peter d'une voix rassurante. Je travaille en étroite relation avec le commandant Day. S'il était amoureux de notre fille, je m'en serais rendu compte.

GUIDÉ par la cacophonie, Day entra dans le salon de musique, s'approcha du piano et s'arrêta derrière Jennifer.

Elle plaqua encore quelques accords, puis bondit sur ses pieds et lui jeta les bras autour du cou.

— Oh! William, comme vous m'avez manqué!

— Vous aussi, vous m'avez beaucoup manqué.

Il tenta de faire naître un sourire sur le visage mouillé de larmes.

— En fait, la ville entière vous regrette. Delmonico songe à fermer pour la saison.

— Je me moque des gens. Il n'y a que vous qui comptiez pour moi. Je pensais que vous viendriez me rendre visite.

— Je n'ai pas pu, dit Day. J'ai une tâche à accomplir.

— Je sais que vous n'avez pas beaucoup de temps. Si j'étais restée en ville, je pourrais profiter de vos moindres moments de liberté.

Pour se protéger des oreilles indiscrètes, elle lui prit la main et l'entraîna vers les portes-fenêtres donnant sur la terrasse.

— Venez, dit-elle.

Il sentit le courant d'air glacé dès qu'elle ouvrit la porte.

— Jennifer, vous allez attraper une pneumonie.

Ils marchèrent jusqu'à la balustrade qui bordait la pelouse. Day retira sa vareuse et la posa sur les épaules de la jeune fille.

— J'ai une amie qui habite Manhattan, murmura Jennifer. Elle accepte de m'héberger. Ainsi nous pourrions être ensemble quand vous aurez un peu de temps à vous.

— Vous n'allez pas attendre pendant des semaines que j'aie quelques heures à vous consacrer. Il y a tant de choses passionnantes à faire dans la vie.

— **Sans vous**, rien ne me passionne, s'exclama-t-elle.

Day préféra détourner la conversation :

— Votre père est-il d'accord pour que vous retourniez à Manhattan, et habitiez chez une amie ?

— Il n'est pas encore au courant.

Elle l'observait avec anxiété, attendant son approbation.

— Vous arrivez toujours à vos fins ? demanda-t-il.

Les yeux de Jennifer s'agrandirent sous l'effet de la surprise.

— Je croyais que c'était aussi votre souhait.

Day se pencha sur la balustrade et laissa son regard errer à la surface de l'eau.

— Il y a tellement de choses que je voudrais obtenir. Je voudrais avoir un commandement. Je voudrais reprendre le combat. Je… je voudrais aussi rester auprès de vous.

Il se retourna vers elle :

— Mais tout cela est inaccessible. J'ai bien peur qu'aucun de mes souhaits ne soit exaucé.

— Vous pensez que je suis égoïste ?

— Non, impatiente. Je pense que vous voulez tout obtenir, et tout de suite.

— Ce n'est pas vrai, dit Jennifer. Si vous me demandez de vous attendre, je le ferai, aussi longtemps qu'il le faudra.

Les yeux levés vers son visage, elle le suppliait de répondre. Il la prit dans ses bras et l'embrassa avec une douceur infinie.

Sir Peter éparpilla les cendres avec le tisonnier pour éteindre le feu. Lorsqu'il se redressa, il aperçut Jennifer et William Day sur la terrasse. La lumière provenant du salon de musique dessinait leurs silhouettes. Sa fille était dans les bras de l'officier.

Il aurait dû se mettre en colère. Mais, au contraire, la façon dont Day tenait Jennifer enlacée lui causa une grande tristesse. Elle paraissait si fragile dans cette immense vareuse aux galons et aux boutons dorés. Et Day, malgré sa force presque animale, la tenait avec une telle délicatesse, comme s'il avait eu entre les mains un cristal précieux. Plus que l'urgence de la passion, leur baiser révélait la tendre complicité d'un souffle partagé. Beecham comprit alors ce que sa femme avait depuis longtemps deviné. Peu importait que leur fille se soit éprise du prince charmant. Le drame, c'est que Day était éperdument amoureux d'elle. Tout cela était si absurde qu'il se sentit accablé de chagrin.

Un peu plus tard, sir Peter et Jennifer raccompagnèrent Day

jusqu'à l'automobile qui devait le reconduire à la gare. La jeune fille s'appuya contre son père lorsque le véhicule disparut. Il lui prit la main et la serra dans la sienne, comme si tous deux partageaient une perte cruelle.

Au milieu de la nuit, sir Peter se releva et alla dans la bibliothèque. A la lueur diffuse de sa lampe de bureau, il écrivit une lettre au premier lord de l'Amirauté.

Mon cher Winston,

Puis-je vous demander de me rendre un service personnel en rappelant le capitaine de frégate William Day, actuellement attaché maritime auprès de notre délégation de New York ?

Le commandant nous a apporté une aide inestimable. Son intelligence, son énergie et sa compétence sont dignes des plus grands éloges. Ma requête est motivée par le souci de préserver l'équilibre de mon foyer, et ne doit donc en aucune façon nuire à sa carrière. J'espère qu'il recevra une affectation à la hauteur de son mérite et à l'abri du danger. Sa perte me ferait autant de peine que s'il s'agissait de mon propre fils.

Sir Peter glissa la lettre dans une enveloppe qu'il scella et adressa à Churchill. Le lendemain, elle partirait dans la valise diplomatique qui devait être embarquée à bord du *Lusitania*.

Chapitre 4

Washington

— L'AMBASSADEUR von Bernstorff et le commandant von Papen, annonça le secrétaire de Robert Lansing.

Lansing supportait von Bernstorff : c'était un raseur, mais qui faisait preuve de bonne volonté. En revanche, il ne pouvait souffrir son attaché militaire. Franz von Papen était la copie conforme, en plus jeune et en beaucoup plus petit, de l'empereur Guillaume II. Il se prenait pour le prototype de l'officier allemand, lequel représentait à ses yeux l'aboutissement de l'évolution humaine. Il ne quittait jamais son grand uniforme : une tunique bleu foncé avec un col brodé d'or de dix centimètres de haut, des épaulettes à frange et une collection de médailles en travers de la poitrine. Il portait en permanence un sabre au côté et un casque à pointe incrusté de cuivre qui le grandissait d'une bonne douzaine de centimètres.

Le commandant Franz von Papen était toujours en service commandé. Incapable de mener une véritable conversation, il aboyait des ordres plus qu'il ne parlait. Et quel que fût le sujet abordé, il ne pouvait y avoir qu'une seule opinion pertinente : la sienne.

Lansing fit le tour de son grand bureau en acajou et dit d'une voix doucereuse :

— Comte von Bernstorff, quelle joie de vous revoir !

L'ambassadeur esquissa un sourire.

— Et le commandant von Papen. Quel plaisir !

L'officier lui répondit par un vigoureux claquement de talons. Il inclina le buste vers l'avant, comme s'il avait voulu embrocher Lansing de la pointe de son casque, puis se redressa avec une raideur d'automate.

Lansing retourna derrière son bureau et leur désigna deux fauteuils :

— Asseyez-vous, messieurs.

L'ambassadeur s'installa. L'opération fut plus compliquée pour von Papen, qui dut passer son sabre sous l'accoudoir avant de pouvoir se percher sur le rebord du siège, raide comme un bout de bois.

— A quoi dois-je attribuer l'honneur de cette visite ? demanda Lansing.

— Nous avons des informations fâcheuses concernant la politique maritime du gouvernement britannique, commença von Bernstorff.

Il se tourna vers von Papen, qui sortit une chemise grise de sa serviette de cuir et la jeta sur le bureau de Lansing.

— Ces ordres de l'Amirauté ont été trouvés à bord d'un vapeur anglais arraisonné par un de nos navires de guerre, dit von Papen.

Lansing prit un air soucieux et ouvrit la chemise. Pendant qu'il lisait, von Bernstorff lui soumit ses commentaires :

— Le premier document ordonne aux capitaines de la marine

marchande britannique de naviguer sous pavillon neutre, ce qui constitue une violation flagrante des conventions internationales. Vous noterez que leur préféré est celui des États-Unis.

Il attendit que Lansing fût passé à la page suivante pour continuer :

— Le deuxième interdit aux capitaines de se prêter aux fouilles — tout à fait légales — pratiquées par les sous-marins allemands. En cas de rencontre, ils doivent au contraire passer à l'attaque.

— C'est très troublant, reconnut Lansing.

Il lut le troisième document, qui exigeait que tout navire de commerce entrant dans certains ports fît relâche plusieurs jours afin qu'on pût installer un canon sur sa dunette. Puis il referma la chemise en préparant sa défense.

— Je vais attirer l'attention de l'ambassadeur de Sa Majesté sur ces instructions. Si elles sont authentiques, mon gouvernement protestera contre l'emploi du pavillon américain.

— Elles sont parfaitement authentiques, répliqua von Papen. A l'évidence, le gouvernement britannique ne respecte plus les lois de la guerre navale.

Lansing fit la moue :

— Je ne suis pas sûr de partager votre point de vue.

— Pourtant cette conclusion s'impose. Si les paquebots et les cargos britanniques ignorent les coups de semonce de nos sous-marins, ceux-ci n'auront pas d'autre choix que de les envoyer par le fond.

— Commandant von Papen, dit Lansing, les yeux brillant de colère, ces documents sont peut-être authentiques, mais ils n'autorisent en aucune façon les sous-marins allemands à attaquer des navires sans avoir assuré la sécurité des civils.

— L'Angleterre essaye d'entraîner nos sous-marins dans des incidents avec des bâtiments neutres, dit von Papen. Nous insistons pour que vous fassiez savoir aux Anglais que vous les considérerez comme entièrement responsables de la mort de citoyens américains.

Robert Lansing dut faire appel à toute sa dignité pour rester assis.

— Commandant, nous ne pouvons pas considérer l'Angleterre comme responsable d'événements qui ne se sont pas encore produits.

Von Papen se pencha au-dessus du bureau et posa son index ganté de blanc sur la chemise grise.

— Les ordres ont déjà été donnés, Herr Lansing. Si les pays neutres ne sont pas capables de convaincre les Britanniques d'annuler ces ordres, l'Allemagne devra à son tour renoncer aux conventions.

Lansing s'adressa à von Bernstorff :

— Monsieur l'ambassadeur, votre attaché militaire menace les citoyens américains d'attaques sous-marines.

Le comte, en plein désarroi, observait ses deux compagnons. Von Papen se leva brusquement.

— Herr Lansing, la menace vient de l'Angleterre et non pas de l'Allemagne. Voulez-vous être assez bon pour transmettre notre point de vue au Secrétaire d'État ?

Et il prit sa serviette sous le bras. Comprenant que son adjoint venait de suspendre la réunion, l'ambassadeur quitta son fauteuil. Lansing l'imita, tout en lançant un regard assassin au minuscule seigneur de la guerre prussien. Les talons de von Papen claquèrent comme un coup de fusil. Il sortit d'un pas martial, suivi de l'ambassadeur en déroute.

— Nom d'un chien ! jura Lansing dès que la porte se fut refermée.

Il saisit la chemise grise et l'abattit sur son bureau. Comment les Anglais avaient-ils pu consigner par écrit des instructions aussi illégales ? Sans l'ombre d'un doute, ces documents étaient authentiques. Si William Jennings Bryan montrait ce dossier au président Wilson, celui-ci n'aurait pas le choix. Il serait obligé d'interdire aux Américains de voyager sur des paquebots britanniques et de refuser l'accès des ports aux navires de commerce équipés de canons. Il devrait aussi exiger des Anglais qu'ils renoncent à employer le pavillon américain. L'Amérique cesserait par conséquent d'apporter son soutien matériel aux pays qu'elle favorisait en secret. Et cela signifiait pour Lansing la ruine de ses ambitions politiques, puisqu'il ne serait plus en mesure d'aider certains industriels et banquiers à s'enrichir en vendant des armes à l'Angleterre.

Il rangea la chemise dans l'un de ses tiroirs. Lors de sa prochaine réunion avec le Secrétaire d'État, il mentionnerait simplement que von Papen s'était emporté à propos de prétendues instructions britanniques, des faux grossiers.

Londres

Lorsque le capitaine de vaisseau Reginald Hall entra dans le bureau de Churchill, celui-ci était occupé à estimer les stocks de matériaux stratégiques entreposés dans les arsenaux de la marine. Les chiffres étaient si désespérants qu'il en avait perdu son optimisme habituel. Faute de coton-poudre, il faudrait renoncer d'ici à trois mois à poser de nouvelles mines dans la Manche et le long des côtes de la mer du Nord. L'épuisement généralisé des réserves représentait un péril encore plus mortel que l'armée allemande.

— J'espère que vous m'apportez de bonnes nouvelles, grommela-t-il sans même lever les yeux sur son visiteur.

— Je pense que oui, dit le commandant Hall en s'asseyant. Nous avons peut-être trouvé la boîte aux lettres que vous souhaitiez.

— Un moyen de transmettre des informations aux Allemands ? demanda Churchill. Où cela ?

— En Irlande, répondit l'officier de renseignements. Les Allemands semblent connaître notre trafic grâce à la station de radio de Crookhaven.

Un sourire malicieux se dessina sur le visage du premier lord de l'Amirauté.

— J'aurais dû m'en douter. Ces damnés républicains ! Comment avez-vous découvert le pot aux roses ?

— Nous avons commencé par inventer un navire imaginaire, dit Hall sur un ton triomphant. Ensuite, nous lui avons envoyé des messages à partir de plusieurs émetteurs et en utilisant des codes différents. Bien sûr, nous écoutions en permanence les fréquences employées par les sous-marins allemands. Dès le premier message émis par la station de Crookhaven, nous nous sommes aperçus que les Allemands mentionnaient notre navire fantôme. Nous avons alors inventé d'autres bâtiments, et nous leur avons transmis des télégrammes par l'intermédiaire de Crookhaven. Quel que fût le code employé, les Allemands étaient chaque fois mis au courant.

— Ce n'est pas qu'ils ont déchiffré nos codes. Ils disposent d'un espion en Irlande.

— Exactement.

— Vous avez des soupçons ? demanda Churchill.

— C'est assez délicat. L'amiral Coke reçoit les informations relatives au trafic irlandais à Queenstown. De là, elles sont transmises par téléphone à la station de Crookhaven. Il y a donc deux possibilités : soit les républicains irlandais ont mis nos lignes de téléphone sur écoutes…

Hall fit la grimace avant d'ajouter :

— Soit c'est l'un des nôtres.

Churchill alluma un cigare avec des gestes méticuleux et commença à fumer comme une locomotive.

— Pour l'instant, laissez courir. J'aimerais connaître l'identité de l'espion, mais je veux qu'il continue à opérer.

— Est-ce que nous allons lui fournir des renseignements erronés ?

— Non, répondit le premier lord. Les renseignements doivent être exacts. Je ne veux pas que les Allemands se doutent que nous avons découvert l'origine des fuites.

— Très bien, je ne chercherai pas cet espion avec trop de zèle. Néanmoins, je dois envoyer quelqu'un là-bas, ne serait-ce que pour sauvegarder les apparences.

— Voulez-vous un officier aux états de service impeccables ? demanda Churchill avec un grand sourire.

Il fouilla dans un des tiroirs de son bureau, en sortit une lettre et la tendit à Hall.

— On m'a demandé de trouver une affectation pour ce capitaine de frégate. Un poste où il ne risque pas sa vie.

Hall lut la lettre de sir Peter.

— William Day. N'est-ce pas le type qui a sauvé une demi-douzaine de naufragés lors du torpillage de l'*Aboukir* ?

Churchill hocha la tête affirmativement :

— Un excellent officier. Nous pourrions le nommer auprès de l'amiral Coke, à Queenstown, et suggérer à celui-ci de lui confier la côte sud.

Le commandant Hall se leva. Au moment de quitter la pièce, il se retourna.

— Vous êtes conscient, bien entendu, qu'en nous servant de Crookhaven, nous risquons de livrer un de nos navires aux Allemands. Ce serait un désastre.

Churchill ôta le cigare de sa bouche.

— Si nous leur livrons le bon navire, ce sera effectivement un désastre. Pour l'Allemagne.

— VIENDREZ-VOUS fêter Noël avec nous ? demanda sir Peter tout en fourrant un énorme dossier dans sa serviette.

Il se trouvait en compagnie de William Day dans son bureau du quatrième étage de la commission d'achats britannique. Le commandant regardait par la fenêtre la neige qui s'accumulait.

— Je ne voudrais pas m'imposer.

— C'est ridicule. Vous faites partie de la famille.

Il eut aussitôt conscience de sa maladresse. Tous deux savaient que c'était un mensonge. La veille, lorsque l'ordre de mutation était arrivé, sir Peter s'était lancé dans une diatribe contre l'Amirauté qui n'avait pas le droit de lui retirer un adjoint aussi précieux. Mais William était au courant de sa requête et il devinait que Beecham avait agi de la sorte pour éviter justement qu'il ne fasse un jour partie de la famille.

— C'est très aimable à vous, dit-il.

— Pas du tout, répondit Beecham en essayant de rattraper sa gaffe. Nous avons tous les deux besoin de vacances.

Leur travail acharné ne leur avait valu qu'un succès mitigé. Ils avaient commandé dans de bonnes conditions vingt mille fusées d'obus à retardement. Mais un marché de huit mille sacs de poudre noire leur avait filé entre les doigts quand les acheteurs allemands avaient renchéri sur leur offre finale. Et puis il y avait le problème du coton-poudre, un explosif d'une puissance dévastatrice. A deux reprises, ils avaient été sur le point d'obtenir la production totale des usines Du Pont de Nemours, mais chaque fois la compagnie avait augmenté ses tarifs.

— Vous aurez plus de chance l'année prochaine, dit Day sur un ton consolant. Les Allemands auront épuisé leur crédit avant nous.

Beecham enfila son pardessus.

— Je suis sûr que vous avez raison. La situation devrait s'améliorer. Il n'empêche que ce coton-poudre aurait été un beau cadeau de Noël pour Winston.

Day resta à la fenêtre jusqu'à ce qu'il eût vu sir Peter traverser la rue. Il se dirigea alors vers le bureau de ce dernier et chercha le contrat de fourniture de coton-poudre. Puis il prit sa casquette et son manteau, et referma la porte à clef derrière lui.

La neige avait commencé à tomber vers midi, et le blizzard

s'était levé. Day remonta Broadway vers le nord en luttant contre le vent. Avec un peu de chance, Harry Sinclair serait encore à son bureau.

Il entra dans le Nassau Building et prit l'ascenseur jusqu'au siège de la société Du Pont de Nemours, au cinquième étage. Une secrétaire aux formes généreuses l'accueillit à la réception et le conduisit au bureau d'Harry Sinclair.

Celui-ci était chauve et arborait une mine renfrognée.

— Bonsoir, commandant. Avions-nous rendez-vous ?

— Non, répondit Day en s'installant dans le fauteuil de cuir inconfortable qui faisait face au bureau de chêne d'Harry Sinclair. Je suis passé dans l'espoir que vous auriez une minute à m'accorder.

— Je ne peux guère vous consacrer davantage. Sir Peter n'est pas avec vous ?

— Non, en effet. Mais je pense que nous pouvons nous arranger entre nous.

— A propos du pyroxyle ?

Il avait employé le nom scientifique du coton-poudre.

— Faites-vous monter les enchères ?

— Non, dit Day en sortant le projet de contrat. J'espérais que vous accepteriez notre offre précédente. Je suis rappelé dans le service actif et cela me rassurerait de savoir que nous allons disposer du pyroxyle à la place des Allemands.

— Commandant, nous sommes un pays neutre, et il s'agit d'une simple transaction commerciale. Cela m'est égal de savoir qui emporte le pyroxyle. Je veux obtenir le meilleur marché possible.

Day déplia le contrat.

— Notre offre me semble généreuse. Elle est supérieure de soixante pour cent à votre prix ordinaire.

Harry Sinclair se leva pour lui signifier que l'entretien était terminé.

— Je vois que vous ne connaissez pas grand-chose aux affaires.

Day resta assis.

— Vous avez certainement raison. Mais vous, vous ne connaissez pas grand-chose à la guerre. Pendant que vos associés s'enrichissent, mes « associés » risquent leur vie. Sir Peter a déjà signé. Il ne vous reste plus qu'à en faire autant.

Il posa le contrat sur le bureau.

Sinclair jeta un coup d'œil sur le document, puis dévisagea Day d'un air incrédule.

— Je n'ai pas l'intention de signer quoi que ce soit.

— Vous êtes très courageux, monsieur Sinclair.

Day se leva lentement et alla fermer la porte à clef. Puis il traversa la pièce pour ouvrir la fenêtre en grand. Saisi par le courant d'air glacé, Sinclair se recroquevilla.

— Vous êtes fou? Qu'est-ce que vous fabriquez?

Day attrapa l'homme d'affaires ébahi sous les aisselles, l'extirpa de son fauteuil et l'emporta jusqu'à la fenêtre.

— Je bénéficie de l'immunité diplomatique, lui expliqua tranquillement l'officier en lui mettant la tête dans le vide. On ne peut que me renvoyer en Angleterre. Et sans coton-poudre, je serai plus en sécurité en prison.

— Vous ne pouvez pas faire ça! cria Sinclair.

Day le posa en équilibre sur le rebord de la fenêtre, lui prit les genoux et commença à le pousser vers l'extérieur. Sinclair poussa un hurlement épouvantable étouffé par les rafales de neige qui fouettaient la façade de l'immeuble. Les bras de Sinclair exécutaient des moulinets au milieu des flocons. Les mains de Day glissèrent vers ses chevilles.

— Je vais signer! C'est juré, je vais signer!

Après avoir feint un moment d'hésitation, Day le ramena à l'intérieur et alla le rasseoir dans son fauteuil. Sinclair avait les yeux exorbités. La neige fondait sur son crâne chauve et dégoulinait sur son visage.

— Fermez la fenêtre, dit-il d'une voix haletante.

Du menton, Day lui indiqua le contrat posé sur son bureau. Sinclair prit un stylo dans un tiroir et griffonna une signature tremblante au bas du document. Alors Day alla baisser la vitre.

— C'est une sage décision, dit-il en récupérant le contrat. Vous n'aurez qu'à raconter à vos associés que les Allemands n'ont pas pu tenir leurs engagements. De mon côté, j'expliquerai que vous avez voulu nous favoriser.

— Vous êtes cinglé! s'exclama Sinclair, encore sous le coup de la terreur.

Day réfléchit un bon moment.

— Dites plutôt désespéré. Oui, désespéré, c'est le mot exact. Nous vous enverrons le chèque juste après les fêtes.

Il ouvrit la porte.

— Vous l'auriez fait, bredouilla Sinclair. Vous m'auriez jeté par la fenêtre.

— Voyons, est-ce une façon de mener des affaires ?

SIR Peter avait joué les bons génies afin de donner aux fêtes de fin d'année une aura magique. Il avait supervisé le moindre détail : le rameau de houx accroché à chaque porte, la bougie disposée avec soin devant chaque fenêtre, les bas de laine suspendus au-dessus de l'âtre. Sans oublier l'arbre de Noël, bien entendu.

— Il n'a pas son pareil dans le monde, avait déclaré sir Peter.

Le magnifique épicéa, dont la cime frôlait le plafond du salon de musique à plus de quatre mètres de hauteur, était orné des sucres d'orge, des fruits et des rubans traditionnels. La veille de Noël, les petites bougies fixées au bout des branches illuminèrent la pièce d'une lueur chaleureuse.

Sir Peter se frotta les mains lorsque Anne trouva au pied de l'arbre un paquet minuscule contenant une bague ancienne en argent. Elle la passa à son doigt et la fit admirer avec une joie sincère. Ce fut ensuite son tour de découvrir le cadeau de sa femme : une épingle de cravate en or — la plus belle, à l'en croire, qu'il eût jamais vue.

— Et maintenant ? dit-il en tendant une boîte à Day. On dirait que le père Noël vous a aussi déposé un cadeau, William.

Day retira soigneusement le papier, en dépit des exhortations de Jennifer à le déchirer, et en sortit un coffret d'ébène muni d'un fermoir en or. A l'intérieur, une pipe d'écume d'une blancheur immaculée reposait sur un écrin de feutre.

— D'après Peter, expliqua Anne, tout commandant aime fumer une bonne pipe sur la passerelle de son bâtiment. Et nous savons tous que vous aurez bientôt un commandement.

Day souleva la pipe comme s'il s'était agi d'une relique.

— Rares sont les navires qui soient dignes d'accueillir un pareil objet.

Il se pencha alors pour saisir sous l'arbre une boîte plate et la remit à Anne. Elle y trouva un mouchoir brodé. A en juger par la chaleur de ses remerciements, elle rêvait de posséder un tel trésor depuis sa plus tendre enfance… Finalement, Day prit une enveloppe dans la poche de sa veste.

— Joyeux Noël, sir Peter.

Beecham haussa les sourcils. Il ouvrit l'enveloppe et en retira un document officiel.

— Vous m'avez dit que ce serait un beau cadeau pour M. Churchill, lui rappela Day. J'ai pensé que vous le méritiez plus que lui.

Sir Peter parcourut le contrat qu'il connaissait par cœur et vit la signature d'Harry Sinclair apposée au bas de la dernière page.

— Nous avons le marché, dit Day. Livraison le 1er mai.

— Mais comment…

— J'ai fait appel à ses instincts les plus nobles.

Beecham s'aperçut que sa femme et sa fille avaient un air intrigué.

— Il s'agit d'un contrat très important que je croyais avoir perdu, leur expliqua-t-il. William a réussi à me l'obtenir.

Il se tourna vers Day, bafouilla quelques mots, hocha la tête en signe d'impuissance, puis parvint à dire :

— Je pense que nombreux sont ceux qui voudraient vous remercier.

William ne donna son cadeau à Jennifer que lorsqu'ils se retrouvèrent seuls tous les deux, dans l'allée enneigée menant aux écuries. Toutes ses économies y étaient passées, car il voulait lui faire comprendre à quel point elle comptait pour lui. Mais n'était-ce pas absurde de se comporter ainsi avec une jeune fille qu'il ne reverrait sans doute jamais ?

Elle ouvrit le paquet avec empressement et découvrit avec stupeur un rang de perles.

— Mettez-les-moi autour du cou, dit-elle en lui tournant le dos. Je crois que je ne les retirerai plus jamais.

Il éclata de rire lorsqu'elle se retourna vers lui, le collier accroché par-dessus son manteau.

Jennifer prit alors dans sa poche un petit paquet carré garni de dentelle.

— Et voici pour vous, William.

Il l'examina avec curiosité et en sortit une lourde chevalière en or gravée à ses initiales.

— Eh bien, voilà quelque chose que *moi*, je ne retirerai jamais. Elle est magnifique.

Il s'apprêta à glisser la chevalière à son annulaire.

— Lisez d'abord l'inscription, dit-elle en la retournant.

Avec l'index, elle lui montra les mots : AMOUR ÉTERNEL, JENNIFER.

Le poing de Day se referma lentement sur la chevalière. Ses muscles se raidirent, comme s'ils avaient lutté contre une vive douleur. Elle lui prit la main, et peu à peu il se détendit.

— C'est la vérité, dit-elle. Je vous aimerai toujours. Et vous, m'aimez-vous ?

Day considéra la chevalière.

— Si j'étais digne de l'estime que me porte votre père, j'aurais la force de vous dire : « Non, je ne vous aime pas. » Voilà ce que je devrais vous répondre.

— C'est donc que vous m'aimez, dit-elle gaiement. Et quand on est amoureux, cela change tout. Vous ne croyez pas ?

Il la regarda avec tristesse.

— Non, cela ne change pas tout.

Elle se lança alors dans le discours qu'elle répétait depuis plusieurs jours :

— Je sais que vous allez partir et que nous ne nous verrons plus pendant de longs mois. Mais en ce moment, des milliers de femmes attendent celui qu'elles aiment. Je sais aussi que le destin peut nous séparer. C'est pourquoi nous devons profiter des derniers instants qu'il nous reste à être ensemble.

Il mit la chevalière à son doigt, puis lui prit la main et l'entraîna vers les écuries.

— Il y a un an encore, dit-il, tous les officiers de marine étaient des fils de famille. Je dois mes galons à la guerre, parce qu'il fallait beaucoup de monde pour commander les navires. Quand la paix reviendra, chacun reprendra sa place. La société a ses règles, que personne ne peut modifier. Jennifer, mon père est docker. Il porte de lourdes caisses sur son dos et les monte à bord des bateaux. La maison où je retournerai après la guerre est plus petite que cette écurie.

— Avec vous, je serais heureuse dans une écurie.

— Mais quand porteriez-vous vos perles ?

Elle dégagea sa main, furieuse :

— Vous vous moquez de moi !

Il essaya de la retenir mais elle recula, le visage baigné de larmes.

— Je ne me moque pas de vous, dit Day.

— Alors, ayez confiance en moi. Croyez-moi, je peux tout arranger.

— Non, je ne vous crois pas, répondit-il à contrecœur.

Rageusement, elle se détourna de lui, souleva son manteau et se mit à courir vers la maison.

Il voulut crier son nom mais seul un murmure s'échappa de ses lèvres. C'était fini. Et il savait que, tôt ou tard, il ne pouvait en être autrement.

Lorsque, à son tour, il rentra dans la maison, le salon de musique était désert, et l'arbre de Noël brillait des derniers feux d'un bonheur révolu.

HIVER 1915

Chapitre 5

Schull

EMMETT HAYES plissa les yeux derrière ses lunettes à monture d'acier et agita sa règle d'un air menaçant. Il toisa le petit rouquin, dont le visage devint pâle comme un linge.

— Terrance, tu as vraiment fait de ton mieux ?

— Oui, monsieur, murmura l'enfant.

Hayes regarda la page d'écriture posée sur son bureau. Après en avoir relu quelques lignes, il la repoussa avec une grimace.

— Eh bien, c'est insuffisant. Tu comprends ce que ça signifie ?

Le garçon frotta ses gros souliers l'un contre l'autre.

— Que je dois faire encore mieux.

Hayes saisit la feuille de papier et la lui fourra dans la main.

— Alors, vas-y ! Ce soir. Sans commettre la moindre faute. C'est clair ?

— Oui, monsieur, dit Terrance d'une voix blanche.

Il s'éloigna de quelques pas sur la pointe des pieds, puis détala à fond de train. En franchissant le seuil, il faillit se heurter au père Brendan Connors.

Le prêtre entra paisiblement dans la salle de classe, sa barrette bien droite sur ses cheveux blancs coupés court. Son ventre proéminent soumettait à rude épreuve les boutons de sa soutane.

— On aurait cru qu'il venait d'assister à un meurtre, Emmett.

L'instituteur enfila son pardessus et décrocha son parapluie du portemanteau.

— C'est un gamin paresseux, répondit-il.

— Vous êtes trop sévère, protesta le prêtre. Ce sont de simples paysans. En Irlande, c'est déjà bien qu'ils réussissent à apprendre leurs prières.

Emmett Hayes rassembla ses livres.

— Cela fait cinq cents ans que nous récitons nos prières, mon père. Il est temps que nous nous servions de nos têtes.

Connors éclata de rire :

— Vous terminerez dans la peau d'un saint, Emmett. Vous n'avez pas la foi, ni une once de charité. Mais je n'ai jamais vu un homme qui ait l'espérance aussi chevillée au corps.

Tout en fermant la porte de l'école avant de s'éloigner dans la rue étroite, l'instituteur, sourire aux lèvres, cria :

— Je n'ai pas d'espoir, mon père. J'ai un plan.

A Schull, Emmett était considéré comme un original. Sa tenue, costume et cravate, contrastait avec celle des autochtones, chemise de toile grossière et tricot informe. Sa petite taille et sa constitution délicate le distinguaient au milieu d'une population de costauds qui s'étonnaient de le voir avec des livres en permanence, eux qui ne savaient ni lire ni écrire. A quarante ans, il se comportait déjà comme le patriarche du village. Et cependant il était aimé, car, pour ces gens plongés dans l'ignorance, il représentait l'intelligence.

Il entra dans la crémerie.

— Sale temps, monsieur Hayes, dit James Corcoran de derrière son comptoir.

— Oui, plutôt vilain, monsieur Corcoran.

— Redoutable pour les rhumatismes, ajouta le crémier.

Emmett accrocha son parapluie et sortit son porte-monnaie.

— Je ne prendrai qu'un morceau de fromage aujourd'hui. Et un demi-litre de lait.

Corcoran posa un énorme fromage sur le comptoir et en coupa une portion avec un grand couteau.

Hayes prépara quelques pièces pendant que Corcoran emballait le fromage et le glissait avec la bouteille de lait dans un sac en papier. L'instituteur y fourra également ses livres et reprit son parapluie.

— J'espère que vos rhumatismes ne vous feront pas trop souffrir, monsieur Corcoran, dit-il.

Puis il referma la porte de la boutique derrière lui.

Une fois parvenu au bout de la rue principale, il tourna le dos à la mer et s'engagea dans une rue bordée de petites maisons de pierre qui s'élevaient à flanc de colline. Il habitait la dernière. La porte d'entrée, précédée de deux marches, ouvrait sur le salon. Il alla poser son sac sur la table de la cuisine.

Après avoir déballé le fromage, il le rangea dans la glacière avec le lait. Puis il emporta le papier d'emballage dans sa chambre, à l'étage.

Hayes ouvrit l'armoire avec une petite clef de cuivre suspendue à sa chaîne de montre. Sur une étagère étaient empilées plusieurs chemises amidonnées. Il en choisit une et retira le carton sur lequel elle était pliée. Une fois installé à son bureau, en face de la fenêtre, il recopia soigneusement les mots inscrits sur le papier d'emballage :

Cargo *Hampton*. Départ de Philadelphie le 8 janvier. Arrivée à Liverpool le 19 janvier. Escorte l'attendra à 10 milles au sud de l'îlot du Fastnet, le 18 janvier à 23 heures. Mission confiée au HMS *Juno*.

Une grille de codage était dissimulée entre deux épaisseurs de carton. Il consacra deux heures à substituer des lettres à celles du texte, de manière à le rendre incompréhensible.

Une fois son travail terminé, il replia la chemise autour du carton, la rangea dans la pile et referma l'armoire à clef. Il ne lui restait plus qu'à chiffonner le papier d'emballage et à le faire brûler dans un cendrier. Ensuite, il descendit à la cave avec le message chiffré.

La radio était cachée à l'intérieur d'une machine à coudre. Hayes souleva le couvercle et la mit en position. La pédale, par le biais de la courroie de transmission, actionna l'armature du générateur. L'aiguille se plaça sur la fréquence voulue. Il tapa un indicatif d'appel sur son manipulateur de télégraphe. Aussitôt, l'opérateur allemand répéta le signal afin de l'informer qu'il était prêt à recevoir son message.

Quand il eut achevé de transmettre les renseignements chiffrés, Hayes signa de son nom de code : Farfadet.

Crookhaven

— GARDE à vous !

Le chef radio Richard Gore roula du canapé décrépit et bondit sur ses pieds en reboutonnant sa vareuse. L'opérateur Tommy Hallyday, qui venait de crier le commandement, s'était figé sur place ; il tenait encore la théière avec laquelle il était occupé à remplir une tasse lorsque l'officier avait poussé la porte.

— Repos, dit Day en ôtant sa casquette détrempée.

— Bienvenue à la station de radio de Crookhaven, répondit Gore. Nous ne vous attendions pas avant ce soir. Sinon nous aurions fait un peu de rangement.

Day lui tendit la main :

— Capitaine de frégate William Day. Je suis parti de très bonne heure ce matin et je suis bien content d'être arrivé.

— Chef radio Richard Gore, dit l'officier marinier en lui serrant la main. Voici l'opérateur Hallyday. Voulez-vous qu'il vous serve une tasse de thé ?

— Pas tout de suite. J'aimerais d'abord jeter un coup d'œil.

La station de Crookhaven était située au sommet d'une falaise rocheuse de soixante mètres de haut, à la pointe sud-ouest de l'Irlande. A quelques kilomètres plus à l'ouest, le phare du cap Mizen était le premier signal lumineux destiné aux navires en provenance de l'Atlantique. Le portail de la station se trouvait à la sortie du petit village de Crookhaven, là où la route de Skibbereen se terminait en cul-de-sac. Les deux bâtiments étaient identiques aux maisons de pierre disséminées tout le long du littoral et auraient pu passer pour une ferme comme les autres sans les deux tours qui dressaient leurs silhouettes effilées à trente mètres au-dessus du câble de transmission.

La maisonnette dont Gore sortit en compagnie du commandant Day servait de centre de transmissions. Elle abritait le récepteur et l'émetteur — deux énormes caisses pleines de tubes étincelants — et deux bureaux munis de téléphones et de manipulateurs de télégraphe. L'une des chambres était affectée au codage.

Le personnel vivait dans l'autre bâtiment. On avait installé une rangée de lits étroits et de coffres individuels dans le grenier ; la salle du rez-de-chaussée, équipée d'un évier, d'un poêle et d'une table de cuisine, tenait lieu de mess.

— Nous sommes six, dit Gore en foulant l'herbe mouillée. Moi-même, deux opérateurs radio et trois matelots de deuxième classe qui montent la garde à tour de rôle.

— Seulement trois sentinelles ? Est-ce suffisant ?

— Je crois, commandant. Elles ont surtout un rôle dissuasif. Les habitants ne nous aiment guère, mais ils ne se mêlent pas de nos affaires. Notre chiffreur, Shiela McDevitt, les a à l'œil. C'est une Irlandaise. Elle a été élevée dans la région.

— Est-elle de service en ce moment ? demanda Day.

— Oh ! Elle est toujours de service. Nous n'avons pas d'autre chiffreur. Mais, vous comprenez, elle ne peut pas vivre avec six hommes. Elle habite près de Schull et vient tous les matins. Aujourd'hui elle est allée faire des emplettes. Nous voulions préparer un bon repas en votre honneur.

Ils marchèrent jusqu'au rebord de la falaise, dont l'à-pic surplombait la mer rugissante. Ils se trouvaient à la pointe occidentale de l'Europe, face à la voie maritime qui assurait la survie de l'Angleterre. Sans cette station de radio, le flot des approvisionnements se serait tari. Et pourtant, Day n'allait avoir sous ses ordres qu'une poignée de marins et un chiffreur doublé d'une gouvernante.

Il se dirigea vers le centre de transmissions, l'officier marinier sur ses talons. Lorsqu'ils tournèrent le coin du bâtiment, ils aperçurent une femme à bicyclette sur le sentier qui montait du portail.

— J'ai l'impression que notre chiffreur a fini ses emplettes, dit le commandant.

Shiela McDevitt avait du mal à progresser contre le vent, d'autant plus que son porte-bagages était lourdement chargé. Elle était vêtue d'un bonnet de laine, d'un gros chandail et d'une longue jupe. Elle descendit de bicyclette, le souffle court, et retira son bonnet, libérant une luxuriante chevelure rousse qui encadra son beau visage celte aux yeux d'un vert éclatant.

— Vous êtes sans doute le commandant Day ?

— Notre nouveau commandant de secteur, ajouta Gore.

— J'espère que vous aimez le poisson, commandant. Il n'y avait plus un seul morceau de bœuf dans les boucheries de Schull.

— Le poisson fera l'affaire, dit Day avec un sourire.

Le chef radio saisit le panier :

— Nous allons mettre le dîner en route.

— Pendant ce temps-là, dit Day à Shiela McDevitt, pourriez-vous me montrer la salle de codage ?

Une fois à l'intérieur, elle se débarrassa de son chandail, révélant ainsi un chemisier blanc à manches longues au col fermé d'un ruban vert. Cette jeune femme sportive, qui devait approcher de la trentaine, avait l'air très consciencieuse. Day en eut la confirmation quand elle lui demanda de produire son ordre de mission avant d'ouvrir la porte de la salle de codage.

La pièce était vide à l'exception d'un bureau à cylindre et d'un coffre-fort. Shiela expliqua au commandant que Queenstown lui transmettait les messages en clair grâce à une ligne téléphonique réservée à l'Amirauté. Elle sortait les livres du coffre, chiffrait les textes en fonction du code du jour, puis les remettait à l'opérateur radio. Le système fonctionnait aussi dans l'autre sens : l'opérateur lui donnait les messages envoyés par les navires et elle les décodait avant de téléphoner à Queenstown.

Day vit aussitôt le défaut de la cuirasse : il suffisait de mettre la ligne sur écoutes pour obtenir les messages en clair.

— Pourquoi vous servez-vous du téléphone ? Ne pourrait-on pas utiliser un porteur ?

— Je suppose que vous êtes venu par la route, répondit Shiela. Il faut presque une journée entière pour se rendre en automobile de Queenstown à Crookhaven.

Day hocha la tête, les sourcils froncés.

— Nous devons donc nous assurer de la sécurité de la ligne. Le chef radio m'a dit que vous connaissiez bien la région.

— J'y ai vécu jusqu'à l'âge de douze ans. Ensuite, ma famille est partie chercher du travail à Liverpool. C'est sans doute pour cette raison que l'Amirauté m'a mutée ici. Je n'étais pas revenue depuis dix-sept ans, mais rien n'a changé.

— Puis-je vous demander de me consacrer quelques heures par jour ? demanda Day. J'aimerais me familiariser avec le secteur. En particulier avec la côte.

— C'est vous qui commandez, répondit Shiela.

Day se présenta en civil le lendemain matin à la station.

— Par quoi voulez-vous commencer ? lui demanda Shiela.

— Par les ports de pêche. Je voudrais réunir une flottille de petits bateaux pour nous aider à combattre les sous-marins allemands.

Elle lui lança un regard ironique. Se doutait-il de ce qu'il allait trouver ?

Le spectacle qui l'attendait n'était guère engageant : une collection de vieux rafiots amarrés le long d'un ponton à moitié submergé par la mer. Des doris en bois avec de simples chevilles en guise de dames de nage. Des bateaux rouillés équipés de moteurs à un seul cylindre et de chaudières à bois. D'antiques goélettes aux voiles rapiécées.

Ils se tenaient dans la rue principale de Schull, tout en haut d'une pente herbue qui descendait jusqu'au port. Au-delà s'étendaient la baie de Roaringwater, parsemée d'îlots rocheux, et le cap Clear, noyé dans la brume.

— Ça devrait marcher, dit Day.

— Vous les croyez capables d'affronter des sous-marins ? s'exclama Shiela, incrédule.

— Ce n'est pas ce qu'on leur demande. Ils devront seulement empêcher les sous-marins de faire surface. Vous savez que ceux-ci doivent remonter au bout de quelques heures pour renouveler l'air et recharger leurs accumulateurs.

Ils passèrent le reste de la journée à visiter les villages battus par les vents, disséminés tout au long des falaises méridionales, depuis Glandore jusqu'à la pointe ouest du cap Mizen.

— Il y a un peu de pêche, lui expliqua Shiela. Et certains bateaux rapportent de petites cargaisons de Cork. Ce n'est que du cabotage. Aucun d'entre eux n'oserait s'aventurer au large.

Mais William Day ne songeait nullement à des navigations hauturières. Il s'intéressait plutôt aux eaux côtières fréquentées par les navires qui venaient d'Amérique et qui se dirigeaient vers le phare de Coningbeg et le canal Saint George.

Shiela lui montra un sloop de six mètres qui rentrait à grand-peine dans le port, le plat-bord presque au niveau de l'eau.

— Vous croyez qu'un sous-marin aurait peur de faire surface à côté d'un pareil rafiot ?

Day hocha la tête affirmativement :

— Oui. Les sous-marins sont sans défense au moment où ils émergent. Ils sont très vulnérables jusqu'à ce que leurs canonniers aient pu prendre position sur le pont. Même un bateau de ce genre, pourvu qu'il dispose d'une mitrailleuse, serait capable d'abattre leurs matelots à la sortie des sas.

— Mais ils n'ont pas de mitrailleuses.

— Je peux leur en fournir. Je peux aussi trouver des servants. Ce dont j'ai besoin, c'est de ces bateaux et de leurs équipages. Il suffirait que trois ou quatre ports de pêche acceptent de travailler pour nous.

— Ces gens-là ? s'exclama Shiela. Des Irlandais ? Vous vous figurez qu'ils vont abandonner leur gagne-pain pour aider la marine britannique ? A leurs yeux, c'est nous qui sommes leurs ennemis, et les Allemands des libérateurs.

— Nous les payerions. Certaines personnes bâtissent une fortune grâce à cette guerre. Pourquoi les Irlandais n'en profiteraient-ils pas un peu ?

Shiela eut un sourire sceptique :

— Je ne pense pas que vous arriviez à vos fins. Un pêcheur de Schull qui accepterait de l'argent des Anglais serait mis au ban de la communauté. Et ce serait pareil à Glandore ou à Baltimore.

Ils remontèrent dans leur automobile décapotable. Day démarra prudemment au milieu d'un groupe de gamins ébahis et descendit la rue principale.

— Si nous réussissions à recruter les habitants d'un village, dit-il, et s'ils commençaient à gagner de l'argent, tous les autres ports suivraient.

Shiela lui adressa un regard amical :

— J'ai peur que vous ne sous-estimiez les difficultés. Si quelqu'un décidait de vous aider, les républicains le lui feraient payer cher.

— Je n'espère pas convaincre les radicaux. Mais le reste de la population.

— Je suis née ici, répondit Shiela. J'ai des cousins à Schull qui refusent de m'adresser la parole parce que je suis devenue anglaise et que je suis revenue travailler pour les Anglais.

— C'est absurde.

Ils roulaient à présent sur la route côtière reliant Skibbereen à Crookhaven.

— Pourrions-nous tourner ici ? demanda Shiela en indiquant une petite intersection. Je voudrais vous montrer quelque chose.

Day s'engagea dans l'intérieur des terres. Il n'y avait pas un seul arbre à perte de vue et les monticules rocheux n'étaient séparés que par de rares prairies verdoyantes. Une impression sinistre se dégageait du paysage.

Shiela se pencha vers l'avant à l'entrée d'un virage.

— Vous pouvez vous arrêter quand vous voulez.

— Ici? demanda-t-il en freinant. Mais je ne vois rien de particulier.

Shiela descendit et commença à gravir un talus qui menait à un herbage.

Day la rattrapa :

— Où allons-nous?

— Au cimetière qui est juste devant nous.

Il n'y comprenait plus rien. Il n'y avait ni mur, ni portail, ni monument, ni même la moindre stèle. Soudain, il repéra une petite pierre tombale à moitié enfouie sous la végétation.

Shiela la lui désigna du doigt sans pour autant s'arrêter. Après avoir constaté qu'elle ne portait aucune inscription, Day se hâta de rejoindre la jeune femme. Une deuxième pierre l'attendait. Puis une troisième. C'est alors qu'il discerna les rangées irrégulières de tombes qui s'étendaient au loin, presque invisibles au milieu des touffes d'herbe bercées par le vent.

— C'est le cimetière des enfants, lui dit-elle.

— Des enfants? Seulement des enfants?

— Ils sont trois cents. La plupart n'ont même pas de pierre tombale. On les a enterrés ici voilà soixante-cinq ans, pendant la Grande Famine.

Devant ce spectacle, Day fut envahi par la colère :

— Pourquoi diable cet endroit est-il laissé à l'abandon?

— Qui s'en occuperait? répondit-elle d'un air de défi. Ils n'ont pas de famille. Personne ne connaît même leurs noms. Regardez, les tombes portent juste une date : 1851.

— Ils sont tous morts la même année?

— Oui, au pire moment de la Grande Famine. Il n'y avait plus de nourriture. Les parents mangeaient de l'herbe et réservaient les maigres ressources du sol pour leurs enfants. Quand les adultes sont morts, des centaines d'orphelins se sont mis à errer à travers le pays. Le gouverneur anglais, qui venait en tournée une ou deux fois par an, les a confiés à un de ses cousins. Un Londonien, si mes souvenirs sont exacts.

Day contemplait les minuscules sépultures.

— Nous ne les avons pas nourris?

— Le Parlement a bien essayé. Il a voté des crédits et confié l'argent au cousin. Celui-ci a tout empoché et n'a jamais quitté

Londres. Les enfants sont morts dans les pâturages, en tentant de brouter comme du bétail.

William mit un genou en terre et essuya la couche de saleté qui recouvrait l'une des pierres.

— Qu'est devenu le cousin?

— Je crois qu'il a réussi dans la finance et qu'il a été anobli.

Day parcourut lentement la travée. Il se pencha pour redresser une des pierres tombales, marcha jusqu'au bout, et revint par la travée suivante en tripotant sa casquette. Parvenu à la hauteur de Shiela, il s'arrêta et rencontra son regard.

— Je dois rentrer, lui dit-elle. Il y a peut-être des messages à chiffrer.

— Dans ce cas, j'attendrai que vous ayez fini et ensuite je vous raccompagnerai chez vous.

Day lui prit la main et la conduisit jusqu'à l'automobile.

Ils gardèrent le silence pendant le trajet. Day rangea l'automobile près du portail de la station. Tandis qu'ils rejoignaient à pied le centre de transmissions, il se tourna vers Shiela :

— Cela ne doit pas être facile de travailler pour les Anglais à un endroit où sont enterrés des enfants irlandais.

— J'ai une mission à remplir.

— Moi aussi. Et j'ai besoin de ces bateaux.

Shiela fit un signe d'assentiment.

— Je ferai tout mon possible, commandant. Je voulais juste que vous compreniez l'ampleur du problème.

Chapitre 6

Côte irlandaise

LE lieutenant de vaisseau Walter Schwieger leva ses jumelles et scruta la nuit limpide. Illuminée par des milliers d'étoiles, la ligne d'horizon se parait de reflets argentés. Aucun signe du cargo britannique *Hampton*, en provenance de Philadelphie avec à son bord une cargaison de poudre sans fumée et de matériel électrique. Il fallait être patient.

Le capitaine de frégate Bauer l'avait envoyé dans le secteur sud-ouest du cap Mizen après qu'un agent irlandais nommé

Farfadet eut intercepté les instructions du croiseur *Juno*, chargé d'attendre le *Hampton* à dix milles au sud du phare du Fastnet. Bauer avait ordonné à l'*U-20* de se positionner trente milles plus à l'ouest. Ainsi, il ne pourrait manquer le *Hampton* en route vers son rendez-vous.

La température était inférieure à 0° C. Du revers de la main, Schwieger chassa de sa barbe les cristaux de glace formés par son haleine. De nouveau, il balaya l'océan de ses jumelles.

C'est alors qu'il l'aperçut, de manière si nette qu'il se demanda comment il avait pu le manquer la fois précédente. A l'horizon, la coque sombre, la cheminée et les mâts du *Hampton* se découpaient sur le ciel lumineux. Schwieger se pencha au-dessus du panneau pour appeler son second, Willi Haupert, dans le poste de contrôle :

— Le voici. Plongée !

Il sauta dans le sas et referma le panneau en tournant le volant de verrouillage.

Le vacarme des diesels fit place au bourdonnement des moteurs électriques. L'eau se mit à gargouiller dans les ballasts. Puis la mer recouvrit le pont du *U-20*, et le silence s'établit.

— La barre au deux cent quatre-vingts, ordonna Schwieger pour orienter le sous-marin en direction de sa proie.

Il estima à cinq milles la distance qui les séparait du *Hampton* ; il pourrait donc sortir le périscope d'ici une quinzaine de minutes.

— Voulez-vous que le groupe d'abordage se tienne prêt ? demanda Haupert.

Schwieger secoua la tête :

— C'est un Anglais, Willi. Nous ordonnerons juste à l'équipage d'évacuer le navire avant de le couler.

— J'espère qu'ils ont des vêtements chauds, plaisanta Haupert.

Ils attendirent sans un mot. Après avoir consulté sa montre, Schwieger indiqua le périscope. Il se pencha en avant tandis que le tube d'acier poli coulissait à l'intérieur de son logement. Dès que le prisme de tête eut percé la surface, il distingua la silhouette du *Hampton* à moins de deux milles de là. Il manipula alors le télémètre afin d'avoir une vue d'ensemble du cargo depuis sa ligne de flottaison jusqu'au sommet de son mât.

— Distance trois mille mètres.

Schwieger s'écarta du périscope qui redescendait.

— La barre au cent quatre-vingts.

L'homme de barre tourna la roue. Ils allaient naviguer plein sud pendant cinq minutes, en devançant le *Hampton*, puis virer de bord et se retrouver ainsi à cinq cents mètres au-devant de lui. Schwieger suivit des yeux la trotteuse du chronomètre.

— La barre à zéro !

Lorsque l'aiguille de la boussole s'immobilisa sur le nord, il fit signe à Haupert de sortir le périscope.

Le *Hampton* avançait tranquillement à bâbord.

— Exactement comme prévu.

— C'est presque trop facile, dit Haupert.

Ils percevaient les vibrations lointaines des hélices.

— Préparez-vous à l'attaque ! cria Haupert.

Deux matelots escaladèrent l'échelle du kiosque, l'un portant une mitrailleuse, l'autre une lampe à filament de carbone fonctionnant sur batterie. Ils se placèrent juste au-dessous du panneau.

Schwieger échangea un regard avec Haupert.

— Surface !

Les vannes s'ouvrirent, et l'air comprimé pénétra en sifflant dans les ballasts. Le bâtiment, devenu plus léger, remonta aussitôt et le kiosque émergea des flots dans un bruit fracassant. Schwieger attendit que le servant ait ouvert le panneau.

— Branchez les diesels ! En avant toute !

Puis il grimpa à l'échelle, Haupert sur ses talons.

Le *Hampton* filait toujours à bâbord. Schwieger ordonna à l'homme de barre de suivre une route parallèle. Puis il regarda derrière lui : les canonniers braquaient leur pièce d'artillerie sur la cible. Le premier obus fut chargé dans la culasse.

C'est alors qu'un projecteur s'alluma à bord du *Hampton*. Son faisceau balaya la coque grise de l'*U-20*. Schwieger fit brancher sa propre lampe et demanda qu'elle fût dirigée en plein sur la passerelle du cargo. Il brandit son mégaphone :

— Mettez-vous en panne ! Ici le sous-marin allemand *U-20*. Je vous somme de vous mettre en panne immédiatement.

Le projecteur du *Hampton* chercha le kiosque du sous-marin et aveugla Schwieger.

— Éteignez cette lumière ! cria celui-ci.

Le faisceau se promena sur le kiosque, puis descendit sur les canonniers qui durent se protéger les yeux derrière leurs mains.

— Tirez sur le projecteur! ordonna Schwieger.

La rafale de mitrailleuse brisa le silence de la nuit. Une flamme jaillit brusquement, et la lumière s'éteignit.

— Mettez-vous en panne! répéta Schwieger.

Comme le cargo poursuivait sa route, il se pencha au-dessus du panneau :

— En avant toute!

Soudain, le chef canonnier Weiser hurla d'effroi :

— Ils ont un canon! Sur la dunette!

La lampe du *U-20* pivota vers la poupe du *Hampton* et révéla une pièce de 125 mm qui les prenait pour cible. Au même instant, les hommes de Weiser braquèrent leur canon sur le cargo.

— Feu! ordonna Schwieger.

Puis de nouveau il s'adressa au poste de contrôle :

— La barre à tribord!

En se présentant de face, il espérait offrir une surface réduite aux canonniers anglais.

Le canon du *U-20* gronda dans la nuit mais il n'y eut aucune explosion à bord du *Hampton* : l'obus était passé par-dessus la poupe. Des secondes interminables s'écoulèrent. Le canon du cargo était braqué au-dessus de la tête de Schwieger, et il s'abaissait lentement vers son visage.

La détonation fut deux fois plus assourdissante que la précédente. Un geyser écumant s'éleva juste derrière le sous-marin. Cette fois, l'obus n'avait raté son objectif que de quelques centimètres.

Haupert poussa un juron au moment où ses canonniers ripostaient. Le château arrière du *Hampton* s'embrasa.

— Il nous fonce dessus! s'écria le servant de la mitrailleuse.

De fait, le cargo fonçait droit sur eux.

— Il va nous éperonner, bredouilla Haupert.

— Évacuez le pont! ordonna Schwieger aux canonniers. La barre à tribord toute! Plongée! Plongée en catastrophe!

Haupert venait de se précipiter à l'intérieur, à la suite des matelots, lorsque le canon du *Hampton* rugit de nouveau. On entendit l'acier chanter et le *U-20* fit une embardée. Schwieger se jeta dans l'orifice et referma le panneau derrière lui.

Une voix retentit dans le poste de contrôle :

— **Nous sommes touchés!**

Schwieger vit des jets de vapeur s'échapper de l'étage inférieur. Aussitôt il poussa Haupert vers l'échelle :

— Allez constater les dégâts.

Le second disparut.

Schwieger prit alors conscience d'un bruit nouveau. L'étrave du *Hampton* fendait la mer juste au-dessus de sa tête. Le cargo allait les broyer d'un instant à l'autre.

L'acier se déchira dans un effroyable crissement lorsque l'énorme quille effleura le kiosque. Le *U-20* se coucha sur le flanc. Schwieger fut projeté contre la paroi, tandis que des hurlements emplissaient l'habitacle. Sous l'impact, tous les membres de l'équipage avaient été projetés contre les cloisons. A quelques centimètres de la coque, les hélices brassaient l'eau dans un tumulte assourdissant.

Lorsque Schwieger rouvrit les yeux, il eut du mal à s'orienter. Étendu sur une des parois du kiosque, il voyait l'échelle à l'horizontale, et non plus à la verticale. Bien qu'incliné sur le flanc, le sous-marin s'abîmait vers le fond dans une spirale vertigineuse. La descente était d'autant plus rapide que le gouvernail était resté bloqué sur tribord.

— La barre à zéro ! hurla-t-il.

Il rampa dans le kiosque et passa la tête à l'intérieur.

— La barre à zéro !

Mais il n'y avait plus personne au gouvernail. Des torrents jaillissaient dans le poste de contrôle.

Schwieger glissa les jambes dans l'orifice et réussit à se mouvoir le long de l'échelle. Il saisit la barre et entreprit de la ramener vers bâbord. Un matelot tentait de gravir le pont presque vertical pour atteindre les commandes du dispositif de plongée.

— Annulez l'inclinaison de la proue ! lui ordonna Schwieger.

Il vit qu'entre-temps Haupert s'était traîné jusqu'aux leviers de contrôle des ballasts.

— Envoyez de l'air dans celui de tribord, lui dit-il. Tout doucement.

Dès que le second eut poussé la manette, le sous-marin commença à se redresser. Simultanément, l'angle de plongée diminua, bien que l'eau de mer continuât à s'engouffrer par la cloison de bâbord. Il fallait à tout prix remonter pour réduire la pression exercée sur la coque.

Dans le poste de contrôle, chacun avait repris sa place.

Schwieger consulta ses instruments. Le *U-20* avait plongé à près de cinquante mètres et donc atteint sa profondeur maximale, mais il amorçait un mouvement ascendant.

— Montez à dix mètres, dit-il à Haupert.

Il ne pouvait pas refaire surface avant d'être sûr que le *Hampton* s'était éloigné. S'il émergeait à portée de canon, il serait définitivement envoyé par le fond.

Schwieger escalada l'échelle. Il y avait deux centimètres d'eau sur le plancher du kiosque, car une fuite s'était produite dans le mécanisme du périscope. Il tira sur le câble du contrepoids. Le périscope commença à monter, puis s'arrêta brusquement. Il était tordu à l'endroit précis où il coulissait hors de son logement pour percer la surface de l'eau. Il était hors d'usage.

Schwieger poussa un juron et redescendit dans le poste de contrôle. Haupert venait d'ordonner aux torpilleurs de colmater la brèche. A cet instant précis, on entendit un vrombissement d'hélices qui se rapprochait : le *Hampton* espérait donner le coup de grâce au sous-marin qu'il avait déjà estropié.

— La barre au quatre-vingt-dix.

Haupert écarquilla les yeux : son commandant venait d'ordonner à l'homme de barre de se tourner vers le cargo.

Les hélices brassaient la mer au-dessus du *U-20* mais Schwieger n'y prêtait aucune attention. Ils ne couraient aucun risque à dix mètres de profondeur, et il avait des problèmes beaucoup plus urgents à régler.

— La barre est au quatre-vingt-dix, cria le matelot.

— Montez à six mètres ! ordonna Schwieger.

Le bâtiment s'inclina vers le haut ; l'eau qui inondait la chambre des torpilles, située à l'avant, s'engouffra par l'écoutille et envahit le poste de contrôle. Dès que la proue se fut ainsi allégée, l'ascension commença.

— On va y arriver, dit Haupert avec un sourire de soulagement. Nous devons filer d'ici, faire surface et pomper l'eau.

— Pas avant d'avoir coulé ce salaud, murmura Schwieger.

Haupert fronça les sourcils. Son supérieur était réputé pour sa prudence. Et pourtant il envisageait de contre-attaquer, malgré les avaries et la destruction du périscope qui les laissait aveugles.

— Il va refaire un passage, dit Schwieger d'un air pensif, comme s'il s'était parlé à lui-même. Puis il reprendra sa route vers le Fastnet. C'est à ce moment-là que nous aurons sa peau.

— Comment viserons-nous ? demanda Haupert.

— Nous tirerons à vue.

— Vous voulez faire surface ?

En dépit de tous ses efforts, il ne put dissimuler son scepticisme aux membres de l'équipage. Comme Schwieger le foudroyait du regard, il se détourna.

— Profondeur six mètres, annonça un matelot.

Schwieger tendit l'oreille. On n'entendait plus les hélices du *Hampton*. Le capitaine anglais avait dû décrire un cercle afin de repasser au-dessus de l'endroit où il avait vu plonger le sous-marin. D'ici quelques minutes il abandonnerait la chasse et remettrait le cap à l'est.

Dans l'intervalle, le *U-20* l'aurait précédé d'environ mille cinq cents mètres. En virant de bord, il pourrait donc remonter à la surface juste devant l'étrave du cargo. Le capitaine du *Hampton* se trouverait alors en face de l'alternative suivante : soit continuer tout droit dans l'espoir d'éperonner le sous-marin, soit s'écarter afin d'augmenter la distance et d'offrir un angle suffisant au canon de la dunette.

— Il va virer de bord, dit Schwieger à haute voix. Je parie que ce salaud va s'écarter.

Huit minutes s'étaient écoulées depuis le passage du *Hampton*. Si ses calculs étaient justes, le cargo avait repris son cap initial.

— Profondeur six mètres, répéta le matelot.

— Très bien, restez-y pour l'instant.

Haupert venait de communiquer avec l'équipage au moyen du tuyau acoustique :

— Les canonniers sont prêts, dit-il.

— Parfait, répondit Schwieger.

Mais il n'aurait pas besoin d'eux. Lui seul sortirait sur le pont. C'était une affaire entre lui et le capitaine du *Hampton*. L'Anglais avait violé les lois de la guerre. En ce moment même, l'équipage du cargo devait scruter l'océan, à la recherche des débris qui confirmeraient sa victoire. Schwieger se demanda si celui-ci mettrait à la mer le canot de sauvetage que lui-même avait été prêt à lui laisser. Il en doutait. Après tout, c'étaient les Britanniques qui avaient transformé un duel entre gentlemen en un pur et simple assassinat. Ils allaient le payer cher.

— Parez à faire surface ! ordonna-t-il.

Les matelots échangèrent des regards inquiets.

— Haupert, ouvrez les volets extérieurs et préparez-vous à la mise à feu. Je veux pouvoir lancer les torpilles à tout instant.

— Bien, commandant, murmura le second.

Schwieger escalada l'échelle et ouvrit le sas sans se soucier de l'eau qui déferlait sur lui. Après avoir refermé le panneau, il gravit l'échelle suivante. Dès qu'il sentit que le kiosque émergeait des flots, il déverrouilla le volant et sortit dans l'air glacé. Toutes les superstructures étaient tordues. Le choc avait arraché le support du périscope et déchiqueté le garde-corps. Schwieger dut se faufiler à travers un enchevêtrement de ferrailles. A cinq cents mètres à bâbord, le *Hampton* arrivait droit sur lui.

— Surpris, hein! chuchota Schwieger. A présent, comment vas-tu réagir?

Le cargo maintint sa route.

Schwieger se pencha au-dessus de l'orifice :

— En avant toute!

Des coups de sifflet retentirent à bord du *Hampton*. L'alerte était donnée. Soudain, une gerbe d'écume s'éleva sur le côté de l'étrave : le cargo virait à tribord pour permettre à son canon d'entrer en action.

— La barre dix degrés à bâbord! Préparez, tubes un et deux!

La proue du sous-marin pivota, puis s'immobilisa quand elle fut pointée à quelques dizaines de mètres en avant de sa cible.

— Torpille numéro un, feu!

Schwieger entendit le chuintement de l'air comprimé et vit l'eau bouillonner à l'avant du sous-marin lorsque le projectile jaillit du tube.

— La barre dix degrés à tribord.

L'ordre fut aussitôt exécuté. Le *Hampton*, qui était en train de virer, présentait maintenant son flanc bâbord. Le canon de 125 apparut derrière les ruines du château arrière.

— Torpille numéro deux, feu!

Schwieger pouvait distinguer le sillage de la première torpille : elle se dirigeait légèrement à gauche du cargo, de façon à prévenir un nouveau virement de bord. La seconde, en revanche, fonçait droit sur la coque.

— Plongée! hurla-t-il.

Il se précipita dans l'orifice au moment où le canon du *Hampton* rugissait. Une gerbe d'eau jaillit à une vingtaine de mètres à tribord. Il eut tout juste le temps de refermer le sas avant que le mer ne recouvrît le sommet du kiosque.

Il ouvrit le second panneau et se laissa tomber dans le poste de contrôle. Des visages anxieux se tournèrent vers lui.

— La barre à tribord ! Plongez à quinze mètres.

Il voulait se mettre à l'abri de la prochaine déflagration.

Ils attendirent dans un silence de mort. Le chronomètre égrenait les secondes avec une lenteur terrifiante.

Tout à coup, le son étouffé d'une explosion parvint jusqu'à eux. Un sourire radieux se dessina sur le visage de Haupert, et Schwieger leva un pouce en signe de victoire. L'une des torpilles avait fait mouche.

— La barre à quatre-vingt-dix, ordonna Schwieger. Surface !

Puis il s'adressa à son second :

— Venez avec moi. Le spectacle doit en valoir la peine.

Ils se ruèrent à l'extérieur dès que le kiosque eut émergé. Au sud, l'horizon était illuminé. L'incendie ravageait toute la partie centrale du *Hampton*, et l'on voyait de grandes flammes blanches s'élever dans le ciel.

La torpille avait atteint soit la chaufferie, soit la chambre des machines. Une série d'explosions en chaîne ravageait le cargo.

— Allons-nous nous rapprocher ? demanda Haupert.

Quand un navire tardait à couler, c'était la règle de lui donner le coup de grâce avec le canon de pont.

— Non, répondit Schwieger. Il transporte de la poudre noire. Il vaut mieux se tenir à distance.

A peine avait-il fini sa phrase qu'une formidable déflagration déchiqueta le *Hampton*. Durant quelques secondes, les deux officiers allemands en restèrent sourds et aveugles. Lorsqu'ils purent rouvrir les yeux, le cargo avait disparu. Seuls quelques débris fumants s'éparpillaient à la surface de l'océan.

Washington

— C'EST de la barbarie.

Le président Woodrow Wilson secoua la tête et répéta d'une voix affligée :

— C'est de la barbarie pure et simple. J'espère de tout mon cœur que nous ne serons jamais entraînés dans ce conflit.

— Faisons en sorte que cela ne se produise pas, répondit le

Secrétaire d'État William Jennings Bryan. C'est un navire anglais que les Allemands ont coulé. Les États-Unis ne sont nullement concernés. Je ne vois pas pourquoi nous élèverions des protestations officielles.

Wilson relut le document que l'ambassadeur de Sa Majesté lui avait remis quelques heures plus tôt :

> Le cargo *Hampton* a été torpillé sans avertissement. Il n'y a eu ni coup de semonce ni aucune démarche visant à inspecter la cargaison. Le feu incessant du sous-marin agresseur a rendu impossible la mise à l'eau des canots de sauvetage. Les membres de l'équipage qui se débattaient à la surface de l'eau n'ont reçu aucune assistance.

— Cette affaire remet en cause les principes du droit international, dit le conseiller Robert Lansing. Je partage l'opinion de monsieur le Secrétaire d'État : en règle générale, notre gouvernement n'a pas lieu de s'ingérer dans les affaires de puissances belligérantes. Mais il est de notre devoir de condamner dans des termes vigoureux une violation aussi flagrante des conventions internationales. N'oublions pas que les lois de la guerre protègent les navires américains contre d'éventuelles méprises. Nous ne pouvons pas fermer les yeux sur le meurtre gratuit de l'équipage d'un navire de commerce sans défense.

— Robert n'a pas tort, dit le Président.

Bryan se moucha bruyamment dans un gigantesque mouchoir, qu'il fourra ensuite dans la poche de son pantalon.

— Êtes-vous certain qu'il était sans défense, Robert ? demanda-t-il d'un air de défi. La semaine dernière, il y avait dans le port de New York deux cargos britanniques dont la dunette était équipée d'un affût de canon. Et von Papen raconte à qui veut l'entendre que l'Amirauté est en train d'armer la flotte marchande. Il affirme même qu'il vous a remis certains documents à ce sujet.

— Des faux grossiers, répliqua Lansing. De qui donc tenez-vous que les cargos britanniques possèdent des affûts de canon ?

Le Président tapota sur son bureau :

— Messieurs, je vous en prie. Nous devons nous préoccuper avant tout de protéger notre pays contre cette folie.

— Monsieur le Président, dit Lansing, je pense que notre

action doit être fondée sur le droit international. Vous avez expliqué avec une grande force de conviction que notre seul espoir de paix réside dans le respect des lois. Peut-être pourrais-je préparer un dossier sur la jurisprudence en vigueur dans ce domaine.

Bryan le foudroya du regard. La jurisprudence était aussi tordue que les juristes ! Pourquoi cet imbécile de Wilson ne comprenait-il pas que les États-Unis n'avaient aucun intérêt à jouer les gendarmes planétaires ? Pourquoi s'obstinait-il à vouloir faire du monde, selon une formule idiote de son cru, « un lieu sûr pour la démocratie » ?

— Robert, demanda le Président, combien de temps vous faut-il pour constituer votre dossier ?

— Quelques jours. Une semaine tout au plus.

— Bien, conclut Wilson en se levant. Nous déciderons de la conduite à tenir après avoir étudié le dossier de Robert.

Lansing eut un sourire triomphal. Il allait rédiger un mémoire sur l'évolution des lois de la guerre depuis le XVIe siècle. Il démontrerait ainsi que l'un des principes fondamentaux du droit international était le respect des navires de commerce sans défense naviguant dans des eaux hostiles. Quand il en aurait fini la lecture, le président Wilson serait bien obligé de condamner les agissements des Allemands.

Wilhelmshaven

LE *Friedrich der Grosse*, navire amiral de la marine impériale, se dressait comme un château fort dans ce grand port militaire de l'Allemagne du Nord. Surmonté de pavillons multicolores, hérissé de canons de 300 mm, il dégageait une formidable impression de puissance. Mais cette apparence redoutable était contredite par les lourdes chaînes d'acier qui l'entravaient dans son bassin. Comme tous les autres bâtiments de la flotte de haute mer, le *Friedrich der Grosse* était prisonnier à terre.

Le capitaine de frégate Bauer, commandant la flottille des sous-marins allemands, avait horreur de se rendre sur le navire amiral. Lorsqu'il posa le pied sur la première marche de l'échelle, il entendit le coup de sifflet du maître d'équipage. Pourquoi fallait-il que des centaines de matelots interrompent leur travail sur son passage et le saluent de manière aussi cérémonieuse ? Bauer avait interdit tous ces salamalecs sur ses sous-marins bien-aimés. S'il n'avait tenu qu'à lui, il ne serait jamais sorti de la base d'Emden, où ses petits bâtiments gris ne cessaient d'entrer et de sortir. Mais cette visite à Wilhelmshaven était importante : il avait une mission à remplir.

Dans la salle de conférences, von Pohl, amiral de la flotte, trônait déjà au milieu de sa cour d'amiraux et de capitaines de vaisseau. Le commandant Bauer prit place à l'une des tables en s'excusant de son retard. Puis il écouta une morne énumération de faits et de chiffres en tripotant nerveusement le rapport qu'il avait apporté.

— Commandant Bauer, c'est à vous, dit soudain le chef d'état-major de l'amiral von Pohl.

Il bondit sur ses pieds :

— J'ai le regret de vous demander l'autorisation de ne plus tenir compte des conventions internationales relatives à la guerre navale.

Tous les regards convergèrent vers lui.

— En effet, poursuivit-il, les navires de commerce britanniques attaquent désormais nos sous-marins au lieu d'obéir à leurs coups de semonce.

Après un mouvement de surprise, des murmures s'élevèrent dans la salle. L'amiral von Pohl frappa du poing sur la table pour rétablir l'ordre.

— Vous en êtes certain ? interrogea-t-il.

Bauer brandit le rapport du lieutenant de vaisseau Schwieger.

— Il y a trois jours, le commandant du *U-20* a intimé au cargo britannique *Hampton* l'ordre de s'arrêter. Celui-ci a répliqué avec un canon de 125 mm monté sur sa dunette. Puis il a foncé droit sur le sous-marin dans le but de l'éperonner.

— A-t-il réussi ?

— Non, amiral. Fort heureusement. Les avaries du *U-20* lui interdisent de plonger, mais j'ai la joie de vous annoncer qu'il a atteint son objectif. Le *Hampton* et sa cargaison de matériel de guerre ont été coulés.

— Je ne peux pas croire que les Anglais aient abandonné des règles de conduite qu'ils ont fixées eux-mêmes, dit un officier d'intendance.

— Nous ne pouvons pas ouvrir le feu sans préavis, renchérit

un amiral de l'état-major. Nous nous attirerions l'hostilité de toutes les nations civilisées.

— Peut-être bien, répliqua Bauer. Mais, moi, je ne peux pas exposer mes équipages à des obus de 125 et à des coups d'étrave.

Ce fut un tollé général. Si les hommes de Bauer lançaient leurs torpilles sans avertissement et sans même faire surface, alors les cuirassés de la flotte impériale perdraient leur raison d'être. Une fois affranchis des lois de la guerre, les sous-marins deviendraient des armes infaillibles.

Von Pohl laissa éclater sa colère ; son poing s'écrasa sur la table. Dans un silence de mort, il se leva et dit d'une voix à peine audible :

— La séance est levée.

Toute l'assistance se mit au garde-à-vous. Au moment où Bauer allait quitter la salle, l'amiral se tourna vers lui et lui demanda sur un ton anodin :

— J'aimerais vous voir tout à l'heure.

Von Pohl était en train de desserrer le col de sa tunique lorsque le commandant fut introduit dans sa cabine. Il s'installa dans un fauteuil et d'un geste indiqua le canapé à son hôte.

— La tentative d'éperonnement ne veut rien dire. Il peut s'agir d'un capitaine de la marine marchande pris de panique à la vue d'un sous-marin. En revanche, cette histoire de canon mérite toute notre attention. S'ils arment leur flotte de commerce, c'est qu'ils ont renoncé au protocole de conduite que nous observons tous.

— Exactement. C'est pourquoi nous ne devons plus nous sentir liés. Sinon, ce serait du suicide pour nos sous-marins.

L'amiral hocha la tête avec perplexité :

— Les cargos anglais ne posent aucun problème. Mais comment réagir face aux paquebots qui transportent des citoyens américains ? Et aux navires britanniques qui se dissimulent derrière le pavillon des États-Unis ?

— Les Américains ne valent guère mieux que les Anglais, répondit Bauer en lui tendant un document. Voici un message intercepté par notre agent irlandais, qui a un accès direct au trafic radio en provenance de Queenstown. Selon ces instructions, un navire de guerre britannique devait escorter un cargo américain arrivant de New York. Pourquoi prendre de telles précautions s'il ne transportait pas du matériel de contrebande ?

— Mon cher Bauer, dit von Pohl après avoir lu le message, vous soulevez là une question qui touche à la politique globale de notre pays. L'Empereur en personne m'a défendu de lancer la moindre attaque contre un navire américain. Si je vous donnais la permission d'ouvrir le feu sans avertissement, vous couleriez sans doute des bâtiments britanniques battant pavillon américain, ce qui me procurerait bien sûr la plus grande joie. Mais vous risqueriez également de vous en prendre à un authentique cargo américain. Vous voyez le dilemme dans lequel vous me mettez.

— Je pense que c'est là le but recherché par l'Amirauté britannique, répondit Bauer.

— Avez-vous des suggestions que je puisse transmettre à l'Empereur ?

— A sa place, je déclarerais les eaux anglaises et irlandaises zone de combat. Et je préviendrais les pays neutres que tout navire y entre à ses risques et périls.

— Une zone de combat, répéta von Pohl. Je me demande quelle serait la réaction du président Wilson.

— Il serait prévenu honnêtement. Cela l'encouragerait sans doute à empêcher les bâtiments anglais de battre pavillon américain.

Von Pohl se leva et se mit à faire les cent pas dans sa cabine.

— Pour l'instant, je vous autorise à torpiller sans avertissement les bâtiments de commerce britanniques que vous aurez formellement identifiés.

Bauer tapota son rapport de l'index :

— Et lorsque nos services de renseignements nous informent qu'un cargo neutre transporte de la contrebande ?

— Vous ne bougez pas tant que l'Empereur ne m'aura pas donné sa permission.

— Le matériel de guerre passera donc à travers les mailles du filet.

— Je sais, acquiesça l'amiral. C'est ce que je vais expliquer à l'Empereur. Peut-être l'idée d'une zone de combat fera-t-elle son chemin… Personne ne peut prévoir la décision de Sa Majesté impériale.

Bauer n'avait pas trop d'espoir. Mais il avait obtenu satisfaction sur un point : désormais, les lois de la guerre ne s'appliquaient plus à la flotte marchande britannique.

Chapitre 7

Schull

L E canot de sauvetage entra à l'aube dans la baie de Roaring-water, avec à son bord une poignée d'hommes à bout de forces. Leurs yeux agrandis par la terreur brillaient au milieu de leurs visages charbonneux. Ils saisirent en tremblant les tasses de thé bouillant que les habitants de Schull leur apportèrent sur le quai.

Ils étaient les seuls rescapés du naufrage du cargo britannique *Ikeria*, que les Allemands avaient torpillé et mitraillé au cours d'une indicible nuit d'horreur. Ils se rendaient à Liverpool avec une cargaison d'obus. Ils venaient de doubler le phare du cap Mizen lorsque le sous-marin avait émergé à moins de cent mètres à bâbord et déclenché les hostilités. Les explosions assourdissantes avaient tiré du lit de nombreux Irlandais. Sur toute la côte, de Crookhaven à Baltimore, des gens avaient enfilé à la hâte un manteau sur leur chemise de nuit, avant de se précipiter sur les plages. Ils avaient distingué la silhouette d'un navire à la base d'une gigantesque colonne de flammes. Puis un éclair d'une blancheur aveuglante avait déchiré le ciel, et le souffle de la déflagration avait été tel qu'il avait fait vaciller les spectateurs sur la grève. Quelques secondes plus tard, la mer était vide.

— Pauvres gars, disaient les femmes, bien que les survivants fussent anglais.

— Sales Boches ! renchérissaient les hommes.

Ils avaient beau avoir été élevés dans la haine de l'oppresseur britannique, ils étaient scandalisés d'apprendre que les Allemands avaient ouvert le feu sans semonce, puis disparu sans se soucier des naufragés.

Les premiers cadavres s'échouèrent sur le littoral dès l'après-midi. Ils étaient calcinés et gonflés par l'eau de mer. Plusieurs d'entre eux avaient les membres arrachés.

— QUELLE barbarie ! dit le père Connors.

Il saisit la tasse de thé que lui tendait sa gouvernante puis se tourna vers William Day et Shiela McDevitt, assis en face de lui.

— Je ferai tout mon possible pour encourager la population à coopérer avec vous, commandant. Je ne vous promets rien, car les gens de la région n'ont pas beaucoup de sympathie pour les Anglais. Mais nous sommes tous outrés par le comportement des Allemands.

— Le danger existe, dit Day. Je ne voudrais pas que vos compatriotes le sous-estiment.

— Je sais. Je ne sous-estime pas non plus l'attrait des salaires que vous leur proposez. Ils sont pauvres et cet argent pourrait leur être très utile.

On frappa à la porte. Un homme de petite taille, portant une paire de lunettes et un costume mal coupé, apparut sur le seuil du salon.

— Ah! Emmett, dit le père Connors. Je vous présente Emmett Hayes, notre instituteur. Voici le capitaine de frégate Day. Vous connaissez déjà Shiela.

Day se leva pour serrer la main de Hayes, qui s'inclina devant la jeune femme.

— Emmett est très respecté dans notre communauté, poursuivit le prêtre. C'est pourquoi j'ai pensé qu'il pourrait vous rendre de grands services.

Day lui expliqua qu'il avait l'intention de recruter des bateaux de pêche pour organiser des patrouilles contre les sous-marins. L'instituteur accueillit le projet avec enthousiasme.

— Cependant, dit-il, je me demande comment vous pourrez répartir les secteurs. Ce sera compliqué, car les gens d'ici ne sont pas très instruits.

— Je compte quadriller le secteur à partir du rivage. N'importe quel marin muni d'une boussole parviendra à s'y retrouver.

Emmett Hayes lui adressa un grand sourire :

— Très bien, je pourrai peut-être vous apporter mon soutien. Je serais enchanté de participer à l'entraînement des différents groupes, afin de les aider à délimiter la zone que vous leur aurez assignée.

Day le remercia.

— Dans ce cas, demanda le père Connors, vous nous aiderez à convaincre la communauté de soutenir les efforts du commandant ?

— Bien entendu.

Le prêtre leva la séance avec une évidente satisfaction. Day, fou de joie, rejoignit son automobile en compagnie de Shiela.

— Je ne m'attendais pas à ce que ce soit aussi facile.

— Moi non plus, répondit-elle. Les Allemands nous ont donné un sacré coup de main en coulant ce navire.

Le *Hugh O'Neill* fut bombardé navire amiral. Il s'agissait d'un yacht blanc de dix mètres aux cuivres bien astiqués, bordé à clin et équipé d'une chaudière à bois. Le reste de la flotte était constitué de chalands à la peinture écaillée et de barques de pêche souillées de sang séché. Quant aux équipages, ils se composaient de vieillards tout ridés et de jeunes gars aux joues rebondies.

Shiela et Emmett Hayes avaient procédé au recrutement, avec le soutien discret du père Connors. Ils divisèrent leurs troupes en trois groupes distincts, de manière à interdire une cinquantaine de milles aux sous-marins allemands, depuis l'îlot de Fastnet Roch jusqu'au port de Old Head of Kinsale.

A Schull, l'école fit office de quartier général. Day avait tracé une grille sur une carte côtière et disposé un bateau à l'angle de chaque carreau. Il suffirait ainsi à chaque patron pêcheur de prendre deux relèvements et de se maintenir à leur intersection.

Pendant que Day établissait son plan de bataille, des matelots britanniques de Queenstown vinrent installer des mitrailleuses à l'avant des bateaux dont le pont était assez solide pour qu'on pût y fixer des vis et des écrous. Les autres durent se contenter de fusils. Comme Day ne disposait pas d'un nombre suffisant de matelots, il dut former des Irlandais au maniement des armes.

Puis vint le jour de la première sortie en mer. Thomas McCabe, le propriétaire du *Hugh O'Neill*, saisit la roue de teck verni après avoir largué les amarres. Son neveu ouvrit les gaz, et le yacht s'écarta du ponton. Les moteurs Diesel toussotèrent, dégageant des panaches de fumée, et les poulies se mirent à gémir tandis que des dizaines de voiles grisâtres étaient hissées aux mâts. La flottille de Schull s'ébranla dans le sillage du navire amiral.

Ils traversèrent la baie de Roaringwater et se dirigèrent vers leurs positions respectives. Campé à la proue de son bateau, chaque patron pêcheur se laissait griser par l'aventure qui allait transformer la routine quotidienne en une chasse aux silhouettes mystérieuses et aux périscopes furtifs.

Debout à l'avant du *Hugh O'Neill*, Day observait ce spectacle avec une certaine surprise. Les voiles loqueteuses qui pendaient lamentablement au mouillage se gonflaient avec fierté en atteignant la haute mer. Les moteurs qui crachotaient dans le port de Schull trouvaient soudain une nouvelle jeunesse. Et l'on s'interpellait d'un bateau à l'autre comme de vieux camarades.

Conformément à ses prévisions, il y eut quelques erreurs. Trois bateaux se ruèrent vers le même emplacement et, comme personne ne voulait céder, ils faillirent s'aborder.

— Qu'est-ce que tu fiches ici ? demanda Tom Sheehy, très en colère.

— Et toi, pourquoi me bloques-tu la route avec ta passoire ? rétorqua Peter Farley.

Le *Hugh O'Neill* fit la navette entre les autres embarcations, arbitrant les disputes et vérifiant les relèvements. Mais, dès que le soleil parut, l'ennui gagna les équipages, qui n'avaient plus rien de particulier à faire.

Juste avant midi, les mâts d'un cargo se dessinèrent à l'horizon. Les pêcheurs poussèrent des hourras lorsque le navire passa parmi eux en toute sécurité. Puis l'attente recommença, interminable.

Un des voiliers largua soudain un filet de pêche. Il fut imité par un bateau à moteur, qui s'écarta de sa position pour tenter sa chance dans un secteur plus poissonneux. D'autres patrons suivirent leur exemple et Day tenta de ramener chacun à son poste. Malgré ses efforts, la grille qu'il avait tracée sur la carte n'était plus qu'un vague souvenir en milieu d'après-midi.

Tout à coup, une lueur orangée zébra le ciel. Day braqua ses jumelles vers l'ouest. Un des voiliers éloignés était en train de virer de bord avec détermination, et son équipage adressait de grands gestes au plus proche bateau à moteur. Ce dernier lâcha à son tour une rafale de mitrailleuse et se porta à la rescousse en soulevant de violents remous dans son sillage.

— Un sous-marin ! cria-t-on à bord d'un chaland qui se trouvait à tribord du navire amiral.

Et le chaland s'empressa d'aller prêter main-forte.

Pendant que son neveu enfournait des brassées de bois sous la chaudière, McCabe changea de cap en se tournant vers Day :

— On en tient un !

Quelques instants plus tard, la flottille au grand complet se précipitait vers le lieu de l'incident, les manettes des gaz poussées à fond, les voiles étarquées pour gagner de la vitesse.

Grâce à ses jumelles, Day vit que les bateaux convergeaient vers le même point. C'était une véritable catastrophe. S'il y avait un sous-marin dans les parages, il s'échapperait d'autant plus facilement et n'aurait plus qu'à émerger à quelque distance de là pour les faucher tous en enfilade avec son canon.

Il avait pourtant expliqué aux pêcheurs que leur sécurité dépendait de leur dispersion : il fallait que le sous-marin ne puisse émerger nulle part sans courir aussitôt un risque mortel. Mais, dans le feu de l'action, personne ne voulait rester en position de spectateur.

Day entendit une nouvelle rafale. Sur un des chalands, un homme pointait sa mitrailleuse dans l'intervalle compris entre les deux bateaux qui avaient donné l'alarme. Sa seconde décharge dispersa les bateaux, les équipages terrorisés cherchant à fuir ce feu meurtrier.

Ce fut alors un sauve-qui-peut général. Dans un rayon de cinquante mètres, une dizaine de rafiots s'égaillaient dans tous les sens, au risque de se couper la route. Pour ne rien arranger, un pêcheur muni d'un fusil de guerre tiraillait en plein milieu de cette pagaille.

Day saisit son mégaphone :

— Cessez le feu ! répéta-t-il plusieurs fois, accompagné par les coups de sifflet du *Hugh O'Neill*.

L'échauffourée se termina aussi brusquement qu'elle avait commencé. Toutes les têtes se tournèrent vers le navire amiral.

Le patron qui était à l'origine de l'incident s'adressa à ses voisins d'un air penaud :

— Je suis sûr que c'était un sous-marin.

— Rentrons ! ordonna Day.

Et le *Hugh O'Neill* ramena sa flottille dépitée jusqu'au vieux ponton de Schull.

Day réunit ses troupes dans l'école d'Emmett Hayes et indiqua à chaque patron son affectation pour le lendemain, en insistant sur la nécessité de n'en pas bouger quoi qu'il arrive. A la nuit tombée, il se rendit à Ballydehob en automobile, afin de rencontrer ses deux adjoints. Le premier commandait la flottille de pêche de Baltimore, le second celle de Courtmacsherry, un port situé plus à l'est, près de Kinsale. Leurs rapports étaient identiques : après l'enthousiasme initial, l'ennui s'était installé, et les bateaux avaient commencé à vagabonder.

— Si le dispositif se détériore au bout d'une journée, dit un des officiers, qu'est-ce que ce sera au bout d'une semaine ?

Day haussa les épaules :

— Faites de votre mieux. Tant qu'ils seront en mer, ils gêneront les sous-marins.

Après avoir levé la séance, il rentra à Crookhaven pour étudier le trafic radio de la journée avec Shiela McDevitt et le chef radio Gore. Ils avaient envoyé des messages à six navires, dont deux étaient britanniques et les quatre autres neutres. Comme Queenstown ne disposait que de trois bâtiments de guerre, les cargos non escortés avaient été informés qu'une flottille de bateaux de pêche était chargée de contrecarrer l'action des sous-marins. Day ne put retenir un petit sourire : l'Amirauté tenait déjà compte de sa marine irlandaise...

Il proposa à Shiela de la raccompagner à Schull et profita du trajet sur la route plongée dans l'obscurité pour lui raconter ses aventures.

— Était-ce réellement un sous-marin ? demanda-t-elle, incrédule.

Il éclata de rire :

— C'est peu probable. Il devait plutôt s'agir de l'ombre d'un nuage.

Il s'arrêta devant chez elle : une petite maison de pierre, ancienne, au milieu d'une exploitation depuis longtemps à l'abandon.

— Puis-je vous offrir une tasse de thé ? dit Shiela.

Day la suivit dans le salon. Les murs étaient peints dans des tons clairs et gais et les fauteuils recouverts de tissu neuf. Il se laissa tomber sur le canapé, tandis que Shiela tisonnait les boulets de charbon dans le poêle de fonte et posait une bouilloire sur les braises. Dans la cuisine, elle mit plusieurs cuillerées de thé dans une théière en porcelaine et prépara un petit pot de crème. Puis elle ajouta deux tasses sur un plateau et emporta le tout.

Lorsqu'elle franchit le seuil du salon, Day dormait à poings fermés. Elle posa le plateau et murmura son nom. Comme il ne

répondait pas, elle déplia une couverture sur lui et lui mit délicatement les pieds sur les coussins.

Au même moment, à l'autre bout du village, Emmett Hayes envoyait des renseignements codés sur la répartition des flottilles de pêche pour le lendemain. A la fin du message, il signa : Farfadet.

— Voulez-vous vous arrêter ici une seconde ? demanda Shiela avec un sourire.

Day se rangea contre le talus.

— Pourquoi ?

Elle sauta à terre et saisit le panier qu'elle avait posé sur la banquette arrière.

— C'est l'heure du déjeuner.

— Du déjeuner ? répéta-t-il, comme si le mot n'avait eu aucun sens. Voyons, nous sommes pressés.

— Vous êtes toujours pressé. Mais, aujourd'hui, vous allez déjeuner dans la plus belle salle à manger d'Europe. Et vous pourrez surveiller votre flotte en même temps.

Elle commença à escalader le versant rocheux qui menait au sommet d'une falaise surplombant le port. Day hésita à la suivre, car il pensait à ses nombreuses obligations. Puis il haussa les épaules avec résignation et s'élança derrière elle.

Ils atteignirent un monticule qui leur offrait un double point de vue : sur la baie de Roaringwater à l'ouest, sur la mer au sud et à l'est. La crête des vagues étincelait sous les rayons du soleil printanier. Shiela ouvrit son panier, tendit une nappe à Day pour qu'il la déplie et commença à déballer ses provisions.

Depuis deux semaines, ils passaient toutes leurs journées à sillonner le littoral et toutes leurs nuits à travailler à la station de radio. Le matin, alors que le jour n'était pas encore levé, Day passait prendre Shiela chez elle et se rendait dans un des ports avant le départ des bateaux, de manière à pouvoir donner ses instructions à son adjoint.

Puis ils s'arrêtaient dans les villages et rendaient visite aux « trésoriers » — les notables locaux que Day avait chargés de payer les équipages à leur retour au port. Il s'agissait tantôt d'un propriétaire anglais, tantôt du curé de la paroisse. Shiela arrondissait les angles et leur gagnait de nombreuses amitiés. Grâce à l'entregent et aux origines irlandaises de la jeune femme, Day était considéré comme un allié, et non pas comme le représentant d'une armée d'occupation.

Le soir, Day contrôlait le trafic radio de l'après-midi, pendant que Shiela codait ou décodait les messages. Puis il la déposait chez elle et allait dormir quelques heures dans sa pension de famille.

Ils avaient pris l'habitude de manger n'importe où : sur les routes défoncées, dans un pub, à la table d'un presbytère, ou encore au mess de la station.

Mais, ce jour-là, Shiela avait préparé un festin : des sandwichs fourrés de gros morceaux de fromage et de fines tranches de gigot, une salade de légumes vinaigrés, des gâteaux aux raisins et deux bouteilles de bière brune. Day écarquilla les yeux :

— Vous avez dû y passer la nuit !

Elle parut apprécier le compliment.

— Nous n'avons pas eu un seul repas tranquille depuis une éternité. Je voulais que ce soit réussi.

— C'est très réussi. Je vous impose un rythme infernal, et je ne vous ai encore jamais remerciée. Mais, vous savez, je vous suis très reconnaissant. Sans vous, je ne serais arrivé à rien.

Elle partagea un sandwich avec lui.

— Vous vous êtes lancé corps et âme dans cette aventure, dit-elle. Vous faites un travail formidable mais je crains que vous ne vous exposiez à une terrible déception.

— Les Allemands continuent à nous couler des navires. Quatorze cargos le mois dernier. Et autant de plus ce mois-ci.

— Vous n'y pouvez rien. L'océan est trop grand pour qu'on puisse tout surveiller.

Day fit un geste d'impuissance. Il trempa ses lèvres dans la bière et attaqua le sandwich, mais il s'aperçut alors que Shiela ne mangeait pas.

— Il vous faut un navire, dit-elle. Ils vous doivent bien ça.

— On croirait que vous avez envie de vous débarrasser de moi, remarqua-t-il en souriant.

Elle détourna les yeux :

— Non. Mais je serais plus rassurée si vous quittiez l'Irlande. Ce pays est un marécage dans lequel s'enlisent les hommes de bonne volonté. L'air est empoisonné par la jalousie et par la haine. Et comme nous le respirons du matin au soir, il finit par nous contaminer.

— Pourtant les Irlandais coopèrent avec moi.

— Parce que vous leur versez un salaire. Mais il vous faudra compter sur l'aide de Dieu si jamais un sous-marin en tue quelques-uns ! Ils se retourneront aussitôt contre vous sous prétexte que vous êtes anglais.

— Vous aussi, vous êtes anglaise.

— Oui, dit Shiela avec amertume. Et de la pire espèce. J'étais l'une des leurs autrefois. En partant, je ne suis pas seulement devenue leur ennemie : je suis une renégate. Mais je me sens tout de même Irlandaise. Je n'ai nulle part où aller.

Il tendit la main vers elle :

— Je serai prudent, je vous le promets.

Elle le repoussa :

— La prudence ne suffit pas. Il se passe des tas de choses autour de vous que vous ne pouvez pas comprendre.

— Quel genre de choses ?

Shiela le regarda dans les yeux, puis bondit sur ses pieds et courut jusqu'au bord de la falaise. Lorsque Day la rejoignit, elle lui tourna le dos. Il s'aperçut qu'elle pleurait.

— Je vous en prie, dites-moi ce qui ne va pas.

— J'ai peur, répondit-elle d'une voix presque inaudible.

— De quoi donc ?

— J'ai peur pour vous.

Elle lui fit face, les yeux rougis par les larmes.

— Demandez-leur de vous donner un navire. Partez pendant qu'il est encore temps.

Il la prit dans ses bras, toute frissonnante.

— Je suis désolée. Je voulais vous offrir une petite fête. Et maintenant j'ai tout gâché.

Elle courut vers la nappe et se mit à ranger les restes du pique-nique.

De retour à Crookhaven, elle disparut dans la salle de codage pendant que Day faisait le point avec le chef radio Gore. Huit navires devaient arriver en vue des côtes irlandaises durant les prochaines vingt-quatre heures. Il fallait donc préparer un message chiffré pour chacun d'entre eux. La nuit était déjà tombée lorsque Shiela remit le dernier texte à l'opérateur pour qu'il le transmette.

Puis Day reprit prudemment la route de Schull, Shiela silencieuse à ses côtés. Ils avaient l'habitude de parler travail pendant le trajet. Mais à présent leurs relations s'étaient modifiées. « J'ai peur pour vous », lui avait-elle avoué. Il comprenait que, à cause de lui, elle craignait aussi pour elle-même. Elle était seule et désarmée, prisonnière de ce fossé de haine qui séparait l'Angleterre de l'Irlande. Ses larmes avaient révélé à William à quel point il comptait pour elle. A son tour il prenait conscience de ce qu'elle représentait pour lui.

Il s'arrêta juste devant sa porte. D'ordinaire, ils continuaient à parler pendant quelques minutes. Ce soir-là, au contraire, Shiela lui souhaita simplement bonsoir avant d'attraper son panier. Elle avait déjà pris appui sur le marchepied lorsqu'il lui saisit la main.

— Merci pour le pique-nique.

Elle essaya de se libérer, mais il la retint.

— Ne vous inquiétez pas pour moi, dit-il.

— Je ne peux pas m'en empêcher, avoua-t-elle. Je vous en prie, demandez un bateau. Il faut que vous partiez à tout prix.

Day hocha doucement la tête en signe de dénégation.

— Je ne peux pas vous abandonner.

Penché au-dessus du siège vide, il refusait toujours de lâcher sa main.

Shiela lui dit avec gravité :

— Il ne faut pas nous attacher l'un à l'autre.

— Ne sommes-nous pas seuls au monde ?

Elle se pencha à l'intérieur de la voiture et coupa le contact. Après un toussotement, le moteur se tut.

Un peu plus tard, ils se retrouvèrent allongés côte à côte dans le lit étroit de Shiela. Elle s'était blottie contre l'épaule de William, et ses longs cheveux s'étaient répandus sur son torse. Dans la lueur diffuse de la lampe, Day pouvait distinguer la courbe pâle de son épaule. Ainsi que l'éclat de sa chevalière à son doigt, tout contre le bras de la jeune femme.

Il s'efforça de ne pas penser à l'inscription gravée à l'intérieur du bijou.

New York

JENNIFER lisait la presse tous les jours dans l'espoir d'y trouver des considérations optimistes sur la guerre. Quand elle tombait sur un article pessimiste, elle s'efforçait de le chasser de son esprit. Petit à petit, elle se persuadait que si William avait refusé de l'épouser, c'était uniquement à cause de ses devoirs de soldat. Il voulait la protéger de la guerre.

Cependant, elle ne pouvait ignorer les nouvelles sinistres en provenance des côtes irlandaises battues par les vents. Il ne se passait pas de jour sans que les comptes rendus mentionnassent de nouveaux torpillages de navires britanniques. Elle imaginait William sur l'un des destroyers qui, d'après les journaux, faisaient la chasse aux sous-marins.

— Cela ne m'étonnerait pas qu'on lui ait confié le commandement d'un de ces navires, lui disait son père, en ajoutant aussitôt qu'il n'avait aucun moyen de s'en assurer.

Durant la semaine, quand sir Peter était à Manhattan, Jennifer écrivait des lettres interminables. Elle se dépêchait de les terminer pendant le week-end et les lui confiait afin qu'il pût les mettre dès le lundi matin dans la valise diplomatique. Sur le conseil de son père, elle les adressait simplement au capitaine de frégate William Day, aux bons soins de l'Amirauté.

— La Royal Navy se chargera de les lui transmettre, affirmait sir Peter.

Mais il n'y avait jamais aucune réponse. Bien sûr, Jennifer ne s'attendait pas à ce que William lui envoyât des lettres aussi bavardes et aussi pathétiques que les siennes. Mais elle aurait aimé avoir au moins la preuve qu'il recevait son courrier et qu'il lui accordait de l'importance.

Devant la fidélité à toute épreuve de sa fille, Anne perdait espoir de la voir oublier le commandant Day. Elle tentait de lui procurer de nouveaux centres d'intérêt, elle la faisait participer à ses œuvres charitables, elle l'encourageait à fréquenter des jeunes gens de son milieu. Jennifer acceptait toutes ses suggestions, mais sans aucun enthousiasme.

Une nuit, dans le silence de leur chambre à coucher, Anne se décida à aborder la question avec son mari :

— Nous allons bien être obligés de le lui dire.

— Lui dire quoi ? répondit sir Peter avec une profonde tristesse. Que je lui mens depuis le début ? Cela n'arrangera rien.

— De toute façon, la situation ne peut qu'empirer. Elle est amoureuse de lui.

Ils continuèrent pourtant à se taire. Le moment ne leur semblait jamais propice pour avouer la vérité. Sir Peter, qui connaissait l'affectation de Day, envisagea alors de s'adresser franchement à son ancien adjoint pour lui demander d'écrire une lettre à Jennifer afin de mettre fin à ses illusions. Mais, chaque fois qu'il saisissait son stylo, il se souvenait du soir où il les avait surpris sur la terrasse et où il avait compris que Day aimait sa fille.

— Croyez-vous que cela pourrait marcher entre eux? dit-il un jour à sa femme. Le monde change. Et les vieilles règles... je me demande si elles se justifient encore.

— Je me suis posé la même question, répondit Anne. Je ne suis pas sûre que Jennifer puisse rencontrer un autre homme de cette valeur.

Sir Peter donna un coup de poing sur son accoudoir.

— Nous attachons beaucoup trop d'importance à ces maudites distinctions de classes. Comment! Je refuserais de recevoir à ma table des jeunes gens qui donnent leur vie pour l'Angleterre! Mais ce serait impardonnable!

Anne posa sa main sur la sienne.

— Je pense que nous devons poster ces lettres. Puisque leur avenir est en jeu, c'est à eux d'en fixer les règles.

Le visage de sir Peter s'éclaira :

— Je les emporterai lundi.

Un peu plus tard dans la journée, alors que son père était absent, Jennifer se souvint de lui avoir donné, pour sa documentation, un article sur les opérations navales britanniques qu'elle avait découpé dans le *Herald*. Elle entra dans la bibliothèque. Le cylindre du grand bureau n'était pas fermé. Ne trouvant pas là de coupures de journaux en évidence, elle ouvrit le tiroir du haut : les articles étaient là. Elle les prit délicatement. Ce fut par un pur hasard qu'elle remarqua un paquet d'enveloppes jaune pâle.

La première portait le nom de William Day, écrit de sa main. Celle d'en dessous aussi. Jennifer éparpilla toute la pile. Lorsque finalement la lumière se fit dans son esprit, une rage sourde l'envahit et elle commença à se sentir mal. Après avoir refermé le tiroir, elle sortit de la pièce en courant.

Elle ne descendit pas dîner ce soir-là. Le lendemain matin, elle se présenta dès l'aube dans la bibliothèque, où son père travaillait déjà d'arrache-pied. Avec un calme olympien, elle posa le paquet de lettres sur le document qu'il était en train de lire.

— C'est vous qui l'avez fait muter, dit-elle.

Sir Peter la regarda, impuissant. Il n'avait pas le courage d'avouer son crime. Il ne parvint qu'à hocher la tête en signe d'acquiescement. Soudain, il remarqua les yeux gonflés de sa fille et comprit qu'elle avait pleuré toute la nuit.

— Je t'en prie, dit-il. Laisse-moi t'expliquer…

— Je vais le rejoindre, répondit Jennifer.

Il savait qu'elle tiendrait parole. Le souffle coupé, il la regarda quitter la pièce. Comme tous les pères qui un jour ont menti à leur enfant, il comprit qu'il venait de perdre sa place privilégiée dans le cœur de Jennifer et qu'elle ne lui pardonnerait jamais.

Chapitre 8

Phare de Coningbeg

— **B**ATEAU-PHARE à deux quarts de vent à bâbord avant.

En entendant le message de la vigie, le commandant Daniel Dow leva ses jumelles avec un grand sourire. Les muscles de son dos commencèrent enfin à se décontracter.

Pour économiser le charbon, la compagnie Cunard avait fermé une des quatre chaufferies du *Lusitania*, ramenant ainsi sa vitesse maximale de vingt-six à un peu plus de vingt nœuds. Il était toujours capable de distancer n'importe quel sous-marin mais pour le capitaine Beau-Temps, la marge de sécurité n'était jamais suffisante. Il n'avait cessé de trembler pendant que le paquebot longeait les côtes irlandaises.

L'arrivée du navire d'escorte, le *Juno*, ne lui avait apporté qu'un soulagement provisoire car il avait dû réduire sa vitesse de deux nœuds pour que celui-ci pût le suivre. Et lorsqu'il avait aperçu la flottille de pêche du commandant Day, le *Juno* avait regagné son mouillage de Queenstown, abandonnant le *Lusitania* à son sort. Depuis trois heures, celui-ci naviguait donc sans aucune protection.

L'inquiétude des passagers s'était dissipée à l'approche des côtes. Les femmes s'activaient à faire leurs malles dans les cabines, tandis que les hommes buvaient un dernier verre avant la fermeture des bars.

Le bateau-phare de Coningbeg était désormais bien visible,

à un quart d'heure de route au maximum. Dès qu'il l'aurait doublé, le « Lévrier » virerait de bord pour s'engager dans le canal Saint George. Dow avait le sentiment que le plus dur était fait.

Il sortit de la timonerie, traversa la passerelle et s'arrêta juste à côté du poste de vigie, les yeux fixés sur les vagues qui écumaient à ses pieds. Tout l'espace compris entre l'endroit où il se trouvait et la proue, depuis la quille jusqu'au troisième étage au-dessus de la ligne de flottaison, était réservé à la cargaison secrète de l'Amirauté. Pendant toute la traversée, le commandant Dow s'était interrogé sur sa nature exacte. Mais à présent il s'en fichait complètement.

Alors qu'il retournait vers la timonerie, un cri s'éleva dans le poste de vigie qu'il venait de quitter :

— Sous-marin ! Sous-marin ! Périscope à bâbord !

Le commandant se précipita dans la timonerie :

— La barre à tribord toute !

Puis il ressortit sur la passerelle. Le périscope émergeait à cinq cents mètres par le travers bâbord.

Le *Lusitania* commença aussitôt à s'écarter du sous-marin. Sa coque fuselée donna fortement de la bande, envoyant les malles s'écraser contre les cloisons des cabines, renversant les verres sur les tapis persans des salons.

Dow vit le périscope se décaler vers sa poupe, puis disparaître derrière sa dunette.

— Redressez la barre ! ordonna-t-il.

Le paquebot géant reprit peu à peu son équilibre. Il se dirigeait désormais vers le sud, à l'opposé du bateau-phare de Coningbeg. Dow ferma les yeux et commença le compte à rebours : combien de secondes une torpille mettrait-elle à rattraper le Lévrier ?

En fait d'explosion, il n'entendit que les furieuses vociférations des passagers qui se ruaient sur le pont découvert. Une fois surmonté le choc du virement de bord brutal, ils venaient voir par eux-mêmes ce qui n'allait pas.

— Un sous-marin ! s'exclamèrent plusieurs personnes. Des index se tendirent vers l'arrière.

Dow regarda dans la même direction : le périscope était toujours là, mais l'écart se creusait. D'ici une minute, le *Lusitania* serait hors de portée.

De ses jumelles, la vigie scrutait la surface de la mer au-delà du sillage du paquebot.

— Il a disparu, commandant.

Mais Dow n'était pas rassuré pour autant. Aussi longtemps que le sous-marin resterait tapi à l'entrée du canal Saint George, il lui serait impossible de faire demi-tour et de continuer sa route.

Il se précipita dans la salle des cartes. En naviguant vers l'est pendant une heure, le *Lusitania* pouvait distancer le sous-marin d'une quinzaine de milles. S'il remettait alors le cap au nord, il arriverait sans doute le premier à Coningbeg.

— La barre au quatre-vingt-dix !

Dow dicta rapidement un message à son opérateur radio pour qu'il le transmette à la base navale de Milford Haven, à la pointe occidentale du pays de Galles. L'alerte serait ainsi donnée aux navires de patrouille qui viendraient quadriller le secteur afin d'empêcher le sous-marin de remonter à la surface. Il ne lui restait plus qu'à attendre leur arrivée à proximité du bateau-phare.

Mais la marée, elle, ne l'attendrait pas. S'il la ratait, il serait obligé de tourner en rond devant le port de Liverpool jusqu'au lendemain, ce qui l'exposerait à une attaque en plein jour. Il fallait à tout prix profiter de la marée.

Le second s'approcha :

— Commandant, une délégation de passagers insiste pour vous parler.

Dow n'avait vraiment pas besoin d'une panique à bord par-dessus le marché. Aussi chargea-t-il le second de calculer à quel moment il faudrait virer au nord pour arriver à temps devant la barre de Liverpool à marée haute. Puis il se rendit dans le fumoir des officiers, où s'étaient réunis cinq hommes en tenue de soirée.

Leur porte-parole se présenta :

— Thomas Astin. Il semblerait que nous courions un danger.

— Il n'y a aucun danger. Je contrôle la situation.

— Le sous-marin était assez près pour nous atteindre.

Dow se força à sourire :

— Nous avons vite repris nos distances. Et maintenant, messieurs, si vous voulez bien m'excuser…

Astin le retint au moment où il allait quitter la pièce :

— Ne serons-nous pas contraints de nous rapprocher de lui pour entrer dans le canal Saint George ?

— Nous aborderons le canal de façon différente, répondit le

capitaine Beau-Temps. De plus, des navires de la Royal Navy vont venir nous escorter. Il n'y a donc pas lieu de s'inquiéter.

De retour dans la salle des cartes, il comprit qu'il avait parlé un peu vite : le second l'informa qu'ils devaient mettre le cap au nord avant une heure, par conséquent en plein jour, s'ils voulaient profiter de la marée. En outre, Milford Haven n'avait toujours pas répondu.

— Répétez le message, ordonna Dow. Dites-leur qu'il nous faut une escorte à dix milles à l'est de Coningbeg. Rendez-vous à 4 heures et demie.

Il alla faire les cent pas sur la passerelle en attendant la réponse. Trente minutes s'étaient déjà écoulées lorsque l'opérateur radio lui apporta en courant la réponse de Milford Haven : RENDEZ-VOUS CONFIRMÉ. 90° EST CONINGBEG. 10 MILLES. 16 H 30.

Après avoir ordonné à l'homme de barre de mettre le cap au nord, il doubla les vigies et demanda à tous les officiers qui n'étaient pas de quart de se répartir les postes d'observation. Aussitôt, une quinzaine de paires de jumelles se braquèrent sur la mer que le soleil déclinant commençait à incendier.

— Je vais demander aux vigies de guetter les bâtiments d'escorte, suggéra le second.

— Je me fiche de l'escorte ! répliqua le commandant Dow. Nous la verrons bien arriver. Occupez-vous plutôt du périscope !

Mais personne n'aperçut la moindre fumée à l'horizon : les navires de guerre n'étaient pas au rendez-vous.

— Où diable sont-ils passés ? s'exclama Dow en distinguant la lueur lointaine du phare de Coningbeg.

— Nous pourrions tourner en rond quelques minutes, dit le second. Ils ont peut-être un peu de retard.

Dow se rembrunit. C'était la première possibilité qui s'offrait à lui. La deuxième consistait à s'éloigner vers le large et à perdre une journée entière, la troisième à s'engouffrer dans l'intervalle situé entre le bateau-phare et le sous-marin qu'il imaginait embusqué à quelques encablures. Aucun périscope n'étant en vue, il prit finalement sa décision :

— Nous allons forcer le passage. Navigation en zigzag. Transmettez mes instructions.

Par une série de virements de bord inopinés, il comptait empêcher le sous-marin d'anticiper la direction générale du paquebot et par conséquent de calculer la trajectoire de ses torpilles. Le *Lusitania* s'engagea dans le canal en décrivant avec son étrave une succession d'angles obtus.

Dans la salle à manger des premières classes, Thomas Astin constata les embardées de sa bisque de homard au fond de son assiette creuse. Dans son verre d'eau, les glaçons commencèrent à s'entrechoquer. Il leva les yeux sur l'un des passagers, membres de sa délégation : l'homme était pâle comme un linge.

— Sous-marin ! s'écria la vigie de bâbord.

Dow se précipita de ce côté et leva ses jumelles : à un kilomètre de là environ, le périscope émergeait nettement de la surface.

Le paquebot avait dépassé le sous-marin, mais se trouvait toujours à portée de tir. La vitesse était désormais son principal atout, aussi Dow décida-t-il sur-le-champ d'abandonner les zigzags.

— Redressez. La barre au vingt.

Si le commandant du sous-marin se rendait compte que le *Lusitania* avait pris un cap définitif et s'il ouvrait le feu immédiatement, sa torpille pourrait rattraper la cible. Mais pour peu qu'il hésitât, le Lévrier s'éloignerait à fond de train et serait vite à l'abri.

— Commandant Dow.

Le capitaine Beau-Temps se pencha au-dessus du pont et aperçut Thomas Astin en compagnie d'un autre passager.

— Où est notre escorte ?

Ignorant la question, Dow braqua de nouveau ses jumelles sur le périscope.

— Navires de guerre droit devant, lui annonça le second.

Dow regarda vers le nord et distingua les mâts de deux bâtiments qui faisaient route dans sa direction. Lorsqu'il se retourna, le périscope avait disparu. Il marcha jusqu'à la rambarde :

— La voici, notre escorte, monsieur Astin.

UNE heure durant, tous les ingrédients du cauchemar avaient été réunis : des passagers innocents, une cargaison mortelle, un sous-marin à l'affût. Dow n'avait pas l'intention d'assumer la responsabilité du drame qui résulterait tôt ou tard de telles combinaisons. Dès le lendemain matin, il se présenta au bureau d'Alfred Booth pour lui donner sa démission.

— Je veillerai à ce que vous ne trouviez jamais un autre

commandement! s'écria Booth. On ne vous proposera rien. Pas même un bateau à rames.

Mais, en dépit de ses imprécations, le directeur de la compagnie Cunard avait déjà compris que Dow ne voulait pas d'un autre navire. Tout ce qui comptait pour lui, c'était de fuir la guerre. Booth se calma donc très vite et lui demanda franchement :

— Qui peut vous remplacer ?

— Bill Turner, répondit Dow sans l'ombre d'une hésitation.

— Bill « Melon » ! bredouilla Booth, horrifié.

Turner avait en effet l'habitude de porter un chapeau melon au lieu de la casquette réglementaire assortie à son uniforme.

— Ce type est un sauvage. Il verse du ketchup dans son potage !

— Trouvez quelqu'un d'autre pour dîner avec les passagers, lui conseilla Dow. Mais mettez Bill Turner sur la passerelle. C'est votre meilleur marin.

Schull

BIEN que faite de bric et de broc, la flottille du capitaine de frégate Day remplissait bien sa mission — à la grande surprise de l'amiral Coke, le responsable des côtes méridionales irlandaises basé à Queenstown. Une poignée de chalands et de bateaux de pêche, armés de simples fusils et de mitrailleuses légères, obtenait de meilleurs résultats au large de l'Irlande que la Royal Navy dans le reste des îles Britanniques. Depuis que l'Allemagne avait délimité publiquement une zone de combat, vingt-cinq navires de commerce anglais avaient été envoyés par le fond — en mer du Nord, dans le canal du Nord, dans le canal Saint George et à l'ouest de l'Irlande — avec près de cinq cent mille tonnes de matériel de guerre. En revanche, un seul bâtiment avait disparu dans le secteur du commandant Day et de plus l'attaque s'était produite de nuit, lorsque les bateaux irlandais étaient au port.

Day n'avait pas besoin de statistiques pour mesurer l'ampleur de son succès. Il lui suffisait d'observer le visage de ses hommes. La pratique avait parfait leur formation rudimentaire ; ils jouaient dans la guerre un rôle honorable et en oubliaient qu'ils collaboraient par là même avec leur ennemi héréditaire.

Il s'embarquait souvent le matin avec l'une de ses trois flottes et allait d'un bateau à l'autre en encourageant les équipages. Par sa seule présence, il leur rappelait l'importance de leur mission.

Le reste du temps, il travaillait avec Shiela McDevitt. Malgré toutes leurs précautions, ils avaient du mal à se soustraire à des regards aussi scrutateurs que malveillants. L'isolement de Shiela était encore plus grand que le sien et les villageoises ne cachaient pas le mépris qu'elle leur inspirait.

— Il habite chez elle, dit une de ces commères au curé de la paroisse après avoir repéré l'automobile de Day garée devant le cottage de Shiela, un matin de bonne heure.

Une fois, une femme alla jusqu'à insulter Shiela grossièrement sur le quai du port de Baltimore. Day la ramena aussitôt chez elle, sans passer par la station de Crookhaven, et la serra dans ses bras durant toute la nuit. Le lendemain, ils durent affronter les coups d'œil soupçonneux du chef radio Gore.

C'EST en la reconduisant chez elle au terme d'une journée harassante que Day évoqua pour la première fois la question qui le tourmentait :

— Tu n'as pas l'impression que les Allemands interceptent nos messages ?

— Nos messages chiffrés ? demanda-t-elle avec effroi. C'est impossible. Nous changeons de code tous les jours.

— Il existe des tas de moyens. La ligne de Queenstown est peut-être sur écoutes. Il peut aussi y avoir une fuite quelque part... à Queenstown ou même parmi nous, à Crookhaven.

Shiela blêmit.

— Ça me semble impensable. Et toi, tu y crois ?

— Je n'en suis pas sûr. Mais les coïncidences sont trop fréquentes. Au cours des dernières semaines, toutes les attaques de sous-marins étaient dirigées contre des navires sans escorte. Et il s'agissait à chaque fois d'une cargaison de la plus haute importance. Je ne peux pas croire que les Allemands jouissent d'une chance aussi insolente.

Shiela réfléchissait en silence.

— Par ailleurs, poursuivit-il, on dirait qu'ils savent d'avance où nos bateaux vont opérer. Quand nous nous déplaçons à l'ouest de notre secteur, par exemple, ils attaquent à l'est.

Shiela n'était pas convaincue :

— Mais notre flottille ne reçoit jamais ses instructions par radio. Nous les remettons aux équipages en mains propres.

Day fit la grimace. Elle avait vu juste et elle allait bientôt en déduire la vérité : un espion s'était glissé en leur sein — probablement la même personne qui transmettait leurs messages radio.

— Pourquoi pas les républicains ? suggéra-t-il. J'imagine mal un de nos pêcheurs en train de pirater notre ligne de téléphone ou de se servir d'un poste de radio. Seuls les nationalistes irlandais disposent de la technique et de l'organisation nécessaires. Tu ne crois pas que l'un d'entre eux a pu s'infiltrer parmi nous ?

— Il y en a partout, dit Shiela en haussant les épaules. Mais je n'en connais aucun qui fasse autre chose que des discours.

Quand ils furent arrivés au cottage, Day ralluma le poêle afin de préparer du thé.

— Quelles sont tes intentions ? lui demanda Shiela.

Il posa la bouilloire au-dessus des flammes.

— Je vais prévenir l'Amirauté et leur conseiller de ne plus envoyer de messages par l'intermédiaire de Crookhaven.

— Et sur place ? Tu ne peux pas abandonner la flottille.

— Nous donnerons les instructions aux équipages juste avant l'appareillage. Les sous-marins auront ainsi moins de temps pour réagir.

Shiela apporta la théière dans le salon.

— S'ils ferment Crookhaven, ils n'auront plus besoin de moi.

— J'y ai déjà pensé, avoua-t-il.

— Je ne te laisserai pas ici tout seul. C'est trop dangereux. Tu devrais demander ta mutation.

Il l'attira dans ses bras et lui dit d'un ton taquin :

— C'est toi qui es dangereuse.

Elle se dégagea, piquée au vif.

— Arrête de te moquer de moi !

— Excuse-moi. Pourquoi dis-tu que je suis en danger ?

— Parce que tu poses trop de questions, répondit Shiela. Et qu'on ne veut pas que tu découvres les réponses.

Londres

LE capitaine de vaisseau Reginald Hall se leva lorsque le lieutenant de vaisseau Peter Grace fut introduit dans son bureau. Grace n'était pas un officier ordinaire. Il portait des vêtements civils, n'avait jamais servi à bord d'un navire et n'avait pas l'intention d'accepter quelque commandement que ce fût. Le gouvernement de Sa Majesté préférait l'employer à d'autres tâches très particulières.

— Tout est en ordre sur les docks des Indes ? demanda Hall dès que son hôte se fut assis.

— Oui, je pense, répondit le capitaine Grace. Les amis de M. Loughton sont en état d'arrestation. Quant à lui, il n'est plus opérationnel.

Loughton, un docker qui vendait des informations aux Allemands, avait été écrasé sous une palette de six tonnes qui s'était mystérieusement détachée d'une grue.

Des accidents bizarres se produisaient partout où les nécessités du contre-espionnage conduisaient le capitaine Grace. Son efficacité et sa discrétion lui avaient valu le respect de l'Amirauté.

— Que savez-vous de la côte sud-ouest de l'Irlande ? dit Hall en guise d'entrée en matière.

— C'est le secteur de l'amiral Coke. Nous y avons une station de radio, n'est-ce pas ? Nos messages transitent par Queenstown.

Hall opina du chef :

— Exact. La station est à Crookhaven. Le trafic est important, puisqu'il concerne tous les messages destinés aux navires qui s'apprêtent à longer la côte sud.

Il saisit une chemise sur son bureau avant d'ajouter :

— La station est commandée par le capitaine de frégate William Day, un de nos jeunes officiers les plus brillants. Il nous a envoyé ce rapport extrêmement pertinent.

Hall demeura silencieux pendant que Grace feuilletait le document.

— On dirait qu'il a levé un lièvre.

— En effet, répondit Hall. Nous savions depuis un bon moment qu'il y avait des fuites à Crookhaven. Mais quand on a lu ce rapport, on comprend qu'il s'agit d'une opération de grande envergure.

— Et vous voulez que j'aille y jeter un coup d'œil, conclut le lieutenant de vaisseau Grace.

— Le plus vite possible. Vous n'aurez pas besoin de prendre une fausse identité. Vous vous présenterez simplement au commandant Day. Pendant qu'il fera la chasse aux sous-marins, vous traquerez les espions.

— Cela paraît simple, dit Grace. Peut-être même un peu trop simple.

— Il existe tout de même une petite complication. Nous aimerions savoir d'où viennent les fuites. Mais nous ne voulons pas que le coupable soit... neutralisé.

Comme Grace paraissait déconcerté, Hall précisa sa pensée :

— Nous avons besoin d'une filière pour transmettre des renseignements aux Allemands. Il faut qu'ils continuent à intercepter certains messages en étant persuadés de leur authenticité. Nous voulons être en mesure d'attirer leur attention sur certains navires.

Grace avait compris.

— Les découvertes du commandant Day ne servent donc pas l'intérêt national, dit-il avec un sourire rusé.

— Elles pourraient du moins s'avérer inopportunes, corrigea Hall. Puisque vous allez le décharger de l'enquête, il est probable qu'il consacrera toute son attention à ses autres tâches.

Grave rendit la chemise à son supérieur et se leva.

— Vous me couvrirez auprès de l'amiral Coke.

— Bien entendu, promit Hall.

Chapitre 9

Schull

L E neveu de Thomas McCabe jeta quelques bûches supplémentaires dans le fourneau du *Hugh O'Neill* et regarda le niveau monter dans le manomètre de pression. Lorsqu'il ouvrit la soupape de commande des gaz, la vapeur siffla dans les têtes de cylindres.

— Paré à appareiller, commandant, dit-il à William Day.

Le navire amiral prit la tête de la flottille et sortit dans la baie de Roaringwater.

Depuis qu'il donnait ses instructions juste avant le départ, Day accompagnait ses hommes en mer tous les matins. Grâce à ce subterfuge, le littoral tout entier était devenu une zone à haut risque pour les sous-marins. Il savait que ceux-ci n'abandonneraient pas leur terrain de chasse, que tôt ou tard ils devraient affronter ses bateaux de pêche, et il voulait être présent quand les hostilités débuteraient.

Il avait fait tout son possible pour se préparer à cette éventualité. Une mitrailleuse lourde avait été fixée sur le poste de pilotage du *Hugh O'Neill* et confiée à un servant expérimenté. Il avait également chapardé un mortier d'infanterie et l'avait fait installer à l'avant.

La flottille prit rapidement position à la limite ouest du secteur, là où l'on voyait déboucher les cargos en provenance d'Amérique. Le navire amiral commença la tournée d'inspection de ses bateaux.

— Pas beaucoup de brise aujourd'hui, hein, commandant ? lança le vieux Mike O'Sullivan en montrant sa voile qui faseyait. J'espère qu'on n'aura pas à se déplacer d'urgence aujourd'hui.

— Moi aussi, j'espère bien, monsieur O'Sullivan, lui répondit Day depuis le pont du *Hugh O'Neill*.

Soudain, il aperçut une fumée noire à trois milles au sudouest du cap Mizen.

— Voici le premier Yankee, dit-il à Thomas McCabe.

Il acheva sa ronde tout en gardant un œil sur le cargo américain, jusqu'à ce que celui-ci fût parvenu au milieu de ses embarcations. Puis il demanda à McCabe de mettre le cap à l'est afin de rejoindre la flottille de Baltimore.

Au bout d'une heure, Thomas McCabe pointa l'index en direction du sud : une forme noire progressait à l'horizon en laissant un sillage derrière elle. Day leva ses jumelles.

— Virez de bord ! hurla-t-il. Ce n'est pas un des nôtres.

Tandis que le yacht mettait le cap sur le mystérieux bâtiment, Day distingua l'écume soulevée par l'étrave.

— Mon Dieu ! murmura-t-il. C'est un sous-marin.

Il se tourna vers le neveu de McCabe :

— Donne toute la pression dont nous sommes capables !

Puis vers le mitrailleur :

— Tenez-vous prêt à ouvrir le feu !

A l'avant, les servants du mortier avaient entendu le branlebas de combat. Ils étaient déjà en train de soulever le couvercle du coffre d'obus.

— Parez à tirer ! leur ordonna Day.

L'artilleur tourna la manivelle de pointage. Dès que le tube eut atteint un angle de trente-cinq degrés, Day leva la main :

— Feu !

Il y eut un petit bruit étouffé, et le premier projectile qu'il eût envoyé depuis le début de la guerre alla exploser dans la mer à quelques encablures du *Hugh O'Neill*.

— Feu ! répéta Day.

Cette fois-ci, l'obus parvint à mi-distance du sous-marin.

Le commandant allemand ne pouvait pas ignorer ce bombardement de plus en plus menaçant. Soit il se déciderait à plonger, soit il se préparerait à accueillir le *Hugh O'Neill* qui fonçait sur lui. Dans un cas comme dans l'autre, il allait devoir renoncer à attaquer les autres bateaux de la flottille sans défense.

Mais le sous-marin, déjouant les prévisions de Day, continua à faire route à pleine vitesse vers les embarcations irlandaises.

Une volute de fumée apparut au-dessus du bâtiment allemand, suivie quelques secondes plus tard par le rugissement de son canon. Un énorme geyser jaillit juste à côté d'un petit bateau de pêche à moteur.

— Continuez à tirer ! cria Day aux servants du mortier.

Le canon du sous-marin tira alors un second obus, qui souleva le bateau de pêche au-dessus de la surface de l'eau et projeta son équipage à la mer.

Le neveu de McCabe avait beau porter le fourneau de la chaudière à incandescence, le *Hugh O'Neill* ne réussissait pas à combler son retard.

Le sous-marin avait désormais à sa portée la première rangée d'embarcations. Sa mitrailleuse se mit à cracher et les rafales zébrèrent les vaguelettes à quelques mètres de leurs cibles. Au même instant, un troisième obus faisait voler en éclats la coque en bois d'une barque de pêche.

En entendant les détonations, les Irlandais s'étaient tous dirigés vers le sous-marin, sans se rendre compte que son canon était déjà braqué sur eux. Quand ils s'aperçurent du danger, la panique les gagna et certains faillirent entrer en collision dans le sauve-qui-peut général. Mais leur fuite était inutile. Propulsé par de puissants moteurs, le sous-marin les rattrapait rapidement, et leur sort dépendait désormais du hasard. De la poupe de leurs bateaux, les patrons pêcheurs attendaient de savoir auquel d'entre eux serait destiné le prochain obus allemand. En une minute, quatre bateaux s'abîmèrent dans les flots, laissant derrière eux des naufragés qui se débattaient frénétiquement dans la mer. Day assista impuissant à ce massacre, car il se déroulait hors de portée de ses pauvres armes.

Le sous-marin attaquait déjà la seconde rangée d'embarcations, dans laquelle se trouvait le voilier de Mike O'Sullivan. Celui-ci alla jusqu'au tableau arrière et pointa son fusil sur l'attaquant dans une attitude de défi.

— Nooon! s'écria Day.

Mais le vieil homme ne pouvait l'entendre. Bien campé sur ses jambes pour lutter contre le roulis, il ouvrit le feu. Tandis que le recul soulevait le canon du fusil, les matelots allemands se jetèrent sur le pont. Leur commandant agita alors le doigt en direction du voilier de Mike O'Sullivan qui s'efforçait d'introduire une nouvelle balle dans la chambre de son arme.

Horrifié, Day vit la mitrailleuse pivoter vers le vieil homme. Une rafale déchiqueta le tableau, et le fusil d'O'Sullivan lui fut arraché des mains tandis qu'il disparaissait par-dessus bord.

Le mortier du *Hugh O'Neill* produisit un nouveau bruit étouffé. L'obus explosa cette fois-ci à moins de cinquante mètres de l'objectif. Le sous-marin interrompit aussitôt son attaque et se retourna vers le yacht.

— Le moteur surchauffe! cria le neveu de McCabe.

— Vitesse maximale! répondit Day.

Peu importait si le moteur n'avait plus qu'une minute à vivre : d'ici vingt secondes, le sort du yacht serait scellé.

Le canon du sous-marin gronda, et une gerbe d'eau jaillit à tribord de la proue. La soudaine embardée envoya Thomas McCabe valser dans le poste de pilotage. Day saisit la roue à sa place et redressa la course du bateau. La victoire appartiendrait à celui qui parviendrait à tirer la prochaine rafale le premier.

Day entendit sa mitrailleuse entrer en action au-dessus de sa tête. Les balles ricochèrent sur la coque du sous-marin et menacèrent bientôt les canonniers allemands. A l'avant, les servants lâchèrent un nouveau projectile dans le tube du mortier. A l'instant précis où il explosait près de sa cible, Day mit brusquement la barre à tribord.

Une seconde plus tard, un obus allemand de 75 mm s'enfonçait dans la mer là où le yacht se serait trouvé s'il avait continué tout droit. Une formidable trombe d'eau coucha le *Hugh O'Neill* sur le flanc. Alors qu'il se redressait à grand-peine, une rafale de mitrailleuse déchiqueta le poste de pilotage. Le tireur britannique s'effondra en poussant un hurlement de douleur. Juste avant d'être touché, il avait eu le temps de faucher deux canonniers allemands.

Alerté par le sifflement de l'obus de mortier, le commandant allemand s'abrita derrière le bouclier du kiosque, juste avant qu'il n'explosât à un ou deux mètres de sa coque.

Day fonça sur lui, avec l'espoir que les servants de son mortier seraient plus rapides que celui de la mitrailleuse ennemie. Mais il n'y eut aucune rafale. Le commandant allemand faisait évacuer le pont et se préparait à plonger.

Entre-temps, McCabe s'était relevé en chancelant et avait plus ou moins retrouvé ses esprits.

— Maintenez le cap, lui dit Day en le poussant vers la roue.

Il grimpa sur ce qui restait du toit du poste de pilotage, s'installa derrière la mitrailleuse et vit dans le viseur les matelots qui s'engouffraient dans les panneaux. Il déverrouilla la culasse et pressa la détente. Aussitôt les balles résonnèrent sur la coque métallique. Un Allemand s'écroula avant d'atteindre le sas. Un autre, déjà engagé jusqu'à la ceinture, lâcha prise et disparut dans l'orifice.

Une cascade d'eau bouillonnante recouvrit le pont du sous-marin. Day tira sur le périscope. La plupart des balles ricochèrent sur le blindage, mais plusieurs d'entre elles endommagèrent les tubulures qui protégeaient les fragiles lentilles. Il ne cessa le feu que lorsque le périscope eut été à son tour avalé par les flots.

Day se rendit compte alors que le *Hugh O'Neill* était frappé à mort. La chaleur du moteur brûlant avait incendié le pont arrière, et la coque truffée de balles faisait eau de toutes parts. De nombreux bateaux irlandais qui avaient pris la fuite rebroussèrent chemin pour venir le secourir ainsi que les équipages des bateaux envoyés par le fond qui se débattaient dans les flots. Le niveau de la mer était déjà monté jusqu'à la lisse du *Hugh O'Neill* lorsqu'un petit chaland se rangea à ses côtés. Sur le visage des pêcheurs ne se lisait aucune fierté, bien qu'ils eussent victorieusement relevé le premier défi lancé par un sous-marin. Ce succès, en effet, avait coûté la vie à plusieurs de leurs compatriotes.

Sur le ponton de Schull, Day constata toute l'ampleur du désastre. Cinq hommes étaient portés disparus. Leurs femmes et leurs proches erraient parmi les survivants abasourdis, jusqu'au moment où ils comprenaient que leurs plus terribles craintes étaient justifiées. Le père Connors administra les derniers sacrements à deux des victimes, qui furent ensuite roulées dans de la toile à voile puis emportées à l'église par leurs amis.

William Day, conscient d'être un étranger, préféra demeurer à l'écart de ces scènes de deuil. Mais tout à coup il aperçut une vieille femme au corps frêle : M\ᵐᵉ O'Sullivan se tenait sur l'embarcadère où son mari amarrait son voilier tous les soirs. Il s'approcha d'elle et lui toucha le poignet. Elle leva les yeux, le reconnut et se mit à hurler en essayant de lui frapper le visage de ses mains décharnées :

— Soyez maudit! dit-elle d'une voix perçante. A quoi va lui servir votre sale argent à présent?

Les gens la regardèrent s'épuiser en de vains efforts pour atteindre Day. Elle finit par tomber à genoux, secouée par des sanglots étouffés. Emmett Hayes sortit de la foule et l'aida à se relever, puis à rejoindre les siens. Toute l'assistance se mit alors en marche vers le village, laissant Day seul sur le quai.

SHIELA l'attendait sur le pas de la porte de sa maison. Elle avait été informée de l'attaque du sous-marin à la station de radio et avait supplié un chauffeur de camion de la déposer à Schull.

— Des dégâts? demanda-t-elle à Day lorsqu'il descendit de son automobile.

Il hocha lentement la tête :

— Jeremy Duke, le matelot anglais, tué par la mitrailleuse allemande. Pat O'Donnell et le petit Farley, disparus en mer. Et le vieux Mike O'Sullivan…

— Oh non! gémit Shiela en cachant son visage dans ses mains.

— Ce salaud est venu droit sur nous. Ce sont bien nos bateaux qu'il cherchait et non pas un cargo. Nous l'avons repoussé mais au prix d'un véritable massacre.

Shiela n'écoutait plus. Elle s'était effondrée en larmes sur le canapé. Day voulut la prendre dans ses bras, mais elle le repoussa et se réfugia dans sa chambre. En tant que militaire, il déplorait la mort de ces hommes courageux. Elle, au contraire, c'étaient des voisins qu'elle avait perdus, des gens qui appartenaient à son enfance. Et elle voulait prendre le temps de les pleurer.

Day se versa une généreuse rasade de whiskey et s'efforça de se rappeler le visage des disparus. Avait-il trahi leur confiance ? Ils étaient morts en combattant sous ses ordres. Même si cette guerre n'était pas la leur, ses volontaires irlandais avaient contraint le sous-marin à la fuite. Le vieux Mike O'Sullivan, debout à l'arrière de son voilier, faisant face à une mitrailleuse, n'était pas un cinglé. C'était un homme brave, qui accomplissait son devoir.

— Ce n'est pas de ta faute. C'est toute l'absurdité de cette maudite guerre.

Shiela se tenait sur le seuil du salon, la robe chiffonnée, les yeux rouges.

— Je sais, répondit Day. Mais je suis désespéré pour eux. Et pour toi.

Shiela marcha jusqu'à lui et lui prit la main.

— Ne t'en va pas, dit-elle. Il ne faut pas que nous restions seuls cette nuit.

Ils reposèrent ensemble, dans le silence. Le lendemain matin, les premiers bruits de l'aube les surprirent tendrement enlacés.

LORSQUE William Day posa le pied sur le ponton, seule une poignée de pêcheurs l'attendait près des bateaux. Le commandant inspira profondément et se dirigea vers eux en essayant de paraître sûr de lui. C'est alors qu'Emmett Hayes se porta à sa rencontre.

— Je ne pense pas que vous partiez en patrouille aujourd'hui, lui dit l'instituteur. La marée a rejeté le corps de Mike O'Sullivan. Nous attendons les autres.

Day lui fit signe qu'il comprenait :

— J'attendrai avec eux. J'aimerais les aider à emporter les corps jusqu'à l'église.

— Nous vous en remercions. Mais nous préférerions rester entre nous aujourd'hui. Nous avons une décision à prendre.

LA sentinelle salua Day devant le portail de la station de radio et lui annonça :

— Un nouvel officier est arrivé.

— Un nouvel officier ? répéta Day en s'arrêtant net.

— Oui, commandant. Un certain lieutenant de vaisseau Grace. Il doit remplacer miss McDevitt.

La surprise de Day était totale. Il se dépêcha de gravir la colline et aperçut le chef radio qui l'attendait devant la petite maison.

— Saviez-vous que Shiela nous quittait ? demanda Gore.

— Je l'ignorais totalement.

Gore prit un air dégoûté :

— Pourquoi veulent-ils donc la muter ? Ils devraient savoir qu'elle nous est indispensable.

— Peut-être le nouveau capitaine pourra-t-il nous l'expliquer. Où est-il ?

Le chef radio lui indiqua l'autre bâtiment :

— Il est allé déjeuner. On dirait qu'il sort de l'école. Un uniforme flambant neuf...

L'officier au visage juvénile se mit au garde-à-vous lorsque Day ouvrit la porte du mess.

— Lieutenant de vaisseau Peter Grace. A vos ordres, commandant.

Une assiette de rognons en sauce et une théière étaient posées devant lui. Il jeta un coup d'œil gêné sur son repas, puis sur son supérieur.

— Finissez de manger, dit Day.

Il posa sa casquette sur la table et s'assit.

— Il paraît que vous avez eu des ennuis hier, dit Grace entre deux bouchées. J'ai mal choisi mon moment pour débuter.

— Oui, de gros ennuis. Mais vous arrivez à point nommé. Nous avons besoin d'aide.

Il attendit que Grace eût bu une tasse de thé avant d'ajouter :

— En revanche, nous regrettons beaucoup le départ de miss McDevitt. Savez-vous quand elle doit nous quitter ?

— Ce n'est pas urgent, dit Grace.

D'un coup d'œil circulaire, il s'assura qu'ils étaient bien seuls.

— En fait, mon affectation n'est qu'une couverture. J'appartiens au 2e Bureau.

Il planta sa fourchette dans un rognon sans se soucier de la stupéfaction de Day et continua :

— La coïncidence était vraiment heureuse. Vous prévenez l'Amirauté que vos messages radio sont piratés. L'Amirauté prévient mon service. Et, pendant que nous cherchons une couverture pour m'introduire en douceur, voilà que miss McDevitt demande à être mutée en Angleterre. Alors c'est simple comme bonjour : je suis chargé de la remplacer.

— Elle a demandé sa mutation ? demanda Day avec un étonnement manifeste.

Grace haussa les épaules :

— Oui, il paraît, dit-il en mâchonnant son rognon. Il vaudrait mieux que vous la gardiez encore un peu. Les changements brutaux rendent les espions soupçonneux. Cela pourrait nuire à notre enquête.

— Sur qui enquêtez-vous ?

— Sur tout le monde. Dans mon boulot, les suspects les plus improbables sont souvent les coupables.

Day appréciait de moins en moins le ton professoral du jeune homme.

— Vous avez une longue expérience de ce genre d'affaires, je suppose ?

— Effectivement, on m'a déjà confié quelques missions, répondit Grace.

Après avoir emporté sa vaisselle dans l'évier, il revint s'asseoir et posa son menton sur ses fortes mains.

— Commandant, vous êtes le seul à connaître la raison de ma présence ici. Et tant que je jouerai au petit morveux tout juste sorti de l'École navale, personne ne devinera notre secret. Croyez-moi, je connais mon métier. Je suis aussi efficace dans mon domaine que vous dans le vôtre. Je ne vous causerai pas d'ennuis et j'espère que vous me rendrez la pareille.

Day le dévisagea longuement et vit que son regard était devenu glacial.

— Vous me tiendrez au courant ? demanda-t-il avec une pointe de respect dans la voix.

— Je ne vous cacherai rien.

Day se leva et prit sa casquette.

— Je vais vous présenter au personnel, dit-il en gagnant la porte.

Grace lui emboîta le pas.

— A vos ordres, commandant.

Il n'avait pas la moindre intention d'informer Day de ses découvertes. Sinon, il lui aurait déjà fait part du résultat de ses recherches initiales : les lignes de téléphone n'étaient pas sur écoutes. Il lui aurait aussi appris que l'instituteur qui distribuait ses instructions aux patrons pêcheurs, le dénommé Emmett Hayes, avait écrit des éditoriaux incendiaires dans un journal nationaliste pendant deux ans. Et il l'aurait prévenu que Shiela était la fille d'un meneur syndicaliste républicain.

Le capitaine Grace était déjà persuadé que la station de Crookhaven était encerclée de conspirateurs irlandais. Il pourrait obtenir leurs noms quand il le voudrait. Mais il n'était pas pressé : sa mission consistait à maintenir la station en activité jusqu'à ce que le message crucial fût envoyé aux Allemands. Alors seulement il fermerait celle-ci. Sans laisser de témoins.

New York

SIR Peter Beecham en était arrivé à redouter les week-ends comme la peste. Du lundi au vendredi, il était absorbé par l'achat de matériel de guerre. Il disposait à présent d'un quasi-monopole sur la production de poudre noire de Du Pont de Nemours ; il s'était porté acquéreur d'une série entière de générateurs fabriqués par General Electric ; et il pesait plus lourd que les distributeurs américains sur le marché de la chaussure de travail. Bien sûr, certaines de ces marchandises ne réussissaient pas à franchir le blocus allemand. Mais l'Angleterre était désormais à l'abri des ruptures de stock.

Le samedi matin, cependant, lorsque sa voiture franchissait le portail de sa propriété, il s'assombrissait. Les pieux mensonges qu'il avait faits à sa fille avaient détruit la joie qui faisait autrefois vibrer toute la maisonnée, tel le son du violon dans le salon de musique. Anne et lui souffraient d'un terrible sentiment de culpabilité.

Une domestique ouvrit la porte, puis le débarrassa de son chapeau et de sa serviette.

— Ma femme est-elle là ? demanda sir Peter.

— Dans sa chambre, monsieur. Je vais la prévenir de votre arrivée.

— Et Jennifer ?

— Je crois qu'elle est allée se promener.

— Ah oui ! Elle profite du beau temps.

Il entra dans la bibliothèque, qui était devenue une sorte de prison dorée. Il s'arrêta devant les baies vitrées donnant sur la terrasse. Sur les branches des arbres, les bourgeons jaunes de la semaine précédente avaient cédé la place à de jeunes feuilles d'un vert délicat.

Anne le rejoignit et posa un plateau sur son bureau.

— Bienvenue, dit-elle.

Il la prit dans ses bras et l'embrassa.

Elle lui raconta les événements de la semaine en lui servant une tasse de thé. Il attendit qu'elle fût assise avant de lui avouer ce qui lui pesait sur le cœur :

— Jennifer a retenu un billet pour l'Angleterre.

— Mon Dieu! dit-elle, manquant de renverser sa tasse sur ses genoux.

— Une cabine de deuxième classe sur l'*Atlantic*, un des petits paquebots de la Cunard. Sumner est tombé sur son nom par hasard en feuilletant la liste des réservations. Il a cru que c'était une erreur et m'a appelé afin d'avoir confirmation.

— Que lui avez-vous répondu?

Sir Peter soupira :

— Eh bien, curieusement, ils sont en train de répartir les passagers sur d'autres paquebots. En effet, l'*Atlantic* est retenu en Angleterre, car l'Amirauté est en train de lui faire subir quelques transformations. J'ai demandé à Sumner de ne pas en avertir Jennifer. Je lui ai dit que je m'en chargerais.

— Elle voulait nous quitter sans même nous dire au revoir. Comme elle doit nous détester!

— Pas du tout, répliqua sir Peter, qui avait pourtant eu la même réaction. C'est une simple manifestation d'indépendance.

— Vous la laisseriez partir? demanda Anne sur un ton de défi.

Avec un geste éloquent, il désigna la maison plongée dans un morne silence.

— C'est comme si elle était déjà partie, vous ne trouvez pas?

— Essayez au moins de lui parler, supplia Anne, au bord des larmes.

L'occasion s'en présenta une heure plus tard, quand Jennifer franchit la porte d'entrée et se dirigea vers l'escalier. Debout sur le seuil de la bibliothèque, sir Peter l'appela. Elle s'arrêta brusquement, ne sachant si elle devait ou non ignorer la présence de son père.

— Puis-je te dire deux mots? C'est important.

Elle entra lentement dans la bibliothèque, sans l'honorer d'un regard, et s'assit tandis qu'il refermait la porte derrière elle.

— J'ai appris que tu avais décidé de rentrer en Angleterre.

Stupéfaite, elle écarquilla les yeux.

Sir Peter s'empressa de la rassurer :

— Je ne t'ai pas espionnée. J'ai su par hasard que tu avais pris un billet.

— Même la compagnie Cunard est à vos ordres, dit-elle d'une voix glaciale.

— Mais non, voyons ! protesta-t-il, rouge de confusion. Il se trouve simplement que le navire sur lequel tu as retenu une cabine est retiré du service. Je n'ai tout de même pas le pouvoir de disposer des paquebots à ma guise !

— Non, seulement des gens.

Pendant quelques secondes, il fut sur le point de laisser libre cours à sa colère. Mais il pardonna son effronterie à la jeune fille, car il comprit que sa blessure était encore plus profonde que la sienne.

— Je n'ai sans doute que ce que je mérite, déclara-t-il. Je ne me le pardonnerai jamais, et toi non plus, sans doute. Mais si tu es résolue à partir, laisse-moi au moins t'aider à voyager en sécurité.

— Je pense que vous m'avez déjà assez aidée comme cela.

— Pour l'amour de Dieu, Jennifer, nous sommes en guerre ! Des navires sont coulés tous les jours. Accepte au moins d'embarquer sur un paquebot sûr.

Elle l'observa d'un air soupçonneux.

— Depuis ta naissance, ta mère et moi nous sommes occupés de tout. Nous avons agi comme il le fallait. Et puis, tout à coup, nous nous sommes trompés. Nous t'avons cruellement blessée. Mais cela ne signifie pas que nous ayons cessé de t'aimer.

— Vous organiseriez ma traversée ? demanda-t-elle.

Elle craignait encore d'être attirée dans un piège.

— Oui. Le *Lusitania* doit appareiller le 1er mai. Autrement dit, le lendemain du jour qui était prévu pour ton départ. C'est le navire le plus sûr de la terre.

— Merci, dit Jennifer.

Elle se leva et se dirigea vers la porte.

— Il faudrait sans doute prévenir William de ton arrivée, dit-il dans son dos. Si tu as une lettre à lui envoyer, je la mettrai lundi dans la valise diplomatique.

Elle se retourna et leva les yeux sur lui.

— Je t'assure que je la mettrai, dit sir Peter. Je te le promets.

Schull

LES corps des pêcheurs irlandais, couchés dans de simples cercueils de pin, furent déposés dans l'église. Les veuves et les mères, qui dissimulaient leur chagrin sous des voiles noirs, occupèrent les premiers rangs. Les villageois les suivirent, avec Shiela parmi eux. William Day et ses marins anglais en grand uniforme entrèrent ensuite et demeurèrent dans le fond de la nef.

Le père Brendan Connors avait décidé de célébrer une grand-messe. Au cours de son sermon, il fit appel aux innombrables subtilités de la théologie irlandaise pour démontrer à l'assistance que leurs amis disparus siégeaient déjà aux côtés de la Sainte Vierge.

— Mais ces hommes ne sont pas seulement des saints, conclut-il. Ils sont aussi des héros de l'armée de Dieu. Et leur chef terrestre est avec nous aujourd'hui.

Il regarda les dernières travées.

— Commandant Day, voulez-vous dire un mot ?

Lorsqu'il monta en chaire, Day n'avait pas la moindre idée de ce qu'il allait dire. Aussi décida-t-il d'être sincère. Il commença par énumérer la liste des navires qui avaient longé en toute sécurité la côte irlandaise. Au total, plus d'un millier de personnes avaient navigué sous la protection de la flottille de pêche.

— Je crois que nous sommes tous frères. Quand nous sommes happés par les horreurs de la guerre, je crois que les meilleurs d'entre nous s'efforcent de sauver les autres du massacre. Ces hommes se sont dévoués pour assurer la sécurité de plus d'un millier de leurs frères. Parce qu'ils étaient les meilleurs d'entre nous.

Les marins anglais firent une haie d'honneur devant le porche. Quand les cercueils eurent été placés sur le corbillard et que la procession eut disparu sur le chemin du cimetière, Emmett Hayes sortit de l'église et s'approcha de Day.

— Merci, dit-il. Nous avons tous apprécié votre discours.

— Les hommes vont-ils reprendre les patrouilles ? demanda le commandant.

— Je n'en suis pas certain, répondit Hayes. Le père Connors choisira le bon moment pour soulever la question. Peut-être d'ici à quelques semaines.

Le contingent britannique rentra ensuite à Crookhaven.

Shiela s'enferma dans la salle de codage pendant que Day examinait les messages du jour. Mais après un court moment, il sortit pour aller jusqu'au rebord de la falaise et laissa son regard errer sur l'océan désert. Sa mission en Irlande était presque terminée. Il avait apporté la preuve tangible qu'une flottille de petits bateaux pouvait protéger les voies maritimes contre les sous-marins. Selon lui, cependant, les pêcheurs irlandais ne reprendraient jamais la mer. Même si les hommes réussissaient à oublier l'image du sous-marin, les femmes se souviendraient toujours de celle des cercueils alignés dans l'église.

Peut-être l'Amirauté organiserait-elle une nouvelle flottille opérant à partir de ports anglais. Mais cela ne le concernait plus.

Même les liens personnels qui le retenaient en Irlande allaient bientôt être rompus. Shiela avait vraiment demandé son rapatriement. Elle était convaincue que Peter Grace était venu la remplacer et qu'elle serait rappelée avant l'été.

— Je crois que je n'ai plus rien à faire ici, lui dit Day en la raccompagnant chez elle. Je veux remonter sur un navire.

— J'en suis heureuse. Il vaut mieux que tu partes.

L'automobile s'arrêta devant la maison. Tandis qu'elle ouvrait la portière, Shiela ajouta :

— Ils n'oublieront jamais les hommes qu'ils ont enterrés aujourd'hui. Tu t'es aliéné le peu de sympathie qu'ils éprouvaient à ton égard.

Ils préparèrent le dîner sans un mot, en s'interrogeant sur l'avenir de leur liaison. La solitude les avait jetés dans les bras l'un de l'autre. A présent, c'était l'heure de vérité. Pouvaient-ils se quitter comme s'il ne s'était rien passé ?

Day retourna le problème dans tous les sens jusqu'au moment du coucher. Il remonta son oreiller et s'assit sous le couvre-lit pendant qu'elle enfilait sa chemise de nuit.

— Puis-je te poser une question ? commença-t-il avec prudence.

Elle fut aussitôt sur ses gardes.

— Tu ne m'as jamais parlé de cette demande de mutation. Nous aurions tout de même pu en discuter tous les deux. Tes opinions et tes décisions m'intéressent directement.

Elle se glissa sous le couvre-lit.

— Tu m'aurais demandé pourquoi, dit-elle.

— Et tu n'aurais pas pu me fournir de raisons ?

— J'aurais seulement pu te répondre que je t'aime.

— C'est pour ça que tu veux me quitter?

Elle toucha son visage du bout des doigts :

— C'est pour ça que je dois te quitter. Tôt ou tard ces gens-là vont te faire du mal. Je ne veux pas être ici quand ça se produira.

— Je ne comprends pas ce que tu veux dire, répliqua Day.

— Je sais, et je ne peux pas te l'expliquer.

Il s'allongea à côté d'elle :

— Nous pourrions peut-être nous faire muter ensemble. J'ai besoin d'être près de toi.

— Tu es près de moi en ce moment, dit-elle en l'embrassant avec tendresse.

— Oui, mais tu vas me quitter.

— Qui sait ce que l'avenir nous réserve? Si nous sommes destinés à vivre ensemble, nos chemins se croiseront de nouveau.

— Je dois donc me contenter du présent? demanda Day.

Shiela le regarda droit dans les yeux. Dans la lueur douce de la lampe, il vit qu'elle pleurait.

— Nous ne possédons rien d'autre que le présent, dit-elle.

Et elle l'étreignit de toutes ses forces.

PRINTEMPS 1915

Chapitre 10

Londres

REGINALD HALL était superbe dans son grand uniforme de capitaine de vaisseau, son bicorne sous le bras. Il venait de quitter l'ambassade d'Italie, où l'un de ses agents lui avait transmis des renseignements qui intéresseraient beaucoup Winston Churchill.

Il prit un taxi jusqu'à l'Amirauté et vit que la fenêtre du bureau du premier lord était encore illuminée.

— Vous sentez la naphtaline, lui lança Churchill en apercevant sa tenue de cérémonie. Vous fréquentez donc les soirées diplomatiques?

— En vérité, répondit Hall, j'allais surtout consulter une de nos sources d'informations. Je pense que les Allemands vont bientôt s'en prendre à nos paquebots.

Une lueur brilla soudain dans le regard de Churchill :

— A tous nos paquebots ?

— A tous ceux qui pénétreront dans la zone de combat.

Churchill ferma le dossier qu'il était en train d'étudier.

— Commandant, vous connaissez les enjeux. Les Américains ne changeront certainement pas de politique s'ils ne perdent qu'un seul obscur citoyen.

Hall opina du chef. Seule une provocation barbare pourrait amener les États-Unis à renoncer à leur neutralité officielle et à entrer en guerre.

— Nous devons trouver un appât suffisant pour amener les Allemands à attaquer un navire avec à son bord bon nombre de citoyens américains éminents. Il faut qu'à leurs yeux le jeu en vaille la chandelle.

Churchill ouvrit la chemise et en sortit un document qu'il tendit à Hall.

— Quelque chose de ce genre ? demanda-t-il.

C'était un télégramme expédié de New York par sir Peter Beecham :

Dispose de soixante tonnes de pyroxyle prêtes à être embarquées. Mais impossible de se procurer conteneurs étanches à quelque prix que ce soit. Du Pont de Nemours affirme transport extrêmement dangereux sans conteneurs. Je conseille report de chargement jusqu'à ce que j'en aie trouvé.

— Les Allemands sont prêts à tout pour nous empêcher d'importer ce coton-poudre, dit Hall. Leurs agents ont tenté de saboter le train qui devait le transporter jusqu'aux docks du New Jersey.

— Dans ce cas, ils ne pourront résister à la tentation de le détruire en mer, quel que soit le navire qui l'acheminera en Angleterre.

— Si vous le souhaitez, je vais m'en occuper, dit Hall.

Churchill se replongea dans ses papiers.

— Je savais que je pouvais compter sur vous.

Crookhaven

LE capitaine de frégate Day jeta un coup d'œil sur le message que Queenstown venait de transmettre par téléphone au chef radio Gore. Il était rédigé en clair et adressé à la CAMG de New York.

Chargez pyroxyle à bord du *Lusitania,* qui quittera New York le 1er mai. Placez coffres dans cales sèches au-dessus de ligne de flottaison. Gardez secret absolu sur opération.

Day savait que les initiales CAMG désignaient la Commission d'Achat de Matériel de Guerre présidée par sir Peter Beecham. Et il savait également à quoi correspondait cette cargaison : il s'agissait du coton-poudre qu'il lui avait offert en guise de cadeau de Noël.

— Appelez Queenstown, dit-il à Gore, et demandez confirmation. Ça m'étonne qu'ils veuillent faire envoyer ce message par notre station.

Il avait fait part de ses soupçons à l'Amirauté, et voilà que celle-ci confiait à Crookhaven la nature réelle d'une cargaison ultra-sensible et le nom du navire qui la transporterait. Si le message était authentique, il allait mettre en péril le précieux coton-poudre — sans parler des passagers du *Lusitania.*

Day fourra le papier dans sa poche et se rendit au mess. Peter Grace, comme il l'avait deviné, était en train de faire frire des œufs dans une poêle pour son petit déjeuner.

— Alors, votre enquête progresse ?

— J'ai quelques indices, répondit le capitaine Grace, mais rien de concluant.

Il fit glisser ses œufs dans une assiette et s'assit à table.

— Existe-t-il toujours des fuites dans notre trafic radio ? demanda Day.

— Oui, pour autant que je sache.

Day sortit le message et le déplia :

— Dans ce cas, pourquoi nous charge-t-on de transmettre ceci à New York ?

Grace y jeta un coup d'œil.

— Ça m'a l'air d'être de la routine.

— Savez-vous ce qu'est le pyroxyle ?

— Pas la moindre idée, dit Grace en avalant une bouchée.

— C'est du coton-poudre. L'explosif que nous mettons dans nos mines. Nos réserves sont vides, et nous n'aurons pas d'autre arrivage avant six mois.

— Une cargaison sensible, par conséquent. Je suppose que c'est la raison pour laquelle ils la confient au *Lusitania*. Le navire le plus sûr de la terre, d'après ce qu'on raconte.

— Mais pourquoi confier ce message à une station de radio infiltrée par les Allemands ?

— En effet, ça semble idiot. Vous devriez poser la question à l'Amirauté.

— C'est déjà fait, dit William Day. Je voulais juste m'assurer que cela n'avait aucun rapport avec votre enquête.

Grace secoua la tête en signe de dénégation :

— Je n'ai rien à voir là-dedans. Mon boulot consiste à fourrer mon nez un peu partout et à interroger les gens. Le train-train, en somme.

— C'est comme ça que vous vous êtes abîmé les deux mains ? dit Day avec un sourire sarcastique.

Grace baissa les yeux sur ses phalanges enflées.

— Oh ! ça, c'est en faisant un tour à bicyclette ; je suis passé par-dessus le guidon. J'ai eu de la veine de ne pas me rompre le cou.

Day regagna le centre de transmissions au moment précis où le chef radio Gore raccrochait le téléphone :

— Ce n'est pas une erreur, commandant. J'ai fini par obtenir un officier du 2e Bureau. Il n'a pas eu l'air enchanté que je conteste ses instructions. « Chiffrez ce maudit message, m'a-t-il ordonné, et envoyez-le en vitesse ! »

Day ne comprenait pas ce que le 2e Bureau venait faire dans cette histoire. Il était logique que l'Amirauté embarque du pyroxyle à bord du *Lusitania*, autrement dit leur cargaison la plus précieuse sur leur navire le plus sûr. Mais pourquoi donc le 2e Bureau était-il impliqué ?

— Que voulez-vous que je fasse ? demanda Gore.

— Je suppose qu'il faut l'envoyer. Shiela est-elle ici pour le chiffrer ?

— Elle sera de retour d'une minute à l'autre. Il est arrivé un malheur à Schull. Un pauvre type qu'elle connaissait bien a bu un coup de trop et il est tombé au fond d'un puits.

New York

— Le *Lusitania*?

Sir Peter n'en croyait pas ses yeux. Il tenait entre ses mains un message décodé : en réponse à ses questions concernant le coton-poudre, l'Amirauté lui ordonnait de le charger dans la soute à munitions du paquebot géant sans prendre la précaution de l'emballer dans des conteneurs étanches.

— N'est-ce pas risqué ? demanda sir Peter au capitaine de vaisseau Guy Gaunt, l'attaché naval de l'ambassade britannique.

Celui-ci lut le texte avec un froncement de sourcils.

— Le transport du coton-poudre présente toujours des risques, dit-il. Mais je présume qu'ils y ont pensé. Après tout, le *Lusitania* est le plus sûr de tous nos navires.

— Il y aura environ quinze cents passagers à bord.

— C'est bien pourquoi les sous-marins n'oseront pas l'attaquer, répliqua Gaunt.

Il se leva et décrocha sa casquette du portemanteau, avant d'ajouter :

— Les cales de ce paquebot sont un havre de paix au milieu de la guerre, si vous voulez mon avis.

Pourtant, sir Peter n'avait pas l'intention d'exposer Jennifer à un tel péril. La faire voyager au-dessus d'une bombe à retardement ? C'était hors de question.

Il prépara ses arguments sur la route de sa propriété de Long Island. Il ne s'agissait que d'un retard temporaire. Le temps de réserver une cabine sur un autre navire. « Pourquoi ? » allait-elle lui demander. Eh bien, parce que le *Lusitania* transportait des marchandises dangereuses... Dans ce cas, objecterait Jennifer, pourquoi laissait-il s'embarquer d'autres passagers ? Comment pouvait-il utiliser des civils pour protéger une cargaison de contrebande ? Pourquoi la traitait-il différemment ?

Il devait lui dire la vérité. Ses mensonges avaient failli détruire l'harmonie familiale. Et il voulait à tout prix préserver ce qu'il en restait. Jennifer avait observé une trêve depuis qu'il avait accepté de la laisser rejoindre William Day. Sa mère l'aidait à faire ses malles et des éclats de rire ponctuaient de temps en temps l'occupation des deux femmes.

Quand l'automobile le déposa devant le perron, Anne l'attendait sur le seuil.

— Les nouvelles robes de Jennifer viennent d'arriver, déclara-t-elle. Elle veut vous les présenter.

— Me les présenter ? répéta sir Peter, incapable de dissimuler sa joie.

Assis dans la bibliothèque, il salua par des applaudissements chacune des toilettes de sa fille. Lorsque celle-ci apparut en virevoltant dans une robe du soir fort décolletée, il s'exclama :

— Mon Dieu ! Tu comptes porter ça en public ?

— Allons, papa, plaisanta Jennifer. Vous êtes affreusement vieux jeu. Toutes les femmes montrent leurs épaules aujourd'hui.

Anne assistait avec ravissement à cette réconciliation.

— Quelle merveilleuse soirée ! dit-elle à son mari lorsque Jennifer eut terminé de jouer les mannequins.

— Oui, vraiment merveilleuse.

Elle sentit une certaine réticence dans sa voix.

— Un problème ?

— Non, non. Je suis juste un peu inquiet. Elle va traverser une zone de combat, où plusieurs incidents se sont déjà produits.

— Des navires coulés ? demanda Anne avec une soudaine appréhension.

— Je pensais lui suggérer de reporter son départ de quelques jours. Jusqu'à ce que la Royal Navy ait repris la situation en main. Ou peut-être d'embarquer sur un autre paquebot.

Anne plissa les paupières :

— Mais vous aviez dit que le *Lusitania* était le navire le plus sûr au monde.

— C'est exact. Simplement, avec tous ces sous-marins...

— Peter, essayez-vous de me cacher quelque chose ?

Que pouvait-il lui répondre ? Fallait-il lui avouer que, depuis six mois, il utilisait des passagers innocents pour expédier du matériel militaire ? Que leur fille allait servir de bouclier à soixante tonnes d'explosifs ? Qu'il balançait entre le risque d'exposer sa vie et celui de perdre son affection ?

— Peter, si nous lui infligeons une nouvelle déception, je veux en connaître la raison.

— Oh, je crois qu'il n'y a pas lieu de s'alarmer, finit-il par dire en lui pressant la main. En temps de guerre, on ne peut jamais éliminer totalement le danger. Le *Lusitania* est le navire le plus rapide du monde. Aucun sous-marin ne peut espérer le rattraper.

Emden

— LE *Lusitania* ?

Le capitaine de vaisseau Bauer était assis devant sa table de point, au quartier général de la flottille sous-marine.

— D'où vient ce message ? demanda-t-il à l'officier des transmissions qui venait de le lui apporter.

— De Crookhaven.

— Il est authentique ?

— Certainement, commandant. Il est signé « Farfadet ».

Bauer avait reçu la veille un rapport de ses espions infiltrés dans le port de New York. Selon eux, le coton-poudre était entreposé sur une voie de garage du New Jersey. Si son agent irlandais ne se trompait pas, l'Amirauté avait à présent ordonné de l'embarquer sur le *Lusitania*.

— Envoyez un message à l'amiral von Pohl : « Urgent. Dois vous rencontrer ce soir. » Ensuite, vous trouverez une automobile et un chauffeur pour me conduire à Wilhelmshaven.

L'officier salua, et Bauer se pencha à nouveau sur sa table de point.

Celle-ci, de six mètres carrés environ, lui permettait d'étudier les côtes européennes depuis celles du continent jusqu'aux confins des îles Britanniques. Méridiens et parallèles étaient tracés en bleu. En surimpression, une grille de traits rouges délimitait les différents secteurs d'opération de ses sous-marins.

A chacun d'entre eux correspondait un modèle réduit en bois peint en blanc. Les navires de surface étaient aussi représentés par des maquettes dont la couleur symbolisait la nationalité. On les posait sur la table dès qu'ils pénétraient dans la zone de combat, puis on les déplaçait en fonction de leur route et de leur vitesse estimée. Du premier coup d'œil, Bauer pouvait ainsi observer l'ensemble du champ de bataille et obtenir les informations nécessaires avant de diriger un sous-marin en particulier sur une cible donnée.

Pour gagner Liverpool, le *Lusitania* passerait à vingt milles au large du cap Mizen et à une quinzaine de milles au sud du Fastnet, puis il longerait le littoral irlandais jusqu'au phare de Coningbeg, avant de virer au nord et de s'engager dans le canal Saint George.

S'il voulait lui tendre un piège, Bauer devait privilégier les trois points d'interception les plus logiques. Un premier sous-marin couvrirait la bordure atlantique. Un deuxième prendrait position près de l'îlot du Fastnet, là où le paquebot ralentirait peut-être pour attendre l'arrivée d'un bâtiment d'escorte de Queenstown. Le troisième ferait le tour de l'Irlande afin d'éviter les mines de la Manche et se rendrait directement à Coningbeg : il n'était pas impossible que le navire d'escorte de Queenstown quittât le *Lusitania* avant que celui de Milford Haven n'effectuât la jonction. De toute façon, l'un des trois réussirait sans doute à torpiller le Lévrier.

Mais était-il judicieux d'immobiliser trois sous-marins dans le seul espoir de tenter leur chance sur une cible difficile ? Bauer se demandait même si le *Lusitania* était vulnérable. Sa vitesse était telle que la moindre erreur de calcul se solderait par un fiasco complet. Par ailleurs, était-il raisonnable d'attaquer le plus célèbre paquebot du monde, avec à son bord des passagers huppés appartenant à l'élite d'une demi-douzaine de pays neutres ? Cela dit, il avait la preuve que le navire transporterait la plus importante cargaison d'explosifs américains depuis le début de la guerre.

Pour un esprit aussi rationnel que celui de Bauer, c'étaient les Britanniques qui jetaient leur plus beau paquebot et ses passagers innocents sur sa table de point, tel un jeu de dés. Mais la guerre est irrationnelle. Bauer savait qu'une telle décision devait être prise par un homme plus apte que lui à en mesurer les conséquences politiques. Le soir même, il montrerait à l'amiral von Pohl le message de son agent irlandais, puis il lui exposerait son plan de bataille. Et ils en concluraient que la question cruciale résidait ailleurs : le *Lusitania* était-il oui ou non une cible légitime ? Pour obtenir la réponse, von Pohl serait probablement obligé d'en référer à l'Empereur.

Schull

LE père Connors remonta la nef en tête du cortège, puis s'effaça pendant que les porteurs descendaient les marches en ployant sous le poids de James Corcoran. William Day et plusieurs militaires de la station se tenaient au garde-à-vous de l'autre côté du porche.

— Quelle triste journée ! dit le prêtre une fois le cercueil chargé sur le corbillard. Corcoran était un brave homme. Un peu amer, peut-être, depuis la mort de sa femme bien-aimée. Mais il avait toujours un mot gentil pour les clients qui entraient dans sa crémerie. Nous accompagnez-vous au cimetière ?

— Le devoir nous appelle, répondit Day. Mais miss McDevitt nous représentera.

Le père Connors opina du chef et reprit la tête du cortège.

— Venez avec moi, dit Day au capitaine Grace.

Ils montèrent dans l'automobile et démarrèrent.

— Que lui est-il arrivé ? demanda Day dès qu'ils furent sortis du village.

— Il paraît qu'il était soûl, répondit le capitaine.

— C'est ce que m'a dit le médecin. Mais il a ajouté qu'il s'était drôlement esquinté au cours de sa chute. Il s'est cassé les dix doigts, ainsi que des côtes de part et d'autre du thorax. Comment expliquez-vous ça ? Le puits ne mesure que cinq mètres de profondeur.

— Je vous conseille de vous en tenir aux conclusions officielles, commandant. M. Corcoran est tombé dans son puits. Un point, c'est tout.

— Cette même nuit où vous avez fait une chute à bicyclette, si ma mémoire est bonne. Et que vous vous êtes abîmé les mains. Allons, que s'est-il passé ?

— C'était un républicain, répondit Grace en soupirant. Quelqu'un déposait les copies de vos messages radio dans sa boutique, et une autre personne venait les chercher.

— Alors vous l'avez tué ?

— Je l'ai interrogé.

— Et il est mort durant l'interrogatoire.

— Apparemment.

Day écrasa le frein. L'automobile s'arrêta dans un crissement de pneumatiques.

— Nom d'un chien ! C'était un brave type.

— Oui, commandant, un brave type grâce à qui un sous-marin allemand est venu attaquer vos bateaux.

Day en resta sans voix. Il regarda le jeune officier, bouche bée, puis se remit en route vers la station. Après un long silence, il demanda :

— Que vous a-t-il raconté ?

— Pas grand-chose. Sinon il serait encore en vie.

— Vous ignorez toujours qui correspond avec les Allemands ?

— Rien de certain. Cela prend du temps, commandant.

— Bien entendu, acquiesça Day. Mais, pendant que vous menez vos « interrogatoires », le capitaine de vaisseau Bauer continue à lire nos messages codés. Je pense que la meilleure solution est de fermer Crookhaven.

— Je ne vous le conseillerais pas, dit Grace.

Day eut l'air surpris :

— Je ne vous ai pas demandé de conseils.

— Même sans votre permission, commandant, je crois que vous avez besoin de quelques éclaircissements.

Malgré sa courtoisie, on sentait de l'exaspération dans sa voix.

— Vous ne connaissez rien au renseignement. Moi, c'est ma spécialité. Vous devez seulement obéir aux ordres de l'Amirauté. Ils ne vous plaisent peut-être pas, mais il existe des enjeux beaucoup plus importants que de simples messages chiffrés.

Day se retint de répondre. Ce petit salaud avait raison. Ces histoires de services secrets ne le concernaient pas.

De retour à Crookhaven, il s'assit derrière son bureau et feuilleta le trafic du jour. Comme il n'y avait rien d'urgent, il n'avait plus qu'à attendre le retour de Shiela. Il ouvrit alors le sac de courrier hebdomadaire en provenance de Queenstown, et remarqua une enveloppe jaune pâle, calligraphiée d'une main élégante.

Mon très cher William,

Je n'ai cessé de penser à vous depuis votre départ et vous ai écrit des lettres innombrables. Mais mes parents, ne nous jugeant pas faits l'un pour l'autre, ont voulu nous séparer. Aussi mon père ne vous a-t-il jamais transmis mes lettres.

A présent, tout cela est du passé. Je suis libre de mon choix et, pour moi, la vie n'a aucun sens sans vous. Je viens vous retrouver, avec l'accord de mes parents, car nous sommes destinés l'un à l'autre.

J'ai réservé une place sur le *Lusitania*, qui quittera New York le 1er mai et arrivera à Liverpool le 8. S'il vous plaît, écrivez-moi aux bons soins de la compagnie Cunard, en me disant comment vous rejoindre. J'attendrai à Liverpool d'avoir de vos nouvelles, même si cela doit durer un siècle.

Je vous aime,

JENNIFER

Berlin

CE n'était pas le grand amour entre l'ambassadeur américain en Allemagne, J.W. Gerard, et le ministre allemand des Affaires étrangères, Alfred Zimmermann. Malgré sa formation de diplomate, le second était irascible et cassant. Quant au premier, c'était un émotif qui percevait les façons de Zimmermann comme de véritables affronts envers les États-Unis.

Ce jour-là, cependant, le ministre lui avait envoyé un mot extrêmement cordial : « M. Gerard aurait-il la bonté de venir discuter d'un sujet assez urgent lorsqu'il aura un moment de libre ? » Poussé par la curiosité, Gerard s'était aussitôt rendu à l'invitation.

— Monsieur l'ambassadeur, dit Zimmermann en se levant derrière son imposant bureau, comment vous remercier d'être venu aussi vite ?

— C'est moi qui vous remercie de votre initiative.

Gerard s'assit avec une nonchalance affectée qui ne manquerait pas d'irriter son hôte.

— J'ai le regret de vous apprendre, monsieur l'ambassadeur, que les Britanniques embarquent des marchandises de contrebande sur leurs paquebots. Nous savons de source sûre qu'ils vont transporter de puissants explosifs à bord du *Lusitania*.

— Du *Lusitania* ? répéta Gerard, stupéfait. Ce n'est pas sérieux.

Zimmermann lui tendit une feuille de papier :

— Ce message a été intercepté par notre Marine impériale. Je pense qu'il est assez éloquent.

Gerard parcourut rapidement le texte.

— Il doit s'agir d'une erreur. Nous exigeons un manifeste de douane complet avant chaque appareillage.

— Un manifeste peut être falsifié, répliqua le ministre. Je suis certain que les Britanniques n'ont pas l'intention de déclarer ces soixante tonnes d'explosifs.

— Vous comprendrez, dit gauchement Gerard, que nous ne pouvons pas inspecter chaque coffre dans un port aussi actif que New York.

— Bien entendu. Mais vous comprendrez aussi que nous sommes contraints de considérer les paquebots britanniques comme des objectifs militaires légitimes. Votre gouvernement souhaitera peut-être déconseiller aux citoyens américains de voyager sur ces navires.

Gerard se leva avec une gêne évidente, saisit son chapeau et sortit. De retour dans son bureau, il rédigea aussitôt la dépêche suivante :

> L'Allemagne a en sa possession un message de l'Amirauté qui ordonne le chargement d'explosifs extrêmement dangereux à bord du *Lusitania*, dont le départ est fixé au 1er mai. L'Allemagne estime que ce paquebot est désormais un objectif militaire légitime et nous suggère d'interdire l'embarquement des citoyens américains. J'attends vos instructions.

Il remit le brouillon à son officier chiffreur et lui demanda de l'expédier. En tant que représentant des États-Unis, il s'efforçait d'ordinaire de nier les liens clandestins qui unissaient son pays à la Grande-Bretagne. Mais Zimmermann venait de le confronter à ses propres mensonges. L'Allemagne mettait Washington face à ses responsabilités : soit le gouvernement américain faisait respecter ses propres lois relatives aux exportations de matériel de guerre, soit il reconnaissait avoir mis ses ressortissants en danger.

Gerard n'aurait jamais pu imaginer que ses supérieurs pussent échapper à cette alternative par un nouveau mensonge, encore plus meurtrier. C'est pourtant bien ce qu'il découvrit le lendemain soir, lorsque la réponse de Washington eut été décodée :

> Le gouvernement des États-Unis est très reconnaissant au gouvernement impérial allemand de se soucier de la sécurité des citoyens américains voyageant à bord de paquebots britanniques. Mais les informations selon lesquelles des marchandises de contrebande seraient embarquées dans le port de New York sont erronées. Les manifestes de douane établis par tous les navires avant l'appareillage sont soigneusement vérifiés. Nous pensons que les documents en possession du gouvernement impérial allemand sont suspects et qu'ils ne constituent pas une raison suffisante pour entraver la liberté des citoyens américains de voyager à bord du navire de leur choix.

Le texte était signé par Robert Lansing, conseiller au Département d'État.

Gerard piqua une colère noire. Ce n'étaient pas les manifestes de douane qu'il fallait « soigneusement vérifier », mais les cargaisons. Or, Lansing ne s'engageait nullement à organiser une fouille minutieuse du *Lusitania*.

Le lendemain, il posa le message de Washington sur le bureau d'Alfred Zimmermann et observa celui-ci sans un mot pendant qu'il le lisait.

Le ministre des Affaires étrangères leva les yeux sur lui :

— Ce n'est pas une réponse.

— Mon gouvernement estime que c'en est une, murmura Gerard.

— Vous avez compris, je suppose, que nous avons l'intention d'attaquer le *Lusitania*.

Gerard hocha la tête :

— De toute évidence, mon gouvernement jugerait une telle agression à la fois infondée et barbare.

— Barbare ? répéta Zimmermann, comme si le mot lui était resté en travers de la gorge. Et comment qualifiez-vous un gouvernement qui entasse des femmes et des enfants au-dessus d'une cargaison de coton-poudre ?

— Officiellement, le *Lusitania* ne transporte pas de coton-poudre.

— Si votre femme et vos enfants s'embarquaient sur ce paquebot, oseriez-vous leur dire qu'« officiellement » ils sont en sécurité ?

— Je ne suis pas ici en tant que père et qu'époux, répondit Gerard, mais en tant qu'ambassadeur des États-Unis.

Après un silence lourd de menaces, Alfred Zimmermann demanda :

— Vous n'allez donc pas prévenir vos concitoyens ?

Gerard lui indiqua la note posée sur son bureau :

— Je ne pense pas.

Emden

LE lieutenant de vaisseau Walter Schwieger monta à bord du *U-20* qui était amarré à quai. Il commença son inspection par la proue. Les deux tubes lance-torpilles étaient chargés et les deux torpilles de remplacement étroitement maintenues dans leurs supports.

Il se faufila entre le compresseur et les réservoirs d'air, puis passa devant les pompes à eau et le poste d'équipage. Il souleva les panneaux d'accès aux accumulateurs — des boîtiers en acier contenant des plaques de plomb et remplis d'acide jusqu'à ras bord. Ces accumulateurs électriques constituaient l'unique source d'énergie du sous-marin lorsqu'il était en plongée. Sa visite d'inspection le conduisit ensuite aux cabines des officiers, dans le poste de contrôle, puis dans la salle des machines et dans la réserve de torpilles située à l'arrière du bâtiment.

— Paré à appareiller, dit Schwieger en regagnant le poste de contrôle.

Il gravit l'échelle menant au premier panneau, puis celle qui débouchait à l'air libre, au sommet du kiosque. C'était dans cet espace étroit, à l'abri d'un bouclier d'acier, que l'officier de quart dirigeait la manœuvre lors de la navigation de surface. Pour ce faire, il transmettait ses ordres au poste de contrôle, deux étages plus bas, en criant dans un tube acoustique.

— Larguez les amarres, hurla Schwieger.

Les moteurs, qui jusque-là tournaient au ralenti, firent entendre un puissant ronronnement. Sur le quai, des matelots détachèrent les aussières des bollards et les lancèrent à l'équipage du *U-20*. Le sous-marin s'écarta et mit le cap sur la mer du Nord.

Le capitaine de vaisseau Bauer avait confié à trois bâtiments la mission de tendre une série de guet-apens au *Lusitania*. Le *U-27*, parti quelques heures plus tôt, devait faire route au nord et prendre position à vingt milles à l'ouest du cap Mizen. Le *U-30*, qui patrouillait déjà au large de la pointe sud-ouest de l'Angleterre, s'arrêterait près de l'îlot du Fastnet sur le chemin du retour. Enfin, le *U-20* avait reçu l'ordre de contourner l'Irlande et de se positionner au sud-ouest de Coningbeg.

Les instructions de Bauer n'étaient pas entièrement explicites. Elles indiquaient seulement qu'un navire britannique transportant des troupes et des munitions se dirigerait vers Liverpool durant la nuit du 6 mai et la journée du 7. Les sous-marins n'étaient pas encore autorisés à l'attaquer, car la décision serait prise au plus haut niveau. L'ordre leur serait transmis ultérieurement par radio.

Schwieger n'avait pas eu grand mal à combler les blancs. Le navire en question ne pouvait être que le *Lusitania*. Tous les journaux annonçaient ses jours de départ et d'arrivée et aucun autre paquebot ne traversait l'Atlantique entre ces dates. Il était facile de comprendre pourquoi la décision appartenait aux plus hautes instances du pays : outre des munitions, le paquebot transportait de nombreux ressortissants des pays neutres.

Schwieger n'éprouvait aucun scrupule : le *Lusitania* était à ses yeux une cible légitime... Il ne ferait pas surface et ne tirerait pas de coup de semonce, car cela avait failli coûter la vie à son équipage dans l'affaire du *Hampton*.

Il fallait deux heures pour atteindre la mer du Nord. Schwieger redescendit à l'intérieur du kiosque et vérifia la route établie par son second, Willi Haupert. Ils se dirigeraient vers le nord, puis vers le nord-ouest, avant de pénétrer dans un secteur très surveillé et de se glisser au milieu de la nuit entre deux forteresses britanniques : l'archipel des Orcades et les îles Shetland.

Pour s'assurer du bon fonctionnement de sa radio, il transmit à la station d'Emden une série de mots dénués de sens, mais qui permettaient d'identifier son sous-marin. La réponse, « Bonne chasse », signifiait que son message avait été reçu. Lorsque les cartes indiquèrent une profondeur de quinze mètres sous sa quille, il déclencha l'habituel exercice de plongée.

Parvenu à dix mètres, Schwieger testa son périscope. Il le braqua tour à tour sur les quatre points cardinaux afin de vérifier l'état des lentilles et des mécanismes giratoires.

Soudain, une goutte d'eau tomba sur sa casquette.

— Nom d'une pipe !

Il y avait une petite fuite dans le logement du tube d'acier poli. Après la collision avec le *Hampton*, le périscope avait été réparé deux fois mais, à l'évidence, le problème n'était pas réglé.

— Que se passe-t-il ? demanda Haupert en se glissant par le panneau.

Schwieger lui montra le joint d'étanchéité défectueux. Haupert braqua sa lampe électrique sur la garniture de caoutchouc.

— Nous n'avions vraiment pas besoin de ça ! maugréa Schwieger.

Le périscope étant son arme primordiale, cette fuite augurait mal du duel qui allait bientôt l'opposer au navire le plus rapide du monde.

Schull

Le moment de la séparation approchait. Shiela s'attendait à être rappelée en Angleterre d'un jour à l'autre. Aucun engagement ne la liait à William Day, et elle n'avait fourni aucune explication sur le motif de sa demande de mutation. Elle ne lui avait pas non plus suggéré de partir avec lui.

Pourtant, Day avait le sentiment de vivre dans le mensonge. Alors même qu'il serrait Shiela dans ses bras, il ne pouvait s'empêcher de repenser à la lettre de Jennifer — lettre qui avait atténué sa tristesse et lui avait rendu l'espoir. Comment aurait-il pu nier qu'elle représentait une part essentielle de son existence ?

Il devait en parler à Shiela. Mais que lui dire précisément ? Qu'autrefois, dans un univers différent, il était tombé amoureux ? William Day ne savait même pas pourquoi il avait quitté Jennifer. Sans doute à cause d'un respect aveugle des « lois de la guerre » en société : certains rapports étaient légitimes, d'autres tout à fait inconcevables. Mais les conventions encore en vigueur un an plus tôt avaient volé en éclats sous les coups des canons qui meurtrissaient la France et des redoutables loups gris qui rôdaient dans l'Atlantique.

Un soir, en arrivant chez elle, Day se tourna vers Shiela :

— Il faut que je te montre quelque chose.

Quand elle fut assise sur le canapé, il sortit la petite enveloppe de la poche de sa vareuse. Puis il se rendit dans la chambre pendant qu'elle lisait.

— Je devais t'en parler, dit-il en rentrant dans le salon.

Shiela lui tendit la lettre :

— Que vas-tu lui dire ?

— Exactement la même chose que lorsque je suis parti : que c'est impossible.

Day se laissa choir dans un fauteuil.

— Nous ne sommes pas du même monde. J'en ai toujours été conscient. Son père aussi. Jennifer s'est fait des illusions.

Shiela se leva :

— Je vais préparer le dîner.

Mais William lui saisit la main au passage.

— Je ne voulais pas te montrer cette lettre. Mais j'ai pensé que ce serait malhonnête de te cacher la vérité.

— Cette lettre n'est qu'un détail, dit Shiela en se dégageant.

Il la suivit dans la cuisine :

— A l'époque, j'étais très amoureux d'elle.

— Et maintenant ?

— Je ne sais plus. Je croyais que c'était du passé.

Penchée sur ses préparatifs, elle répondit doucement :

— Si c'était du passé, tu n'aurais pas eu besoin de m'en parler.

— Je suis désolé.

— De m'avoir dit la vérité ?

— Oui.

Shiela reposa ses ustensiles de cuisine :

— Je suis bien contente de m'en aller. Je crois que je ne pourrais pas vivre avec cette vérité.

Elle alla dans la chambre et referma la porte derrière elle.

Day préféra ne pas la déranger. En fin de soirée, il lui porta une tasse de thé sur un plateau.

— Je ferais mieux de partir, dit-il.

— Tu en as envie ?

Il fut incapable de lui répondre.

— Parce que je vais me retrouver toute seule bien assez tôt, poursuivit-elle. Et que ça risque d'être pour longtemps.

Il posa le plateau et la prit dans ses bras.

MAI 1915

Chapitre 11

New York

DIX mètres au-dessous de la surface de l'Hudson River, les chauffeurs du *Lusitania* insufflaient la vie au paquebot géant. Une armée d'hommes au torse nu jetaient d'énormes pelletées de charbon dans les fourneaux des dix-neuf chaudières en activité.

Dix-huit mètres plus haut, sur le pont couvert, le commandant en second John Anderson, revêtu d'un magnifique uniforme bleu marine brodé d'or, accueillait chaque passager de première classe avec un sourire éclatant.

Sir Peter Beecham montra le billet de sa fille aux porteurs.

Il laissa Anne et Jennifer prendre un peu d'avance pendant qu'il réglait la question des malles.

— Sir Peter ! s'écria un journaliste du *Sun* de New York. Est-ce que vous nous quittez ?

— C'est ma fille qui s'embarque. Pour un petit séjour au pays.

— Vous la laissez voyager sur le *Lusitania* ?

— Naturellement, répondit Peter Beecham avec une certaine gêne.

— Avez-vous lu l'avertissement des Allemands ?

Le journaliste ouvrit un exemplaire du *Sun* et le lui mit sous le nez.

Le texte était imprimé juste à côté de l'annonce du départ du paquebot :

> Nous rappelons aux passagers qui s'apprêtent à traverser l'Atlantique que l'Allemagne et la Grande-Bretagne sont en guerre ; que les abords des îles Britanniques sont situés dans la zone de combat ; que les navires battant pavillon britannique ou celui d'un de ses alliés s'exposent à être coulés ; et que les passagers traversant la zone de combat à bord d'un navire britannique ou allié le font à leurs risques et périls.

Sir Peter rendit le journal sans aucun commentaire. Puis il écarta le reporter et alla tout droit au bureau de Charles Sumner, situé à l'étage supérieur de l'immeuble qui se dressait au bord du quai.

Une foule de passagers et de journalistes se pressaient à l'entrée du bureau. Sir Peter dut donc jouer des coudes pour parvenir jusqu'au secrétaire qui défendait la porte de son patron contre tous ces intrus. Il le foudroya du regard et lui passa sous le nez.

Le commandant Bill Turner, alias Bill « Melon », se tenait debout à côté de Sumner. Le représentant américain de la compagnie Cunard hurlait dans son téléphone :

— Bien sûr que le manifeste de douane est complet ! Le *Lusitania* partira comme prévu.

Il écouta avec impatience les objections de son interlocuteur et s'écria en guise de réponse :

— La douane de New York a donné son accord. Si le Département d'État veut inspecter la cargaison, qu'il s'adresse aux responsables du port !

Et il raccrocha brutalement.

— Alors ? demanda le commandant Turner.

— Vous avez entendu, répliqua Sumner. Nous avons l'autorisation d'appareiller.

— Et que dois-je répondre aux passagers ? insista Turner. Ils m'interrogent tous sur l'avertissement allemand.

— Dites-leur que c'est de la propagande. Le *Lusitania* est le navire le plus sûr au monde.

— Je le leur ai déjà dit. Mais cela ne suffit pas. Alfred Vanderbilt reste assis à l'entrée des premières classes, avec ses malles empilées à côté de lui.

— Commandant, le *Lusitania* appareillera à midi pile ! Avec ou sans M. Vanderbilt.

Bill Turner récupéra son chapeau melon sur le bureau de Sumner :

— Pas de consignes de navigation particulières ?

— C'est une traversée comme une autre, rétorqua Sumner. Un voyage de routine. Commandant, voulez-vous sortir par la porte de derrière ? Je préférerais que vous ne répondiez pas aux questions des journalistes.

Il regarda Turner s'éloigner d'un pas tranquille, puis se tourna vers sir Peter.

— Nous sommes dans un asile de fous, dit Sumner. Je viens d'apprendre que le Département d'État a envoyé quelqu'un pour inspecter la cargaison du *Lusitania*.

— Avez-vous prévenu Lansing ?

— Oui. Il m'a répondu que nous devions faire partir ce maudit bateau le plus vite possible. Nous ne devons en aucun cas attendre l'envoyé du Département d'État.

— La mise en garde des Allemands est-elle authentique ?

Sumner eut un geste d'impuissance :

— L'ambassade d'Allemagne affirme n'être au courant de rien. Mais, à son avis, cet avertissement est tout à fait justifié. D'après le *Sun*, le texte a été publié par un groupe de citoyens américains d'origine allemande vivant à New York.

— Ce n'est donc peut-être qu'une opération de propagande. Mais pourquoi ont-ils attendu jusqu'à aujourd'hui ? Pourquoi cette traversée en particulier ?

Sumner saisit le manifeste de douane sur son bureau et parcourut la liste des marchandises :

— Comment le saurais-je ? Je ne connais même pas la cargaison réelle du paquebot. Il s'agit peut-être bien de soixante tonnes de fromage. Croyez-vous que les Allemands éprouvent une aversion soudaine pour le fromage ?

Beecham s'enfonça dans un fauteuil.

— Charles, dit-il d'un ton suppliant, ma fille doit s'embarquer sur le *Lusitania*.

Sumner marcha jusqu'à la fenêtre et regarda la file des passagers dans l'escalier des cabines.

— Et vous voudriez savoir si vous devez l'en empêcher. Vous êtes le seul qui puissiez répondre à cette question, sir Peter. Si c'est du fromage, les Allemands n'ont aucune raison d'attaquer. Mais s'il s'agit d'autre chose...

Beecham se leva lentement et se dirigea vers la porte dérobée.

— Je vais sortir par ici, si cela ne vous dérange pas.

Il prit sa décision en remontant à bord du paquebot. Le « fromage » représentait la plus importante cargaison qu'il eût jamais expédiée de l'autre côté de l'Atlantique. L'avertissement allemand ne pouvait résulter d'une coïncidence. D'une façon ou d'une autre, ils avaient découvert la vérité. Le coton-poudre revêtait une importance capitale à leurs yeux, et ils ne voulaient pas que leur action soit entravée par la présence de passagers américains.

— Ah ! sir Peter ! s'exclama le commandant Anderson. Miss Beecham est déjà dans sa cabine. Notre chef steward va vous y conduire.

Beecham étouffa un juron et suivit le steward à l'intérieur. Un ascenseur les mena du pont principal à l'étage supérieur et ils gagnèrent une des doubles cabines de tribord. Jennifer et sa mère étaient déjà occupées à défaire les bagages.

Il attendit que sa fille ait disparu dans la chambre pour demander à Anne :

— Avez-vous lu l'avertissement allemand ?

Elle parut surprise :

— Oui, bien sûr, le commandant Anderson nous a dit qu'il ne s'agissait que d'un texte de propagande.

— Je suis très inquiet, murmura sir Peter. Il vaudrait peut-être mieux qu'elle prenne un autre paquebot. Elle n'aurait que quelques jours à patienter.

— Je croyais que le *Lusitania* était le navire le plus sûr au monde ?

— Évidemment. Mais les circonstances sont particulièrement alarmantes.

Le visage d'Anne se décomposa.

C'est alors que la voix joyeuse de Jennifer leur parvint par la porte entrouverte :

— Vous êtes au courant de cet avertissement allemand, papa ? N'est-ce pas d'un ridicule achevé ?

Sir Peter considéra le salon, déjà envahi par les affaires de sa fille. Le regard de sa femme le suppliait de ne pas gâcher leurs adieux.

— Oui, c'est tout à fait ridicule, dit-il.

Anne lui caressa la main. Bien qu'incapable d'oublier un seul instant la cargaison mortelle qui reposait sous leurs pieds, il lui adressa un sourire rassurant.

Jennifer les raccompagna jusqu'à l'escalier. Sur le pont régnait une gaieté forcée. Sir Peter regarda sa femme serrer Jennifer dans ses bras et la bercer comme si elle avait encore été une petite fille. Puis Jennifer se tourna vers lui.

— Je vous aime de tout mon cœur, papa, lui chuchota-t-elle dans l'oreille en se blottissant contre lui. Même quand je vous détestais, je continuais à vous aimer.

Il l'étreignit de toutes ses forces.

Ils redescendirent à terre, le visage levé vers la silhouette minuscule qui agitait la main vers eux. Un formidable coup de sifflet retentit dans le ciel, et la muraille d'acier noir commença à s'écarter du quai. Le paquebot recula dans le fleuve, dégagea sa proue, puis s'ébranla vers l'avant.

Il doubla la pointe de Manhattan et traversa la baie en direction de la haute mer. Accoudés à la lisse, les passagers regardèrent en silence la terre s'effacer au loin.

Emden

— SACREBLEU ! jura le capitaine de vaisseau Bauer dans la salle des opérations de son quartier général.

Il chiffonna le message du *U-27* et le lança contre la carte murale. Le sous-marin venait de le prévenir par radio qu'il rentrait au port.

— Le mécanisme d'inclinaison de la proue, murmura-t-il.

Puis il s'adressa à son chef d'état-major :

— Klaus, combien de bâtiments ont déjà eu une avarie de ce type ?

Le capitaine de vaisseau Klaus Schopfner chercha dans sa mémoire.

— Aucun, commandant, si je me souviens bien.

— C'est exact. Jusqu'à aujourd'hui.

Bauer secoua la tête, désespéré. Le commandant du sous-marin n'avait pas le choix. Cette panne lui interdisant de plonger, il était obligé de naviguer en surface. Il allait donc contourner les îles Shetland par le nord afin d'échapper à la Royal Navy.

— Que Dieu les aide ! dit Bauer.

Il gagna lentement la table de point et tourna la proue de la maquette du *U-27* en direction d'Emden.

La perte du sous-marin créait un trou béant dans la nasse qu'il avait tendue sur le chemin du *Lusitania*. Désormais, le secteur situé à l'ouest du cap Mizen était libre. Cela signifiait que le *U-30*, actuellement en route vers l'îlot du Fastnet, serait le premier à approcher le Lévrier. Mais il ne pourrait pas rester longtemps sur place car il devait conserver des réserves de carburant suffisantes pour rejoindre son port d'attache.

— Ça ne peut pas marcher, dit Bauer.

— Nos chances sont très restreintes, acquiesça Schopfner.

Le commandant de la flottille sous-marine fit le tour de la table. Il déplaça la maquette du *U-30* jusqu'au Fastnet, avant de saisir celle du *U-20*.

— Qu'en pensez-vous, Klaus ?

Schopfner tapota la carte, juste au-dessous de l'îlot :

— Pourquoi ne pas les mettre tous les deux dans le même secteur, à cinq milles l'un de l'autre ?

— Mais il y aura peut-être déjà un navire d'escorte sur place, dit Bauer en posant le modèle réduit à l'endroit indiqué. En outre, le *U-30* ne pourra pas attendre très longtemps. Si le *Lusitania* est en retard, ne serait-ce que de quelques heures, nous ne disposerons plus que d'un seul sous-marin.

Schopfner haussa les épaules :

— Dans ce cas, je choisirais le phare de Coningbeg. Bien sûr, le *U-30* n'aurait plus l'autonomie nécessaire. A moins que vous ne le fassiez passer par le canal Saint George et la mer d'Irlande, au lieu de l'obliger à faire le grand tour par l'Atlantique.

Bauer mit le doigt sur l'étroit canal du Nord, débouché septentrional de la mer d'Irlande.

— Vous enverriez un sous-marin dans un pareil goulet d'étranglement ?

— En temps normal, certainement pas. C'est trop dangereux. Mais l'enjeu est exceptionnel.

Bauer savait que son chef d'état-major avait raison. N'importe quel joueur d'échecs débutant aurait sacrifié un sous-marin pour prendre le Lévrier. Selon ce scénario, le *U-30* s'embusquerait près de Coningbeg, lancerait ses torpilles contre le paquebot, puis tenterait de déjouer la surveillance des patrouilles britanniques dans le canal du Nord. Cependant, si le piège était tendu au large du Fastnet, le *U-30* serait obligé de rentrer à la base.

— Il faut attendre d'avoir davantage d'informations, Klaus. Nous devons d'abord savoir à quelle heure et à quel endroit précis le *Lusitania* a rendez-vous avec son navire d'escorte. Pas de nouvelles de notre agent irlandais ?

— Rien depuis plusieurs jours, répondit Schopfner.

— Pouvons-nous le contacter ?

— Oui, je pense. Il se branche sur notre fréquence tous les soirs entre 11 heures et 11 heures un quart, heure locale.

Schopfner alla chercher un officier des transmissions.

— Je vais vous dicter un message à l'intention de Farfadet, lui dit Bauer. « Envoyez impérativement tous messages adressés au *Lusitania*. Transmettez dès que possible. Resterons branchés sur votre fréquence 24 heures sur 24. »

Schull

EMMETT HAYES descendit à la cave avec un paquet de dictées à corriger, alluma la lampe à pétrole et baissa la flamme. Il avait réservé cette heure tardive aux transmissions radio car personne ne risquait de venir frapper à sa porte.

Il attendit que les tubes à vide se réchauffent avant de se mettre sur la fréquence convenue. Puis il posa les copies sur la tablette de la machine à coudre et commença à les corriger.

Soudain, la radio émit une série de lettres qu'il connaissait par cœur. Hayes ouvrit aussitôt le capot de la machine et se mit à pédaler énergiquement afin de produire le courant nécessaire. Lorsque l'aiguille atteignit la bande verte, il composa son nom de code.

Son correspondant lui transmit alors un message qu'il nota sur la première feuille de papier qui lui tomba sous la main. Quand il fut en possession de tous les groupes de lettres, il remonta l'escalier dans l'obscurité. Une fois dans sa chambre, il introduisit une clef dans la serrure de son armoire et chercha à tâtons une chemise bien précise. Puis il redescendit à la cave avec le carton de la teinturerie afin de procéder au décodage. Finalement, les instructions de Bauer apparurent au dos de la dictée d'une petite fille.

LE lieutenant de vaisseau Grace entendit le camion de Tom Duffy bien avant qu'il eût franchi le sommet de la colline. Même quand il tournait au ralenti, son moteur toussait comme un poitrinaire. A présent, il gravissait en pétaradant la pente qui menait vers Colla.

Duffy était l'un des deux hommes dont James Corcoran avait fini par lui livrer les noms. Grace avait entrepris de le filer, mais à distance respectueuse. Malgré son air cordial et son rire sonore, Tom Duffy était un personnage impressionnant. C'était un véritable géant au torse puissant, dont le ventre proéminent débordait par-dessus sa ceinture. Il avait des bras énormes, des mains comme des battoirs, quelques touffes de cheveux blancs autour des oreilles et un nez bosselé par d'innombrables fractures.

Sa force était légendaire. Il gagnait sa vie en transportant dans son camion des choses intransportables, tels les rochers qu'on immergeait dans les ports pour y amarrer des bateaux. Mais il était encore plus réputé pour sa férocité. Dans le mouvement nationaliste, il s'était fait une spécialité d'intimider les récalcitrants et de punir les traîtres.

Corcoran avait prononcé son nom comme une menace. Au moment où son corps brisé basculait dans le puits, ses lèvres ensanglantées avaient gargouillé :

— Tom Duffy vous le fera payer cher.

Grace s'était donc lancé à sa recherche. Le jour où il l'avait enfin trouvé, il était rentré à la station pour s'équiper d'un revolver de gros calibre. Il n'avait aucune envie de se frotter au géant les mains nues.

Lorsque le camion arriva en vue, Grace se figea, caché dans l'herbe haute, et il attendit que le bruit du moteur se fût éloigné avant de relever la tête. Il se remit alors sur ses pieds et souleva sa bicyclette par-dessus le muret de pierres. A grands coups de pédales, il se lança à la poursuite du véhicule, à bonne distance.

Quelque chose se tramait. En espionnant Emmett Hayes — l'autre nom révélé par Corcoran —, il avait surpris plusieurs conversations furtives entre l'instituteur et Duffy. Les deux hommes représentaient d'ailleurs très bien les deux composantes du mouvement nationaliste, curieux amalgame d'intellectuels et de dockers.

Le matin même, Grace était venu surveiller l'école comme tous les jours, et il avait trouvé les portes closes.

— Il a dû se rendre à Colla, lui avait dit un des élèves.

Grace était aussitôt allé se poster sur la route et, quelques minutes plus tard, Duffy était apparu.

A Colla, le camion prit la direction opposée au port et continua vers les fermes misérables de l'arrière-pays. Lorsque Grace parvint au croisement, le panache de fumée que le camion laissait derrière lui le conduisit à une grange à moitié effondrée. Après avoir caché sa bicyclette dans une haie, il contourna la ruine et jeta un coup d'œil par un interstice séparant deux planches disloquées.

Quatre personnes étaient réunies à l'intérieur. Emmett Hayes, de face, regardait un interlocuteur assis sur une chaise, mais que la carrure impressionnante de Tom Duffy lui dissimulait. Un autre habitant du village se tenait debout sur le côté. La voix de Hayes s'éleva distinctement :

— Je ne vous ai pas revue depuis l'enterrement de ce pauvre James Corcoran. Vous m'avez manqué.

Grace n'entendit pas la réponse. Mais déjà l'instituteur poursuivait :

— Je vous ai déjà dit que vous pouviez me contacter par l'intermédiaire de la gouvernante du père Connors.

C'est alors que Duffy s'écarta, révélant au commandant Grace l'identité de la personne qui livrait aux Allemands les messages radio de la station de Crookhaven.

Shiela se recroquevillait sous le regard accusateur de Hayes.

— Je ne peux plus…, dit-elle. Quand M. O'Sullivan est mort… avec tous les autres… Les informations que je vous fournissais servaient à tuer des gens.

— Vous n'y êtes pour rien, lui rappela Hayes. Le commandant Day m'a remis en mains propres le programme des patrouilles. Nous n'avons pas eu besoin de vous.

— Mais les autres, protesta-t-elle. Tous ces naufragés. C'est moi qui vous annonçais l'arrivée des navires.

— Des navires anglais, rétorqua Hayes. Avez-vous oublié qui est l'ennemi ? Celui qui partage votre lit est peut-être un honnête homme. Mais vous n'allez pas vous prostituer pour l'Angleterre tout entière, non ?

Shiela bondit sur ses pieds :

— Vous n'avez pas le droit de me parler comme ça ! J'ai servi la cause. A présent, c'est fini. Je ne veux plus en entendre parler.

— Ce sera fini quand notre pays sera libéré. D'ici là, si vous voulez nous quitter, ce sera dans un cercueil.

Hayes s'éloigna de quelques pas, avant de se retourner brusquement :

— Il nous faut d'urgence certains renseignements. Or, vous seule pouvez nous les fournir. Si vous acceptez, nous vous laisserons rentrer en Angleterre.

Elle l'observa d'un air soupçonneux :

— Quels renseignements ?

— Le *Lusitania*. Il devrait arriver dans trois jours. J'ai besoin de connaître la totalité des messages qui lui sont adressés.

— Vous ne parlez pas sérieusement ?

— Je n'ai jamais été aussi sérieux, ma petite. Je veux avoir connaissance de tout ce que vous avez reçu depuis le dernier message que vous nous avez remis — celui qui donnait des précisions sur la cargaison.

— Je ne crois pas qu'il y en ait eu d'autres, dit Shiela.

— Il y en aura. Et il me les faut dans les plus brefs délais.

Shiela secoua la tête négativement :

— Impossible.

Hayes regarda Tom Duffy, adossé à la porte de la grange.

— Tom peut vous conduire à deux endroits très différents, dit-il. Soit il vous ramène à la station, soit…

Shiela connaissait l'autre destination : un cellier situé derrière une ferme abandonnée, qu'ils utilisaient comme cellule

151

avant de rendre un jugement. Ils ne pendaient pas les femmes. Celles-ci étaient livrées aux mères et aux épouses des nationalistes, qui les déshabillaient, les enduisaient de goudron et de plumes, puis les promenaient dans les rues des villages. C'était pire que la potence : les hommes, au moins, ne survivaient pas à leur honte.

Elle s'efforça de maîtriser la terreur qui la gagnait et de réfléchir froidement.

— C'est bien la dernière fois ? Ensuite, vous me laisserez tranquille ?

— Oui, vous pourrez quitter le pays. Et nous ne vous dénoncerons pas à vos maîtres anglais.

Elle le regarda droit dans les yeux et prit sa décision :

— D'accord. Je dois remettre les messages à la gouvernante du curé ?

— C'est cela. Monsieur Duffy, dit Hayes, voulez-vous avoir la bonté de reconduire miss McDevitt à Crookhaven ?

Océan Atlantique

— Je pense que je vais choisir le faisan, dit Alfred Vanderbilt au serveur. Miss Beecham prendra pour sa part des filets de sole aux amandes.

Vanderbilt se tourna vers le commandant John Anderson, qui était en train d'expliquer pourquoi ils devraient déterminer leur position dès qu'ils auraient aperçu la terre ferme.

— Comment pouvez-vous être certain de votre position ? interrogea une dame dodue, boudinée dans un corsage de dentelle.

— Ah ! s'exclama Anderson.

Et, à l'aide de la salière et du poivrier, il entreprit d'exposer la façon dont on fait le point par deux relèvements.

— Cela vous intéresse ? murmura Alfred Vanderbilt à Jennifer.

Celle-ci ne put retenir un sourire en voyant son air accablé d'ennui.

— Tout ce que je demande, dit-elle, c'est qu'ils nous amènent à bon port.

— Vous semblez inquiète. J'espère que ce n'est pas à cause de l'avertissement des Allemands.

— Pas du tout, répondit-elle. Je croyais que quelqu'un viendrait m'attendre à l'arrivée. Mais, à présent, je ne sais plus…

Vanderbilt devina aussitôt la vérité. Malgré son pouvoir, sir Peter Beecham ne pouvait pas tout arranger.

— Un jeune homme ?

— Un officier de marine, répondit-elle en rougissant. Je n'ai aucune idée de l'endroit où il est affecté.

Vanderbilt se pencha vers elle :

— Vous n'avez aucun souci à vous faire. Si j'étais à la place de votre officier de marine, je dirigerais mon navire droit sur la plage afin d'être là pour vous accueillir.

Elle lui adressa un sourire reconnaissant. Mais ces mots gentils ne réussirent pas à l'apaiser. Tout lui avait paru si simple lorsqu'elle avait prévenu William Day de son arrivée. Maintenant que le *Lusitania* approchait du but, le doute la rongeait. William faisait la guerre. Y avait-il place dans son esprit pour le souvenir d'un amour auquel il avait renoncé ? N'était-ce pas ridicule d'espérer qu'il viendrait l'attendre à Liverpool ?

Anderson poursuivait ses explications sur les façons de faire le point d'une voix monotone. Après la compote de fruits, il se leva afin d'indiquer aux convives des premières classes que le dîner était terminé. Jennifer prit l'ascenseur avec ses compagnons. Une fois sur le pont de passerelle, les femmes se dirigèrent vers la bibliothèque, les hommes vers les fumoirs. Jennifer préféra sortir dans la nuit et contempler le spectacle infini de l'océan.

Elle se demandait ce que l'avenir lui réservait. Le soir, en s'endormant, elle imaginait William, debout sur le quai, qui se mettait à agiter les bras comme un fou en l'apercevant accoudée à la lisse. Mais chaque matin les rayons du soleil dissipaient ce mirage. Le plus probable, c'est qu'elle trouverait une lettre à son arrivée, avec des adresses et des noms de personnes à contacter en attendant leurs retrouvailles.

L'après-midi, les idées noires la gagnaient. Et si jamais cette lettre lui rappelait avec une courtoisie glaciale qu'ils n'étaient pas faits l'un pour l'autre ?

Le pessimisme l'emportait totalement en fin de journée. Peut-être avait-il rencontré quelqu'un d'autre ? Peut-être n'y aurait-il pas de lettre du tout ? « Oh ! William, songeait-elle, ne me donnez pas de faux espoirs. »

— Vous allez attraper la mort !

La voix d'Alfred Vanderbilt fit sursauter Jennifer. Il la rejoignit et posa son manteau sur ses épaules.

— L'Atlantique est glacial jusqu'à la mi-juillet. Laissez-moi vous ramener à l'intérieur.

Jennifer lui prit le bras, et ils retraversèrent le pont ensemble.

— Toujours ce jeune homme, j'imagine ?

Jennifer lui sourit :

— Celui qui, d'après vous, m'attendra à Liverpool.

— Vous n'en êtes pas sûre ? Pourquoi donc ?

— Nous nous sommes disputés.

— Dans ce cas, il sera là. Pour vous demander pardon.

— Il m'a quittée parce qu'il n'est pas de mon niveau social.

— C'est important pour vous ?

— Non, dit Jennifer avec un petit rire. Mais pour lui, oui. Il croit qu'après la guerre, chacun devra retourner à sa place.

Vanderbilt s'arrêta juste devant la porte.

— Je ne pense pas, dit-il. Il se pourrait que cette maudite guerre nous donne au moins une leçon de solidarité. Elle a brisé toutes les conventions sociales. A mon avis, les anciennes règles de conduite sont caduques, et c'est tant mieux.

Jennifer parut à la fois surprise et ravie.

— Croyez-moi, dit-il en lui ouvrant la porte. Il sera là à vous attendre.

Chapitre 12

Crookhaven

—Vous avez des messages à chiffrer, dit le chef Gore à Shiela McDevitt lorsque celle-ci descendit de l'automobile de William Day.

Elle sentit sa gorge se nouer.

— Pour qui ?

— Pour deux navires différents. J'ai oublié leurs noms.

Du coup, elle respira plus librement : s'il s'était agi du *Lusitania,* le chef radio s'en serait souvenu. Shiela bénéficiait donc d'un nouveau sursis.

Depuis que Tom Duffy l'avait déposée la veille à la station, elle n'avait cessé de penser au prochain message qui serait adressé au Lévrier. Comme ils connaissaient son nom de code, les Allemands ne manqueraient pas de le repérer et demanderaient à Emmett Hayes de leur en procurer le contenu. Et elle serait contrainte de le lui remettre.

Mais, au fond, Shiela savait qu'elle n'en ferait rien. Elle avait décidé de rompre avec les nationalistes quand elle s'était rendu compte que William Day était devenu le centre de son univers. Elle avait alors demandé sa mutation, dans l'espoir que l'Amirauté mettrait fin à son double jeu en la rapatriant — même si cela impliquait leur séparation.

Le fait qu'il s'agît du *Lusitania* renforçait encore sa détermination. Si elle n'avait pas eu le choix, Shiela aurait peut-être accepté de les renseigner sur un navire ordinaire. Mais elle connaissait la nature de la cargaison du paquebot. Il n'était pas question pour elle de livrer des centaines de passagers à la folie meurtrière qui s'était emparée du monde.

Particulièrement depuis que William lui avait montré la lettre. L'irruption d'une autre femme avait anéanti ses fragiles espérances. A l'évidence, Jennifer comptait beaucoup pour lui. Shiela aurait bien sûr préféré ne jamais apprendre son existence, mais à présent elle aurait l'impression de trahir William en mettant en danger la vie de cette jeune fille.

Aussi le chef radio Gore venait-il peut-être de lui offrir un jour de répit.

Après avoir bu une tasse de café, Day sortit du centre de transmissions et marcha jusqu'au rebord de la falaise, près de la tour de radio. Ses yeux scrutèrent l'horizon, où le Lévrier apparaîtrait bientôt, tandis qu'il repensait à la lettre qu'il venait d'expédier à Liverpool.

Il avait rédigé vingt pages, et les avait toutes déchirées en les relisant. Son objectif était simple : il voulait que Jennifer retourne en Amérique. Mais ses propres motivations lui échappaient.

Il ne pouvait pas s'occuper d'elle. Il était soldat et faisait la guerre. Exact. Mais ce n'était pas une objection valable : des millions de femmes attendaient l'homme qu'elles aimaient dans l'incertitude.

Il y avait quelqu'un d'autre. Encore exact. Mais la personne en question allait le quitter, convaincue qu'il ne pouvait rien y avoir de durable entre eux. Non, ce n'était pas à cause de Shiela qu'il voulait renvoyer Jennifer en Amérique.

Il n'était plus amoureux de Jennifer. Excellent argument pour la convaincre de se rembarquer. Mais le mensonge était si grossier qu'elle s'en rendrait compte à coup sûr. Comment lui expliquer qu'il existait des gens différents appartenant à des mondes différents et séparés les uns des autres par des barrières immuables ?

Finalement, il s'était rendu compte qu'une lettre ne lui permettrait pas d'exprimer ses sentiments. Par conséquent, mieux valait être bref. Il se réjouissait de l'arrivée de Jennifer, lui demandait d'excuser son absence, lui conseillait de s'installer chez des amis de ses parents, lui promettait de lui rendre visite en Angleterre dès que possible. Mais il s'abstenait de répondre à sa question. Le moment venu, les yeux dans les yeux, il lui dirait ce qu'il avait sur le cœur.

Au moment où il rentrait dans le centre de transmissions, le téléphone de Queenstown sonna. Le chef radio Gore répondit, puis raccrocha en laissant tomber d'une voix blasée :

— Un message pour le *Lusitania*.

Tandis qu'il finissait de remplir le formulaire, Day vint lire par-dessus son épaule.

Premier rendez-vous avec escadre E, le 7 mai, à 6 heures, à 40 milles à l'ouest du Fastnet. Second rendez-vous avec escadre A, à 18 heures, à 7 milles au sud-est de Coningbeg.

— Mon Dieu ! murmura Day.

Il relut le message. L'escadre E, basée à Queenstown, était chargée d'accueillir les navires venant d'Amérique à la hauteur du Fastnet, puis de les escorter le long de la côte irlandaise. Il était donc normal de transmettre les coordonnées du rendez-vous au Lévrier. En revanche, la radio n'envoyait jamais aucun détail sur le second rendez-vous, qui concernait l'escadre A, basée à Milford Haven. Ces informations étaient toujours fournies par les bâtiments de l'escadre E, au moyen de signaux optiques.

— Réclamez une confirmation, ordonna Day.

Le chef radio Gore soupira et souleva son téléphone.

— Où est le capitaine Grace ? demanda Day.

— Dans sa chambre, je crois, répondit Gore.

Avant de sortir, Day prit le bloc et détacha le carbone.

Grace, le visage couvert de mousse, était en train de se raser devant son lavabo.

— Bonjour, commandant, dit-il en voyant apparaître le reflet de Day dans son miroir.

Celui-ci lui mit le double du message sous le nez :

— Vous êtes au courant ?

Peter Grace posa son rasoir et saisit le papier.

— Les gars de Queenstown attendent le *Lusitania* au Fastnet, et ils l'accompagnent jusqu'à ce que l'escadre de Milford Haven prenne le relais à Coningbeg. C'est d'une simplicité enfantine, non ?

Il rendit le carbone à Day.

— Le problème, c'est que ce sera tout aussi simple pour les Allemands. Connaissant les deux points de rendez-vous, ils pourront en déduire à quelle heure précise le paquebot passera à n'importe quel point de la côte. Nous n'envoyons jamais d'informations aussi détaillées.

Grace retourna à sa barbe.

— Je n'ai pas d'opinion sur le sujet. Les navires d'escorte ne sont pas vraiment ma spécialité.

— Non, mais vous connaissez les questions de sécurité. Ce message va être chiffré et transmis dans moins d'une heure. Comment puis-je être certain que les Allemands ne l'intercepteront pas ?

Grace gloussa :

— Certain ? Commandant, dans mon domaine, il n'existe aucune certitude. Je ne suis même pas sûr que vous ne travailliez pas pour von Pohl. Cependant, je ne pense pas que vous deviez vous inquiéter.

— Il y a des civils à bord de ce paquebot.

Grace s'essuya le visage avec une serviette.

— L'Amirauté est au courant.

Day se hâta de rejoindre Gore, en fulminant.

— Qui a expédié ce message ? demanda-t-il.

— Commandant, une fois de plus on m'a passé le type du 2e Bureau. Il m'a dit : « Transmettez ! Et en vitesse ! »

— Où est le message ?

— Miss McDevitt est en train de le chiffrer.

Day disposait donc encore de quelques minutes de réflexion.
Pourquoi le 2e Bureau se mêlait-il du trafic de routine ? Pourquoi Queenstown envoyait-il les coordonnées du second rendez-
vous ? Il ne voyait aucune explication satisfaisante. Mais l'École
navale lui avait inculqué la réponse à toutes les questions : on
ne discute pas les ordres, on les exécute.

— Le message est prêt, annonça Gore.

Il se tenait à côté de Shiela, sur le seuil de la salle de codage.

— Transmettez, dit Day.

Londres

REGINALD HALL, chef du 2e Bureau de la Royal Navy, était
seul dans la salle de conférences. Les yeux fixés sur une carte de
la zone de combat, il sirotait un verre de vieux porto. Il était
presque minuit, et toutes les fenêtres de Whitehall étaient plongées dans l'obscurité.

La situation était limpide. Comme une partie d'échecs. Il fallait observer les mouvements de l'adversaire et en déduire son
plan de bataille. Le capitaine de vaisseau Bauer et lui-même se
trouvaient chacun à un bout de l'Europe, mais ils auraient aussi
bien pu se trouver de part et d'autre d'une table de jeux. Hall
venait de sacrifier sa reine : il avait poussé le *Lusitania* au milieu
de l'échiquier, provoquant la riposte des sous-marins. A présent,
il essayait de percer les intentions de Bauer.

De quelles options disposait l'Allemand ? Il avait de bonnes
raisons de détruire le *Lusitania*. Mais il ne faisait aucun effort
pour dissimuler ses sous-marins. Les bâtiments déjà sur place
s'affichaient au grand jour : quatre navires avaient été coulés au
large de la Cornouailles durant les dernières quarante-huit
heures. Peut-être voulait-il faire croire aux Anglais que le coton-
poudre était son objectif prioritaire afin d'avoir le champ libre
partout ailleurs. Ce qui n'aurait pas été un mauvais plan...

Hall pouvait contrer son adversaire en retirant au *Lusitania*
ses bâtiments d'escorte. Mais Bauer n'était pas un imbécile et
il ne manquerait pas, en ce cas, de se poser des questions. Non,
le paquebot devait paraître très protégé. Mais alors Bauer
n'oserait sans doute pas se frotter à une escadre de navires de
guerre. A moins de trouver une brèche dans le dispositif défensif.
Heureusement, la carte qu'il avait sous les yeux lui fournit la

solution : Bauer s'agitait comme un beau diable au large de la Cornouailles dans un but bien précis. Il espérait obliger les Anglais à envoyer l'escadre de Milford Haven à la rescousse. Celle-ci étant occupée au sud, le canal Saint George deviendrait alors accessible à ses sous-marins.

— Parfait, monsieur Bauer, murmura Hall. Je crois avoir compris ce que vous avez derrière la tête.

L'AMIRAL Oliver, une baguette coincée sous le bras droit, se tenait devant la carte murale. Il regardait d'un air décontenancé l'amiral John Fisher, premier lord de la mer, qui venait de lui poser une question embarrassante :

— Pourquoi diantre l'escadre de Milford Haven fait-elle route vers le sud ? Que va-t-elle faire en Cornouailles ?

Oliver désigna de sa baguette la pointe sud-ouest de l'Angleterre et bredouilla :

— Eh bien, amiral… à cause des sous-marins. Nous avons perdu quatre navires en deux jours. Nous pensons…

— Qui cela, nous ? demanda Fisher.

Il considéra tour à tour les autres officiers de son état-major réunis dans la salle. A sa connaissance, aucun d'entre eux n'avait eu de sa vie la moindre idée valable. Puis ses yeux s'arrêtèrent sur Winston Churchill et sur le capitaine de vaisseau Reginald Hall.

— Sir John, dit Churchill, nous ne pouvons pas rester les bras croisés quand des sous-marins allemands croisent impunément à dix milles de nos côtes. Nous devons agir.

John Fisher secoua la tête d'un air sceptique. Puis il reporta son attention sur l'amiral Oliver, qui présentait le rapport quotidien.

— Après-demain à l'aube, continua celui-ci, le *Lusitania* arrivera en vue du Fastnet. L'escadre E l'escortera jusqu'à Coningbeg. Ensuite…

Il ne termina pas sa phrase et pour cause : en l'absence des navires de guerre de Milford Haven, le paquebot resterait sans protection.

— Il sera escorté durant une partie du trajet, intervint Winston Churchill. En cas de dangers inhabituels, nous pourrons toujours le mettre à l'abri à Queenstown. Je pense que sa sécurité sera assurée.

— Moi aussi, acquiesça Fisher. De toute façon, les escortes ne lui servent pas à grand-chose. Il est obligé de ralentir pour les attendre.

— C'est tout à fait exact, amiral, dit Reginald Hall avec un grand sourire. Le *Lusitania* doit maintenir sa vitesse. Faute de pouvoir le rattraper, les sous-marins seront bien incapables de le torpiller.

Fisher se leva, indiquant que la séance était close.

— Serez-vous en ville durant le week-end? demanda-t-il à Churchill.

— Non. Il y a une conférence à Paris. Le général French m'a demandé d'y assister. Le commandant Hall assurera la permanence.

Les officiers d'état-major emboîtèrent le pas au premier lord de la mer, comme des canetons derrière leur mère. Churchill et Hall restèrent seuls avec Oliver.

— Je présume que l'amiral Fisher a raison, dit Churchill d'un ton pensif. Quel bâtiment l'escadre E détachera-t-elle en escorte? Le *Juno*, peut-être? Un vieux rafiot poussif qui trahira la position du *Lusitania* et qui le ralentira!

Hall opina du chef :

— Effectivement, le *Juno* n'est pas de taille à affronter un sous-marin.

— Dans ce cas, suggéra Oliver, nous ferions mieux d'annuler le rendez-vous. Pourquoi prendre une mesure qui n'ajoute rien à la sécurité du paquebot?

— Excellente idée, dit Churchill en lançant un coup d'œil au capitaine de vaisseau Hall.

— Je suis tout à fait d'accord avec l'amiral Oliver, renchérit celui-ci.

— Voulez-vous vous en occuper en personne, amiral? demanda Churchill.

Oliver parut ravi de voir sa proposition acceptée :

— Je rédige immédiatement un message destiné à toutes les parties concernées.

— A votre place, dit Hall, je n'expédierais pas de dépêches. Le *Lusitania* observe le silence radio et ne serait donc pas en mesure d'envoyer une confirmation. Je crois que vous pouvez simplement ordonner à l'amiral Coke de rappeler ses bâtiments d'escorte.

— D'accord, répondit Oliver.

Il ramassa ses dossiers et quitta la pièce.

Churchill se tourna alors vers Hall :

— Ça devrait faire un sacré boucan. Et si les Allemands réussissent à tuer un ou deux Américains, M. Wilson va nous tomber dans le bec tout cuit.

Côte irlandaise

— VOICI le Fastnet.

Walter Schwieger consulta sa montre et ajouta :

— Et à l'heure pile.

— Je ne pensais pas que nous y arriverions, répondit Willi Haupert.

Le *U-20* avait enfin rattrapé le temps perdu. En effet, le détour par le nord de l'Écosse lui avait pris une demi-journée supplémentaire. Il avait dû plonger deux fois à l'approche d'une patrouille britannique. Parvenu au large des Orcades avec trois heures de retard, il n'avait pas disposé d'une nuit entière pour franchir ce piège redoutable, et il avait dû replonger dès le lever du jour. Schwieger aurait voulu sortir le périscope afin de s'orienter plus facilement, mais l'état de la garniture défectueuse l'en avait dissuadé. Il allait falloir se servir le moins possible du périscope.

Mais, depuis trente-cinq heures, la chance était de son côté. Une épaisse couche de brouillard lui avait permis de naviguer en surface et de couvrir les cinq cents milles séparant les Hébrides du Fastnet à une bonne vitesse de croisière. Il disposait donc d'une journée et demie pour atteindre Coningbeg, distant seulement de cent soixante-dix milles. La fin du voyage s'annonçait de tout repos.

Le capitaine de vaisseau Bauer s'était engagé à confirmer son ordre d'attaque et à indiquer la position exacte à laquelle l'*U-20* devrait intercepter le transport de troupes. Mais il n'en avait encore rien fait. Schwieger ne pouvait pas demander d'instructions, puisque les sous-marins observaient le silence radio dès l'instant où ils entraient dans les eaux britanniques. Il devrait se contenter d'émettre son nom de code dès qu'il serait en vue du bateau-phare de Coningbeg. Bauer saurait ainsi qu'il était prêt à frapper.

LE père Connors allait et venait dans son jardin en lisant son bréviaire à voix haute. Lorsqu'il vit Day s'approcher, il termina son verset et referma le livre.

— Bonsoir, commandant.

Il s'assit sur un banc de pierre et fit signe à son visiteur de prendre place à côté de lui.

— Je suis désolé de vous interrompre, mon père. Mais il faut absolument que la flottille soit en position dès demain matin à l'aube.

Le prêtre ouvrit de grands yeux :

— Demain matin ? Cela me semble difficile.

— Un navire doit arriver. Un paquebot. Je crains que ses passagers ne courent un grave danger.

— Des passagers ?

Le père Connors paraissait très alarmé, car ses paroissiens n'avaient encore jamais protégé de paquebots. Il se leva et s'engagea dans l'allée. Day le suivit.

— En avez-vous parlé à Emmett Hayes ? demanda le prêtre.

— Je n'ai pas réussi à le trouver. Je pensais que vous sauriez peut-être où il est.

— Non. Moi non plus, je ne l'ai pas vu depuis un moment. Mais ce serait une bonne chose de mettre la main sur lui. Les gens le respectent.

— Vous aussi, mon père, vous avez de l'influence sur eux.

— C'était vrai avant. Mais je leur ai conseillé de prendre l'argent que leur proposaient les Anglais et, quelque temps après, la mer a rejeté les corps de leurs voisins sur la plage. Comment voulez-vous que je leur demande de risquer leur vie une fois de plus pour les Anglais ?

— Il y a des femmes et des enfants sur ce navire.

Le père Connors hocha la tête et regarda l'officier avec sympathie :

— Des femmes et des enfants. Vous êtes un brave homme, commandant Day. Je me souviens des paroles que vous avez prononcées lors des obsèques : « Les meilleurs d'entre nous s'efforcent de sauver les autres du massacre. » C'est ce que vous voulez faire en ce moment et c'est pour cette raison que je vais essayer de vous aider.

A la nuit tombante, Day reprit la route du cap Mizen. En passant devant chez Shiela, il fut étonné de voir une fenêtre faiblement éclairée. Il freina et s'engagea dans le chemin. Lorsqu'il ouvrit la porte, Shiela sursauta de peur et resta à le regarder sans pouvoir articuler un mot.

— Je croyais que tu étais toujours à la station, commença Day.

C'est alors qu'il se tourna vers la chambre. Sur le lit, les vêtements de Shiela étaient empilés à côté de sa valise. Elle suivit son regard et lui dit :

— Je m'en vais.

Day l'observa, ébahi. Il savait parfaitement que son ordre de mutation n'était pas encore arrivé.

— Tu ne peux pas. Il est encore trop tôt.

Elle se précipita dans la chambre et se mit à fourrer ses affaires dans la valise.

— Il faut que je parte. Je ne peux plus rester ici.

— Pourquoi ? Tu vas recevoir ton ordre de mission d'ici quelques jours.

— Je ne peux plus attendre.

Elle essayait de refermer le couvercle. William Day s'approcha d'elle et lui saisit les poignets.

— Que veux-tu dire ? Que se passe-t-il ?

Elle s'arracha à son étreinte et se réfugia dans un coin sombre de la pièce.

— Laisse-moi tranquille ! cria-t-elle.

Puis elle cacha son visage dans ses mains et cessa toute résistance. En larmes, elle glissa le long du mur et se retrouva assise sur le plancher, les genoux relevés contre les épaules.

— Shiela, que se passe-t-il ? C'est à cause de moi ? C'est de ma faute ?

Elle redressa lentement la tête et dit d'une voix entrecoupée par les sanglots :

— Non, tout est de ma faute.

Il la regarda se relever. Ses yeux brillaient à la lueur de la lampe.

— Je voudrais t'aider, murmura Day. Je t'en prie.

— Tu ne peux pas, répondit-elle d'un ton absent.

— Pourquoi ?

Il entendit à peine son chuchotement :

— Parce que l'espion que recherchait Grace, c'est moi.

Pendant quelques instants, il ne comprit pas. Puis la vérité lui apparut dans son aveuglante clarté. Toutes leurs conversations, tous les secrets qu'ils avaient partagés dans le silence de la nuit avaient été transmis à des officiers allemands. Elle s'était servie de lui.

Il la foudroya du regard. Ses poings se crispèrent. Menaçant, il fit un pas vers elle. Et soudain, il s'arrêta net. Shiela, prostrée, n'esquissait pas même un geste de défense. Sa détresse était telle qu'elle ne craignait plus les coups. La colère le quitta aussi vite qu'elle l'avait envahi. Il recula et s'assit sur le lit.

— Tout ? Tu leur as tout raconté ?

— Bien sûr que non ! s'écria Shiela en se jetant à ses pieds. Rien de ce que tu m'as confié. Seulement les messages radio. Je n'aurais jamais pu leur parler de toi. Je t'aime.

— Moi aussi, je…

Elle posa un doigt sur ses lèvres :

— Tais-toi. Tu en aimes une autre, et pour toujours. Ce serait encore plus dur si je croyais que tu m'aimais.

Day se leva et lui prit la main :

— Je ne peux pas t'abandonner comme ça. Nous irons ensemble à Queenstown. Nous leur expliquerons.

— Ce ne sont pas les Anglais que je fuis, dit Shiela. Ce sont les Irlandais. Ils exigent de moi quelque chose que je refuse de leur donner. Il ne faut pas qu'ils me retrouvent. Tu sais comment ils punissent les traîtres.

— Qu'exigent-ils de toi ?

— Le *Lusitania*.

Il se souvint aussitôt du message indiquant les coordonnées précises des deux rendez-vous successifs. Shiela l'avait eu entre les mains.

— Je ne leur ai pas fourni ces renseignements, dit-elle. Je n'ai pas pu.

Day s'efforçait de réfléchir, mais tout allait beaucoup trop vite.

— Il faut que tu viennes avec moi, dit-il. Nous allons prévenir Peter Grace. Il appartient au 2e Bureau. Il pourra nous aider.

— Il est déjà au courant. Il m'a suivie.

— C'est impossible, répondit Day, stupéfait. Puisque c'est lui qui m'a dit de transmettre le message, il savait que je te le remettrais. S'il était au courant...

Il se tut brusquement. Peter Grace savait que la station était infiltrée et que Shiela était à la solde de l'ennemi. Malgré cela, il lui avait fourni des informations qui risquaient de causer la perte du *Lusitania*. Par conséquent...

— Ils veulent qu'il soit coulé, murmura-t-il.

Elle lut dans ses yeux l'horreur qu'il ressentait.

— Les Anglais? demanda-t-elle.

— Oui, ils veulent que les Allemands l'envoient par le fond. Ils veulent que des Américains soient tués. Ils se sont servis de toi. De moi aussi. De nous tous. Pour provoquer la mort de nombreux citoyens américains.

A présent, Shiela aussi avait compris.

— Tu dois me dire toute la vérité, ordonna Day. Qui reçoit tes messages? Qui les remet aux Allemands?

— Emmett Hayes.

— Viens. Nous ne pouvons pas les laisser assassiner les passagers du *Lusitania*. Nous allons les en empêcher.

Ils coururent vers la voiture.

Côte irlandaise

LE *U-20* avançait lentement à la faveur de l'obscurité. Le commandant Schwieger était descendu à vingt milles au sud du point de convergence des routes maritimes, à l'entrée du canal Saint George.

Il avait un problème à régler d'urgence : le manque d'étanchéité du périscope. Les rares fois où il l'avait sorti, des litres d'eau s'étaient déversés à l'intérieur du sous-marin. Pourtant, il devait pouvoir s'en servir sans restriction pour traquer le *Lusitania*.

Ses mécaniciens avaient préparé une nouvelle garniture d'étanchéité en caoutchouc. Il allait maintenant devoir rester deux ou trois heures à la surface afin de procéder à la réparation. Et il fallait éviter d'être surpris durant l'intervalle où il serait incapable de plonger.

La radio représentait une difficulté supplémentaire. Pour fixer le vérin qui permettrait de mettre en place la nouvelle garniture, ses hommes allaient devoir débrancher l'antenne de basse fréquence. Il demeurerait donc coupé de Bauer jusqu'à la fin des réparations. Schwieger avait émis son nom de code en prenant position. Quelques secondes plus tard, la base d'Emden avait répété les lettres pour lui indiquer qu'elle l'avait bien reçu. Mais elle ne lui avait donné aucun ordre d'attaque. Il avait attendu le plus longtemps possible avant d'entreprendre la réparation. A présent il fallait commencer même si cela devait empêcher Schwieger de recevoir le message de Bauer, car le travail devait impérativement être terminé avant l'aube.

Haupert le rassura :

— Ils répéteront le message jusqu'à ce que nous en accusions réception.

C'était tout à fait exact. La base d'Emden s'obstinerait tant qu'elle n'aurait pas eu de réponse. Cependant, passé un certain délai, Bauer serait obligé d'exclure le *U-20* de ses plans.

Schwieger se tourna vers les mécaniciens qui avaient déjà apporté leurs outils au pied du kiosque.

— Au travail. Je veux que ça soit fini dans une heure.

D'un regard, ils lui firent comprendre qu'il demandait l'impossible.

LE commandant Turner, alias Bill « Melon », observait l'océan par la vitre de la timonerie, un sandwich au fromage dans une main, une tasse de thé dans l'autre. Le Fastnet ne devait plus être loin. Le brouillard l'avait empêché de faire le point avant la nuit puis, quand il s'était levé, la ligne d'horizon était restée noyée dans une brume persistante qui cachait les premières étoiles. A présent, le ciel était d'une grande pureté, et une myriade d'étoiles étaient à sa disposition. Mais faute de ligne d'horizon, les astres ne lui servaient à rien.

Il alla jusqu'à l'indicateur de vitesse : vingt et un nœuds. Il était impossible de faire mieux depuis que la chaufferie n°4 avait été fermée pour économiser le charbon. « Le navire le plus rapide du monde », se répétaient les passagers chaque fois que quelqu'un mentionnait l'avertissement allemand. Bill Turner, lui, savait qu'avec une chaufferie en moins, le *Lusitania* n'était plus qu'un paquebot comme les autres. Les comptables de la compagnie Cunard lui avaient enlevé son atout majeur.

S'il rejoignait comme prévu l'escadre E, les choses seraient relativement simples. Mais la météo annonçait encore du brouillard pour le lendemain matin. S'il ne parvenait pas à rencontrer les navires de l'escadre, il lui faudrait se rapprocher des côtes et se diriger tout seul vers Coningbeg. Il se serait senti plus en sécurité avec une escorte mais, en l'absence de celle-ci, au moins ne serait-il pas obligé de ralentir son allure.

— Nous serons demain au port, lui dit le second en prenant place à côté de lui.

— Espérons-le, grogna Turner.

Chapitre 13

Schull

APRÈS avoir garé son automobile à l'entrée du village, Day entraîna Shiela vers la maison d'Emmett Hayes. Ils se cachèrent sous un portail obscur, juste en face de chez lui, et attendirent son retour.

Durant le bref trajet, Shiela lui avait raconté comment elle était entrée dans le mouvement nationaliste. Durant les premiers jours de la guerre, les patriotes irlandais s'étaient ralliés aux Allemands, dans l'espoir qu'une défaite anglaise amènerait la libération de leur pays. Des sous-marins allemands leur avaient apporté des armes et une radio, afin qu'ils les tiennent au courant des mouvements des navires de guerre britanniques chargés de protéger les cargos en provenance de l'Atlantique. Grâce à ces informations, les sous-marins pouvaient opérer en toute impunité au large des côtes irlandaises.

L'arrivée de Shiela représenta une formidable aubaine. Une Irlandaise travaillant à la station de radio anglaise ! Désormais, ils pourraient connaître les mouvements des navires plusieurs jours à l'avance — à condition d'enrôler cette jeune femme dans leurs rangs. Après tout, ses parents avaient été chassés par de grands propriétaires anglais et contraints d'aller gagner leur pain sur les quais de Liverpool.

Shiela résista aux premières avances d'Emmett Hayes. Les Allemands, lui dit-elle, n'étaient pas des libérateurs. Elle savait que son peuple avait souffert de la misère et de l'oppression pendant des siècles et elle éprouvait de la sympathie pour les républicains irlandais. Mais à présent elle était anglaise. Pour la persuader du contraire, Emmett Hayes la conduisit au cimetière des enfants. Il lui décrivit l'agonie de ces fillettes et de ces petits garçons qui avaient rendu l'âme, la bouche pleine d'herbe mâchée. La tristesse de Shiela fit alors place à la colère. Jamais encore elle n'avait ressenti une haine aussi farouche que celle que lui inspiraient des hommes capables d'infliger un pareil supplice à des enfants. Sans hésiter une seconde, elle rejoignit le mouvement.

Quelque temps après, la mer commença à rejeter des cadavres sur les plages. Des corps de marins anglais, d'abord, puis ceux de ses voisins irlandais. Elle prit ainsi conscience que de nouveaux meurtres n'effacent pas les anciens, et elle décida de se retirer du combat.

Maintenant, Day comprenait le sens de ses avertissements. Lorsqu'elle lui disait que l'Irlande risquait de le détruire, elle savait de quoi elle parlait. Mais il lui restait un moyen de racheter sa trahison : elle pouvait encore l'aider à sauver le *Lusitania*.

Soudain, ils aperçurent Emmett Hayes qui passait devant une fenêtre éclairée. Il s'évanouit un instant dans la pénombre, avant de réapparaître sur le seuil de sa porte. Day traversa la rue au pas de course tandis que l'instituteur introduisait sa clef dans la serrure. Il l'attrapa par le col de son pardessus et le projeta dans le salon. Shiela referma la porte derrière eux.

Surmontant sa surprise, Hayes s'écria avec indignation :

— Où vous croyez-vous ?

— Ne bougez pas, ordonna Day.

Il abaissa les stores, approcha une allumette de la mèche d'une lampe à pétrole, puis saisit Hayes à bras-le-corps et l'obligea à s'asseoir dans un fauteuil. Ensuite, il prit place en face de lui sur une chaise. Shiela préféra rester debout près de la fenêtre.

— Je sais qui vous êtes, dit Day. Et quelles sont vos activités.

Hayes, stupéfait, regarda tour à tour ses deux visiteurs.

— Je ne comprends pas à quoi vous faites allusion. Quelles sont mes activités ?

— Vous transmettez des informations aux Allemands. Vous êtes un espion.

Hayes tenta de se relever :

— C'est ridicule !

Day le repoussa sans ménagement.

— Pour l'instant, il ne s'agit pas de vos agissements. J'ai besoin de votre aide. Il faut à tout prix que je puisse contacter votre correspondant par radio.

Emmett Hayes écarquilla les yeux et se tourna vers Shiela :

— De quoi parle-t-il ?

— On nous a trompés, Emmett, répondit-elle.

— Écoutez-moi bien, reprit Day, car le temps presse. En ce moment, une flottille de sous-marins attend le *Lusitania*. Celui-ci va se jeter tête baissée dans le guet-apens. Les Allemands vous ont demandé des renseignements sur le paquebot car ils savent qu'il transporte une cargaison très importante. Et les Anglais leur ont fourni ces renseignements pour une raison très simple : il y a de nombreux passagers américains à bord du *Lusitania*. Voilà pourquoi ils veulent que les Allemands passent à l'attaque. Vous saisissez, oui ou non ?

Hayes cessa de feindre l'incompréhension.

— L'Angleterre cherche à provoquer l'entrée en guerre de l'Amérique, continua Day. C'est clair comme de l'eau de roche. Le 2e Bureau n'ignore rien de votre petit réseau d'espionnage, mais il l'utilise à ses propres fins.

Du regard, Hayes demanda à Shiela de confirmer ses dires. Elle fit un signe de tête affirmatif.

Day sortit de sa poche un double du message adressé au *Lusitania* et le tendit à l'instituteur.

— Il y a un officier du 2e Bureau à Crookhaven, dit-il. Il sait que miss McDevitt vous transmet des informations à l'intention des Allemands. Pourtant, il lui a donné ceci à chiffrer.

Hayes chercha ses lunettes pour lire le texte.

— Oh ! sainte Vierge ! murmura-t-il.

— Voilà pourquoi nous devons alerter les Allemands, conclut Day. Nous devons les convaincre qu'ils vont tomber dans un piège. Le *Lusitania* arrivera à la hauteur du Fastnet dans environ cinq heures.

Emmett Hayes lui rendit le message.

— Il reste tout de même un petit problème, commandant. Vous êtes anglais. Si vos compatriotes ont monté ce guet-apens, vous devriez en être partie prenante.

— Il y a des limites à ne pas franchir, Emmett. Je refuse de sacrifier des femmes et des enfants.

Hayes s'adressa à Shiela :

— Vous trouverez du papier et des crayons sur la table de la cuisine. Écrivez ce que vous voulez faire parvenir aux Allemands.

Ils se rendirent tous les trois dans la cuisine, et Day rédigea le message suivant :

> Cargaison n'est pas à bord du *Lusitania*. Je répète : cargaison n'est pas à bord. L'Angleterre veut que l'Allemagne agresse citoyens des États-Unis. Américains influents prêts à déclarer guerre. Ces informations viennent de Royal Navy. Dignes de confiance.

Puis ils montèrent les escaliers quatre à quatre. Emmett sortit le carton de la chemise et commença le codage. Il lui fallut près d'une demi-heure pour chiffrer chaque phrase et la retranscrire en clair afin de s'assurer de son exactitude. Dès qu'il eut rangé le carton dans l'armoire, ils se précipitèrent vers la cave. Mais leur élan fut brisé net en entrant dans le salon.

Peter Grace les attendait nonchalamment sur le seuil de la cuisine, un revolver de gros calibre à la main.

— Quelle surprise ! dit-il.

De la pointe de son arme, il désigna Emmett Hayes et Shiela :

— Je ne parle pas de vous deux. Mais de vous, commandant.

— Peter, répondit Day, nous envoyons le *Lusitania* dans un piège mortel.

Grace secoua la tête :

— Ce n'est pas notre affaire, commandant. C'est celle des gros bonnets.

Il montra les feuilles de papier que tenait Emmett Hayes :

— Vous permettez ?

A contrecœur, l'instituteur les lui remit. Grace laissa tomber par terre le message codé et lut la version en clair.

— Non, c'est hors de question. Je pense qu'il serait plus judicieux de transmettre le vrai message. Vous en avez une copie, n'est-ce pas, commandant ?

— Non, mentit William Day.

Grace braqua son revolver sur le visage de Shiela et répéta calmement :

— Vous en avez une copie, n'est-ce pas, commandant ?

Day se rappela le cadavre torturé de James Corcoran. Il sortit le texte de sa poche.

— Donnez-le à notre discret espion allemand, ordonna Grace.

Hayes prit le message.

— Maintenant, Emmett, dit Grace avec un grand sourire, vous allez monter le chiffrer. Je vous accorde très exactement vingt minutes.

Hayes se tourna vers Day, qui lui fit signe d'obéir. Il se dirigea vers l'escalier.

— Vous m'apporterez le code quand vous aurez fini, ajouta Grace. Je veux être sûr que vous n'avez commis aucune erreur.

Une fois dans sa chambre, l'instituteur ouvrit son armoire et posa le code sur son bureau. Mais, avant de se mettre au travail, il souleva la lampe et la plaça bien en évidence dans l'angle gauche de la fenêtre. Puis il leva le store.

Emden

LE capitaine de vaisseau Bauer se reposait sur un canapé dans son bureau du quartier général. Il bondit sur ses pieds lorsqu'on frappa à la porte et il gagna la salle des opérations.

— Un message de Farfadet, lui annonça l'officier des transmissions.

C'étaient les informations qu'il attendait avec impatience : les coordonnées des deux rendez-vous du *Lusitania* avec ses navires d'escorte — le premier au large du Fastnet, le second près du bateau-phare de Coningbeg. Il remit le télégramme à son chef d'état-major :

— Calculez-moi ça, Klaus.

Le capitaine de vaisseau Klaus Schopfner se pencha au-dessus de la table de point et représenta chaque rendez-vous par un petit cercle. Puis il joignit les deux cercles avec un mètre à ruban et dessina la route du *Lusitania* jusqu'à Liverpool.

Bauer étudia la côte irlandaise. Il fit sortir du port de Queenstown les modèles réduits de l'escadre E et les disposa près de l'îlot du Fastnet. Après avoir rapproché la maquette du *Lusitania*, il saisit le *U-30*, commandé par le lieutenant de vaisseau Rosenberg, et qui croisait actuellement au large de la Cornouailles.

— Combien de temps faut-il à Rosenberg pour atteindre ce

point-ci ? demanda-t-il en indiquant le secteur situé à l'ouest du Fastnet, que le *Lusitania* traverserait avant de rejoindre son escorte.

L'officier fit un rapide calcul :

— Impossible. Il n'arriverait pas à temps.

Il dessina un troisième cercle au sud du cap Clear et ajouta :

— Voici l'endroit où le *U-30* peut intercepter le paquebot dans le meilleur des cas. Une demi-heure après le rendez-vous.

— Eh oui ! répondit Bauer en se tournant vers le cercle représentant Coningbeg.

La maquette du *U-20* paraissait minuscule au milieu de l'immensité des flots.

— C'est donc là que nous allons devoir frapper.

Et il dicta aussitôt deux messages à l'officier des transmissions. Le premier était destiné au lieutenant de vaisseau Rosenberg, commandant le *U-30*. Il lui indiquait le point d'interception et l'autorisait à attaquer, à moins que l'escorte ne fût imposante. Rosenberg ne devait pas mettre son sous-marin en péril face à un adversaire trop nombreux. Le second message fut expédié au lieutenant de vaisseau Schwieger, commandant le *U-20*. Celui-ci devait se poster au sud-est du phare de Coningbeg, dans un secteur où le *Lusitania* ne serait probablement plus accompagné. Ainsi, les deux sous-marins disposeraient d'un maximum de chances de succès.

Schull

— BRAVO, Emmett ! dit Peter Grace avec un grand sourire. Vous auriez dû travailler dans les transmissions de la Royal Navy.

Ils étaient tous les quatre dans la cave. Hayes, assis devant sa machine à coudre, venait de capter un signal d'accusé de réception transmis par les Allemands. Day et Shiela se tenaient debout contre le mur du fond.

— Nous n'aurons plus besoin de cette radio, dit Grace. Sortez-la de la machine à coudre et posez-la sur le sol.

Hayes retira le fil de l'antenne et la prise de courant du boîtier métallique, puis plaça délicatement la radio sur la terre battue.

— Maintenant, brisez-la en morceaux, ordonna Grace.

Malgré sa répugnance à le faire, Hayes défonça l'appareil à

coups de pied, éventrant le panneau, fracassant les tubes à vide.

— Vous savez, Emmett, dit Grace, nous n'aurons plus besoin de vous non plus.

Hayes eut à peine le temps de comprendre la signification de ces paroles qu'il ressentit une terrible douleur dans le dos. Il s'affaissa sur les débris de la radio. Day et Shiela virent le manche d'un poignard planté entre ses omoplates.

Shiela poussa un hurlement. Day voulut se précipiter vers le mourant, mais il s'arrêta net en entendant Grace armer son revolver. Le visage du jeune capitaine rayonnait de satisfaction : il venait d'accomplir une nouvelle mission avec son efficacité habituelle. Day rejoignit Shiela contre le mur.

— Nous allons sortir ensemble, dit Grace. Je vais passer le premier. Miss McDevitt me suivra. Vous, commandant, vous fermerez la marche.

Il commença à gravir l'escalier à reculons et ses deux prisonniers lui emboîtèrent le pas.

— Nous allons prendre votre automobile pour rejoindre la station de radio. La salle de codage vous offrira un certain confort jusqu'à l'arrivée de la police militaire.

Parvenu au milieu de l'escalier, Grace s'adressa à Shiela en particulier :

— Je ne pourrai guère vous aider. Vous êtes une nationaliste, après tout… Une espionne au service de l'Allemagne.

Il monta encore quelques marches.

— Quant à vous, commandant, je pense que nous ferons preuve de clémence. Vous êtes tombé dans les filets d'une séductrice. Vous n'avez pas vraiment trahi. Bien sûr, vous ne devez plus espérer de commandement…

L'irruption, dans l'embrasure de la porte, d'une énorme poigne lui fit ravaler ses remarques ironiques. Violemment tiré en arrière, le capitaine alla s'effondrer de tout son long sur le plancher. La gigantesque silhouette de Tom Duffy masqua son corps à Shiela.

Étendu sur le dos, Grace eut une vision trouble du colosse qui se précipitait sur lui. Il leva son arme et ouvrit le feu au jugé. Il eut le temps de tirer trois coups avant que les mains de Duffy ne se referment autour de son cou. Il se sentit soulevé en l'air. Son arme tomba sur le tapis.

— Lâchez-le ! hurla Day en faisant irruption dans le salon.

Et il se jeta sur le revolver.

Mais Tom Duffy ignora son ordre. Emmett lui avait lancé un appel au secours au moyen de la lampe de sa chambre, et il était arrivé trop tard. A présent, le meurtrier devait être châtié.

Duffy maintint Peter Grace à bout de bras et lui brisa le cou comme à un vulgaire lapin. Puis il fit demi-tour, alla jusqu'à la porte de la cave et jeta le corps inerte dans l'escalier. Un soupir de tristesse secoua sa poitrine. Alors il descendit pour remonter la dépouille de son chef.

Shiela, à genoux, avait les yeux fixés sur le message que Hayes n'avait pu transmettre aux Allemands.

— Ça va ? lui demanda William Day en se relevant.

— Je peux l'envoyer depuis la station. Voici le signal d'appel. Et le nom de code d'Emmett. Nous avons encore une chance de les prévenir à temps.

Il l'aida à se remettre sur pieds :

— Te sens-tu capable de conduire mon automobile ?

— Je crois, dit-elle. Mais, de toute façon, M. Duffy peut la conduire.

— Alors, vas-y en vitesse ! Moi, je descends sur le port. Le père Connors est en train de réunir les membres de la flottille de pêche.

Voyant qu'elle chancelait sur ses jambes, il ajouta :

— Tu es sûre que ça va ?

— Oui, ça ira. Dépêche-toi de te rendre sur le port.

Day sortit en courant. Dès qu'il eut disparu, Shiela se passa la main sur le dos, à la recherche d'un point si douloureux qu'elle avait failli s'évanouir au premier élancement. Quand elle ramena sa main, elle constata que ses doigts étaient maculés de sang.

Côte irlandaise

SCHWIEGER lut le message que l'opérateur radio venait de lui monter en haut du kiosque. Puis il le tendit à Haupert avec un grand sourire :

— Nous le tenons.

Haupert prit à son tour connaissance des ordres du commandant Bauer et ajouta :

— A moins que Rosenberg ne le coule avant nous.

— C'est peu probable. Les navires d'escorte l'empêcheront

de s'approcher à portée de tir. C'est nous qui allons l'avoir, à condition que ce maudit périscope fonctionne convenablement.

Il regarda vers l'est. Le jour commençait à faire pâlir la ligne d'horizon.

— Allons-y! dit-il. Tentons un essai.

Les mécaniciens avaient achevé leur travail moins d'une heure auparavant. Ils avaient assuré l'étanchéité de la garniture du périscope, remis le couvercle et rebranché l'antenne de basse fréquence. Depuis lors, Schwieger avait reçu le message. De ce côté-là, tout fonctionnait. Il ordonna de plonger à douze mètres.

Debout à l'intérieur du kiosque, il écouta la mer se refermer au-dessus de sa tête. La fuite semblait colmatée. Il attendit que la pression augmentât avec la profondeur : arrivés à douze mètres, toujours aucune trace d'humidité. Jusqu'ici tout allait bien. L'épreuve de vérité viendrait lorsqu'il sortirait le périscope.

Ils remontèrent à quatre mètres cinquante.

— Allons-y! dit-il à Haupert.

Le second commença à tirer sur le contrepoids. En pure perte : le périscope ne bougeait pas d'un pouce.

— Il est coincé, dit Haupert sur un ton horrifié. Le couvercle doit être trop serré.

— Malédiction!

Schwieger ôta sa casquette et la jeta par terre en criant au poste de contrôle :

— Surface!

Puis il remonta dans le kiosque.

Le soleil se levait et le ciel avait pâli. Walter Schwieger jeta un rapide coup d'œil dans toutes les directions. Toujours personne en vue.

— Les mécaniciens sur le pont! hurla-t-il à Haupert.

Combien de temps demanderait la réparation? Une heure au plus. Mais d'ici quelques minutes il ferait jour et, cependant, le sous-marin serait dans l'impossibilité de plonger.

Les deux mécaniciens se glissèrent dans l'orifice en traînant leurs outils derrière eux. Alors qu'il s'écartait pour leur laisser le plus de place possible, Schwieger voulut s'appuyer au mât de la radio. Il faillit passer par-dessus bord : le mât avait disparu.

Le tronçon de l'antenne de basse fréquence ballottait sur l'isolateur, tout au bout du poste d'observation. Le mât, mal fixé, avait sans doute été arraché lors de la plongée, entraînant l'antenne avec lui. Soumise à une violente tension, celle-ci avait fini par se briser net.

Le *U-20* n'avait plus aucun moyen de communiquer avec l'Allemagne.

Crookhaven

LE chef radio Gore bondit sur ses pieds lorsque la porte de la station s'ouvrit en grand. Shiela entra en compagnie d'un véritable géant qui devait se courber en deux pour la soutenir par la taille.

— Miss McDevitt…, commença Gore.

Mais le visage rond et rougeaud du colosse le fit songer au revolver qui se trouvait dans le tiroir de son bureau.

— J'ai un message à envoyer, dit Shiela. En priorité absolue.

Elle se libéra de l'étreinte de Duffy et marcha vers Gore en dépliant une feuille de papier. Gore les observa tous les deux avant de saisir le message.

— Qu'est-ce que c'est que ce signal d'appel? demanda-t-il.

— C'est un signal allemand, répondit Shiela. Je vous en prie, chef, transmettez-le. Le commandant Day veut qu'il parte à l'instant même.

Gore recula jusqu'à son bureau et ouvrit doucement le tiroir.

— Où est le commandant Day?

— A Schull, répondit Shiela d'une voix très affaiblie. Sur le port. Il organise la flottille pour qu'elle aille escorter le *Lusitania*. S'il vous plaît, envoyez ce message. Le sort du *Lusitania* en dépend.

La main de Gore se referma sur le revolver. Il le braqua sur Tom Duffy.

— Très bien, ordonna-t-il, reculez tous les deux. Je n'enverrai aucun message aux Allemands. En tout cas, pas avant le retour du commandant Day.

— Nous ne pouvons pas attendre, supplia Shiela.

Au lieu de reculer, elle marcha vers lui. Mais ses jambes ne la portaient plus. Elle trébucha et s'écroula contre le bureau.

Gore découvrit avec horreur la tache sombre qui souillait sa robe. Il posa son arme et se précipita à son secours. Mais Duffy l'avait devancé. Il souleva la jeune femme comme une poupée de chiffon.

— Que lui est-il arrivé ? demanda le chef radio.

— Votre capitaine Grace lui a tiré dessus, s'écria Duffy. Allez-vous envoyer ce sacré message ? Elle a perdu tout son sang pour venir vous l'apporter.

— Elle a besoin d'un médecin.

— Je vais l'emmener chez le docteur. Vous, envoyez ce message !

Gore acquiesça d'un signe de tête. Dès que Duffy fut parti en courant avec Shiela dans ses bras, il modula la fréquence d'une main tremblante. Après avoir branché son indicateur de puissance, il composa les lettres étranges du signal d'appel. La réponse lui parvint aussitôt, claire et distincte.

Il entreprit alors la transmission du message chiffré. Quand il eut terminé, ruisselant de sueur, il signa « Farfadet ».

C'était la première fois de sa vie qu'un opérateur allemand accusait réception de l'un de ses messages. Mais lorsqu'il aperçut la tache de sang qui maculait son bureau, il sut qu'il avait agi comme il le fallait.

Emden

— CE n'est pas notre agent qui nous l'a envoyé, dit l'officier des transmissions au commandant Bauer. Cela ne vient pas de Farfadet.

— C'est pourtant son nom de code, protesta Bauer. Et son signal d'appel.

— Je n'ai pas reconnu sa patte. Ce n'était pas lui, commandant. Nous sommes habitués à sa manière de transmettre. Et ce n'était pas non plus sa radio. Celle-ci était beaucoup plus puissante.

Bauer ne décolérait pas. Ces informations revêtaient une importance vitale et il avait moins d'une heure pour prendre une décision. En ce moment, le *Lusitania* venait sans doute de doubler le Fastnet, et il se dirigeait vers la côte. Le *U-30* devait se préparer à l'intercepter. Et voilà que l'officier des transmissions niait l'authenticité du message !

Dès qu'ils avaient reçu ces informations, qui allaient à l'encontre des précédentes dépêches transmises par Farfadet, ils avaient tenté d'obtenir une confirmation. Mais Farfadet ne répondait plus.

Bauer se tourna vers son chef d'état-major :

— Qu'en pensez-vous, Klaus ?

— Je pense que c'est une ruse, répondit le capitaine de vaisseau Schopfner. Ce message prétend que le *Lusitania* ne transporte pas de coton-poudre. Et pourtant, nos agents new-yorkais ont vu que l'on en chargeait à son bord. Pourquoi les Britanniques...

Bauer ne le laissa pas terminer :

— Pour nous amener là où nous en sommes. Pour nous convaincre d'attaquer des passagers américains.

Il alla s'isoler dans un des coins de la salle, avant de se retourner brusquement :

— Il ne peut pas s'agir des Anglais. Vous comprenez ? S'ils avaient essayé de nous piéger avec ce message, ils auraient répondu à nos demandes de confirmation. De plus, cela signifierait qu'ils ont capturé Farfadet. Sinon, comment connaîtraient-ils son signal d'appel et son nom de code ? Admettons qu'ils soient remontés jusqu'à lui et qu'ils s'efforcent de nous intoxiquer. Dans ce cas, pourquoi ne nous envoient-ils pas de confirmation ? Non, une station de radio britannique n'aurait aucune raison de garder le silence. Alors qu'un agent solitaire peut très bien avoir un empêchement.

Il prit le bloc de papier des mains de l'officier des transmissions et commença à écrire.

— Il s'est passé quelque chose en Irlande, dit-il. Je ne sais pas quel événement s'est produit entre les deux messages, mais je pense que cet avertissement est authentique.

Il arracha la feuille sur laquelle il avait noté ses instructions destinées au *U-20* et au *U-30* : « N'attaquez pas transport de troupes. Je répète : n'attaquez pas. C'est un piège des Anglais. Tenez-vous à l'écart. »

— Envoyez ça immédiatement.

Puis il se mit à faire les cent pas en réfléchissant à la décision qu'il venait de prendre. Les Britanniques savaient-ils qu'il interceptait toutes leurs dépêches ? Lui avaient-ils sciemment fait parvenir les coordonnées des deux rendez-vous du *Lusitania* ? Etaient-ils stupides, ou rusés comme des renards ? Dans ce deuxième cas, il était tombé dans le panneau.

L'officier des transmissions arriva au pas de course, la voix nouée par la panique.

— Nous n'arrivons à les contacter ni l'un ni l'autre, annonça-t-il.

Bauer se pencha sur la table de point. Le *U-30* se trouvait à proximité des navires d'escorte et avait probablement déjà plongé. Le *U-20*, en revanche, avait encore plusieurs heures devant lui. Il devait donc être en surface. Pourquoi ne répondait-il pas ?

— Continuez à émettre, ordonna-t-il. Il faut les joindre à tout prix.

Chapitre 14

Côte irlandaise

LA puissante corne de brume du *Lusitania* mugit dans le brouillard. Le commandant Turner avançait à vitesse réduite, car il espérait être à proximité du point de rendez-vous. Mais l'escadre E ne répondait pas. Il avait déjà pris du retard. Comme il était impossible de faire le point, il ignorait où se trouvaient le *Juno* et ses destroyers. Peut-être à quinze milles de là, autrement dit hors de portée de ses appels sonores. Aussi changea-t-il de plan :

— En avant toute ! La barre au soixante !

Bill « Melon » savait qu'il était au moins à vingt milles du Fastnet. Le brouillard allait se lever au cours de la matinée et lui permettre de faire le point. En attendant, mieux valait se rapprocher du second rendez-vous, près du bateau-phare de Coningbeg.

En outre, les bâtiments d'escorte comprendraient peut-être qu'il les avait manqués. Ils longeraient alors la côte dans la même direction que lui. Avec un peu de chance, pensa Bill « Melon », il les apercevrait quand la purée de pois commencerait à se dissiper.

Mais le *Juno* était déjà sorti du brouillard. Deux heures plus tôt, il avait reçu les instructions de l'amiral Oliver lui ordonnant de ne pas attendre le Lévrier. Il se trouvait à trente milles plus à l'est et se dirigeait vers Queenstown, avec la perspective d'un paisible week-end au port.

A BORD du *U-30*, le lieutenant de vaisseau Rosenberg aperçut le *Juno* dans son périscope. Il y avait quelque chose qui clochait. Le *Juno* aurait dû être beaucoup plus à l'ouest, en compagnie du *Lusitania*. Que pouvait-il bien faire si près de la côte ? Peut-être la base d'Emden disposait-elle de nouvelles informations qu'elle n'avait pas encore pu lui transmettre car il était en plongée.

— Descendez le périscope, ordonna-t-il à son second.

Le *Lusitania* suivait sans doute le *Juno*. Il avait donc intérêt à se rapprocher du littoral. Il aurait préféré garder son périscope sorti afin de repérer le paquebot le plus vite possible, mais cette maudite flottille irlandaise venait de réapparaître.

— En avant toute. Plongée à dix mètres.

Les batteries du sous-marin commençaient à faiblir. Il fallait donc jouer serré. Il allait se placer sur la route du *Juno* et jeter un coup d'œil rapide dans le périscope. Si le *Lusitania* était en vue, il tenterait sa chance. Sinon, il prendrait la poudre d'escampette avant d'avoir été localisé par les bateaux de pêche irlandais.

WALTER SCHWIEGER poussa un cri de déception. Encore un caboteur ! Le second en moins d'une heure, et à trois milles à peine à bâbord ! Mais il ne pouvait pas plonger pour échapper à ces yeux indiscrets : ses mécaniciens finissaient seulement de serrer les boulons qui maintenaient le couvercle de protection du périscope.

— Ce salaud a dû se précipiter sur sa radio, dit-il à Willi Haupert. La Royal Navy au grand complet va savoir que nous sommes là.

Il s'était pourtant écarté des grandes voies maritimes afin de réparer au calme. Comment aurait-il pu prévoir qu'il allait tomber malencontreusement sur deux caboteurs ? A présent, il était exclu de rejoindre le point d'interception : l'escadre de Milford Haven devait l'y attendre de pied ferme.

— Terminé, dit le mécanicien avec fierté.

Schwieger hocha la tête :

— Espérons qu'il va fonctionner, cette fois-ci.

Il scruta la mer autour de lui : la surface bleu clair se pommelait de petites taches de brume.

— La partie n'est pas encore perdue, dit-il. Le *Lusitania* fait route vers nous. D'ici quelques heures, peut-être nos chemins se croiseront-ils.

Il lui restait une chance de voir sa cible apparaître à l'horizon vers midi.

— La barre au trois cents! ordonna-t-il à Haupert. Nous allons faire un nouvel essai.

Londres

REGINALD HALL avait l'impression que tout partait à vau-l'eau. Deux caboteurs avaient signalé la présence d'un des sous-marins de Bauer à trente milles au sud-ouest du bateau-phare de Coningbeg, c'est-à-dire très en retrait par rapport à l'entrée du canal Saint George. Que faisait-il aussi loin de la route présumée du *Lusitania*? Par-dessus le marché, l'amiral Coke l'avait alerté par téléphone de Queenstown : les bateaux de pêche irlandais avaient repéré un périscope dans le secteur du Fastnet, à moins de dix milles du rivage. Ce second sous-marin n'était pas non plus très bien placé et si, malgré tout, il parvenait à apercevoir le Lévrier, la flottille de bateaux de pêche l'empêcherait d'intervenir. Au fait, pourquoi diable les Irlandais avaient-ils pris la mer? Hall avait compté sur Grace pour contrôler la situation. Mais celui-ci, à l'évidence, rencontrait des difficultés. Il ne l'avait même pas tenu au courant des derniers développements.

Pis encore, l'escadre de Milford Haven avait quitté la pointe de la Cornouailles dès que des sous-marins avaient été signalés près des côtes irlandaises. Il était parfaitement naturel qu'elle se portât à la rescousse, et Hall ne pouvait en aucun cas lui ordonner de rester à l'écart. Conscient de la menace qui pesait sur le *Lusitania*, l'amiral Coke avait envoyé un télégramme à l'amiral Fisher pour lui demander l'autorisation de mettre le Lévrier à l'abri dans le port de Queenstown. Et le premier lord de la mer allait à coup sûr lui donner son feu vert.

La partie d'échecs qui l'opposait à Bauer se soldait donc par un match nul. Il n'avait pas réussi à provoquer l'entrée en guerre des États-Unis. Bauer aussi avait échoué, puisqu'il n'était pas parvenu à empêcher le coton-poudre d'arriver en Angleterre. Il était temps de remettre les pièces à leur place sur l'échiquier. Il y aurait d'autres parties, se dit Hall en guise de consolation. Mais celle-ci avait touché à la perfection.

Côte irlandaise

L'INSTINCT du chasseur s'empara brusquement de William Day. Le souvenir pénible des événements survenus dans la cave d'Emmett Hayes se dissipa dès qu'il aperçut le périscope à une centaine de mètres du bateau de Tim Sheehy.

— Là-bas! hurla-t-il en pointant l'index sur la grosse lentille circulaire.

Il lança une fusée éclairante, et aussitôt les plus proches embarcations convergèrent vers le sous-marin.

Le commandant allemand les vit approcher et plongea par mesure de sécurité. Day distingua une énorme silhouette sombre qui s'abîmait dans les flots. Il montra à Sheehy la direction prise par le sous-marin et celui-ci se lança à sa poursuite.

Day jeta un coup d'œil vers l'ouest. D'un instant à l'autre, le *Lusitania* allait émerger de la brume qui noyait encore la ligne d'horizon. Mais à quel endroit exactement? Son plan consistait à interposer la flottille entre le sous-marin et sa cible.

— Dispersez-vous! cria-t-il aux autres patrons pêcheurs.

La forme noire n'était plus visible entre deux eaux. A présent qu'il avait disparu dans les profondeurs de la mer, le sous-marin pouvait prendre n'importe quelle direction.

Quel cap allait-il choisir? Si le *Lusitania* était son objectif, il s'éloignerait sans doute vers le large afin de se ménager une marge de manœuvre confortable pour prendre sa position d'attaque. Day tendit le bras vers le sud. Quelques secondes après avoir viré de bord, Sheehy s'écria :

— Voilà le *Lusitania*!

De fait, il n'y avait aucun doute sur l'identité du paquebot qui perçait la brume, sa silhouette élancée surmontée de quatre gigantesques cheminées.

Day estima qu'il allait passer très au large et que la seule chance du sous-marin consistait à foncer tout droit vers le sud. Ils avaient donc déjà pris le bon cap.

— Ralentissez un peu, monsieur Sheehy. Il ne faut pas que nous ayons trop d'avance sur notre cher ami, en dessous.

L'Irlandais ramena la manette des gaz vers lui et le vieux bateau adopta une allure paisible correspondant plus ou moins à celle du sous-marin.

Day songea qu'à cet instant précis, Jennifer devait découvrir la côte du haut d'un pont découvert. Le regard terrorisé de Shiela s'imposa alors à sa mémoire, et il éprouva un douloureux sentiment de culpabilité.

ROSENBERG regarda le chronomètre. Dix minutes s'étaient écoulées. Si ses calculs étaient exacts, il avait parcouru un mille vers le large et distancé les bateaux de pêche.

— On va jeter un coup d'œil, dit-il. Remontez à quatre mètres cinquante.

Le *U-30* amorça un mouvement ascendant.

Dès que le périscope eut jailli à la surface de la mer, Rosenberg l'orienta vers le sud. L'image du *Lusitania* se dessina dans l'objectif.

— Nous le tenons ! dit-il, le souffle court.

Il commençait à manœuvrer son télémètre afin de déterminer le moment de lancer ses torpilles, quand, tout à coup, une petite embarcation traversa son champ de vision. C'était un des bateaux irlandais qui l'avaient suivi et qui tentait à présent de le repérer.

— Sacrebleu ! s'écria Rosenberg.

Il rentra aussitôt son périscope et se pencha vers le poste de contrôle :

— Plongez ! Plongez en catastrophe !

Le sous-marin descendit de plusieurs mètres. Rosenberg se tourna vers son second :

— Le démon ! Il a lu mes pensées et il est venu m'attendre au bon endroit. Nous l'avions ! Le *Lusitania* était à portée de nos torpilles ! Et nous l'avons raté à cause d'une vieille barcasse !

Lorsqu'il pourrait ressortir le périscope en toute quiétude, il n'apercevrait plus que la poupe du paquebot s'éloigner à l'horizon.

— Rentrons à la base, dit-il.

LE commandant Turner lut le message que l'opérateur radio venait de lui apporter sur la passerelle : SOUS-MARIN REPÉRÉ AU SUD DU PHARE DE CONINGBEG. ABRITEZ-VOUS A QUEENSTOWN EN ATTENDANT INSTRUCTIONS.

Bill « Melon » se précipita à bâbord et braqua ses jumelles sur la côte. Malgré la brume, il n'eut aucun mal à repérer l'Old Head of Kinsale, qui se dressait comme un piton à l'extrémité d'une langue de terre. Il allait donc mettre le cap sur le littoral et dépasser le phare qui surmontait le piton, à une quinzaine de milles de là. Ensuite, il ne lui resterait qu'à naviguer tout droit pendant moins d'une heure. Avec un peu de chance, le *Lusitania* mouillerait l'ancre dans le port de Queenstown d'ici à trois heures.

— OUVREZ l'œil! cria Schwieger à la vigie qu'il avait placée sur le pont avant.

La terre était en vue à tribord. Il estimait sa position à une quinzaine de milles de la côte et à dix milles à l'est de l'entrée du port de Queenstown. Autrement dit, le *U-20* venait d'entrer dans le secteur protégé par l'escadre britannique et naviguait désormais en surface à ses risques et périls.

Haupert émergea du panneau :

— Ça y est ?

— Oui, répondit Schwieger, nous sommes en travers de sa route. Si jamais nous l'interceptons, ce sera entre ici et l'Old Head of Kinsale.

Après avoir scruté le littoral pendant un bon moment, Haupert indiqua un monticule qui se découpait à l'horizon :

— L'Old Head of Kinsale.

Schwieger fit un geste affirmatif et braqua lentement ses jumelles vers l'avant. Des volutes de fumée s'élevaient au-dessus de la mer.

— Et voilà l'escadre E! dit-il à son second. Vous en distinguez deux bâtiments ? Ou bien trois ?

— J'ai l'impression qu'ils sont deux. Deux gros vaisseaux. Sans doute des croiseurs.

— Dans ce cas, ils sont vraiment côte à côte. A moins que… Regardez, Willi! C'est un seul et même navire, avec quatre cheminées. C'est le *Lusitania*!

— Il fait route vers Kinsale ?

— Oui, mais nous pouvons peut-être arriver avant lui.

Schwieger se pencha sur le tube acoustique :

— La barre à tribord! En avant toute!

Les moteurs Diesel se mirent à ronfler, et le sous-marin pointa la proue vers sa cible en accélérant.

— Maintenez le cap au trois cent dix!

— Avons-nous le moindre espoir de le rattraper ? demanda Haupert.

Schwieger voyait l'écart se creuser lentement : le Lévrier était trop rapide pour eux.

— Nous pouvons toujours essayer, répondit-il. Il peut lui arriver quelque chose. Après tous nos ennuis, il serait temps que la chance se décide à tourner.

JENNIFER BEECHAM était accoudée à la lisse de bâbord, un foulard sur les cheveux pour se protéger du vent de vingt nœuds provoqué par la vitesse du paquebot. Le littoral se rapprochait. Elle distinguait à présent les rochers gris et les herbages vert foncé éparpillés au sommet des falaises. Devant elle se dressait un piton aux formes déchiquetées. En plissant les yeux, elle aperçut le phare qui le surmontait.

Alfred Vanderbilt la rejoignit :

— C'est très beau, non ?

— Qu'est-ce que c'est ?

— L'Irlande. L'Old Head of Kinsale. Il y a un port juste derrière, qui servait autrefois de refuge aux pirates espagnols.

— Cela semble pourtant si paisible. Un véritable paradis !

— Ce n'est qu'une apparence, dit Vanderbilt en riant. J'ai envie de faire un petit tour. Voulez-vous m'accompagner ?

Jennifer lui prit le bras et ils se dirigèrent vers la dunette, en longeant le pont promenade.

— IL nous distance, dit Schwieger à son second.

Il lui fallait rester en surface, en priant pour que les vigies du *Lusitania* eussent les yeux fixés sur la côte. Lorsqu'il arriverait à portée, il lancerait ses torpilles. Les chances de faire mouche étaient infimes, mais cela valait mieux que de rester les bras croisés.

Il dirigea ses jumelles sur l'étrave du paquebot géant, qui soulevait des gerbes d'écume blanche.

— Il est en train de virer ! s'écria Schwieger. Il va venir vers nous.

Le Lévrier, effectivement, semblait mettre le cap sur la côte.

— Queenstown, dit-il, hilare. Il fait route vers Queenstown. Nous le tenons, Willi.

Il se jeta dans le sas à la suite de son second en hurlant :

— Plongez ! Plongez immédiatement !

Quand le sous-marin fut descendu à six mètres, il ordonna à

Haupert de sortir le périscope. Après une brève hésitation, ce dernier tira sur le contrepoids. Tout fonctionna normalement : les mécaniciens avaient bien travaillé.

Les deux officiers échangèrent un sourire.

— La chance a tourné, dit Schwieger en approchant son œil de l'oculaire.

Le jour se fit dans l'objectif, et il vit le *Lusitania* qui fonçait vers lui.

— Réglez les torpilles sur deux mètres cinquante.

Elles exploseraient ainsi un bon étage au-dessous de la ligne de flottaison. Si le paquebot gardait le même cap, il arriverait à moins de sept cents mètres du sous-marin.

Schwieger savait qu'une seule torpille ne suffirait pas à couler ce géant. Mais si la première le ralentissait, il parviendrait peut-être à en lancer une seconde sur les hélices et le gouvernail.

Haupert déclencha le compte à rebours avant la mise à feu :

— Vingt secondes.

Schwieger redescendit le périscope.

APRÈS être passés sous la deuxième cheminée, Jennifer et Alfred Vanderbilt remontèrent le côté tribord, en direction de l'échelle menant à la passerelle de commandement.

Soudain, un épouvantable fracas les surprit et le pont se déroba sous leurs pieds. Vanderbilt entendit Jennifer pousser un hurlement. Elle glissa et alla s'écrouler contre la cloison. A son tour, Vanderbilt perdit l'équilibre sur la surface inclinée et roula jusqu'à elle. Un véritable torrent les submergea : l'explosion avait soulevé une gigantesque gerbe d'eau qui retombait sur le paquebot.

Le pont s'inclina brusquement dans la direction opposée et ils glissèrent tous deux vers la lisse. Vanderbilt attrapa la veste de Jennifer et se raccrocha désespérément à la base d'un bossoir qui soutenait un des canots de sauvetage. Mais la jeune fille lui échappa et alla heurter un canot pliable amarré sur le pont. Il lâcha prise et atterrit sur elle.

— Que se passe-t-il ? s'écria-t-elle. Que va-t-il nous arriver ?

Vanderbilt se releva et l'aida à faire de même.

— Je pense que c'est une explosion, dit-il. Mais nous en sommes sortis indemnes.

Il s'efforça de la guider sur le pont fortement incliné. Le

paquebot avait fait une embardée à bâbord, avant de donner de la bande sur tribord.

— Allons-nous couler ? demanda Jennifer.

Vanderbilt comprit que la jeune fille était au bord de la crise de nerfs.

— Bien sûr que non. Ils vont le redresser d'ici quelques minutes.

Il saisit la main courante fixée sur la cloison et entraîna Jennifer vers les portes.

— Tout va s'arranger, dit-il d'un ton rassurant.

Mais il était de plus en plus anxieux. La gîte du *Lusitania* ne cessait de s'aggraver. Il ignorait s'il s'agissait d'une mine ou d'une torpille, mais il y avait une voie d'eau à tribord.

— TOUCHÉ ! s'exclama Schwieger, l'œil collé au périscope. Juste à l'avant de la cheminée numéro un. Il y a un trou dans la coque. Je vois des flammes à l'intérieur. Il s'est incliné de dix degrés sur tribord. Peut-être même de vingt. On dirait qu'il va chavirer. Et tout ça avec une seule torpille !

L'impact s'était produit sous la ligne de flottaison. La mer avait envahi la soute à charbon de tribord, qui était presque vide, et rompu l'équilibre du navire. Pis encore, les vapeurs de poussière de charbon qui emplissaient la soute avaient été comprimées sous la poussée de l'eau et s'étaient enflammées à la chaleur de l'explosion. L'incendie s'était vite propagé grâce à l'ouverture provoquée par la torpille. A présent, il léchait les énormes coffres de coton-poudre stockés deux ponts plus haut.

VANDERBILT avait atteint les portes et il s'efforçait de pousser Jennifer à l'intérieur. Mais il n'arrivait pas à prendre appui sur le pont incliné, rendu glissant par l'eau de mer. Il entendit soudain un grondement lointain — comme si un train de marchandises traversait la coque de part en part. Le vacarme se rapprocha. Puis il y eut un éclair bleuté, comme par une nuit d'orage en été. Le pont subit une violente embardée, qui faucha Vanderbilt. Il s'accrocha au montant de la porte avec l'énergie du désespoir, tandis que Jennifer était projetée dans le couloir intérieur.

HORRIFIÉ, Schwieger vit la proue du *Lusitania* se déchiqueter sous l'effet d'une formidable déflagration. Un éclair aveuglant sépara le pont avant de la coque, et envoya le mât voltiger dans les airs.

— Attention, Willi! hurla Schwieger.

L'onde de choc frappa le *U-20* de plein fouet, arrêtant net sa progression et le déportant sur bâbord. Des cris fusèrent dans le poste de contrôle. Haupert alla heurter la cloison et dut se retenir à un support de câble.

— Nom d'un chien! Que s'est-il passé?

Schwieger s'éloigna du périscope, les yeux dilatés par l'épouvante :

— C'est l'avant du paquebot... Il a... explosé.

LE commandant Turner avait entendu la vigie de tribord crier :

— Torpille! Je vois le sillage d'une torpille!

Il avait à peine eu le temps de lever la tête de sa table à cartes que déjà le paquebot encaissait le choc. Il commença par se cogner à la table, puis dut s'y agripper pour ne pas glisser jusqu'à l'autre bout de la timonerie.

Il sut aussitôt ce qu'il fallait faire. La soute à charbon de tribord se remplissant d'eau, le *Lusitania* courait à sa perte s'il ne parvenait pas à se redresser.

— Appelez la chambre des machines! hurla-t-il à l'officier de quart. Ordonnez-leur d'inonder la soute de bâbord.

Deux petites lampes rouges clignotaient furieusement sur le tableau de contrôle pour signaler un incendie dans l'ancienne soute à charbon transversale, celle qui avait été supprimée afin d'augmenter le volume de la cale à munitions. Turner actionna le levier qui commandait la fermeture des énormes portes étanches séparant l'avant du paquebot des chaufferies. Puis il déclencha les appareils qui devaient noyer les cales sous un flot de produits extincteurs.

Turner se dirigea alors vers tribord en se tenant prudemment aux appuis que lui offrait l'intérieur de la timonerie. L'inclinaison du navire était déjà supérieure à quinze degrés. Au-delà de vingt-cinq degrés, il serait impossible de le redresser.

— Suivez l'évolution de la gîte, ordonna-t-il au maître de manœuvre. Degré par degré. Et dites au radio d'envoyer un message en clair. A toutes les stations : SOS *LUSITANIA*. VENEZ VITE.

Il s'apprêtait à sortir sur la passerelle lorsque son univers se désintégra autour de lui. Une déflagration assourdissante le projeta à terre avec une brutalité extraordinaire. Une pluie de verre s'abattit sur lui, et il comprit que les vitres de la timonerie avaient volé en éclats. Couché sur le dos, il voyait les petites lampes clignoter frénétiquement sur le tableau de contrôle. La cloison de la première chaufferie avait brûlé et l'avant du paquebot s'était entièrement déchiré. Il se releva et dit :

— Ordonnez l'évacuation du navire.

La gîte était désormais irrémédiable. Mais un danger encore plus immédiat menaçait le *Lusitania* : malgré la disparition de sa proue et de son pont avant, il n'avait pas réduit son allure, de sorte que la mer s'engouffrait dans la première chaufferie. Dès que la cloison suivante céderait sous la pression, il coulerait.

Turner avait besoin d'un délai pour larguer ses canots de sauvetage. Il devait donc arrêter le paquebot. D'un pas hésitant, il s'approcha du transmetteur d'ordres et mit le levier en position de marche arrière toute.

— SES moteurs explosent, dit Schwieger, l'œil rivé au périscope dans une fascination morbide.

D'énormes nuages de fumée s'échappèrent soudain des cheminées du *Lusitania*.

— Le paquebot s'ouvre en deux, Willi ! Il s'engloutit dans les flots en pivotant sur lui-même. Comme une vis !

APRÈS la déflagration, Vanderbilt comprit que le *Lusitania* était condamné à mort. La proue commençait déjà à plonger. Il pénétra dans le couloir et trouva Jennifer recroquevillée sur le sol. Il la prit sous un bras pour l'aider à se relever.

— Suivez-moi, dit-il sèchement. Il faut que vous embarquiez dans un canot de sauvetage. Ce maudit bateau est en train de couler !

— C'est impossible, répondit Jennifer sans conviction.

— Oh ! si ! C'est même certain.

Et il l'entraîna à l'extérieur.

Sur le pont, officiers et matelots se précipitaient déjà vers les canots tandis que la sirène d'évacuation ne cessait de hurler.

Les embarcations de tribord se trouvant juste au-dessus de leurs têtes, Vanderbilt conduisit Jennifer près des hommes d'équipage qui les dégageaient de leurs cales. Mais le *Lusitania* avait à présent vingt degrés de gîte. Dès qu'ils étaient libérés, les canots se retrouvaient donc suspendus à près de trois mètres de la lisse, hors de portée des passagers. Comme ils pesaient chacun plusieurs tonnes, les matelots n'avaient pas suffisamment de force pour les ramener vers eux.

— Restez ici, ordonna Vanderbilt à la jeune fille.

Il se fraya un chemin parmi la foule et gravit à grand-peine le pont incliné. Puis il revint avec une chaise longue. Un officier lui prêta main-forte pour la déployer entre la lisse du paquebot et le plat-bord du canot — en guise de passerelle d'embarquement. Un membre de l'équipage commença à distribuer des gilets de sauvetage aux femmes.

Vanderbilt aida Jennifer à enfiler le sien :

— Allez-y, montez !

La jeune fille grimpa sur la lisse et baissa les yeux sur les remous qui soulevaient des torrents d'écume blanche quinze mètres plus bas.

Elle se jeta dans les bras de Vanderbilt en hurlant :

— Je ne peux pas.

— Montez sur cette chaise longue ! ordonna-t-il. Et embarquez à bord du canot ! Si vous réussissez, les autres femmes vous suivront. Sinon, elles se noieront toutes.

Le paquebot subit une nouvelle secousse et se pencha d'un degré supplémentaire. Du coup, le canot s'écarta un peu plus, menaçant l'équilibre de la passerelle rudimentaire.

— Allez ! dit Vanderbilt. Allez-y avant qu'il ne soit trop tard.

Jennifer remonta sur la lisse. Un matelot la soutint par le bras pendant qu'elle attrapait les montants de la chaise longue. Après avoir relevé sa robe à mi-cuisse, elle s'agenouilla sur le dossier. Tout en s'interdisant de regarder vers le bas, elle se mit à ramper lentement mais sûrement au-dessus du vide. Quelques secondes plus tard, elle saisit le plat-bord du canot et se jeta à l'intérieur.

Dès qu'une seconde chaise longue eut été installée, d'autres passagères imitèrent l'exemple de Jennifer. Deux minutes plus tard, l'embarcation était pleine de femmes et d'enfants.

Un matelot saisit le garant à l'arrière, un autre fit de même à l'avant.

— Amenez ! ordonna l'officier.

Et le canot descendit doucement vers la mer houleuse.

Vanderbilt adressa à Jennifer un petit signe d'adieu et lui cria :

— Il vous attendra à Liverpool !

Puis il tourna les talons, à la recherche d'une autre personne à secourir. Il n'avait pas l'intention d'essayer de sauver sa peau : cette façon de mourir en valait bien une autre.

Très haut au-dessus de sa tête, le commandant Bill Turner venait de monter sur la passerelle de signalisation qui surmontait la timonerie. Maintenant qu'il était passé en marche arrière, il ne pouvait rien faire de plus pour ralentir le paquebot. Il pensait disposer d'une minute de sursis — de deux au grand maximum.

Il se retourna vers l'arrière et poussa un hurlement de rage en découvrant un véritable carnage. A l'inverse de ceux de tribord, les canots de bâbord s'étaient déportés vers l'intérieur, écrasant les matelots qui manœuvraient leurs garants. Une fois tombées sur le pont, les embarcations se mirent à glisser au milieu de la foule, fauchant les malheureux passagers en gerbes sanglantes.

Ceux-ci comprirent alors qu'il n'y avait pas de salut possible à bâbord. Ils se précipitèrent à tribord et bousculèrent les personnes qui y attendaient d'embarquer. Dans la mêlée, deux chaises longues se décrochèrent de la lisse et entraînèrent plusieurs femmes dans leur chute. Le *Lusitania* vivait ses derniers instants, et l'on n'avait encore amené qu'une seule embarcation.

Celle-ci avait presque terminé sa descente. Après avoir été balancés au bout des garants, ses passagers se réjouissaient déjà d'atteindre la sécurité relative de la mer lorsque soudain la proue du paquebot s'affaissa. Elle heurta la surface de l'eau, alors que la poupe restait suspendue en l'air. Les vagues vinrent frapper sauvagement le canot, qui se coucha en travers.

Jennifer se sentit projetée dans les airs ainsi que ses voisins. Puis elle retomba dans la mer et fut engloutie dans les ténèbres, tandis que l'énorme canot de sauvetage se retournait sur elle.

— VOILÀ, c'est la fin, dit Schwieger.

Il s'exprimait d'une voix monotone, comme s'il avait commenté une simple partie de boules.

— Sa poupe se dresse en l'air et se balance. Le navire s'immobilise. Il se couche sur tribord.

Haupert dut supporter un long silence avant que Schwieger ne conclût :

— Il coule rapidement. Ça y est, il a disparu.

Une minute encore, il continua à observer les innombrables naufragés éparpillés à la surface de l'eau. Les uns se débattaient avec frénésie, les autres regardaient bouche bée le soleil encore haut dans le ciel. Il eut beau balayer l'horizon de son objectif, il ne vit qu'une gigantesque scène de dévastation. Pas un seul canot n'avait été mis à la mer.

— Abaissez le périscope !

Après une brève hésitation, il descendit dans le poste de contrôle. Les hommes d'équipage l'accueillirent en silence.

— Plongée à neuf mètres, ordonna-t-il. Cap sur le Fastnet. Vitesse aux deux tiers. Nous ne remonterons à l'air libre qu'au crépuscule.

Puis il alla s'enfermer dans sa cabine, incapable de regarder ses matelots dans les yeux.

Chapitre 15

Schull

APRÈS la plongée du *U-30* et le passage du *Lusitania* en toute sécurité, Day avait ramené sa flottille au port. Avant même que le bateau de Sheehy eût touché le ponton, il aperçut son automobile. Il sauta à terre et courut vers Tom Duffy.

— Le message a été transmis, lui dit le colosse. Mais miss McDevitt a été blessée au cours de la bagarre dans la maison d'Emmett. Je l'ai conduite chez le Dr Tierney. Je crois qu'elle est salement touchée.

Day remarqua alors les manches maculées de Duffy et la traînée de sang séché qui souillait le devant de sa chemise.

— S'il vous plaît, emmenez-moi là-bas, dit-il.

Dès qu'ils eurent démarré, Duffy lui donna des explications plus détaillées :

— Elle s'est effondrée au moment de monter dans l'automobile pour aller à la station de radio. Quand j'ai vu qu'elle saignait, j'ai voulu la conduire directement chez le toubib, mais il

n'y a rien eu à faire. Elle m'a dit qu'ils ne transmettraient jamais le message si c'était un étranger qui le leur apportait. Elle devait leur remettre en mains propres.

Quelques minutes plus tard, Duffy se rangea devant une maison récemment blanchie à la chaux. Après une nuit de veille, des lampes brûlaient encore à l'intérieur. Le Dr Tierney avait enfilé un pantalon et une chemise sans faux-col par-dessus sa chemise de nuit. Il les accueillit d'un triste sourire.

— Je suis désolé, commandant, dit-il en guidant Day vers une des chambres. La blessure était trop grave. Je n'ai pas pu refermer la plaie. J'ai dû me contenter d'atténuer ses souffrances.

Lorsqu'il ouvrit la porte, le père Connors s'écarta du lit et replia son étole violette.

— Je viens de lui administrer les derniers sacrements, dit-il.

Puis il sortit de la pièce.

Le visage pâle de Shiela était tourné vers le plafond. Elle parut terrorisée lorsqu'elle entendit Day s'approcher.

— Ne les laisse pas m'emmener, supplia-t-elle d'une voix d'agonisante. Je t'en prie.

Il se précipita à son chevet et saisit sa main glacée. Il savait à qui elle faisait allusion : aux Anglais, aux Irlandais, à tous ceux qu'elle avait le sentiment d'avoir trahis.

Il s'agenouilla à côté d'elle.

— Tu les a sauvés, dit-il. Le message a bien été reçu. Ils sont en vie grâce à toi.

Une lueur brilla dans les yeux de la jeune femme.

— Merci, mon Dieu, chuchota-t-elle. Il n'y aura donc pas de nouveaux enfants dans le cimetière.

— Non. Tu les as tous sauvés.

Un sourire serein se dessina sur ses lèvres, et elle cessa de respirer.

« Si le paradis est un havre de paix, pensa Day, alors Shiela doit déjà s'y trouver. » Les conflits qui la déchiraient n'avaient plus d'importance désormais. La mort lui avait offert un refuge.

Le père Connors attendait dans le salon.

— Allez-vous leur expliquer ? lui dit Day. Je voudrais que tout le monde sache qu'elle s'est sacrifiée pour sauver des vies humaines. Même s'ils croient qu'elle était du côté des Anglais.

Le père Connors soupira :

— Peut-être voudriez-vous le leur dire vous-même ?

— Je serai déjà parti.

Le prêtre le dévisagea avec stupéfaction.

— Je suis un traître, mon père. J'ai transmis un message aux Allemands. Les Britanniques ont envoyé un homme pour essayer de m'en empêcher. Et ils en enverront bientôt un autre.

— Où allez-vous partir ?

Day haussa les épaules :

— Quelque part où Shiela aurait pu aller. Moi aussi, je suis sans patrie à présent. Mon père, pourriez-vous l'enterrer dans le cimetière des enfants ?

— Vous voulez parler de cet endroit désert où l'on a enseveli les petits orphelins ?

— Oui. Cet endroit représentait beaucoup pour elle.

— Je vous le promets.

Day remonta dans son automobile, démarra et parcourut les quelques centaines de mètres qui le séparaient de la maison de Shiela. Sa valise était toujours grande ouverte sur le lit. Il finit d'y ranger ses vêtements et la posa à côté de l'armoire. Puis il commença à fourrer ses propres affaires dans un sac.

Soudain, quelqu'un frappa à la porte d'entrée :

— Commandant Day ! Commandant Day !

C'était la voix de Gore. Day dévala l'escalier et lui ouvrit.

— Le *Lusitania* ! s'écria le chef radio. Il a coulé. Nous avons reçu son SOS à la station.

— Où cela ? Où a-t-il coulé ?

— Au large d'Old Head of Kinsale. Il n'y a pas de canots de sauvetage. Tous les naufragés sont à la mer.

Kinsale

DE tous les ports de la côte, de petites embarcations convergeaient vers l'Old Head of Kinsale. Les premières arrivèrent au crépuscule et se mirent à la recherche d'éventuels survivants parmi les débris éparpillés à la surface de l'eau. Il faisait déjà nuit noire lorsque la flottille de Schull atteignit le lieu du naufrage. Aussi n'y voyait-on goutte au-delà du halo de leurs faibles lampes.

Debout à l'avant du bateau de Sheehy, William Day contemplait les pauvres vestiges d'un univers englouti : des fauteuils capitonnés, un chapeau de dame à large bord, des bouteilles de vin dansant sur la houle comme des bouées, de confortables chaises longues flottant entre deux eaux. Et, partout, des gilets de sauvetage vides.

Day demanda à Sheehy de couper le moteur.

— Hé ! ho ! cria-t-il en agitant sa lampe.

Mais il n'obtint d'autre réponse que le clapotis des vagues contre sa coque. Le moteur toussota et ils redémarrèrent au ralenti.

Ils aperçurent le corps d'un homme à plat ventre, les bras en croix ; les deux pans de sa queue-de-pie pointaient chacun dans une direction opposée. Ils le hissèrent à bord et le déposèrent délicatement à fond de cale. Un peu plus loin, ils découvrirent un visage blême tourné vers eux : c'était une femme d'un certain âge, aux épaules ornées d'un collier de pierreries. Elle était vêtue avec élégance jusqu'à la taille, mais quelqu'un avait dû déchirer sa jupe pour lui permettre de nager.

— Ils sont tous morts ! dit Sheehy en contemplant cette scène lugubre. Ceux qui sont arrivés avant nous ont dû récupérer les survivants.

— Continuons à chercher, répondit Day.

Il n'avait pas cessé un seul instant de penser à Jennifer depuis que le chef radio Gore était venu frapper à sa porte. En quittant le port de Schull, il l'avait imaginée tremblant de froid dans un canot de sauvetage. Il fallait qu'il la trouve, mais une terrible appréhension le tenaillait et il devait chasser la vision atroce du visage de la jeune femme, livide, ballotté par la houle.

De nouveau, ils coupèrent le moteur. Day s'apprêtait à lancer un cri d'appel lorsqu'une voix haletante s'éleva à tribord. Il se mit à ramer dans cette direction.

Il s'agissait d'un radeau auquel deux hommes s'accrochaient. En travers des cordages entrecroisés qui tenaient lieu de pont, deux femmes gisaient.

Day et Sheehy attirèrent l'épave contre leur coque. L'une des femmes était très affaiblie par l'épreuve, l'autre était morte. Ils les hissèrent sur le bateau puis secoururent les deux hommes.

Ils sillonnèrent le secteur jusqu'à l'aube. Quand ils mirent le cap sur l'Old Head of Kinsale, ils avaient à leur bord cinq survivants du naufrage et six cadavres.

Ils entrèrent dans le port de Kinsale sous les rayons du soleil levant. La plus grande confusion régnait sur les quais. Certains marins, de vieilles couvertures enroulées par-dessus leurs vêtements mouillés, racontaient avec enthousiasme des histoires de sauvetage. D'autres restaient sous le choc de leur rencontre avec la mort violente. Un officier britannique se précipita vers le bateau tandis que Sheehy l'amarrait. L'officier rassembla les survivants et les emmena à terre sans perdre un instant.

Day se fraya un chemin sur le port encombré, interrogeant les marins en état de parler :

— A-t-on sauvé beaucoup de monde ?

On lui répondit par l'affirmative. La plupart des rescapés avaient été ramenés de bonne heure et accueillis par des familles. Les Anglais regroupaient tous ceux qui débarquaient encore dans une église et dans une école.

— Et les morts ?

Une morgue avait été installée dans un entrepôt situé au bout du port. Un pêcheur le lui montra du doigt.

Day se rendit d'abord à l'église. Un matelot britannique montait la garde à l'entrée, armé d'un fusil. Comme personne n'était admis à l'intérieur, Day dut s'adresser à l'officier responsable.

— Quel nom ? lui demanda l'officier.

— Beecham. Jennifer Beecham.

— Non, pas le sien. Le vôtre. Je dois prendre les noms de toutes les personnes qui viennent aux nouvelles.

Day se demanda si l'on s'était déjà lancé à sa poursuite. La Royal Navy devait faire face à une effroyable catastrophe, et il était à même de révéler la responsabilité du gouvernement anglais.

— Day. M. William Day. Je suis un ami intime de sir Peter Beecham et je cherche sa fille.

— Oh ! excusez-moi, monsieur Day, dit l'officier avec une soudaine sollicitude. Vous comprenez, nous voulons empêcher les journalistes d'interroger les survivants.

Il feuilleta une liste de noms et répondit sur un ton très solennel :

— Jennifer Beecham n'est pas ici. Ni à l'école. Êtes-vous allé à l'entrepôt ?

La Royal Navy, songea Day, avait déjà entrepris d'étouffer l'affaire. On s'efforçait d'isoler les passagers du *Lusitania* avant qu'ils puissent parler à la presse. On ne voulait pas que des témoins dévoilent l'absence de navires d'escorte. L'opinion publique ne devait pas non plus apprendre que des messages cruciaux avaient été transmis par la station de radio de Crookhaven, malgré la certitude qu'elle était infiltrée par l'ennemi. Sans nul doute, on était à sa recherche.

Day donna un faux nom à l'officier de marine responsable de l'entrepôt. Celui-ci le confia à un médecin militaire qui l'accompagna parmi les rangées de cadavres alignés sur le sol.

Il les passa rapidement en revue, mal à l'aise devant ces corps réduits à l'état de caricatures. On n'avait pas encore eu le temps de procéder aux toilettes mortuaires, de sorte que de nombreuses victimes avaient la bouche béante, la chevelure hirsute ou les membres désarticulés.

Il s'arrêta devant une jeune fille élancée, vêtue d'une robe couleur ivoire. Ses mains lui parurent familières, et elle portait un collier de perles. De longs cheveux bruns emmêlés cachaient son visage.

— Vous la reconnaissez ? demanda le médecin.

Day n'eut pas la force de répondre, mais la fixité de son regard était éloquente.

Le médecin se pencha au-dessus du corps et écarta lentement les mèches brunes.

Day respira profondément. Ce n'était pas Jennifer.

— Tout n'est pas perdu, lui dit le médecin à la fin de la visite. Des centaines de rescapés ne figurent pas sur nos listes. Des familles les ont recueillis chez elles dans tous les villages de la région.

— Merci, dit Day en sortant de l'entrepôt.

Il y avait encore de l'espoir. Mais il savait que la prochaine marée ramènerait son lot de cadavres. Et beaucoup d'autres passagers resteraient à jamais prisonniers du gigantesque tombeau d'acier qui gisait par le fond, à quinze milles du littoral.

— William ! William !

Il se retourna et aperçut le père Connors qui venait à sa rencontre, laissant voler au vent l'étole sombre des derniers sacrements. Le prêtre lui mit le bras autour des épaules et l'entraîna à l'écart.

— On vous recherche, chuchota-t-il. Des officiers de marine sont venus à Schull pour savoir où vous étiez passé.

— Je les attendais, dit Day avec indifférence.

Mais le père Connors avait peur :

— Ils ont investi la station de radio. Deux soldats en armes montent la garde devant la maison d'Emmett. Ils l'ont découvert ce matin avec votre ami, le jeune capitaine. N'y retournez pas, William. Vous devez tenter de vous échapper.

— Je cherche quelqu'un, mon père, répondit Day avec irritation. Il faut que je la retrouve. Elle s'appelle Jennifer Beecham.

Le père Connors se mit en colère :

— Ne faites donc pas l'idiot, mon vieux. Nous allons nous en occuper à votre place. Vous devez absolument vous cacher.

Et il l'entraîna dans l'une des rues étroites qui s'élevaient à flanc de colline.

— J'ai des amis ici, à Kinsale. Ils vous accueilleront chez eux pendant que je cherche cette personne. Croyez-moi, mon garçon, nous allons la retrouver.

Ils arrivèrent devant une petite maison blanchie à la chaux. Le prêtre ouvrit la barrière.

— Je ne voudrais pas attirer d'ennuis à vos amis, dit Day en s'arrêtant sur le seuil. Je suis un fugitif.

Le père Connors frappa à la porte.

— Cela fait trois cents ans qu'ils ont des ennuis. Allez, entrez. Je viendrai vous chercher.

Washington

LE président Woodrow Wilson, vêtu d'un peignoir de bain, entra dans le « Bureau ovale » où l'attendaient le Secrétaire d'État et le conseiller Lansing. La nouvelle de l'attaque du *Lusitania* l'avait surpris à l'heure de sa sieste, alors qu'il lisait les journaux de l'après-midi. Il avait aussitôt convoqué ses collaborateurs pour connaître les détails de la catastrophe.

Lansing se leva dès qu'il l'aperçut :

— Bonjour, monsieur le Président.

William Jennings Bryan tenta d'écarter les dossiers qui encombraient ses genoux, mais Wilson s'assit avant qu'il ait pu se lever.

— Des Américains ont été tués ? demanda le Président en faisant référence au mot qu'on lui avait monté dans sa chambre.

— D'après notre ambassadeur à Londres, répondit Bryan, il

semblerait que ce soit le cas. Il y a plus d'un millier de morts et de disparus. Et, parmi eux, au moins une centaine de citoyens américains.

— Mon Dieu ! dit Wilson avec stupeur. Comment peut-il y avoir autant de… Les canots de sauvetage n'ont donc pas été mis à la mer ?

— Le paquebot a coulé très vite, répondit Bryan.

— Il y aurait eu plusieurs sous-marins, intervint Lansing. S'ils ont tous lancé leurs torpilles…

Bryan l'interrompit :

— Notre ambassadeur nous a simplement transmis ce que lui ont affirmé les Britanniques. Il n'a pas eu le temps de vérifier. Je ne pense pas que nous puissions obtenir de précisions avant plusieurs jours.

— Je dois pourtant adopter une position, dit Wilson. La presse américaine va me demander de faire une déclaration.

— Vous pourriez peut-être vous contenter de déplorer la perte de ces vies humaines, dit Bryan. Et ajouter que nous nous efforçons de déterminer les faits exacts.

Wilson se tourna vers Lansing :

— Vous êtes d'accord, Robert ?

— Avec tout le respect que je vous dois, monsieur le Président, je pense qu'une réaction plus énergique s'impose. Les Allemands ont attaqué des citoyens américains en toute connaissance de cause. A mon avis, il s'agit d'un acte de guerre.

Le visage bouffi de Bryan s'empourpra :

— Foutaises ! coupa-t-il. Les Allemands ont coulé un navire anglais dont chacun sait qu'il transportait des munitions.

Wilson écarquilla les yeux derrière ses lunettes à monture d'acier.

— Des munitions ? s'exclama-t-il. Le *Lusitania* transportait des munitions ?

— C'est ridicule, dit Lansing. Monsieur le Président, je peux vous assurer que son manifeste de douane ne mentionnait aucune cargaison de cet ordre.

— S'il y avait des munitions à bord, dit Wilson d'une voix songeuse, nous aurions dû être au courant. Si nous l'ignorions, c'est que nous sommes des imbéciles. Si au contraire nous le savions, il aurait fallu interdire aux citoyens américains d'embarquer sur le *Lusitania*. Dans un cas comme dans l'autre, nous risquons d'être rendus responsables de cette catastrophe. Par conséquent...

Il esquissa un sourire pincé avant de conclure :

— Par conséquent, nous devons nier la présence de munitions à bord du *Lusitania*. C'est bien cela ?

— Je suis tout à fait d'accord, dit Lansing.

Bryan secoua la tête en signe de protestation :

— Nos concitoyens traversaient une zone de combat sur un paquebot appartenant à un pays belligérant. Ce n'est pas comme si les Allemands les avaient abattus dans les rues de Berlin.

Wilson se leva et se mit à faire les cent pas derrière son bureau, le menton en avant et les mains derrière le dos.

— Selon moi, l'alternative est la suivante : soit nous condamnons fermement les Allemands pour s'en être pris à un paquebot transportant des passagers américains, soit nous reconnaissons leur bon droit et nous interdisons à nos concitoyens de voyager sur des navires britanniques.

— Nous ne pouvons pas exiger des Allemands qu'ils vérifient s'il n'y a pas d'Américains à bord avant d'attaquer un navire, dit Bryan.

— Nous ne pouvons pas non plus empêcher nos concitoyens de jouir de leurs droits constitutionnels, répliqua Lansing.

Mais Wilson se souciait plus de l'opinion publique que des arguments juridiques. Il se retourna vers ses deux collaborateurs :

— Je pense que nous devons condamner cette agression barbare et en faire porter l'entière responsabilité à l'Allemagne.

Bryan rassembla ses dossiers sur ses genoux.

— Si telle est votre décision, monsieur le Président, je suis contraint de vous demander de bien vouloir accepter ma démission. Je ne saurais cautionner une politique aussi partiale.

Robert Lansing prit un air faussement modeste. Son ascension politique paraissait désormais inéluctable : n'était-il pas le candidat tout désigné pour devenir le prochain Secrétaire d'État ?

Paris

WINSTON CHURCHILL plia le télégramme qu'on venait de lui remettre et leva les yeux sur le général John French :

— Mon général, j'ai bien peur de devoir rentrer à Londres de toute urgence. Le *Lusitania* a été coulé.

— Le *Lusitania*? dit le général French en blêmissant. Comment? Où cela?

— Au large de la côte irlandaise. Je n'ai pas encore de détails. Je sais seulement que c'est l'œuvre des sous-marins allemands et que le nombre de victimes est considérable.

— Quel cynisme! Quel cynisme éhonté!

French se leva et posa une main amicale sur le bras de son ami.

— Heureusement que vous êtes ici, et non pas à l'Amirauté. Sinon, on vous l'aurait fait payer cher.

Churchill haussa les épaules :

— Je ne pense pas que l'endroit où je me trouve revête une grande importance. En tant que seul maître de mon ministère, j'assume l'entière responsabilité de cet événement. C'est une tradition dans la marine.

— Vous n'allez pas démissionner?

— Je présume que j'y serai obligé.

Churchill monta faire ses valises dans sa chambre. Pendant ce temps, French se chargea de lui trouver une automobile puis alla l'attendre dans le hall d'entrée. Lorsque Churchill redescendit, suivi d'un caporal qui portait ses bagages, le général lui demanda de revenir sur sa décision :

— Réfléchissez, Winston. A présent, le roi aura plus que jamais besoin de vos services.

— C'est tout réfléchi, répondit Winston Churchill tandis qu'un soldat l'aidait à enfiler son pardessus. Cette affaire n'a pas que de mauvais côtés, mon général. La situation est actuellement bloquée dans les tranchées, mais je pense que, d'ici peu, les Américains permettront de faire pencher la balance en votre faveur. A ce moment-là alors, vous pourrez enfin marcher vers la victoire.

— Les Américains? répéta French.

— Le *Lusitania* a toujours eu la faveur de la haute société américaine, répondit Churchill. Je ne serais pas surpris d'apprendre que certains amis intimes de Woodrow Wilson se trouvaient à bord.

Il adressa un clin d'œil au général French, qui commença soudain à entrevoir la vérité.

— Ne soyez pas inquiet pour moi, dit Churchill. Je serai bientôt de retour!

Kinsale

Day bondit de son fauteuil dès qu'il entendit grincer la barrière du jardin. Il courut se dissimuler derrière la porte de la cave. On frappa doucement à la porte d'entrée selon le signal convenu.

— C'est le père Connors qui m'envoie, murmura une voix masculine.

La porte se referma sans bruit, et la maîtresse de maison vint l'appeler. Day sortit prudemment de sa cachette et découvrit un grand adolescent au milieu du salon. Le garçon lui serra la main :

— Tom Downey. Un bateau vous attend à Courtmacsherry. Le père Connors m'a dit qu'il vous y retrouverait.

Et il ouvrit la porte d'entrée.

Minuit avait sonné depuis longtemps. Downey conduisit Day le long d'une rue étroite, jusqu'à une charrette attelée à un cheval. Day s'arrêta net en voyant six cercueils en bois neuf empilés à l'arrière.

Ils en retirèrent un et soulevèrent le couvercle de celui qui se trouvait en dessous. Day monta sur le plateau et se glissa à l'intérieur.

— Vous pourrez écarter un peu le couvercle quand vous aurez besoin d'air frais, dit le garçon en refermant le cercueil.

Après quoi il le replaça par-dessus les autres.

La charrette s'ébranla. Elle suivit alors le rythme lent, aussi régulier qu'un métronome, des sabots du cheval. Dans l'obscurité de sa cachette, Day n'avait pas la moindre idée de la nouvelle existence qui l'attendait. Il était obsédé par la mort. Par le souvenir de Shiela, dont le corps, enveloppé dans un linceul, gisait seul dans l'église de Schull en attendant d'être enterré. Par le visage de Jennifer, figé dans une horreur indicible, tandis que les sauveteurs sortaient son cadavre de la mer. Il essayait en vain de se convaincre que leur sacrifice était justifié par une cause supérieure. Mais elles n'étaient que de simples victimes et non pas des martyres mortes pour un idéal. Elles avaient été fauchées en pleine jeunesse pour permettre à de grands stratèges de remodeler l'univers à leur image. Le *Lusitania* n'était qu'un pion sur l'échiquier de la guerre mondiale. Les gens qui avaient péri au cours du naufrage ou en tentant de l'empêcher n'avaient strictement aucune importance. Tout comme les soldats qui souffraient dans les tranchées, avant de disparaître dans l'anonymat des batailles. Mais, du fond de son cercueil, Day comprenait enfin que la vie est le bien suprême.

Après plusieurs heures de trajet, il entendit des chuchotements. La charrette s'arrêta. Les deux cercueils frottèrent l'un contre l'autre et Day aperçut par une fente la faible lueur de l'aurore.

— Drôlement en forme pour un défunt! dit Tom Downey en soulevant le couvercle. Il tendit la main à Day pour l'aider à s'extraire du cercueil et à reprendre son équilibre. Ils se trouvaient sur un ponton délabré, à côté d'une petite goélette en piteux état. Les marins, appuyés contre le plat-bord, l'observaient avec curiosité.

— C'est un bateau portugais, dit Downey. Et vous êtes leur nouveau matelot.

Le capitaine de la goélette sauta par-dessus le garde-corps et se reçut sur le ponton.

— C'est lui?

Downey hocha la tête.

Le capitaine examina le nouvel arrivant :

— Alors, qu'il embarque. Sinon je vais rater la marée.

— Où est le père Connors? demanda Day. Il devait rechercher quelqu'un pour moi. Un des passagers du *Lusitania*.

Downey jeta un regard autour de lui, puis leva les mains en signe d'impuissance.

— Il a dû essayer. Mais les naufragés sont si nombreux…

Le capitaine était remonté sur sa goélette. Day l'entendit donner un ordre dans une langue inconnue. L'équipage commença à ramener les aussières à bord.

Day avança d'un pas, puis se figea sur place.

— Je ne peux pas, dit-il à Downey. Il faut que je sache.

Le garçon parut choqué :

— Vous ne pouvez plus reculer, commandant.

Le bateau était en train de larguer ses amarres.

Soudain, un bruit de moteur rompit le silence du petit matin. Une automobile noire apparut, filant tout droit vers le ponton.

— C'est lui, dit Downey en se mettant à courir. Attendez-moi ici.

Après une seconde d'hésitation, Day s'élança sur ses talons. Il aperçut Jennifer au moment où elle sortait de l'automobile.

La jeune fille se jeta à son cou et éclata en sanglots avant même qu'il eût pu refermer les bras autour d'elle.

Elle répéta cent fois son nom tandis qu'il la berçait en l'enlaçant étroitement.

— Vous êtes vivante. Dieu soit loué! Vous êtes vivante.

Par-dessus l'épaule de Jennifer, Day échangea un regard avec le père Connors qui les contemplait, un sourire angélique aux lèvres.

— Elle était à l'hôpital, expliqua-t-il. Logique, non? Elle demandait à tous les gens qu'elle croisait s'ils connaissaient le commandant William Day. Et malgré cela ces Anglais n'ont pas réussi à lui mettre la main dessus!

Day recula d'un pas et la tint à bout de bras. Elle était ridicule avec ses vêtements d'emprunt : une robe beaucoup trop grande pour elle et de gros souliers de paysanne.

— Comme vous êtes belle! dit-il en la reprenant contre lui.

Debout sur la dunette, le capitaine de la goélette agitait les bras.

— La marée! cria-t-il, exaspéré. La marée!

— Il faut qu'il embarque, à présent, dit Downey au père Connors.

— Accordez-moi une minute, supplia Day. Rien qu'une minute.

Le prêtre opina du chef et se tourna vers le garçon :

— Va dire à ce sauvage que je l'excommunie s'il s'en va sans le commandant.

— Comment cela, une minute? dit Jennifer avec une soudaine appréhension.

Elle jeta un coup d'œil vers le bateau, puis demanda :

— Où allez-vous? Que se passe-t-il?

Il l'entraîna un peu plus loin sur le ponton.

— Je dois partir.

— Pourquoi?

Elle se libéra et le regarda droit dans les yeux.

— Parce que je suis au courant de certains faits. Des faits que le gouvernement anglais veut garder secrets. J'ai trahi, Jennifer. On est à mes trousses.

— Qui avez-vous trahi? De quoi parlez-vous? De quels secrets s'agit-il?

Il la reprit dans ses bras.

— Je ne peux pas vous expliquer. Je n'ai pas le temps. Et il serait dangereux pour vous de connaître la vérité. Croyez-moi, je n'ai pas d'autre solution que de m'enfuir.

De nouveau Jennifer se dégagea, et elle lui fit face avec détermination :

— Dans ce cas, je pars avec vous.

— Non, répondit-il sèchement. Non. Vous allez rentrer chez vous, retrouver vos parents. Votre vie est là-bas.

— Ma vie est auprès de vous. Je ne vous laisserai pas partir.

Et elle se pendit à son cou.

— Commandant, intervint le père Connors, il est obligé d'appareiller. Il ne doit pas rater la marée.

Day vit que les voiles avaient été hissées. D'ici quelques instants, la brise de mer allait les gonfler. Il saisit les mains de Jennifer, les dénoua de force sur sa nuque et les confia au père Connors.

— Rentrez chez vous, Jennifer. Vous avez toute la vie devant vous.

— Je prendrai soin d'elle, promit le prêtre.

Day fit demi-tour et sauta à bord de la goélette. Le capitaine largua la dernière aussière, l'équipage tendit les voiles et le bateau glissa lentement sur l'eau.

— Je l'aime, murmura Jennifer, en proie à la plus totale détresse.

— Lui aussi vous aime. C'est dans votre intérêt qu'il agit ainsi.

La colère brilla soudain dans les yeux de la jeune fille. Elle libéra ses mains et se mit à courir en trébuchant sur l'ourlet de sa robe. Lorsqu'elle parvint à la hauteur du bateau qui s'écartait tout doucement du ponton, elle vit Day, debout contre le plat-bord.

— William ! cria-t-elle. Est-ce que vous m'aimez ?

Elle continuait à courir pour ne pas se laisser distancer.

Il aurait dû lui mentir. C'était le seul moyen de la détourner de lui. Mais, pas plus que lors de leur première séparation, il n'eut le courage de nier l'évidence.

— Oui, je vous aime, dit-il avec l'accent du désespoir.

Alors Jennifer prit son élan et se jeta du quai avec une telle énergie que ses mains atteignirent le garde-corps de la goélette. Day éclata de rire et la hissa à bord.

Lorsque ses voiles usées se furent gonflées, la goélette prit de la gîte et accéléra son allure. Puis elle passa au sud de l'Old Head of Kinsale et s'élança vers le grand large.

Le 21 juillet 1915

Ma chère maman, mon cher papa,

Je suis désolée de ne pas vous avoir écrit plus tôt pour vous dire que je vais bien et que je suis merveilleusement heureuse, mais c'était impossible. Comme papa le sait sans doute, certains faits relatifs au naufrage du *Lusitania* doivent à jamais rester secrets. William connaît les responsabilités de l'Angleterre dans cette tragédie et, de ce fait, il a dû fuir son pays.

Parce que je l'aime, j'ai décidé de le suivre en exil. Je ne vous dirai pas où nous allons, et je ne pourrai plus vous écrire. Savoir où il se trouve ne pourrait que vous attirer des ennuis et mettre sa vie en péril. Mais je veux que vous sachiez que jamais je ne cesserai de vous aimer tous les deux et que je regrette le chagrin que je vous ai causé.

J'ignore ce que l'avenir nous réserve. J'espère seulement que le monde connaîtra un jour la paix et le bonheur que j'éprouve en ce moment. Alors, William et moi pourrons enfin venir vous retrouver.

Avec tout mon amour,
JENNIFER DAY

WILLIAM P. KENNEDY

William P. Kennedy a un faible pour les personnages déchirés entre leur devoir et leurs convictions intimes. Tel est le dilemme vécu par William Day, le héros des *Lois de la guerre*. Tel est aussi le thème du prochain roman de W.P. Kennedy, qui a pour cadre une base militaire américaine : on y forme des jeunes gens à la pratique de la torture et à certaines méthodes de combat indispensables pour contrer les services spéciaux ennemis, mais qui heurtent leur sens moral.

C'est après la visite d'un petit cimetière irlandais où sont enterrés deux enfants « inconnus », victimes de la tragédie du *Lusitania*, que Kennedy a eu l'idée d'écrire les *Lois de la guerre*. Il a senti qu'il tenait là le point de départ d'une histoire fascinante. Sa longue expérience de journaliste économique a fait de lui un expert dans l'art de déceler la vérité sur un fond d'apparences trompeuses. « Souvent l'action du temps estompe la frontière entre la réalité et la fiction, dit-il. C'est ce qui s'est passé pour le *Lusitania*. » Précisons cependant que la responsabilité de Winston Churchill en cette affaire n'a jamais été établie.

William P. Kennedy vit dans le Connecticut et partage aujourd'hui son temps entre sa carrière d'écrivain et la présidence d'une agence de publicité spécialisée dans les technologies de pointe. Sa vie est d'autant plus trépidante qu'il est père de cinq enfants, mais il réussit fort bien à concilier ces diverses activités, ainsi qu'en témoigne *les Lois de la guerre*, son cinquième roman.

Tignes, mon village englouti

José Reymond

*Lorsque, en 1939, les ingénieurs
de la Société des forces motrices du Rhône
font leur première apparition à Tignes,
les habitants n'imaginent pas un seul instant
le désastre qui les attend.
Pour l'heure, ils ne sont préoccupés
que par leur dangereux voisin l'Allemagne
et par cette guerre que tous disent imminente.
Certes, des rumeurs circulent.
Les ingénieurs n'ont-ils pas parlé
d'un grand barrage qu'il est question
de construire sur les terres du village ?
Qui, cependant, oserait croire pareille chose ?
Dans cette vie faite de labeur et de traditions
que seules ponctuent les saisons,
l'idée de détruire un village — ses maisons
centenaires et son église — apparaît
comme pure folie.
Cela arrivera pourtant.
De ce drame, de ces souvenirs douloureux,
est né un livre émouvant.*

PROLOGUE

J'AI repris, à pied, le chemin du lac. Ce samedi 12 mai 1990, ma petite-fille Justine vient d'être baptisée sur la terre de ses ancêtres. Une terre grise, triste, craquelée comme un sol lunaire, d'où percent çà et là quelques vestiges de pierre. Le *bachal*, ce bassin où les femmes se retrouvaient pour laver le linge dans l'eau glacée en échangeant les dernières nouvelles du village, a bravement résisté. Il trône en solitaire, fier symbole de vie sur ce sol devenu stérile. Un peu plus loin, sur un monticule de boue séchée plus haut que les autres, on devine l'église.

De mémoire, je redessine lentement la place du village. Je replace sans hésiter le cimetière, la scierie, l'école communale, l'épicerie-mercerie. Je rebâtis une à une les maisons du quartier qui m'a vu naître. Parce qu'il abritait le presbytère, on le disait tout près du bon Dieu. Il n'en est pourtant rien resté. Englouti, noyé, rayé de la carte de France, comme tout le reste de mon village.

Je ne peux détacher mes yeux de cette plaine de vase. L'eau recommence déjà à monter. Comme la première fois. Comme ces longues journées du printemps 1952 au cours desquelles j'ai vu disparaître mon passé. Au nom de l'avenir et du progrès de la France, résumés pour nous dans cette sinistre muraille blanche qui barrait notre vallée. Jusqu'au bout, nous avions refusé d'y croire. C'est comme la vie, on sait que l'on va mourir et pourtant on agit comme si l'on était éternel. Et puis, on se disait : noyer un village, disperser plus de cinq cents habitants, exhumer ses morts... Ce n'est pas possible, cela va bien s'arrêter !

Nous ignorions alors qu'on n'arrêterait pas le progrès pour préserver une communauté de paysans de montagne. Il nous a fallu nous résigner à abandonner nos terres séculaires, à livrer nos maisons aux démolisseurs. J'avais trente-trois ans. Ma vie allait reprendre ailleurs.

Ce jour de mai 1990, je me retourne encore une fois avant de rejoindre la station par ce chemin que, berger, j'avais tant de fois emprunté. Les techniciens d'EDF ont fini le « nettoyage » et les contrôles de sécurité, qui, tous les huit ou dix ans, les obligent à vider le barrage pendant quelques semaines. Juste le temps, pour les vieux Tignards, de rouvrir nos plaies en voyant apparaître cette vallée qui fut la nôtre et celle de nos pères. Les ruines de notre village peuvent donc à nouveau disparaître sous des milliers de mètres cubes d'eau. Je raconterai à Justine ce qu'elle ne pourra jamais voir.

1

LO BOÔU

Tombée tardivement, la neige est encore abondante en ce mois d'avril 1919. Je suis né le jour du vendredi saint, treizième enfant d'une famille qui devait en compter quatorze. Pour mon baptême, on n'a pas attendu beaucoup car il fallait profiter de l'eau nouvellement bénie par le prêtre. Dès le lendemain de ma naissance, on m'a donc enveloppé dans une épaisse couverture de laine et, marchant en file indienne dans la neige, mes frères et sœurs m'ont accompagné à l'église. Mes parrain et marraine avaient été choisis parmi les aînés, Damien et Philomène. Au retour, nul repas de fête ne les attendait. Le petit Joseph, âgé de quatre ans, était en train de mourir des suites de la grippe espagnole. Elle avait déjà emporté Alice dans l'année de ses dix-sept ans, en 1918, et Alfred, à l'âge de deux ans, à l'aube de l'année 1919. La tisane de serpolet et le lait chaud relevé d'une tombée de rhum et d'une cuillerée de miel, que préconisait le curé-guérisseur de la paroisse, avaient été vains. Le premier médecin se trouvait à Bourg-Saint-Maurice, à vingt-sept kilomètres de notre village et on ne l'appelait pas pour cela.

Dans la maison, il y eut donc, côte à côte, quatre jours après ma naissance, un berceau et un cercueil. On décida que je serais le nouveau Joseph et on oublia très vite mon prénom officiel, Justin.

J'ai grandi dans une maison située au cœur du chef-lieu, dans le quartier des Chartreux, proche de l'église. Une de ces maisons traditionnelles, comme il en existait dans toutes les dures vallées de Tarentaise, avec des murs de pierre épais et percés de petites fenêtres. La charpente, en mélèze massif et recouverte d'un toit de lauzes, abrite, sur la partie haute de la maison, la grange emplie de foin qui, pendant l'hiver, nourrit les bêtes et protège du froid de la neige. Sur le balcon — la *lozi* — qui court tout le long de la façade, on empile les rondins de bois avec autant de soin que celui mis à disposer le linge de maison dans les grandes armoires familiales. Basse mais large, la porte d'entrée doit permettre tant le passage des hommes que celui des vaches, d'une brouette ou d'une civière à fumier. Car dans *lo boôu*, la grande pièce principale, hommes et bêtes vivent ensemble. Les vaches et les poules à gauche, la famille à droite. Entre les deux, une cloison basse à claire-voie laisse passer la chaleur animale et les odeurs. Les vaches nous tournent le dos en ruminant tranquillement dans l'attente de leur promenade à l'abreuvoir, une fois le matin et une fois le soir. Tous les jours, la petite rigole à fumier creusée sous leurs pattes est nettoyée et curée avec soin. Les bêtes dont l'odeur est plus forte, le mulet, les chèvres, le bouc et, jusqu'à sa mort en décembre, le cochon, ont tout de même leur *boôu* à eux. Attenant souvent à la maison principale, il sert aussi de hangar pour la charrette et le traîneau, et à l'étage, de garde-manger pour l'avoine, le son, l'orge, la farine et le riz.

Notre pièce commune est meublée d'une grande table de bois et d'un beau fourneau à quatre feux. Contre la cloison qui nous sépare des bêtes s'appuie l'*arssiban,* le « canapé » tignard, une dure planche de mélèze, sur lequel le Père s'allonge pour faire la sieste. C'est aussi sur l'*arssiban* que l'on s'installe pour passer les longues et belles heures de la veillée à écouter les histoires du village. Au fond de la pièce, on trouve le coin chambre à coucher : à mi-hauteur sont fixés des lits-placards, isolés par un rideau. Une paillasse nous sert tout à la fois de sommier et de matelas. Lorsqu'elle est trop tassée, on plonge ses deux mains dans la paille pour la secouer, grâce aux ouvertures pratiquées dans la toile. Pendant l'hiver, le petit espace sous nos lits-placards fait office d'abri pour les moutons, qui peuvent tout juste s'y mouvoir. Dans les familles nombreuses comme la mienne, une grande pièce, boisée et souvent glaciale, est aménagée en dortoir pour les garçons, à l'étage. Les filles, elles, ont leur chambre en bas, *lo peillo*, chauffée au poêle à bois, avec un vrai grand lit au-dessus duquel veille un crucifix. Elles y dorment à deux ou trois et l'abandonnent pour chaque accouchement de la mère ou lorsque quelqu'un de la famille est malade.

C'est là que nous sommes tous nés, grâce aux soins de Dorothée, la sage-femme du village, qui a accouché, pendant plus de quarante ans, toutes les femmes de la haute vallée de Tarentaise. Suivant la saison, on venait la chercher en charrette ou en traîneau. Avant de partir, Dorothée n'oubliait jamais d'aller brûler un cierge à l'autel de la Vierge Marie, en priant pour la bonne venue au monde de ce nouvel enfant.

La maison comporte encore une pièce, située à côté du *peillo*, qui nous sert de salle à manger durant les mois d'été, lorsque les bêtes sont à l'alpage. Il n'y a pas d'eau courante dans *lo boôu*, aussi faut-il chaque jour aller tirer de l'eau avec un seau au *bachal* pour la cuisine et la toilette. Quant au cabinet, un siège rustique en planches de mélèze, il est installé dans une cahute au fond du jardin, bien lointaine pendant les cinq mois de neige...

Dans les années vingt, nous avions déjà l'électricité grâce à un Tignard ingénieux que l'on surnommait Planton. C'était un colosse de près d'un mètre quatre-vingt-dix qui avait le génie de la mécanique. En 1913, il avait capté le torrent du lac grâce à une canalisation de deux cents mètres, et avait installé son générateur d'électricité pour alimenter les machines de sa scierie. Puis il augmenta la puissance du générateur et put ainsi fournir le courant à tout le village ; un peu plus tard, grâce à de nouveaux travaux, l'électricité de Planton arriva jusqu'à Val-d'Isère. Une révolution dans le pays ! Il n'y avait pas de compteur et Planton faisait payer le courant au nombre de lampes. Mais notre fournisseur était un peu fantaisiste. Il suffisait que la glace obstrue son arrivée d'eau ou que, tout simplement, il lui prenne l'envie de couper le courant, pour que tout le village se trouve contraint de ressortir les bonnes vieilles lampes à pétrole. Moi, j'aimais bien ces soirées dues aux caprices de Planton, qui laissaient *lo boôu* dans une semi-obscurité, tandis que toute la famille se serrait autour de la table éclairée par la flamme vacillante de la lampe.

Le matin, le Père est toujours le premier debout. Il soigne et panse le mulet, qui assurera le plus dur labeur de la journée. Ensuite, il appelle ses fils et leur distribue le travail. Quelle que soit la saison, il y en a pour tout le monde. Il faut étendre le fumier dans les champs, traire les vaches et les mener au pré, aider une sœur à bêcher le jardin, préparer le bois, réparer les outils. Le déjeuner, à midi, se passe en silence, à la grande table commune. Chacun d'entre nous sort de sa poche son couteau Opinel pour couper des morceaux de tomme ou de beaufort qui, trempés dans la soupe de légumes quotidienne, la rendront épaisse et onctueuse. Riz, pâtes ou pommes de terre accompagnent ensuite le lard, le boudin, le jambon cru ou la viande séchée. Le jeudi et le dimanche, les femmes préparent le pot-au-feu et le vendredi, la polenta, un gros gâteau de farine de maïs qui nous vient de la vallée voisine du Piémont. Le soir, c'est encore une soupe, de riz ou de vermicelle au lait, qui constitue le repas avec, bien sûr, du fromage à profusion puisque nous le fabriquons nous-mêmes. Les enfants ont droit à leur bol de lait avec du pain trempé. Le Père nous coupe ensuite à chacun un gros morceau de gruyère dont il gratte légèrement la croûte avec son Opinel pour nous apprendre l'économie. Un soir, une dame de Bourg-Saint-Maurice venue dîner chez nous s'était fait vertement réprimander par le Père, courroucé de la voir couper une croûte de beaufort de près d'un demi-centimètre d'épaisseur.

Les friandises sont rares et notre mère veille jalousement sur la clé d'un petit buffet où sont rangés le chocolat et le sucre. Des foires de septembre, à Bourg-Saint-Maurice, le Père rapporte quelques caisses de pommes et de poires, que nous dégustons cuites au four et caramélisées... Un régal ! Le pain, lui aussi, est acheté à l'automne. Le Père commande deux fournées de boules de seigle à la boulangerie de Sainte-Foy, qui devront nous suffire pour tout l'hiver.

Et puis, il y a le menu des jours de fête, Noël, Pâques, Pentecôte, baptêmes et communions : poulet rôti, pommes rissolées et surtout, crème fouettée ou crème au chocolat. C'est aussi le menu de mardi gras, que l'on savoure d'autant plus qu'après lui vient le carême, pendant lequel nous devons nous contenter d'un seul repas par jour. Heureusement, le bon Dieu permet quand même les collations. Alors on force un peu dessus.

C'est à mon grand-père maternel, Damien, que nous devions notre maison. Il l'avait bâtie en 1880 et y avait accueilli mes parents juste après leur mariage, au printemps 1900. Le jour de ses noces, ma mère portait la longue robe noire du costume savoyard, bien serrée à la taille et boutonnée jusqu'au col, un caraco de velours noir égayé d'une modestie immaculée à petits plis amidonnés, un tablier ample brodé à son bas et retenu par un large ruban de satin noir, un châle aux couleurs vives et des souliers vernis. Sa tête était coiffée de la *berra* blanche réservée aux mariages et aux jours de fêtes, un bonnet festonné qui se termine en pointe sur le haut du front et sur lequel sont cousus plusieurs rubans tombant sur les épaules. Les bijoux, que les jeunes fiancés vont acheter ensemble à Bourg-Saint-Maurice avant le mariage (on dit « acheter le beau »), resplendissent : une croix en or retenue par un lien de velours et une broche en forme de cœur dodu, en or lui aussi, épinglée sur la poitrine. Comme il était de tradition à cette époque, mes parents partirent en voyage de noces à Lourdes, pour obtenir les bénédictions de la Vierge sur leur future famille.

En épousant Marie-Honorine, la fille de Damien, mon père s'était élevé dans la « bourgeoisie » tignarde, que l'on distinguait à la richesse de ses alpages. Les Boch étaient en effet propriétaires de quelques-unes des plus belles « montagnes » situées au bord du lac de Tignes, à deux mille cent mètres d'altitude. L'héritage était d'autant plus important que les deux frères de ma mère ne se destinaient pas à devenir « montagnards ». L'un avait émigré à Montpellier, comme beaucoup de Tignards à l'époque, et l'autre s'était lancé dans le commerce du vin dans la vallée. Mais cette situation d'héritier par alliance n'était pas très bien vue dans le village.

Un jour d'août, mon père avait eu une altercation à ce sujet avec une habitante du hameau de la Chaudanne. Il avait plu à verse pendant la semaine et le foin menaçait d'être abîmé. Dès le premier jour de soleil, chacun s'affairait dans son champ pour tourner et retourner le foin afin de le faire sécher. Mais dans la propriété voisine de celle du Père, une femme avait décidé de tout jeter dans l'Isère, en maugréant qu'il était trop tard et que le foin était pourri. Le Père, outré de ce gâchis, se permit de lui faire une remarque. La mégère se rebiffa et lui répondit sèchement : « Je suis libre de faire de mon foin ce que je veux et ce n'est pas le *pachonier* de Damien qui viendra me faire la morale ! » L'injure était sévère, car le « pachonier » est le dernier des domestiques dans la hiérarchie de l'alpage. C'est lui qui plante les piquets des vaches et étend le fumier. Malheureusement, cette dispute n'échappa pas aux faneurs alentour et, quelques jours plus tard, tout le village était au courant du nouveau surnom du Père. Il allait le garder toute sa vie. Peut-être est-ce à cause de cela qu'il s'est toujours efforcé d'être un montagnard irréprochable. Dur pour lui-même et pour ses proches, il considérait son métier comme un sacerdoce. Chacun de ses fils et chaque domestique devait être à son poste. Je me souviens qu'une fois, pour la période des foins, il avait embauché un ouvrier réputé pour son efficacité. Rendez-vous fut pris dès le lendemain, à cinq heures du matin, pour le petit déjeuner. A cinq heures et demie, le faneur arriva tout ensommeillé, et trouva le Père qui, sans mot dire, sortit sa montre de son gousset et fit mine de regarder l'heure. Vexé, l'ouvrier renonça à se mettre à table et disparut pour toujours.

Son courage et sa rigueur dans la gestion des affaires valurent finalement à mon père le respect des gens du village. Pendant la guerre, lorsque les menaces de construction d'un barrage devinrent sérieuses, il fut délégué, aux côtés du maire de Tignes, pour aller à Vichy adresser une supplique au maréchal Pétain. Il ne céda jamais aux offres alléchantes d'EDF qui voulait lui acheter ses terres à l'amiable, refusant jusqu'au bout de se résigner à la noyade de son village.

Ma mère n'a pas connu ce drame. En octobre 1930, elle se plaignit d'une grande fatigue. Son état s'aggrava début novembre et le Père appela le docteur de Bourg-Saint-Maurice. Ce dernier ordonna des ventouses, quelques potions et des tisanes. On fit même venir des oranges — fruit réservé au jour de Noël — dont les vitamines devaient lui faire du bien. Le frère Francis tua plusieurs poules dont on fit du bon bouillon et la sœur Philomène prépara quantité d'œufs battus dans du lait ou du vin.

Tous ces soins furent vains. Vers le 20 novembre, la tante Dorothée, celle-là même qui nous avait tous mis au monde, nous dit qu'il n'y avait plus d'espoir. On télégraphia d'urgence aux trois aînés émigrés à Paris, en leur demandant de prendre le premier train. Cinq jours plus tard, nous étions tous agenouillés au pied du grand lit, le Père et les onze enfants, tandis que notre mère recevait les derniers sacrements en répondant elle-même, d'une voix calme, aux prières du prêtre. Lorsque celui-ci se retira, ma mère nous fit appeler, mon petit frère Alexis surnommé Poupou-Tchi et moi, près de son lit. Faiblement, elle nous demanda d'être bien sages et de continuer à grandir sous le regard de Dieu. Nous lui promîmes en pleurant de devenir prêtres. Elle fit ses adieux à la famille et mourut, entourée de tous les siens, dans la soirée du 25 novembre.

Le lendemain, le menuisier vint prendre les mesures de son corps pour le cercueil. Son arrivée me glaça de terreur et de colère car je croyais, dans la naïveté de mes onze ans, que nous allions garder notre maman dans son lit, avec son visage serein, ses mains jointes sur la poitrine, ses beaux habits et ses bijoux. Je m'enfuis dans *lo boôu* et, pendu au cou d'un jeune veau, je lui confiai ma peine. Après l'enterrement, les frères Francis et Fernand s'en allèrent faire paître les moutons. Les trois aînés, employés de la salle des ventes à Paris, partirent rejoindre le train, confiant à Philomène, alors âgée de vingt-trois ans, la lourde charge de maîtresse de maison et de mère de famille pour les petits derniers.

Elle y consacra sa vie, renonçant à se marier pour s'occuper de notre éducation, à Alexis et à moi-même et, plus tard, pour accompagner le Père dans sa vieillesse. Philomène était une fille gaie et douce, et, par-dessus tout, une conteuse extraordinaire. Elle enchantait nos veillées du récit de ses lectures. La Bible bien sûr, mais aussi les aventures de François et Julien, les héros du *Tour de France par deux enfants*. Je ne sais pas qui avait eu l'idée d'abonner la famille à la revue historique *les Contemporains*, qui relatait la vie des hommes illustres, mais elle joua un rôle essentiel dans notre enfance. Je me souviens encore de Cléry, le valet de chambre de Louis XVI, et de tous les détails de la détention de la famille royale ou du numéro spécial qui avait été consacré à Drouet, l'homme qui reconnut Louis XVI lors de sa fuite à Varennes et qui le fit arrêter. Nous compatissions au sort de Joseph Lesurques, convaincus de son innocence dans l'affaire du courrier de Lyon. Dès que je fus à mon tour en âge de lire, *les Contemporains* meublèrent mes longues journées de berger à l'alpage. Assis tranquillement sur un rocher, levant de temps à autre les yeux sur les vaches qui paissaient alentour, j'appris l'histoire des maréchaux de l'Empire — comme celle du maréchal Lannes. Je connaissais même le nom des grands philosophes, tel Kant, dont je pouvais citer toutes les habitudes de vie et décrire les promenades quotidiennes dans sa Prusse-Orientale, sans rien comprendre à ses théories. Je dévorais les romans de Pierre l'Ermite, *le Monsieur en gris, la Femme aux yeux ouverts*, qui nous étaient recommandés par le curé.

Les lectures que nous faisait Mène furent aussi, avec la récitation du catéchisme, le moyen, pour nous qui en famille ne parlions que le patois, de nous familiariser avec la langue française. Mène tenait à ce que ses deux petits frères devinssent de bons élèves à l'école. Elle-même avait fait la fierté de la maison lorsqu'en 1920 elle avait été reçue première du canton au certificat d'études.

2

PREMIERS APPRENTISSAGES

Parmi les filles diplômées du certificat d'études, certaines seront choisies par le maire et l'institutrice pour être, pendant quelques années, des « petites maîtresses ». Ce sont elles qui seront chargées d'enseigner l'alphabet et le début du calcul aux tout-petits. C'est ainsi que ma première rentrée scolaire n'est pas trop dépaysante puisque, cette année-là, c'est ma grande sœur Nine qui a été désignée comme « petite maîtresse ». J'ai six ans lorsque, à l'automne 1925, je franchis pour la première fois la porte de l'école communale, un beau bâtiment, construit en 1885 après les lois de Jules Ferry sur l'enseignement laïque, public et obligatoire. Il abrite deux salles de classe, la mairie et les appartements des instituteurs.

Jusqu'à l'âge de sept ans, l'école est mixte mais, après, les garçons et les filles sont séparés. Pour les petits, on a aménagé un coin dans la salle des filles. C'est une grande pièce au centre de laquelle trône le poêle à bois, qu'il faut alimenter toute la journée. Le matin, à tour de rôle, chaque élève apporte une grande brassée de bûches. Ce jour-là, on vient un quart d'heure avant le début de la classe pour allumer le feu. Lorsque les autres élèves arrivent, un joyeux crépitement les accueille. L'heure de la rentrée en classe est annoncée tous les matins à huit heures moins dix, et tous les après-midi à une heure moins dix, par la cloche de l'église. A Tignes, c'était le sacristain qui s'acquittait de ce travail, en plus de son service des angélus. Il percevait pour cela une petite rémunération de la mairie, conséquence, sans doute, de la séparation de l'Église et de l'État.

Pour ma première rentrée scolaire, on m'a acheté un pantalon de drap et une veste dont je suis très fier : j'ai vraiment l'impression d'être habillé comme un petit monsieur. Les filles, elles, doivent porter un tablier sur leur robe. Nous n'avons pas de cartable et nous portons sous le bras notre ardoise, notre cahier, notre alphabet et notre beau plumier en bois.

A la petite école, ma sœur Nine ne m'accorde aucun privilège ; au contraire, elle se montre même plus sévère. Comme elle parle patois, notre apprentissage du français se fait plus facilement, car lorsque nous ne comprenons pas, elle traduit dans notre

« langue » maternelle. Mais en général, nous apprenons assez vite cette langue entendue le dimanche à la messe et dans nos rues que commencent à fréquenter les citadins pendant l'hiver.

Quand une abondante couche de neige est tombée pendant la nuit, nous mettons nos molletières avant de prendre le chemin de l'école. Ce sont des bandes de drap que l'on noue avec un grand lacet autour du mollet, en prenant bien soin de couvrir le haut des galoches pour que la neige n'y pénètre pas. Si elles sont mal fixées, nous arrivons les chaussettes trempées et les pieds gelés dans la salle de classe, avec rhume assuré le lendemain. Le maître — ou la maîtresse — nous permet de nous installer quelques minutes devant le poêle pour nous réchauffer et nous faire sécher les pieds. Cela lui donne d'ailleurs l'occasion de vérifier subrepticement notre hygiène qui laisse parfois à désirer.

Un matin, le petit Gervais était arrivé couvert de neige et les molletières défaites. On le laissa se caler contre le poêle pour qu'il retirât ses galoches et ses chaussettes. Celles-ci se révélèrent largement trouées et lorsqu'il les retira… Misère ! La peau de ses pieds disparaissait sous une belle épaisseur de crasse.

— Eh bien, Gervais, lui dit notre instituteur, M. Beley. Tu n'as pas chez toi une bassine pour te laver les pieds ?

— Hélas non, mon maître, et le petit ruisseau derrière la maison est couvert de neige ! répondit Gervais, un peu honteux.

— Mais comment ton père fait-il pour abreuver ses vaches ?

— Il va chercher de l'eau au ruisseau avec les *seillons* (les seaux).

— Eh bien, toi aussi tu iras chercher de l'eau avec le *seillon* et au lieu de la donner à boire aux vaches, tu t'y laveras les pieds. Demain, je ferai une inspection.

Rentrés à la maison, nous racontâmes tous en riant la mésaventure de Gervais. Mais Philomène prit cette histoire au sérieux, et comme elle ne voulait pas qu'il soit dit dans le village que ses petits frères avaient les pieds sales, elle décida ce soir-là de nous les laver soigneusement. Le lendemain matin, tous les petits Tignards arrivèrent à l'école avec de belles chaussettes et les pieds propres. Mais, manque de chance, M. Beley avait renoncé à mettre sa menace d'inspection à exécution…

Au printemps 1927, j'ai souffert d'une grave bronchite qui faillit m'être fatale. Pendant trois mois, j'ai dû manquer l'école et renoncer aux travaux des champs, laissant Poupou-Tchi s'amuser tout seul à poursuivre les jeunes veaux. Mais je garde

un doux souvenir de cette longue convalescence, qui m'a permis
d'avoir ma mère tout le temps auprès de moi, comme un fils
unique. Elle me soignait dans la chambre chaude de la maison,
que les sœurs m'abandonnèrent. J'eus droit aux ventouses — ce
qui n'était pas trop terrible —, mais surtout à ces épouvantables
cataplasmes de farine de moutarde et de lin qui piquent les yeux
et laissent le torse tout endolori. On essaya aussi la « mouche de
Milan », un emplâtre à base de poix qui creusait des marques
profondes et douloureuses dans la peau.

En juillet, j'allais beaucoup mieux et ma mère décida de
m'envoyer à l'école pour rattraper un peu mon retard. Je fus le
seul élève, car mes camarades, bergers pour la plupart, étaient
déjà tous partis pour l'alpage. La République mit donc à mon
service ce mois-là une institutrice particulière qui me fit réviser
la lecture et la table de multiplication. Par malheur, c'est le
moment que choisit l'inspecteur d'académie pour venir visiter
notre école. Lorsqu'il arriva, il trouva de surcroît l'institutrice
toute seule dans sa classe car je m'étais absenté pour aller aux
toilettes. Comme je m'attardais à regarder au loin la cascade
jaillissante, je les vis s'approcher tous les deux. L'institutrice me
présenta l'inspecteur, qui se mit en devoir de vérifier mon savoir.
Pour me mettre à l'aise, il m'interrogea dehors, dans le doux
soleil de juillet, et je lui récitai, à sa demande, *le Corbeau et le
Renard* ainsi que *la Cigale et la Fourmi*. Sans doute fut-il sensible lui aussi à la beauté de notre paysage et de notre cascade,
car il me félicita chaleureusement avant de me laisser repartir.

Ces compliments me touchèrent d'autant plus que, par la
suite, étant plutôt médiocre élève, je ne devais pas en recevoir
beaucoup. Mon point fort, c'était le catéchisme. Là, j'étais toujours le premier ! Pour rien au monde je n'aurais manqué les
leçons de l'abbé Pierre-Joseph Richermoz, que l'on écoutait assis
sur un petit banc à côté du fourneau où crépitaient les bûches
de sapin. C'était un prêcheur extraordinaire. Il nous captivait
avec ses récits de l'Ancien Testament, le voyage de Tobie, le livre
de Job, les patriarches Isaac et Jacob, et avec les paraboles du
Christ. Les prières, nous les connaissions toutes par cœur car,
dès l'âge de cinq ans, nous les récitions en famille chaque soir
avant le souper. Philomène menait la prière, qui durait environ
cinq minutes. Elle se composait des trois actes de foi, d'espérance et de charité, du Credo, du Pater, de l'Ave et se terminait
par les litanies de la Vierge. A ces prières nous ajoutions une
pensée pour les grands-parents, les deux frères et la sœur qui

nous avaient quittés, et lorsqu'il y avait un mort dans la paroisse, nous demandions à Dieu de lui ouvrir les portes du Paradis. Le matin, après le petit déjeuner, il y avait encore une petite prière, beaucoup plus courte que celle du soir, que nous récitions avec maman ou avec Mène. Le Père, lui, n'y assistait pas, déjà occupé à soigner les bêtes à l'étable.

J'étais tellement calé en instruction religieuse qu'au moment de ma confirmation j'aurais pu réciter tout le catéchisme à la virgule près. Mon assiduité me valut l'honneur d'être désigné, le jour de la cérémonie, pour lire devant toute la paroisse le compliment d'accueil que notre curé avait rédigé à l'intention de l'évêque. Avec Poupou-Tchi, qui faisait lui aussi sa confirmation, nous avions l'allure de vrais petits paysans endimanchés. Le Père nous avait fait tailler un costume en drap de Séez, marron à petits carreaux, et nous avions tous les deux reçu une paire de souliers et un béret neufs. De retour à la maison, nous eûmes droit au déjeuner de fête, poulet rôti et crème fouettée, et nos parrains nous offrirent à chacun un portefeuille dans lequel se trouvaient cinq billets de dix francs.

Lorsque l'évêque venait, c'était un véritable événement ; chaque village voulait le recevoir dignement, car, dans nos montagnes, la religion était très respectée, et même un peu crainte. Ses fêtes rythmaient la vie de notre village. Il y avait bien sûr la messe du dimanche, à laquelle presque toute la paroisse assistait. Les hommes revêtaient un costume de drap sombre, chaussaient des souliers bien cirés et se coiffaient la tête d'un chapeau. Les femmes exhibaient leurs beaux châles colorés et le bonnet des jours de fête. Dans l'église, chacun était bien séparé : les hommes en haut, les femmes en bas.

Puis il y avait la sortie de la messe, qui jouait elle aussi un rôle très important dans la vie de notre communauté. On s'attardait sur la place du village en attendant l'heure du déjeuner. Les enfants s'amusaient, les femmes échangeaient les nouvelles des familles et quelques commérages. Les hommes se rejoignaient dans le café de l'auberge Saint-Roch et y débattaient autour d'un verre de vin de leurs affaires et de celles de la commune.

Lorsque, adolescents, nous nous aventurions dans ce lieu réservé aux pères de famille, c'était un plaisir de les entendre s'affronter, surtout pendant les périodes électorales. On y apprenait des épisodes de la vie des ancêtres, car les orateurs finissaient par se lancer à la figure de sombres histoires de contrebandes, de coups fourrés ou de rivalités, parfois vieilles de cent ans.

L'agitation était encore plus grande les jours de fête — Noël, Pâques ou la Fête-Dieu — car ils permettaient souvent aux familles de se retrouver au grand complet. Les enfants ou les cousins émigrés à Paris ou à Montpellier revenaient pour l'occasion passer quelques jours au village.

Pâques marquait pour nous l'arrivée du printemps. Le soleil et la douceur de l'air étaient souvent au rendez-vous et on pouvait sortir ses plus beaux atours sans trop de crainte, car la neige avait peu à peu abandonné les chemins. Après la longue léthargie des mois d'hiver, le village semblait tout à la joie de renaître aux beaux jours. Les premiers crocus et quelques jeunes pousses d'herbe se dressaient gaillardement entre les névés. Et puis Pâques marquait la fin du carême et du jeûne. Du mercredi au dimanche de la semaine sainte, l'église ne désemplissait pas. La soirée du samedi et la matinée du dimanche étaient consacrées aux confessions. Les hommes, qui ont sans doute sur la conscience des péchés plus lourds que les femmes et les enfants, étaient autorisés à se confesser à la sacristie, porte fermée. A l'heure de la grand-messe, les visages étaient épanouis, chacun s'étant débarrassé de ses fautes devant monsieur le curé. A la maison, le pot-au-feu, qui avait mijoté pendant des heures dans la marmite de fonte, attendait la famille.

Vers la fin du mois d'avril, venait le temps de la procession à saint Marc. Un oratoire était consacré à ce saint non loin du village, à côté du vieux pont de pierre de l'Illaz, qui offrait une des plus jolies perspectives sur notre vallée. Après la messe matinale, nous nous engagions en procession vers cet oratoire. Sur le chemin que nous empruntions le long de l'Isère, le prêtre égrenait les litanies et nous répondions : « *Ora pro nobis* » ou « *Orate pro nobis* », selon qu'il s'adressait à un ou plusieurs saints.

Arrivés devant l'oratoire, nous nous agenouillions quelques instants pour entendre le récit de saint Marc. Lorsque nous reprenions la route de l'église, nous avions envie de courir et la récitation du chapelet était largement escamotée ! Quand nous étions arrivés au pont de l'Illaz, le curé nous exhortait à jeter à l'Isère tous nos péchés. Pour simuler les péchés tignards tombant à l'eau, nous les gamins, lancions de grosses pierres par-dessus le pont.

La plus belle fête de l'été était la Fête-Dieu. Elle avait lieu fin juin, à un moment où le village se reposait un peu des travaux des champs. Les bêtes étaient à l'alpage, l'orge et l'avoine verdoyaient sous le soleil, les fanes de pommes de terre grandissaient et les prés éclataient des couleurs des gentianes, des violettes, des boutons d'or ou des marguerites. Pour le jour de la procession, on avait nettoyé les chemins du village de leurs traces de bouse, noué des gerbes de fleurs aux fenêtres et à la porte des granges, et accroché des images saintes aux façades des maisons. En tête du cortège marchaient les enfants, qui puisaient dans une corbeille attachée à leurs épaules des centaines de pétales de fleurs dont ils parsemaient le chemin. Derrière venaient les chanteuses et les chantres, puis quatre hommes, dont le Père, portant bien haut le dais. Devant la maison de Torett', une drôle de surprise attendait le prêtre.

Torett', après avoir été pendant des années chauffeur de taxi à Paris, avait rejoint son village natal à la fin des années trente. Mais de son séjour dans la capitale, il avait gardé des idées communistes et parlait du « grand soir ». Au café de l'auberge, on l'entendait souvent s'exclamer : « Vive Blum ! », « Les Soviets partout ! », « Esquinter Taittinger, raccourcir Casimir ! », ou encore : « Douze balles pour Laval ! ». Pour le jour de la Fête-Dieu, ce célibataire fleurissait sa maison avec le même soin que ses voisins. Mais en guise d'images pieuses, c'étaient les portraits agrandis de Staline, de Thorez et de Duclos que Torett' avait fixés aux murs. La première année, tout le monde fut choqué. Mais, les fois suivantes, chacun avait admis ces nouveaux saints, et même notre curé n'y trouvait plus à redire. Comme Torett', il existait dans le village quelques vieux anticléricaux qui ne suivaient pas la procession. Assis sur le banc devant l'auberge, ils devisaient en jouant les indifférents. Mais au moment où le prêtre procédait à la bénédiction du saint sacrement sur la place de l'église, on en voyait toujours un ou deux qui, feignant de regarder quelque chose dans la montagne, se levaient à notre passage.

L'été était aussi la saison de la bénédiction des alpages. Lorsque j'entrai comme collégien à l'institution Saint-Paul de Cevins, le curé de Tignes demanda au Père la permission de m'emmener dans sa tournée. Pendant deux jours, nous avons sillonné les montagnes où les familles d'alpagistes s'étaient installées avec leur troupeau, en commençant par la rive droite, sous la Grande-Sassière. La cérémonie avait belle allure. Hommes et bêtes étaient réunis dans ce décor majestueux, face au prêtre revêtu de son surplis et de son étole. Les bergers avaient mis bas leur béret et s'appuyaient sur leur bâton.

— Dieu tout-puissant qui a créé toutes choses, accorde à ce troupeau les bienfaits de ces hauts pâturages afin qu'en soient écartées toutes épizooties, par Jésus-Christ, notre Sauveur, amen.

Je tendais le goupillon au prêtre qui, d'un geste ample, bénissait les bêtes, les rochers et les glaciers. Souvent, nous buvions un bon verre de lait avant de repartir visiter les autres montagnards. Le lendemain, nous étions rentrés au village, juste à temps pour entendre l'angélus tinter dans le crépuscule.

Comme les alpages, les maisons étaient bénies. La cérémonie avait lieu à partir de la Toussaint. Avant l'arrivée du prêtre, nous préparions *lo boôu* : une nappe blanche bien repassée recouvrait la table commune. Deux cierges éclairaient un crucifix et une image de la Vierge. Chacun était recueilli. On entendait les pas du prêtre résonner dans le corridor. Il entrait, suivi de son enfant de chœur, et lisait une prière pour éloigner les esprits maléfiques. Puis, avec son goupillon, il faisait le tour de la maison, aspergeant les moindres recoins, sans oublier le bétail. Le Père le prenait à part et nous devinions qu'il lui glissait quelques billets. Avant de se retirer, le curé nous souhaitait un bon et saint hiver.

Décembre s'avançait. Les femmes nettoyaient l'église, briquaient les grands chandeliers de cuivre et disposaient, sur toutes les corniches des piliers, des rangées de petites bougies reliées entre elles par une mèche, pour qu'elles s'allument toutes en même temps. En général, ça ratait, et il fallait recommencer. Dans un coin de l'église, une grande provision de bois était préparée pour nourrir le feu pendant la messe de minuit.

Enfin, la grande nuit arrive. Mène, nous a promis, à Alexis et à moi, de nous emmener à la messe de minuit. A onze heures, elle nous tire d'un doux sommeil et il nous faut faire un énorme effort pour quitter la chaleur de nos lits-placards et revêtir le pantalon et la veste de drap, les grosses galoches, le béret et le cache-nez. Dehors, la bise souffle, la neige crisse sous nos pas. L'église est déjà bien pleine. Les bougies sont allumées et le fourneau, bourré de bûches, rougit sous la chaleur. Nous avons déjà oublié notre réveil difficile et, tout heureux, nous rejoignons les petits bancs des enfants autour du chœur, en passant devant la crèche. Poupou-Tchi glisse sa pièce de deux sous dans une boîte à musique surmontée d'un ange qui dit « Merci », et l'on entend les premières notes de *Jouez hautbois, résonnez musettes*. A mon tour, je glisse la mienne et nous reprenons à voix basse la mélodie des *Anges dans nos campagnes*. La grand-messe commence. D'une voix grave et imposante, les chantres entonnent le *Minuit chrétien*. Le curé nous parle de la naissance de Jésus dans une étable, ce qui, pour nous qui sommes tous venus au monde dans *lo boôu*, parmi les bêtes, n'a rien d'extraordinaire.

Après *Il est né le divin enfant* et *Douce nuit, sainte nuit*, nous rejoignons notre maison, en chantonnant encore ces derniers airs. Mène ajoute du bois dans le fourneau et fait chauffer le chocolat, qui sera notre réveillon. Le Père est allé jusqu'à Sainte-Foy pour nous ramener des brioches que nous trempons voluptueusement dans notre bol. Puis Poupou-Tchi et moi, nous courons poser nos galoches au pied de la cheminée du *suy* (la cuisine d'été), qui est plus grande et permettra plus facilement au Père Noël de descendre. Nous inspectons avec angoisse le conduit pour nous assurer qu'il n'est pas bouché. Le lendemain matin, émerveillés, nous découvrirons une crèche miniature accompagnée d'une lettre précisant qu'elle est bien pour tous les deux, et, dans nos galoches, trois oranges et trois papillotes en chocolat.

Avec janvier arrivait la Saint-Antoine. A huit heures du matin, tous les paysans possédant un mulet ou un cheval arrivaient sur leur monture et se rangeaient devant l'église. Après la messe, le prêtre venait sur le seuil et bénissait les animaux et leurs cavaliers. Un enfant de chœur lui tendait l'encensoir et le curé versait trois grains d'encens sur les braises rouges. Après trois coups d'encensoir, la cavalerie prenait le départ, les chevaux devant, les mulets derrière. Nous, les enfants, nous amusions à lancer des boules de neige sur la croupe des bêtes qui s'élançaient brusquement en désarçonnant parfois leur cavalier. Montés sans selle ni étriers, ceux-ci se retrouvaient dans la neige. A onze heures tout était fini, et les bêtes se remettaient de leur émotion dans *lo boôu*, avec une bonne ration de foin.

3

LES DOUCES HEURES DE MÉLANIE

Maintenant, il faut que je présente Mélanie. Mélanie était une personnalité, qui jouait un rôle de premier plan dans notre village. Elle savait se faire gaie pour annoncer les fêtes religieuses ou les mariages, intransigeante pour nous rappeler à nos devoirs dominicaux, grave pour partager nos peines, discrète pour rythmer les heures de notre journée. Mélanie était la cloche de notre village. J'entends encore la voix de Philomène nous disant : « Allez les enfants, il est l'heure, Mélanie nous appelle ! »

Comme ses trois compagnes plus petites, Mélanie avait été fondue en 1804 sur la place du village. Mais elle était née avec un défaut de sonorité, si bien qu'en 1836 elle fut réduite en morceaux et on recommença la coulée. Ses parrain et marraine furent Nicolas Boch et sa fille Mélanie, qui lui donna son nom.

Pendant des années, c'est à Jules, notre voisin, qu'échut la charge de carillonneur et de sacristain. Été comme hiver, il faisait sonner les trois angélus à l'aube, à midi et au crépuscule. Pour l'angélus du matin et celui du soir, il consultait le ciel et choisissait cet instant de clair-obscur qui marquait la naissance et le coucher du jour. Mais pour midi, Jules ne se fiait qu'à sa bonne grosse montre.

Lorsqu'il nous quitta, en février 1926, tout le village vint assister à sa veillée funèbre et à son enterrement. J'avais sept ans et ce fut mon premier contact avec la mort. A chaque fois que quelqu'un entrait dans la chambre mortuaire, la *chapelette* — ainsi nommait-on la dame pieuse qui récitait les chapelets à chaque décès — découvrait lentement un bout du drap blanc qui masquait le corps et la tête du défunt. J'étais fasciné par ce visage au teint olivâtre qui me semblait receler tous les mystères de l'au-delà.

A minuit, puis à trois heures du matin, nous eûmes droit à une petite collation, du vin chaud à la cannelle ou du café. Puis, à six heures, tout le monde quitta la maison de Jules, car il fallait bien donner à manger aux bêtes, les traire, et reprendre la vie de tous les jours. A dix heures du matin, on emporta le cercueil à l'église et, à midi, le sacristain-carillonneur avait pris sa place dans le petit cimetière enneigé, au milieu de ses ancêtres.

Après la mort de Jules, les fonctions de sacristain et de carillonneur revinrent à notre famille. A l'âge de douze ans, je suis monté jusqu'à Mélanie et ses compagnes pour m'acquitter de la triste mission de faire tinter la *Mortinga*, un long et lugubre carillon qui annonçait les morts dans le village. Taillès, un alpagiste du Glattier, venait de décéder subitement en montagne. Dans la paroisse, tout le monde connaissait la signification de ce glas et dès qu'il retentit, j'aperçus, du haut du clocher, plusieurs habitants qui sortaient de leur maison et s'approchaient de l'église, par petits groupes, afin de s'enquérir du nom du défunt.

Une autre fois, la *Mortinga* retentit pour annoncer, par erreur, la mort du Petit-Bouss, un maquignon tignard qui, à la suite d'une bagarre sur le pré de foire de Turin, avait eu l'esprit dérangé. Depuis cette époque, Petit-Bouss faisait régulièrement des séjours à l'hôpital de Chambéry où, après quelques mois de traitement, on lui permettait de rentrer au village. Un jour, comme nous étions en train d'apprendre à lire dans notre école communale, Petit-Bouss entra sans frapper, portant sous son bras une grosse bonbonnière qu'il venait de dérober à l'épicière voisine, et se mit tranquillement à distribuer des sucreries à tous les enfants, ravis de l'aubaine. Personne d'ailleurs ne se serait permis de le contrarier, car il avait une force herculéenne. C'est à la sortie d'un de ses séjours à l'hôpital de Chambéry que Petit-Bouss avait eu l'étrange idée d'acheter un cercueil et d'annoncer sa propre mort par un télégramme. Il remplit le cercueil de pommes et, comme on était en hiver, le fit monter en traîneau jusqu'à Tignes. Lui suivait à pied, à trois heures de distance. Alors que les gens du village, répondant à l'appel de la *Mortinga*, se succédaient dans la maison familiale pour venir se recueillir sur le cercueil, Petit-Bouss frappa à la porte et entra. Il y eut un instant de stupéfaction et de panique à la vue de cet homme que l'on croyait mort ! Mais Petit-Bouss rassura ses parents et ses amis et, ouvrant le cercueil, distribua à tous les pommes, d'autant plus appréciées que, pendant l'hiver, le village était privé de fruits…

Ce souvenir m'en évoque un autre, triste et drôle à la fois. C'était au début des années trente. Un matin, alors qu'il était à l'école, mon cousin Cyrille, treizième enfant d'une famille qui allait en compter quatorze, voit mon père entrer dans la salle de classe. Après avoir échangé quelques mots avec l'institutrice, il lui fait signe de quitter son banc et l'entraîne dehors. Là, sans ménagement, le Père annonce à Cyrille qu'un de ses frères vient de mourir et qu'il doit rentrer tout de suite à la maison. Cyrille y arrive alors que toute sa famille s'apprête à partir pour l'église. Cyrille se joint au triste cortège, assiste à la messe, puis à l'enterrement, vite expédié. Après quelques prières et trois coups de goupillon, le cercueil est déposé en terre, dans la travée réservée aux enfants. De retour à la maison, il prend place à la table commune pour le déjeuner, avec ses frères et sœurs. Cyrille les dévisage un à un, compte et recompte : pas un ne manque à l'appel. Après une longue hésitation, il se décide à poser la question de savoir lequel de la fratrie est mort. On lui apprend que, le matin même, sa mère a accouché d'un enfant décédé à sa naissance, qu'il n'a donc pas eu le temps de connaître. Cette mésaventure du cousin Cyrille montre à quel point, dans les familles paysannes de nos montagnes, on tenait secrètes les choses du corps, ne parlant jamais aux enfants des grossesses de leur mère.

NOTRE piété peut apparaître bien naïve aujourd'hui. Mais nous ne doutions pas de la réalité du Purgatoire, de l'Enfer ni du Paradis, de cette vie après la mort où nous devrions rendre compte de nos actes sur la terre. Nos veillées étaient peuplées d'histoires de revenants et de fantômes. Le conteur Fredjo nous narrait souvent celle du grand Zervais, dont le fantôme erra pendant des années autour du pré de la Chambériaz, une grosse pierre sur les épaules : « *Djeï la bouttâ, djeï la bouttâ?* » (Où vais-je la mettre?), se lamentait-il d'une voix caverneuse. Jusqu'à ce qu'un villageois nommé Bouraïgo, se trouvant une nuit nez à nez avec le fantôme, lui répondit sans se démonter : « Mets-la donc où tu l'as prise, gros nigaud! » Cette phrase délivra soudainement le fantôme du grand Zervais, qui déposa la pierre le long du pré et disparut en remerciant Bouraïgo.

Fredjo nous donnait de cette histoire de revenant une explication tout à fait convaincante, car elle était dans la ligne de notre catéchisme. De son vivant, le grand Zervais avait un peu trafiqué les limites de son pré en déplaçant une borne pour gagner quelques mètres carrés. Il était mort sans avoir eu le temps de la remettre à sa place et avait été condamné à errer toutes les nuits sur les lieux de son péché, jusqu'à ce qu'un vivant le libère par une parole apaisante et lui permette ainsi de réparer sa faute.

SOLIDAIRES dans la peine ici-bas et dans l'au-delà, nous l'étions bien davantage encore dans la joie. Les naissances, mais surtout les mariages étaient fêtés largement dans le village. Mélanie, là encore, était à nos côtés, et faisait retentir son beau carillon pour souhaiter le bonheur aux jeunes époux.

Il y avait toutefois des exceptions, comme lors du mariage d'Empereur, sénateur de la Savoie et originaire de Sainte-Foy, avec une belle et blonde Tignarde, en mars 1926. Ils étaient un peu sur le retour et surtout tous deux divorcés, ce qui dans notre haute vallée était quelque chose d'inconcevable. Quant à la mariée, on savait qu'elle avait vécu des amours tumultueuses à Paris et à Genève, mais on lui pardonnait beaucoup car elle était du village. Quoi qu'il en soit, un « étranger » venant prendre femme chez nous se devait de payer son écot à la jeunesse masculine tignarde, à laquelle il retirait une épouse potentielle. A l'heure dite, à la sortie de la mairie, les hommes célibataires attendaient donc, au bord de la route barrée par un ruban, que le sénateur leur versât la « rançon » symbolique qui lui donnerait le droit de se saisir de la paire de grands ciseaux et d'enlever sa femme à notre village. Mais, en plus de tous ses défauts, voilà que l'Empereur se révéla mauvais joueur et refusa de payer son dû. La communauté des vieux garçons décréta alors le charivari.

Tandis que le nouveau couple s'apprêtait à passer paisiblement sa lune de miel dans le hameau de Villarstrassiaz, une bande de jeunes gens déchaînés se réunit, dès la nuit tombée, devant leur maison et fit jouer le plus fort qu'elle put clarines, carrons, casseroles, morceaux de tôle et bidons usagés. Consigne fut donnée de se relayer jour et nuit devant la maison pour n'offrir aucun moment de répit à ces époux ingrats. Au troisième jour, n'y tenant plus, Empereur et sa belle s'en retournèrent à Sainte-Foy. Au printemps, ils firent une nouvelle tentative ; mais le sénateur, méfiant, prit la précaution de se faire accompagner de deux gendarmes. Provocation suprême ! Le charivari, bien sûr, recommença. Et avec d'autant plus de vigueur que les gendarmes se mirent à courser les « musiciens ». Puis très vite, se sentant ridiculisés dans cette mission, ils conseillèrent à Empereur de verser son écot, ce que, finalement, il accepta, de mauvaise grâce.

S'il n'était pas rare de voir les filles de notre village convoler avec de jeunes garçons de la vallée de Tarentaise, plus exceptionnels étaient les mariages entre Tignards et Avallins. Cela tenait sans doute à la vieille rivalité qui opposait notre commune à sa voisine Val-d'Isère. Finalement, les vrais bons mariages étaient ceux qui se concluaient entre Tignards. Comme celui de mon frère aîné, Damien, avec Elvire. Pendant l'été 1928, alors que Poupou-Tchi et moi étions bergers des veaux dans notre grande montagne du lac de Tignes, nous nous amusions de voir Damien emprunter tous les petits matins de beau temps le chemin qui le menait à l'alpage voisin, distant de deux kilomètres du nôtre, pour rejoindre la jeune Elvire, bergère elle aussi. Elle avait tout juste vingt ans et Damien, que nous surnommions Mamin, avait décidé d'en faire sa fiancée. Comme il était hautement conscient de sa responsabilité de maître berger, il ne partait pas avant d'avoir conduit notre troupeau sur les pentes du lac et fait ses recommandations au frère Fernand. Dans ce cirque de montagne qui permettait à chacun d'apercevoir les autres, surtout avec la paire de jumelles qui ne nous quittait pas, tous les bergers savaient que Mamin allait rejoindre sa belle et leurs fiançailles étaient ainsi affichées en pleine nature.

La noce eut lieu en octobre. Les festivités duraient alors une grande semaine. Elles commençaient le dimanche de la proclamation du mariage — appelé dimanche de la criée — par le curé.

Après la messe, un premier déjeuner copieux réunissait les deux familles. La grande cérémonie fut fixée au jeudi suivant. Dès huit heures du matin, tout le monde revêtit ses plus beaux habits pour la *léva*, le repas matinal qui nous rassemblait tous chez les parents de la mariée. Après avoir avalé tartines beurrées, jambon, pâté, fromage et gâteaux accompagnés de vin blanc pour les hommes et de café au lait pour les femmes et les enfants, le cortège se forma et s'achemina vers la mairie. L'oncle Jean-Baptiste, qui était maire, souhaita beaucoup de bonheur aux jeunes époux. Puis nous partîmes pour l'église. J'étais le servant de la messe et les mariés, agenouillés près de l'autel, me faisaient parfois des petits signes amicaux. A la question solennelle sur leur engagement réciproque, ils répondirent un « oui » ferme et sonore. Je montai alors sonner le carillon qui annonçait la sortie de l'église, puis je m'empressai de rejoindre le cortège. On me désigna comme cavalière ma cousine Espérance, de deux ans mon aînée, que j'étais très fier de prendre à mon bras. Dans notre *boôu*, un grand repas nous attendait. Plusieurs tables avaient été installées et recouvertes de grandes nappes de lin blanc. Nous eûmes droit à notre menu préféré : viandes en sauce, pommes rissolées, crème fouettée et, en plus, le gâteau des mariés.

Le vin coulait abondamment et la gaieté se faisait bruyante. De table en table, on commença à pousser la chansonnette. Le Père, toujours très sérieux, entonna le *Credo du paysan* :

> *L'immensité, les cieux, les monts, la plaine,*
> *L'astre du jour qui répand sa chaleur,*
> *Les sapins verts dont la montagne est pleine*
> *Sont ton image, ô divin Créateur...*

Rose lui succéda en chantant :

> *Adieu l'aimable qualité de fille,*
> *C'est aujourd'hui qu'elle est mariée.*

Puis vint notre tour, à Poupou-Tchi et à moi. Pendant plusieurs jours avant la noce, la grande sœur Nine nous avait fait répéter la Bibolle :

> *Au printemps, la mère ageasse*
> *Fait son nid dans les buissons, la Bibolle*
> *Fait son nid dans les buissons...*

Nous chantâmes à tue-tête et bien faux.

Dans l'après-midi, toute la noce s'en alla en cortège faire le tour du Grand-Pont. Je tenais encore le bras d'Espérance et j'étais toujours aussi fier de ma grande cousine. Les mariés marchaient en tête, enlacés, sans oser s'embrasser. La lumière automnale était douce et chaleureuse, le soleil remontait lentement les pentes du Franchet et les troupeaux éparpillés dans la plaine se préparaient à rentrer à l'étable.

Après cette petite promenade, nous retrouvâmes *lo boôu*, où tout était prêt pour la soirée. On alluma des bougies sur les tables et Françoise s'affaira auprès du fourneau. Le dîner, toujours aussi copieux, se prolongea tard dans la nuit. Le frère Jean, dit Djanetta, prit son harmonica et quelques couples esquissèrent des pas de danse. Discrètement, les nouveaux époux s'éclipsèrent les premiers pour rejoindre, dans le hameau de Ronnaz, la maison confortable que leur avait laissée une vieille tante. Puis, petit à petit, tous les invités se retirèrent et la maison retrouva son calme. Le dortoir d'en haut, désormais, abritait un garçon de moins.

Le dimanche suivant, le *repett'* réunit une dernière fois les deux familles pour un repas chez les parents de l'épouse et le jeune foyer fut ensuite laissé à sa nouvelle vie. Dix mois plus tard, en août 1929, Poupou-Tchi et moi, âgés respectivement de dix et huit ans, devînmes les petits oncles d'un beau bébé prénommée Marie.

Comme Mamin, la plupart de mes frères et sœurs n'allèrent pas bien loin pour trouver leur conjoint : Albert fit à peu près vingt mètres pour rejoindre Thérèse, chez Jules. Il prit toutefois son temps pour les parcourir, car il se maria la quarantaine passée. Alexis, lui, s'en alla à soixante mètres pour conquérir le cœur de Simone, la petite-fille du cordonnier Pierre Antoine. Notre Thérèse s'éloigna de cent mètres pour devenir la femme de Justin, et Fernand de cent cinquante mètres, pour épouser Mathilde. Et moi...

Moi, j'étais encore un petit garçon qui avait promis à sa mère sur son lit de mort de devenir prêtre. Dans une famille nombreuse et chrétienne comme la nôtre, il était de tradition que l'un des garçons s'orientât vers le sacerdoce et l'une des filles vers la vie monastique. Parmi mes trois sœurs, c'est Nine qui choisit de devenir religieuse. Pour les garçons, on pensa d'abord au grand frère Cyrille. Mais après avoir suivi, pendant quelques années, des études au collège Notre-Dame-de-la-Villette à

Chambéry, il décida subitement de les interrompre. Poupou-Tchi, lui, semblait trop heureux de sa condition de berger de montagne pour que l'on songeât à l'en détourner. C'est donc sur moi qu'allait reposer cette destinée ecclésiastique. Je l'acceptais sans en mesurer toutes les contraintes, qui, à moyen terme, signifieraient pour moi l'obligation de passer de longues années en pension dans des établissements scolaires. En revanche, je m'imaginais très bien, plus tard, dans la peau d'un curé de village de montagne célébrant les fêtes religieuses de l'année et vivant paisiblement pendant plusieurs décennies au milieu de mes paroissiens. Je ne doutais pas de ma vocation, ignorant encore qu'elle allait se révéler bien fragile.

Mais nous n'en sommes pas encore là. Pour l'heure, je poursuis modestement mon école communale et, assis près de la fenêtre, j'attends, en laissant baguenauder mon regard sur les montagnes alentour, le moment où, comme la plupart de mes petits camarades tignards, je vais courir dans les alpages.

4

L'ALPAGE

En ce début de juin, le Père, accompagné d'un de mes frères aînés, est déjà monté à plusieurs reprises jusqu'au lac de Tignes. Ils ont scruté les montagnes, observé le recul de la neige et la poussée de l'herbe. Cette fois encore, notre chalet d'alpage a courageusement résisté aux six mois d'hiver. Le *bario*, un amas de terre et de pierres placé derrière le chalet, côté montagne, l'a protégé des avalanches en les faisant glisser par-dessus le toit sans trop de dommage pour la construction. Dans l'étable, les deux hommes ont retiré les étais qu'ils avaient installés en octobre dernier pour consolider la charpente. A leur prochain voyage, ils apporteront la provision de bûches qui servira à notre chauffage et à la cuisson du beaufort et du sérac pendant les premiers jours. A deux mille mètres d'altitude, il n'y a plus de forêts et le bois devra être apporté du village plusieurs fois pendant l'été, à dos de mulet. Dans l'alpage voisin du nôtre, Josett' dé Bedjett' s'affaire lui aussi. Avec le Père, ils prendront ensemble la décision de l'« emmontagnée », car ce qui est bon pour l'un est bon pour l'autre. Un après-midi, à leur retour du lac, ils nous annonceront que le temps est venu de partir pour les alpages : ce sera pour le surlendemain. Pour nous, cela signifie que l'école est finie. Nous quittons sans regret aucun nos petits costumes d'écoliers pour la parure des bergers : pulls et épaisses chaussettes de laine, gilets en peau de mouton, longs manteaux, bérets et galoches. A la maison, tout le monde s'agite. Il faut préparer les draps et les couvertures, le linge de rechange, les falots à pétrole pour l'éclairage du chalet et de l'étable, sans oublier le couteau Opinel, l'harmonica et la montre, indispensables au berger. On décroche du mur clarines et carrons pour les fixer au cou des vaches avec un gros ceinturon de cuir rêche fermé par une boucle de cuivre et, en bons petits pâtres, on se taille des bâtons de verne.

Philomène et les deux frères Fernand et Francis montent la veille de notre départ, pour apprêter l'étable. Ils la chauffent et la parfument en y brûlant du genièvre coupé à cet effet depuis l'automne passé. Nos lits-placards sont refaits à neuf avec de la paille et du foin moelleux. Les chaudrons qui serviront à cuire le lait sont minutieusement lavés. La baratte pour le beurre et les *seillons* utilisés pour la traite sont mis à tremper dans le ruisseau : sous l'action de l'eau, leurs lattes de bois, qui ont séché pendant l'hiver, gonfleront et retrouveront leur étanchéité.

Enfin, le grand jour arrive. Le troupeau de l'hivernage, grossi de quelques bêtes achetées à la foire de printemps à Bourg-Saint-Maurice, se met en route. Toute la famille et les voisins nous aident à canaliser les vaches, un peu effarouchées et rétives au départ, sur le chemin de Villarstrassiaz. Passé ce village, le grand frère Djanetta marche en tête. Le tintement des clarines couvre le grondement du torrent tout proche. Djanetta avance d'un bon pas, en puisant de temps à autre dans la poche de sa veste quelques pincées de sel, dont les bêtes sont friandes, pour les encourager dans la pente. Les vaches laitières, en tête du troupeau, le suivent docilement. Derrière viennent les génisses, plus capricieuses, et enfin les veaux, tout estourbis par l'odeur de l'herbe et ce grand espace qu'ils voient pour la première fois. Avec Poupou-Tchi, nous nous efforçons tant bien que mal de les discipliner.Le Père, en bon alpagiste, ferme la marche en surveillant la montée du troupeau et en gardant un œil sur Bijou, notre mulet, qui peine un peu sous le poids de son lourd chargement.

Après la montée des Gurres et le passage de la Maison-Neuve, le chemin s'aplanit. Nous approchons du chalet du

Millonex et je sens un frisson me parcourir. Depuis que, âgé de tout juste cinq ans, j'ai emprunté pour la première fois ce chemin des alpages, j'attends toujours avec émotion l'instant magique où le lac aux eaux turquoise va tout à coup nous apparaître. Ce jour-là, mon frère Francis m'avait hissé sur ses épaules pour mieux me faire découvrir le cirque de montagne dominé par le glacier de la Grande-Motte, éclatant de blancheur, les vallons verdoyants à la pente douce et le lac, mon premier lac, dont m'avaient tant parlé les aînés. Maintenant que ma taille me permet de savourer sans l'aide de personne la beauté de ce site, je ressens une fierté enfantine à vivre en ces lieux. Les bêtes semblent partager mon enthousiasme et font tinter follement leurs clarines. Même les plus âgées se laissent gagner par cet engouement printanier et s'évadent un peu du chemin pour brouter à droite et à gauche, ou pour laper avidement l'eau du lac. Les vaches, confiantes, s'engagent dans la traversée du ruisseau du Chardonnet. Tout en faisant bien attention de ne pas glisser sur les pierres et tremper nos galoches, Poupou-Tchi et moi bâtonnons un peu les veaux qui, effrayés par ce nouvel élément, hésitent à s'engager dans l'eau. Notre chalet est en vue. Les frères Fernand et Francis, debout sur le toit de lauzes, nous regardent venir. Mène est à l'intérieur, qui prépare la polenta. Le troupeau se calme et ralentit l'allure. Arrivées près du chalet, quelques bêtes se couchent et ruminent tranquillement, d'autres goûtent cette herbe fraîche de montagne à la bonne odeur de violettes, qui sera leur nourriture pendant trois mois.

Ce moment de répit nous permet de nous régaler de la polenta, bien chaude et épaisse, et d'un bout de fromage. Sitôt le repas fini, le Père reprend le chemin du village avec un Bijou ravi d'être enfin débarrassé de son chargement, et laisse à Djanetta la direction de la montagne. Avec Poupou-Tchi, nous nous allongeons dans l'herbe en surveillant nonchalamment nos vaches et en suivant des yeux l'arrivée des autres montagnards. L'après-midi s'étire. Le soleil disparaît. Il est temps de rassembler les bêtes et de les rentrer à l'étable. Les veaux et les génisses ont droit au petit côté, les belles places étant réservées aux laitières. Djanetta et Francis se saisissent des *seillons* et attachent à leur taille le petit tabouret à un pied qui leur permettra de traire, solidement assis sous la panse des vaches. Les *boïlles*, de grands bidons en fer-blanc, s'emplissent peu à peu d'un lait tiède et mousseux. Une fois pleines, on les transporte jusqu'à la *bouida*, une petite cabane de pierres sèches construite sur un ruisseau, à quelques mètres du chalet, qui tiendra le lait au frais. On le verse dans *lo cassett'*, un chaudron assez plat qui permettra à la crème de monter et nous fera demain un beurre savoureux. Mène prélève le lait nécessaire à la soupe, que nous savourerons dans des écuelles en terre, avec des cuillères en bois.

Il fait encore jour. Les cousins de l'alpage voisin viennent nous saluer et nous restons assis sur la grande pierre plate devant le chalet, à commenter la journée. Djanetta a sorti son harmonica et joue *la Paimpolaise, la Montferina, la Piémontesina*.

Nous n'avons pas vu la nuit tomber sur notre alpage. Au loin, sur les rochers de la Grande-Sassière, les nuages s'amoncellent, menaçants. Des éclairs zèbrent le ciel. Mène vient nous rappeler qu'il est l'heure d'aller dormir. Nous nous glissons sur nos paillasses, entre les draps rugueux et deux grosses couvertures de laine. Il fait bon. Par l'ouverture du rideau de mon lit, j'aperçois, à travers la fenêtre, l'orage qui se rapproche. La pluie commence à frapper sourdement les lauzes du toit. De l'étable en dessous montent les odeurs et les bruits des bêtes. Les carrons battent au rythme lent du ruminement des vaches. Dans notre chalet, nous nous sentons, bêtes et gens, en toute sécurité. L'orage peut claquer. « Faites votre prière », nous glisse Mène en soufflant la bougie. A la montagne, la « petite prière » suffit : un Notre Père et trois Ave. Nous y ajoutons une pensée pour notre bisaïeul Nicolas qui a construit le chalet en 1860, comme l'indique la date sculptée dans la poutre maîtresse, une autre pour le grand-père Damien qui l'a beaucoup amélioré, et nous finissons en invoquant notre ange gardien.

Jusqu'au 21 juin, les journées vont s'écouler ainsi. Le travail n'est pas encore trop astreignant. Avec l'été va arriver la vraie saison des alpages. Les paysans de la basse vallée, qui ont beaucoup de bêtes à l'hivernage mais peu de terres pour la belle saison, nous louent chaque année leurs vaches pendant l'été. Le 21 juin, tous les troupeaux arrivent. Chacun vient voir les bêtes, suppute leur qualité laitière, leur facilité à la traite. Puis on départage le troupeau entre les trois alpages. La vraie saison montagnarde peut commencer.

Aux fils de la maison sont venus s'ajouter deux ou trois domestiques. C'est l'effectif nécessaire pour un troupeau de soixante-dix têtes. Chacun a un rôle bien précis. Les bergers, qui devront assurer la traite des bêtes deux fois par jour, de trois heures à six heures du matin et de deux heures à cinq heures de l'après-midi, ont été embauchés au printemps. Les patrons montagnards ont observé leurs mains, à la recherche du gros cal-durillon à la première phalange du pouce, qui est la marque du métier. Ils viennent généralement de la vallée d'Aoste voisine et parlent à peu près le même patois que nous. Ils sont sous la direction du maître berger, qui a la lourde responsabilité de prévoir le bon partage des pâturages pendant trois mois. C'est lui qui, chaque matin, indiquera aux bergers les limites dans lesquelles il faut contenir les vaches pour la journée, en choisissant d'abord les alpages à l'adret, plus précoces et bien ensoleillés. Le maître berger doit aussi surveiller la bonne santé du bétail, prendre la décision de la saignée lorsqu'elle s'impose.

L'exercice demande beaucoup d'habileté. On passe au cou de la bête malade une cordelette que l'on serre pour faire gonfler la veine jugulaire. Lorsqu'elle est bien apparente, on la perce d'un coup sec avec une petite lancette. Le sang qui jaillit est recueilli dans un *seillon*. On en laisse ainsi couler quatre ou cinq litres dont le chien se régalera.

Le maître berger est secondé par le « petit-berger », qui reste à l'arrière du troupeau, dirige le chien et veille au respect des limites du pâturage de la journée. Pendant la traite, c'est encore le « petit berger » qui fait les voyages entre les vaches et le chalet, en portant les *boïlles* de quarante litres de lait sur le dos. Enfin vient le pachonier, chargé d'attacher chaque vache à un piquet pour la traite et pendant la nuit. Il les change de place tous les deux jours pour assurer le fumage régulier des prairies.

Mais le vrai patron de l'alpage est le fruitier. Ainsi nomme-t-on les fromagers en Savoie. Venus de Suisse, ce sont eux qui nous ont appris à faire le gruyère. Jusqu'à l'entre-deux-guerres, nos fruitiers sont tous originaires du petit village d'Évolène, dans le Valais. Après un long parcours en train, en charrette et à pied, ils ne s'arrêtent à Tignes qu'une heure ou deux, le temps de bourrer une pipe de bon tabac suisse qui nous fait envie, et montent à la nuit rejoindre les alpages. De leur savoir-faire pour la fabrication du beaufort dépend la réputation de la montagne, le succès ou la faillite de la saison. Pour « le prince des gruyères », on prend le meilleur lait. Sa cuisson est délicate : une température trop élevée, un caillé trop fin ou trop gros, un litre de lait de mauvaise qualité et le fromage gonfle ou moisit.

Le fruitier travaille dans le chalet deux fois par jour. Après chaque traite, il fait le beaufort et le porte ensuite dans la cave, par meule de dix à trente-cinq kilos. Entre alors en scène le séracier. Du premier petit-lait restant, la *laytà*, il tire la fleurette, une petite crème dont on fait le beurre. Puis, avec le deuxième petit-lait, cuit à soixante-dix degrés avec de la présure vinaigrée, il fabrique le sérac. Lorsqu'il est bien monté dans le chaudron, on le verse dans de grandes faisselles en bois. Après trois jours d'égouttage, huit de fumage au-dessus de la cheminée et huit autres de salage dans la cave, le sérac est prêt à la consommation.

Après le sérac reste encore le troisième petit-lait, la *kouita*, qui fait le bonheur des cochons et sert aussi, curieusement, à faire la vaisselle et à nous laver les mains. Lorsque Mène est au village, c'est le séracier qui est chargé de faire la cuisine pour toute l'équipe de l'alpage. Il n'a pas besoin d'avoir de grandes compétences culinaires : tout l'été, nous alternons soupe de riz ou de vermicelle au lait et polenta...

Le Père montait chaque jour à l'alpage avec Bijou. Gare à celui qu'il trouvait en train de se prélasser ! Heureusement, nous le voyions arriver de loin dans la combe du lac, avec son mulet chargé de bois et, parfois, d'un gâteau que Mène avait glissé discrètement dans les sacoches de cuir. Il inspectait le pis des bêtes, jaugeait la progression des vaches sur les alpages, et nous donnait des nouvelles du village, qui, pendant l'été, accueillait les parents émigrés à Paris ou à Montpellier.

5

LE RETOUR DES ÉMIGRÉS

A TIGNES, il n'était pas rare d'avoir plus de dix enfants par famille et, à l'exception des « montagnards », bien peu de parents pouvaient offrir, au moment du partage des terres, de quoi assurer l'avenir de leur descendance. Dans les fratries, certains devaient donc se résoudre à émigrer loin de leur village pour trouver un métier. Au XIXe siècle, ils partaient souvent chercher fortune dans le Midi, et particulièrement à Montpellier. La plupart exerçaient de petits métiers — laitiers, cochers, batteurs de tapis ou racleurs de parquets. Petit à petit, ils s'installaient à leur compte. On vit même, rue de la Treille, à Montpellier, une drôle d'enseigne — « Monsieur Révial bat les tapis, sa femme aussi » —, qui assura à son auteur, de sucroît bon artisan, une solide réputation et une certaine aisance. Ces parents lointains et leurs descendants, restés très attachés à leur village d'origine, accueillaient les jeunes Tignards désirant quitter pendant quelques années leur vie montagnarde. Entre dix-huit et vingt-cinq ans, ces derniers menaient l'existence d'employés de magasins avant de redevenir paysans sur les lopins de terre dont ils avaient hérité. D'autres ne partaient que pour les mois d'hiver, dans la plaine de la Crau, entre Arles et Salon-de-Provence, pour y exercer le métier de berger de moutons.

Mais plus encore que Montpellier, c'est Paris qui attirait la jeunesse tignarde. Avant la guerre de 14-18, Tignes donna même à la capitale une grande actrice, Laetitia Baour, que l'on surnommait la Sarrazine à cause de sa chevelure noire, son teint mat et ses yeux au regard langoureux, bordés de longs cils de velours. Dans les années trente est passé entre mes mains un roman naïf qui contait son histoire. Après quelques années de succès et de vie tapageuse à Paris, la Sarrazine s'était lassée et avait repris le chemin de sa montagne, au grand désespoir d'un acteur tombé éperdument amoureux d'elle. N'y tenant plus, il décida un jour de venir la rejoindre dans son village. C'était en hiver. A Séez, une forte tempête de neige lui interdit de poursuivre la route. Il dut patienter plusieurs jours avant de trouver des paysans qui acceptèrent de l'escorter jusqu'à Tignes. A son arrivée au village, il s'enquit de la maison de Laetitia. Après avoir parcouru encore quelques dizaines de mètres dans la neige profonde, il frappa à la porte de sa bien-aimée qui lui apparut vêtue d'une robe noire et d'un bonnet de paysanne, en train de vaquer au ménage, dans ce *boôu* qu'elle partageait avec sa mère et sa sœur, deux vaches, deux veaux, quelques moutons, un coq et six poules. L'acteur, abasourdi, ne comprenait pas qu'elle pût préférer cette vie à ses succès parisiens. Alors elle lui parla de la beauté de sa montagne, des prés et des troupeaux, de la cascade si belle pendant l'été et du berger auquel elle s'était promise. Et son amoureux éconduit n'eut plus qu'à s'en retourner tristement vers la capitale…

On contait aussi l'histoire, moins édifiante, d'un de nos émigrés qui était parvenu à disputer un bout de trottoir parisien aux Corses et aux Marseillais. Pendant plusieurs années, il avait eu quelques « gagneuses » qui lui permettaient de mener la grande vie. Tout en réprouvant ce métier hautement immoral, la communauté tignarde ne pouvait s'empêcher de ressentir une certaine admiration pour lui. Mais sa petite fortune fut rapidement engloutie et il s'en revint au village plus pauvre qu'à son départ.

Parmi les aventures rocambolesques survenues aux émigrés de la Haute-Vallée, il y avait encore celle de ce citoyen de Val-d'Isère qui s'était mis en tête d'aller tirer la barbe du président de la République Armand Fallières. Et il y parvint ! Il entra le plus facilement du monde dans la cour de l'Élysée à l'heure où, par un hasard extraordinaire, le président descendait les marches de son palais pour accueillir une délégation étrangère. Voilà donc notre Avallin qui se glisse dans la file des invités auxquels Armand Fallières vient serrer la main. Lorsque son tour arrive, il prend avec respect la main du président dans la sienne, puis la lâchant soudainement, il lui attrape la barbe et la secoue vigoureusement. Aussitôt, les gardes, qui avaient encore en mémoire l'assassinat du président Sadi Carnot, se ruent sur l'Avallin, le ceinturent et le fouillent consciencieusement. Heureusement, il avait pris soin de déposer chez lui, avant d'entrer à l'Élysée, le couteau Opinel que tout Savoyard porte toujours dans sa poche. Son acte constituait tout de même une grave injure au président de la République et le coupable fut traduit devant la cour d'assises. Comme le juge lui demandait de s'expliquer, l'Avallin répondit avec emphase : « C'était pour le ramener dans le droit chemin, duquel il n'aurait jamais dû s'écarter. » Voyant qu'ils avaient affaire à un doux illuminé et non à un dangereux assassin, les jurés ne condamnèrent l'Avallin qu'à trois ans de travaux forcés, ce qui à l'époque était apparu comme une sanction d'une grande clémence. Après trois ans passés en Afrique, l'impertinent s'en revint finir sa vie à Val-d'Isère, tout auréolé de gloire…

LES jeunes Tignards qui « montaient » quelques années à Paris y menaient cependant une vie beaucoup moins mouvementée. La plupart d'entre eux se retrouvaient employés de la maison Rey, un grand traiteur et organisateur de banquets, avenue Pierre-Ier-de-Serbie. Cette maison a dégrossi des générations de paysans qui, bien souvent, quittaient pour la première fois leur village. Dans les années vingt, ce nom revêtait pour moi un sens magique. Chaque fois que dans le village on s'enquérait des fils partis à la capitale, on entendait invariablement répondre : « Ils sont chez Rey. » Mes cinq frères aînés — Cyrille, Damien, Albert, Jean et Francis — n'ont pas fait exception à la règle, en commençant leur séjour parisien « chez Rey ». Lorsqu'ils revenaient au village, nous les écoutions, admiratifs et rêveurs, nous décrire les Champs-Élysées, l'Arc de triomphe, la tour Eiffel et le Sacré-Cœur où bat le gros bourdon baptisé la Savoyarde.

Après ces quelques mois ou années passés « chez Rey », qui leur permettaient de se familiariser avec la vie parisienne, les jeunes émigrés tignards aspiraient à rentrer à l'hôtel Drouot en qualité de commissionnaires. La salle des ventes, c'était un peu leur eldorado. Depuis le début du siècle, l'hôtel Drouot emploie cent dix commissionnaires chargés du transport des objets et des meubles qui vont être soumis à la vente et de leur présentation au public dans la salle, au moment des enchères. Chacun porte son numéro brodé sur le collet rouge de son uniforme. Leur tête est coiffée d'une curieuse casquette équipée d'une languette de cuir que l'on peut rabattre sur les oreilles pour les protéger lors du déménagement d'une armoire ou d'une commode. La très grande majorité de ces commissionnaires est savoyarde et, jusqu'en 1939, ce sont les Tignards qui fournissaient le plus gros contingent. Aujourd'hui, ils ne sont plus qu'une dizaine, tous descendants des premiers commissionnaires.

Ces « cols rouges » sont regroupés au sein d'une société indépendante de transport qui possède ses propres camions. Ils sont les seuls agréés pour l'installation des salles d'exposition. Tout cela représente un bon petit capital. Comme le nombre des commissionnaires reste constant, il faut attendre que l'un d'eux parte à la retraite ou décide de rentrer au village pour lui acheter sa place. Dans les années trente, un numéro valait environ cent mille francs. Bien souvent, le jeune Tignard n'avait pas besoin de chercher longtemps, les autres commissionnaires lui prêtant volontiers la somme dont il avait besoin.

Leur salaire leur était versé tous les matins, en fonction du nombre d'enlèvements de meubles et de transports effectués la veille. Chacun organisait ses horaires comme il le souhaitait, mais celui qui n'avait pas travaillé ne percevait rien. Au début du siècle, le « numéro un » était Djodjett' de Karlatoùn, de son vrai nom Joseph Arnaud, qui fut longtemps le brigadier des commissionnaires. C'est à ce « numéro un » qu'il revenait d'organiser la journée, de prévoir les équipes et les véhicules nécessaires, après avoir pris les ordres d'enlèvement auprès des commissaires-priseurs. D'autres Tignards s'élevèrent dans la hiérarchie de la salle des ventes, pour devenir crieurs ou aboyeurs d'enchères.

La plupart des cols rouges tignards logeaient à proximité de l'hôtel Drouot. Ils ont fait la fortune du café-bar le Beaujolais situé près de l'entrée principale, rue Rossini.

Nous autres adolescents, restés dans notre *boôu*, nous suivions de loin cette vie parisienne qui nous faisait tant envie.

Tous ces émigrés revenaient au village pendant les mois d'été, pour passer quelques vacances ou aider aux travaux des champs. Pendant la fenaison, tous les bras sont bienvenus, car notre vallée a la réputation d'être un grenier à foin. La récolte y est toujours abondante et de grande qualité, mais les jours nous sont comptés pour la mener à bien. On dit à cause de cela que Tignes est condamné à sept mois d'hiver et deux mois d'enfer.

Avant l'aube, les faucheurs se dirigent vers leurs prés, en commençant par ceux situés à l'adret, à la maturité plus précoce. L'herbe est encore humide et coupante à souhait. A chaque coup, le fil tranchant de la faux abat un empan, dans un bruit sec et régulier. De temps à autre, le faucheur se relève, essuie la faux avec une poignée d'herbe et, à l'aide d'une pierre taillée à cet effet, aiguise sa lame. Lorsque le soleil envahit la plaine, vers huit heures, les femmes s'approchent, portant le déjeuner des hommes dans de grands cabas. C'est une de nos rares galanteries, mais nous y tenons : à Tignes, contrairement aux autres villages, les femmes ne fauchent pas. Mène a préparé une soupe, que les faucheurs avaleront avec un gros morceau de pain, de lard, et de fromage. Poupou-Tchi a été chargé de porter la gourde, qui passera de main en main à la fin du repas. Les faucheurs reprennent leur travail, tandis que les femmes et les plus jeunes, armés d'un râteau, se chargent de retourner le foin dans les champs déjà coupés pour le faire sécher au soleil.

A midi, tout le monde se retrouve dans *lo suy,* la cuisine-salle à manger de l'été, où le pot-au-feu nous attend. Encore un peu de fromage pour finir les pommes de terre, un café, une petite sieste et l'on s'en retourne aux champs. L'herbe est devenue sèche et craquante, prête à être engrangée. Par brassées, on remplit les *trapons,* qui permettront le transport du foin à dos d'homme ou de mulet. Les femmes ratissent le champ pour ne pas laisser perdre la moindre brindille. La grange s'emplit peu à peu. Après le deuxième voyage, les faucheurs s'accordent quelques minutes de pause à l'ombre d'un arbre, pour partager à nouveau pain, saucisse, lard, fromage et verre de vin.

Notre maman nous a rejoints et a même glissé dans son cabas quelques morceaux de chocolat et de la confiture pour Poupou-Tchi et moi. Le Père roule de gros yeux en voyant ces friandises qu'il ne goûte jamais, mais il renonce à gronder, laissant notre mère gâter un peu les deux derniers de la famille. La chaleur est retombée et le travail devient moins pénible. Il reste encore quelques voyages de foin à faire avant le coucher du soleil.

Ce soir, comme tous les soirs d'été, le village résonnera d'un bruit familier. Devant chaque maison, les hommes sont installés pour battre les faux : sur une enclume, à petits coups de marteau rond, ils aiguisent le taillant pour le lendemain. Le Père glisse une dernière fois le pouce le long de la lame pour vérifier son tranchant. C'est bon, la faux va retrouver son clou dans la remise pour quelques heures. La nuit descend sur le village et les coups de marteaux s'espacent. Bientôt, un épais silence tombe sur la plaine tignarde. On perçoit juste les échos de quelques chants scouts, dans les dernières lueurs des feux de camp.

Après avoir fauché et ratissé les prés autour du village, les « montagnards » ont encore devant eux tout le travail de la fenaison des alpages. Chaque jour, il faudra monter à pied jusqu'au lac. A l'aller, Bijou porte la nourriture et repart, en fin d'après-midi, chargé de lourds ballots de foin qui manquent de le faire chavirer sur le chemin escarpé. Nous, nous récitons en marchant la prière du soir en surveillant du coin de l'œil la *barma du Poulatt'*, cette tanière dans laquelle se dissimule un fantôme qui enlève les femmes et les enfants s'aventurant trop tard la nuit. On se fait peur, mais on n'y croit pas vraiment. Et puis, ce n'est pas le moment de se montrer couard ! En bas, dans le village, les cousins de Paris et de Montpellier sont venus passer les vacances.

Ils nous intimident un peu avec leurs beaux habits, surtout les filles qui portent des robes aux couleurs vives, des petits souliers vernis et des chaussettes jusqu'aux genoux. Elles ont la peau blanche, de longs cheveux lisses et nous paraissent bien délurées. Parfois, lorsque nous redescendons de l'alpage avec Poupou-Tchi, nous faisons un détour pour qu'elles ne nous voient pas avec nos bérets, nos vestes de drap, nos pantalons trop grands et nos galoches. Le dimanche, bien lavés, nous avons un peu moins honte de les approcher. Elles parlent souvent patois comme nous ; mais elles nous semblent venues d'une autre planète. Leurs pères ont des costumes plus fins et mieux repassés que ceux des hommes de notre village. Sur le gilet, ils arborent une chaîne en or qui court d'une poche à l'autre. Dans l'une il y a une montre plate et dans l'autre, un louis d'or, vraie preuve de réussite. Leurs mères ont abandonné le costume du pays pour des robes légères. A l'heure de la messe, penchés au balcon de l'église qui est réservé aux hommes, entre deux amen et un Pater, nous laissons volontiers divaguer nos regards dans les décolletés profonds et bien remplis de ces femmes de la ville...

6

LES FOIRES

L A saison montagnarde s'étire. En ce début septembre, les chutes de neige ne sont pas rares. A trois heures du matin, on quitte plus difficilement sa *boutta* bien chaude pour rejoindre dans la brume ou le vent mauvais les bêtes à traire. Le « petit berger », appuyé contre le flanc des vaches, se réchauffe en attendant que la *boïlle* se remplisse du *seillon* de chaque trayeur. Une fois pleine, on la lui charge sur le dos pour qu'il la porte à l'abri, dans la cave. A la lueur du falot, il marche lentement sur l'herbe luisante de givre, prenant garde à ne pas tomber avec ses quarante litres de lait. Lorsque la traite est finie, les premières blancheurs de l'aube éclairent la Grande-Sassière. On se dirige en silence vers le chalet où un berger a préparé le petit déjeuner. Il verse le lait bouillant dans les écuelles et, à l'aide de son fidèle couteau Opinel, chacun y découpe des petits morceaux de pain dur dont on se régale avec la cuillère en bois.

C'EST à la Saint-Michel, le 29 septembre, que les vaches abandonnent les alpages du lac. Après la « démontagnée », le vallon retrouve son silence et sa solitude, que viennent à peine briser quelques braconniers. Certains s'attaquent aux truites du lac qui, depuis les rivages à l'eau transparente, sont faciles à saisir à la main. D'autres préfèrent surprendre les familles de marmottes bien grasses et déjà gagnées par la léthargie de leurs sept mois d'hiver. Ils ont souvent repéré les trous richement peuplés en septembre, en plantant un bâton à côté du terrier. Un mois plus tard, ils reviennent avec pelle et pioche et surprennent en plein sommeil tout ce petit monde, dont ils se feront un excellent civet avec de la polenta.

En octobre 1937, le révérend Auguste, curé de la Gurraz, avait accompagné son frère sur les pentes des Tommeuses pour dénicher quelques marmottes. Ils étaient tous deux originaires de Val-d'Isère et connus pour être de fameux braconniers qui avaient fait plusieurs fois courir les *carabinieri* italiens en dévalant le col de la Galice avec un chamois ou un bouquetin sur le dos. Après avoir donné quelques coups de pioche, le révérend aperçut les marmottes et, couché à plat ventre sur la pente, essaya de les prendre à pleines mains. A cet instant, la terre s'éboula, l'ensevelissant à moitié. Son frère tenta de le dégager, mais en vain, et les sauveteurs appelés à la rescousse ne purent que constater le décès du curé-braconnier, mort... à la tâche.

APRÈS la « démontagnée » viennent les foires, un véritable événement, soigneusement préparé. Dans chaque alpage, on tient conseil pour décider quelles bêtes vont être présentées à la vente. Le Père consulte le maître berger pour connaître les défauts et les qualités de chaque vache et observe, à l'heure de la traite, leur capacité laitière. On gardera les meilleures pendant l'hiver. Le choix étant arrêté, on pomponne les bêtes en leur passant l'étrille et la brosse pour obtenir un poil luisant et une robe flatteuse. On leur tond savamment la queue et on leur attache autour du cou les plus belles clarines, gravées aux initiales des montagnards. Le jour du départ pour Bourg-Saint-Maurice, c'est un vrai spectacle que de voir ainsi défiler dans le village tous les troupeaux bien astiqués.

La descente jusqu'à Bourg-Saint-Maurice dure cinq à six heures. Dans chaque village, les gens se pressent le long des routes pour admirer ce défilé sonore et pittoresque. Ils échangent quelques mots avec les montagnards, observent la qualité de leurs bêtes et supputent leurs chances à la foire. Une coutume burlesque et un peu paillarde agrémente ce voyage. A la veillée, on a fait croire aux jeunes garçons de sept ou huit ans qui s'apprêtent à descendre pour la première fois à la foire de Bourg-Saint-Maurice, qu'ils devront sacrifier à un étrange rite en arrivant à Longefoy. Là, sur le bord du chemin, se tiendra une énorme femme qui décèlera, dans les équipages, ceux des bergers qui n'ont pas encore voyagé. Dès qu'elle en aura repéré un, elle soulèvera sa robe et montrera son gros derrière. Pour avoir le droit de poursuivre son chemin, le novice devra s'approcher d'elle et lui donner un baiser. Cet exploit accompli, il sera alors intronisé chevalier de la foire et pourra devenir maquignon.

J'avais huit ans lorsque notre voisin Alfred Bognier, coéquipier du Père pour les alpages et les foires, et surtout grand farceur, m'annonça que l'heure était venue pour moi de subir cette épreuve. Assis dans sa charrette, je commençai à ressentir une profonde angoisse à l'approche de Longefoy et je scrutai la route pour apercevoir cette grosse femme de malheur. Me voyant de plus en plus anxieux, Alfred me dit :

— Allez, je vais te sauver des fesses de cette bougresse !

Et il me proposa de me cacher dans le caisson de la charrette. Trop heureux d'échapper à ce supplice, je m'empressai d'acquiescer. On arrêta le mulet, on vida le coffre du sac d'avoine qu'il contenait et je m'y glissai en me faisant tout petit. Pour plus de sécurité, Alfred jeta une couverture sur le caisson et s'assit dessus. La charrette se remit en route. Le cœur battant, j'écoutai le moindre bruit, en tentant de distinguer la fameuse voix.

Soudain, la charrette ralentit. Recroquevillé dans ma cachette, tremblant de peur, j'entendis Alfred jurer ses grands dieux qu'aucun garçonnet ne l'accompagnait à la foire. Le mulet accéléra le pas, je respirai enfin. Au bout de quelques minutes, Alfred stoppa à nouveau notre convoi. Il souleva le couvercle du coffre et m'aida à en sortir, m'expliquant qu'il avait dû discuter fort pour convaincre cette vilaine femme de s'éloigner. Je l'avais échappé belle !

Mais retournons sur le pré de foire où tout le canton est rassemblé. La renommée de la vache tarine est bonne — on la sait robuste et économe — et les maquignons n'hésitent pas à venir de loin pour les acheter.

Les vaches sont attachées en rang le long d'une chaîne louée à la ville. Tous les acteurs sont en place. L'art subtil du maquignonnage, tout de ruse, de bluff et de psychologie, peut commencer. Il faut voir les maquignons s'approcher, chapeau bas sur le front, yeux fureteurs et canne à la main, dont ils usent envers nos vaches comme de fiers officiers de cavalerie à l'égard de leurs chevaux. Le premier contact est enthousiaste et chaleureux.

— Ah ! bonjour, s'exclame le marchand. Heureux de vous revoir ! Cela fait maintenant bien des années que l'on se connaît. Je me souviens même de votre père, un brave homme que celui-là, toujours franc et honnête et qui me vendait de bonnes bêtes…

Il jette au passage un regard furtif sur le troupeau, mais se garde bien d'y faire la moindre allusion. De son côté, le montagnard joue les indifférents, comme s'il était juste venu promener ses bêtes sans aucune intention de les vendre.

Deuxième passage du maquignon. Cette fois, il a la mine renfrognée de celui qui cherche des vaches absolument sans défaut. En silence, il ausculte la bête : poil, trayons, dents. Les mains sur la panse, il tâte la grosseur du veau à venir, puis il se recule, observe le profil du poitrail et de la croupe, fait rouler dans ses doigts le cuir roux et épais. De sa canne à bout rond, il fait tourner lentement la vache et demande au vendeur de la détacher pour la voir marcher. Le regard se fait suspicieux.

— Dommage, dommage, murmure-t-il en secouant la tête, l'air de celui qui vient de détecter un défaut soigneusement caché.

Il demande tout de même le prix.

— Deux mille cinq cents francs.

— Ah, malheur ! soupire le marchand en s'éloignant.

Vite, on redonne un coup de brosse à la vache et on cire ses sabots. Entre alors en scène un complice du maquignon. Il est plus jeune et moins connu. Nonchalamment, il fait le tour de la bête choisie et demande son prix sans conviction.

— Deux mille cinq cents francs, répète le montagnard.

Le complice prend un air outré et glisse qu'il serait preneur à mille huit cents francs. Le propriétaire, à son tour, feint de s'indigner à ce prix si bas, mais il sait maintenant que le marché se fera autour de deux mille deux cents francs. A lui de jouer. Au troisième passage du maquignon, il est absent. Mais il a laissé la consigne à son garçon : deux mille quatre cents francs. C'est l'amorce.

— Tu diras à ton père que je veux bien lui en donner deux mille, réplique le marchand.

Le montagnard a observé la scène du bout du pré de foire. La transaction lui semble bien engagée :

— Maintenant, dit-il à son garçon, tu vas aller jusqu'à la gare et tu compteras le nombre de wagons réservés par monsieur Hyver. Son nom est inscrit dessus à la craie.

Le gamin revient, il a repéré deux wagons. Pour le montagnard, c'est bon signe : le maquignon a besoin de beaucoup de vaches et on va pouvoir faire monter un peu les prix. Le voilà justement qui réapparaît :

— Allez, l'ami, deux mille deux cents et je marque la vache à mon signe, lance-t-il en sortant ses ciseaux.

— Non, rien en dessous de deux mille trois cents, rétorque le propriétaire.

Le maquignon, vaguement agacé, fait mine de remballer ses ciseaux, puis se ravise :

— Tope là ! Deux mille deux cent cinquante et n'en parlons plus.

Le montagnard hésite un peu, mais Hyver est un bon maquignon et il ne faut pas froisser sa susceptibilité pour les foires à venir. Le marché est conclu. Avec ses ciseaux à pointe recourbée, le marchand dessine un grand H sur la croupe de la vache. On lui enlève ses sonnailles et le gamin l'accompagne à la gare. Il en reviendra avec vingt francs de pourboire que l'on appelle *lé z'épinglé*. Ces *z'épinglé* ont fait rêver bien des générations de petits bergers qui, avant de remonter au village, étaient tout fiers d'aller s'acheter avec leurs sous un couteau Opinel tout neuf ou un harmonica.

Si la ruse fait partie du jeu, quitte à mentir parfois un peu sur la date du vêlage, mieux vaut tout de même ne pas trop tricher. Car sur le pré de foire où tout le monde se connaît et se retrouve chaque année, une réputation de voleur est vite acquise et difficile à porter. Les Tignards, eux, étaient connus pour leur malice et leur âpreté en affaires.

APRÈS les foires, le village retrouve son calme. Les hommes dressent leurs comptes et les femmes mettent à profit les derniers beaux jours d'octobre pour faire la *bouiya*, la grande lessive. Des alpages, on a rapporté dans les ballots de linge sale les draps et les couvertures des bergers, les chemises et les caleçons, ainsi qu'un nombre impressionnant de chaussettes. Dans un grand cuvier, on tasse le linge mouillé avec un pilon. Lorsqu'il est presque rempli, on le recouvre d'un grand drap sur lequel on a étalé une épaisse couche de cendres de fumier de mouton. Ce fumier, recueilli au printemps sous nos lits-placards, a été découpé et mis à sécher pendant l'été sur le balcon de la maison, puis brûlé. On verse sur la cendre de grands seaux d'eau bouillante, que l'on récupère lorsqu'elle a bien imprégné le linge. Puis on remet ce bouillon savonneux à chauffer et on recommence l'opération pendant un jour et une nuit.

Lorsque Mène juge que le linge est suffisamment propre, on retire les cendres et les lavandières s'en vont au *bachal* pour le rincer dans l'eau glacée. Elles le battent avec de solides palettes de bois et le tordent jusqu'à ce qu'il expire sa dernière goutte. Le linge est ensuite mis à sécher sur la galerie et sa blancheur fait la fierté de Mène et des lavandières. Après deux jours au soleil, il est prêt à être plié et rangé dans les armoires avec quelques boules de naphtaline qui le conserveront jusqu'au printemps prochain.

Dans les champs qui entourent le village, les bêtes savourent leurs dernières heures de liberté avant de retrouver l'étable des mois d'hiver. Quant à nous, préposés à la garde des troupeaux familiaux aussi longtemps qu'ils peuvent rester dehors, nous prions le ciel de bien vouloir nous accorder encore quelques jours ensoleillés, qui retardent la date de notre rentrée scolaire…

Parfois, nous relâchons un peu notre surveillance des bêtes

pour nous livrer à nos jeux favoris. Il y a d'abord la *coutchetta,* vague cousin du golf et de la pelote basque. Le jeu consiste à lancer une branche de saule un peu courbe, que le joueur d'en face devra attraper en plein vol avec son bâton pour l'envoyer le plus loin possible. Le gagnant est celui qui, comme au golf, aura fait le trajet avec le plus petit nombre de coups. Il y a aussi le *fiolett :* chaque berger se taille une branche de saule et la pose sur un rocher en laissant dépasser la pointe taillée en sifflet. D'un coup sec, il tape dessus avec son bâton et, là encore, essaie de lui faire faire le plus joli vol. Quelquefois, nous essayons aussi de rapprocher nos bêtes pour les inciter à se battre. Les vaches, qui ont sympathisé après avoir passé tout l'été dans le même alpage, n'en ont guère envie. Mais les béliers et les boucs, eux, n'hésitent pas à se précipiter les uns contre les autres. Ils ignorent l'esquive et se foncent dessus, front contre front, nous obligeant parfois à les séparer.

A LA mi-octobre, les moutons se sont joints au reste du troupeau. Après cinq mois passés au grand air des alpages, leur toison est généreuse et bien frisée. C'est le moment choisi pour leur tonte. Avec Poupou-Tchi, nous avons mission de les attraper par les pattes de derrière — ce qui se traduit souvent par un douloureux saut à plat ventre. On installe la brebis sur une grande planche de bois et on lui lie les membres pour l'empêcher de bouger. Une paire de ciseaux en main, nous commençons à lui dégager les oreilles, les yeux, les cornes, les pattes et le ventre. Le grand frère Albert s'approche ensuite avec la tondeuse et nous recueillons la toison en la pliant comme une fourrure. Avant de lui délier les pattes, nous inspectons son cuir à la recherche des parasites que nous écrasons avec une petite tapette. Lorsqu'elle retrouve enfin sa liberté, la brebis a l'air un peu éberluée et toute honteuse de sa nudité.

A la Toussaint, tous les propriétaires du village mettent en commun leurs pacages. Les jours sont déjà froids et seuls les champs situés à l'adret peuvent encore accueillir les troupeaux. Le soir, au milieu des jappements des chiens et des cris, chaque famille vient récupérer ses bêtes sur la place du village. Les vaches qui s'apprêtent à vêler ont été gardées au chaud dans l'étable. Je ne sais pas pourquoi, mais dans mes souvenirs d'enfance, elles choisissaient toujours les veillées pour mettre au monde.

Dès que la vache se couchait et éjectait la poche d'eau, nous courions prévenir les voisins Alfred et Célestin, qui venaient au besoin prêter main-forte. Le veau se présentait : deux hommes le tiraient par les pattes avant, tandis que le Père s'efforçait de faire glisser le museau et la tête en les badigeonnant d'huile. Dès que le veau était expulsé, on le frottait avec de la paille, on lui nettoyait le nombril avec un peu de teinture d'iode et le Père soufflait dans sa bouche pour une première respiration. On préférait les femelles, car elles augmentaient le troupeau de l'alpage. Mais chaque naissance était une fête que l'on célébrait dignement avec les voisins, autour d'un vin chaud à la cannelle. Avec Poupou-Tchi, nous allions admirer le petit veau qui, au bout d'une heure de vie, se tenait déjà sur ses pattes. Nous le verrions grandir et forcir tout l'hiver, à nos côtés dans *lo boôu*.

LES bêtes sont rentrées, les pommes de terre qui nous nourriront pendant tout l'hiver attendent à la cave, rangées dans de grandes caisses en mélèze. Reste encore à faire provision du bois d'affouage pour l'hiver. Chaque famille a le droit de couper dans la forêt des Brévières deux ou trois sapins ou mélèzes que le garde a désignés d'un numéro. Le premier dimanche d'octobre, à la mairie de Tignes, il a été procédé au tirage au sort des numéros. Il y a les bons lots, proches de la route et d'accès facile, et les mauvais, situés au milieu des rochers et qui nécessiteront le portage des troncs à dos d'homme. Avant l'aube, les bûcherons se mettent en route, par petits groupes de trois ou quatre. La journée sera dure et il faudra faire preuve d'adresse et d'attention pendant le débardage. D'un coin de la forêt à l'autre, on se hèle pour saluer le fracas d'un sapin et prévenir les voisins de la trajectoire des billes de bois.

Au bout d'une semaine, tous les troncs sont regroupés au pied du couloir tracé dans la forêt et prêts à être chargés sur les charrettes. La route qui rejoint les gorges des Brévières au village de Tignes est raide et les mulets peinent sur la pente. Grondements de l'Isère, jurons des charretiers, crissement douloureux des roues, le bruit est assourdissant. Une fois parvenus au village, les hommes prendront peu de répit. Il faut encore scier le bois à la bonne taille, le fendre et le ranger sur la galerie sud de la maison. Avec Poupou-Tchi, nous nous chargeons du transport des bûches que le Père a coupées, mais c'est le grand frère Fernand qui, tel un maçon devant son mur, les empile en tas bien réguliers.

Maintenant, l'hiver peut arriver. Les petits bergers sont redevenus de sages écoliers et les champs se couvrent de neige. Au *fiolett* et à la *coutchetta* vont se substituer les glissades en luge et à skis. Dans la rate du cochon, qui sera tué début décembre, on lira la météorologie de l'hiver. Si elle est grosse et large, il sera enneigé et rigoureux et durera jusqu'en avril. Si elle est courte, il sera rapidement passé. Une grosse rate s'affinant à son bout indique un début d'hiver en tempête qui s'évanouira dans la douceur de mars. Inversement, si la rate est mince mais s'épaissit à l'autre extrémité, Noël sera indulgent et Pâques austère.

7

LES PREMIÈRES COMPÉTITIONS A TIGNES

POUR l'instant, le brave cochon, ignorant ses talents intimes de météorologue, se gave sans s'inquiéter de la soudaine sollicitude dont il est l'objet. Depuis la descente des alpages, on le nourrit généreusement de petites pommes de terre, de betteraves, de farine d'orge et même, suprême gâterie, d'un peu de ce lait gras et crémeux des vaches qui viennent de vêler. Chaque semaine, pendant deux mois, on mesure avec un mètre-ruban les effets de ce régime sur son tour de poitrine. Un centimètre gagné équivaut à un kilo de plus. Dans le village, on se promène d'une bauge à l'autre pour observer les progrès de chaque animal, supputer la qualité de ses jambons et l'épaisseur de son lard.

Début décembre sonne le glas du cochon. Au petit matin, on fait chauffer beaucoup d'eau dans de grands chaudrons et on installe la planche à tuer sur deux billots de bois devant la maison. Lorsque tout est prêt, le Père va chercher le condamné dans sa bauge et lui passe un garrot autour du groin. Des cris aigus retentissent dans tout le village, tandis qu'on sort prestement l'animal de son parc pour l'étendre sur la planche et lui ligoter solidement les pattes. Dans la lumière froide et bleutée, les voisins s'approchent pour assister au moment décisif de la saignée. A Tignes, il y a une demi-douzaine de spécialistes, mais le meilleur est Lo Moutch un colosse de plus d'un mètre quatre-vingts, avec « une belle tête savoyarde », comme l'avait observé le président de la République Albert Lebrun venu inaugurer, en juillet 1937, la route du col de l'Iseran. C'est toujours à lui que le Père fait appel. A près de quatre-vingts ans, il sait encore mieux que quiconque planter son couteau au creux de l'épaule, là où, à travers le lard, la lame atteindra la grosse artère. Quand le coup est porté juste, le sang coule à gros bouillons et l'agonie du cochon est rapide. Mais si la trajectoire du couteau a été mal calculée… Misère! Le sang s'échappe lentement et les cris de l'animal redoublent de violence.

Lo Moutch est très fier de sa réputation et ne dédaigne pas le cérémonial. Il arrive toujours un peu en retard, portant, pliés dans une toile, ses couteaux et son fusil-aiguisoir. En silence, après avoir jeté un regard de défi à son public et à l'animal que maintiennent quatre solides gaillards, il revêt son long tablier et aiguise ostensiblement son grand couteau. Chacun retient son souffle, sauf le cochon.

D'un air impérieux, Lo Moutch s'approche à pas lents de sa victime, donne un dernier coup d'aiguisoir à son couteau et plante vigoureusement sa lame dans la chair replète du cochon. Le coup de couteau, asséné d'une main ferme, vise juste et le sang coule à flots. La maîtresse de maison recueille ce sang dans un *seillon* en le remuant avec une cuillère en bois pour l'empêcher de coaguler. On en fera du boudin et des matefaim, une sorte de beignets qui, comme leur nom l'indique, assouvissent rapidement l'appétit. Les hommes se réconfortent d'un bon coup de gnôle avant de peler le cochon, qui a été lavé à grand renfort de casseroles d'eau bouillante. Les couteaux s'agitent et l'animal apparaît bientôt dans toute sa blanche nudité. Lorsqu'il est bien propre, le temps de boire un vin chaud et l'on s'attaque au dépeçage. D'un rapide coup de lame, on lui ouvre le ventre sur toute sa longueur, en prenant bien soin des boyaux dont on entourera boudins et saucisses. On retire le foie, les poumons, la vessie — que l'on fait gonfler en soufflant dedans à l'aide du *sublett*, une sorte de prêle à tige creuse —, et l'on inspecte soigneusement la rate pour y découvrir les prévisions météorologiques de l'hiver.

Pendant une semaine on prépare les viandes et les abats du porc. Chez nous, c'est Mène qui nettoie les tripes et les boyaux. Elle les râpe avec un couteau et les rince à l'eau du *bachal*. Il faut encore assaisonner le sang et la graisse et faire glisser cette mixture à l'aide d'un entonnoir dans les boyaux dont on a ligoté le bout, pour faire les boudins. Pour les saucisses, on mélange la chair du porc à celle d'une génisse tuée à la même période et partagée entre trois ou quatre familles.

JE garde d'une de ces semaines de décembre un souvenir un peu honteux. Je devais avoir quatre ans et demi et mon frère

Poupou-Tchi, deux ans. Pour hacher la viande, nous disposions dans la famille d'une petite machine vissée sur la table, que l'on actionnait à l'aide d'une manivelle. Resté seul à la maison quelques instants avec mon jeune frère, je m'approchai de la machine interdite et, poussé par je ne sais quel mauvais instinct, demandai à Poupou-Tchi de glisser son index dans un des trous de la machine. Ce qui devait arriver arriva : j'actionnai brutalement la manivelle, qui coupa net le bout du doigt d'Alexis. Il saigna abondamment et Mène, alertée par ses cris, s'empressa d'aller chercher chez la voisine Françoise du coton, de l'alcool et de la teinture d'iode. La douleur passée, Poupou-Tchi exhiba fièrement sa jolie poupée, sans comprendre mes bruyantes larmes de honte. Mais où était passé le bout de l'index ? Francis nous dit qu'il serait inconvenant de manger de la chair humaine et il démonta la machine à saucisses pour récupérer le morceau de doigt. Nouveau dilemme : qu'allions-nous en faire ? On ne pouvait pas le donner au chat, cela l'aurait rendu anthropophage ; ni le jeter, ce qui aurait été sacrilège. Nine trouva la solution :

— Toute chair humaine doit aller au cimetière, déclara-t-elle.

Nous voilà donc partis tous les deux au cimetière, avec le petit bout de doigt plié dans un papier. Nine souhaitait que je le dépose sur la tombe de quelqu'un de la famille. Nous hésitions entre la sœur Alice, morte de la grippe espagnole, et le grand-père Damien. Finalement, nous choisîmes le grand-père. Avec une binette, Nine creusa un petit trou et je déposai précautionneusement le morceau d'index dans la terre. Heureusement pour Alexis, la racine de l'ongle n'avait pas été coupée et en grandissant, son doigt retrouva une silhouette à peu près normale. Mais il garda toute sa vie un ongle en bec d'aigle à l'index, marque indélébile de cette peu glorieuse péripétie enfantine...

Le récit de ma bêtise alimenta quelques années les histoires de famille que l'on se contait pendant les veillées. Ah ! les veillées ! C'était un peu notre deuxième école, et pour rien au monde on n'aurait manqué ces heures délicieuses au cours desquelles nous écoutions parents et amis raconter la vie de nos aïeuls, les coutumes du village, ses légendes et ses contes. On échangeait aussi les dernières nouvelles des enfants ou des cousins émigrés en lisant leurs lettres à haute voix et les hommes commentaient les échos qui nous parvenaient des grands événements du monde. L'hiver, le courrier était acheminé en traîneau depuis Sainte-Foy. L'administration des postes mettait ce

La menace de la construction du barrage bouleverse toute la vie du village, au point d'engendrer la démission du Conseil municipal à plusieurs reprises. Philomène, la sœur de l'auteur, se rend ici aux urnes.

C'est l'exode. Les Tignards sont chassés de chez eux: leurs maisons sont incendiées ou dynamitées, les dépouilles du cimetière vont être transférées au village des Boisses, tandis que le barrage se dresse inexorablement.

*L'eau monte, quelques
vieillards errent encore dans
le village. Les maisons sont
déjà en ruines, certaines
le toit béant. Le geste de ce
Tignard résume à lui seul ce
drame déchirant.*

Républiqu Françaios - Préfecture de la Savoie - Cabinet du Préfet

AVIS
aux Habitants de Tignes

Le retard apporté à vos déménagements risque de compromettre dangereusement l'exécution du plan d'évacuation de votre village, menacé d'inondation à très brève échéance.

1. s conditions atmosphériques, l'obstruction possible des vannes par des bois flottants, peuvent entraîner une montée de l'eau extrêmement rapide contre laquelle nous serions désarmés.

C'est pourquoi je vous conjure une dernière fois de mettre vos familles en sécurité et votre mobilier à l'abri avant qu'il ne soit trop tard. Des moyens de transport sont, vous le savez, à votre disposition. Il vous appartient dès à présent de vous faire inscrire pour le départ.

Chambéry, le 24 Mars 1952.   LE PRÉFET DE LA SAVOIE.
                                              J.-P. ABEILLE

Devant le refus des Tignards de quitter leur village, le préfet est obligé de recourir à des mesures extrêmes. Certains vont attendre le dernier moment pour rassembler leurs biens, tant les adieux sont douloureux.

Mortinga, l'une des cloches du village. Solennelle, elle a été jusqu'au bout la compagne des heures graves de cette petite communauté.

service en adjudication et tous ceux qui possédaient une monture pouvaient y postuler. Jusqu'en 1939, comme il n'y avait pas de courrier attelé de Tignes à Val-d'Isère, le facteur venait chaque jour, à skis ou en raquettes, prendre livraison des lettres et des journaux destinés aux Avallins.

Les veillées commençaient généralement un peu avant la Toussaint et se terminaient après Pâques. Dans notre famille, nous avions l'habitude de nous rendre, dès la tombée du jour, chez Jules le carillonneur dont la maison, luxe exceptionnel, était divisée en deux *boôu*, un pour les humains et l'autre pour les bêtes. C'est dans ce dernier que Jules avait aménagé un coin pour la veillée, avec une longue table basse et deux bancs. Les femmes apportaient leur linge à raccommoder ou faisaient de la dentelle sur un coussin circulaire bourré de paille et recouvert d'un velours rouge piqué d'épingles. Le coussin serré entre les genoux, elles faisaient savamment voltiger le fil d'une aiguille à l'autre et une dentelle au tracé subtil se dessinait lentement devant nos yeux ébahis. C'était un Tignard installé à Bourg-Saint-Maurice, Foublé, qui avait eu l'idée de fournir ce travail aux femmes et aux jeunes filles du village pour occuper leurs soirées d'hiver et leur faire gagner quelque argent. Certaines dentellières n'hésitaient d'ailleurs pas à aller vendre elles-mêmes leurs produits et, comme les hommes, devenaient colporteurs pendant l'hiver. Elles partaient à deux, vêtues de leur robe de costume sombre et, lestées d'un grand cabas noir dans lequel étaient rangés leurs trésors, elles sillonnaient la Savoie, la vallée d'Aoste et le Piémont ou les cantons de Genève et de Fribourg.

Les femmes et les jeunes filles fabriquaient aussi des couronnes mortuaires en perles. Nous, les gamins, étions préposés au « tourniquet », une petite bassine circulaire dans laquelle nous versions les perles trouées, de la couleur demandée par nos aînées. On disposait ensuite dans la bassine un fil de laiton recourbé à une extrémité et, sous l'action du tourniquet, les perles venaient s'y enchâsser à une vitesse vertigineuse. Avec ce fil facile à tordre, les jeunes filles réalisaient des fleurs et des feuilles artificielles dont elles paraient les couronnes. A la fin des années trente, la laine remplaça peu à peu la dentelle et les ornements mortuaires. Toutes les semaines, Foublé expédiait à Tignes la matière première avec les patrons nécessaires à la confection de tricots, d'écharpes, de bonnets et de gants, qu'il allait ensuite vendre dans les grandes villes de la vallée et même jusqu'à Paris.

Entre deux travaux d'aiguille, Olympe, la femme de Jules,

se levait pour faire chauffer le café. On disposait sur la table du lait, du pain, du fromage, du beurre et de la confiture dont chacun se servait abondamment. Dès que Fredjo, le frère d'Olympe, arrivait, nous abandonnions la table ou le tourniquet à perles pour nous serrer sur l'*arssiban* près des moutons, à écouter ses belles histoires. Il les tenait de sa tante Suzanne, qui avait été la reine des veillées tignardes. Elle abondait en récits de catastrophes, de crimes, de magie et de sorcellerie qui subjuguaient son auditoire. Suzanne avait même promis de revenir après sa mort, sous forme de fantôme, pour animer les veillées. Mais le bon Dieu ne lui donna pas ce pouvoir et c'est un Fredjo bien vivant qui hérita de sa mémoire et de ses talents de conteur.

FREDJO nous rapportait l'histoire de la grande peste de 1630 qui avait décimé toute la population du hameau de Ronnaz, n'épargnant que la famille de Peïla, mon ascendant. Presque aussi dramatique avait été l'avalanche des Combes, en février 1799, qui engloutit les maisons et causa la mort de seize personnes, dont cinq de la même famille. Cette catastrophe donna lieu à une querelle de succession qui fut portée devant le juge. Dans l'avalanche étaient, en effet, décédés un père et son bébé de quelques mois. La mère fut épargnée et dans la famille se posa alors la question de l'héritage. Il fallait savoir qui, du père ou de l'enfant, était mort le premier. Si c'était le père, le bébé devenait son héritier, et après son décès, la mère héritait à son tour de son fils. Mais si le bébé était mort le premier, le père, n'ayant pas d'héritier, abandonnait ses biens à sa propre famille, c'est-à-dire à son frère, et la mère de l'enfant se trouvait écartée du partage. Fredjo affirmait que, finalement, le juge avait tranché en faveur de la veuve en se fiant à l'expérience d'autres catastrophes naturelles qui, bien souvent, avaient épargné les enfants dont le corps, plus petit, s'avérait plus résistant. Il ajoutait aussi, pour notre édification, que, dans des circonstances aussi douloureuses, la justice savait s'élever à la hauteur de la vertu qui lui prêtait son nom pour favoriser la veuve et la mère éplorée.

Dans nos villages de montagne, on apprend d'ailleurs aux enfants à se mettre un mouchoir devant la bouche ou même à piquer une tête dans la neige pour se protéger lorsqu'ils entendent le grondement sourd annonciateur de l'avalanche. Fredjo nous contait aussi de terribles intempéries, comme cette année où l'on avait vu « deux hivers accolés, sans été au milieu » tant les chutes de neige avaient été abondantes. Mais nos histoires préférées étaient celles qui mettaient en scène des gens de Tignes, dont les minces exploits étaient devenus, au gré du temps et de l'imagination des conteurs, de véritables épopées. A part quelques récits de campagnes napoléoniennes, pour lesquelles le village avait fourni de braves grognards, notre passé guerrier n'était ni très riche ni très héroïque. Le Tignard, trop individualiste, n'a jamais été patriote. Dans les archives de la paroisse, on ne trouvait ni gendarme ni douanier, ni officier ou sous-officier de carrière, ni fonctionnaire. En revanche, nous avons donné à nos deux patries, la France et l'Italie, des armées de contrebandiers, des régiments de braconniers et des générations de commerçants madrés et roublards... Leurs aventures nous régalaient d'autant plus qu'elles tournaient bien sûr toujours en faveur des Tignards, au détriment de nos voisins dc Val-d'Isère ou des vallées voisines !

DANS les années trente, le répertoire de nos récits de veillées s'est enrichi peu à peu de nouvelles anecdotes offertes par l'arrivée des premiers touristes. Le faible enneigement de l'hiver 1931-1932 avait en effet fait découvrir notre haute vallée aux skieurs jusqu'alors habitués des stations de Megève ou de Chamonix. Chez nous, le pionnier du ski avait été l'abbé Reiller, curé de Val-d'Isère qui, avant la guerre de 1914, arpentait sa paroisse campé sur ses deux planches de bois glissantes. On devine l'incrédulité des villageois face à cette nouveauté incarnée par un prêtre en soutane et béret noirs qui dévalait des pentes immaculées !

Pendant l'entre-deux-guerres, les chroniques du *Bulletin paroissial* se font régulièrement l'écho des balbutiements de cette activité touristique qui, à Tignes comme à Val-d'Isère, avait entraîné la construction des premiers hôtels. En 1934, nous en avions quatre dans le village, plus un au lac de Tignes. Celui-ci avait été construit dès 1925 par Florian, un alpagiste qui avait très vite compris l'intérêt que nous pouvions tirer d'un si beau site, à l'heure où le ski commençait à attirer une clientèle citadine fortunée. Ce chalet-refuge allait d'ailleurs ouvrir une page romanesque et tourmentée de l'histoire tignarde. En effet, quelques années après sa construction, Florian vendit son chalet et son petit alpage à un comte d'origine italienne, qui en fit don à sa maîtresse. Cette femme à la beauté exceptionnelle transforma peu à peu le refuge de ses amours clandestines en un joli petit hôtel, fréquenté par les célébrités de l'époque. On y vit Leprince-Ringuet, les couturiers Balmain et Fath, les comédiens

Jean-Louis Barrault et Madeleine Renaud ou encore le ministre Pierre Cot. Le comte, éperdument amoureux, ne rechignait jamais devant les dépenses engagées par sa maîtresse pour agrandir et embellir l'hôtel. Il affirmait que le lac de Tignes était l'un des sites les plus merveilleux des Alpes et projetait même d'y construire des remontées mécaniques. Mais sa générosité devait subitement retomber une nuit où, rentré plus tôt que prévu d'un séjour à Paris, le comte eut la mauvaise surprise de découvrir sa trop belle amante dans les bras d'un jeune étudiant, revêtu de surcroît de sa propre robe de chambre en soie. Il abandonna ses projets et la « comtesse » infidèle. Quant au chalet-hôtel du Lac, il continua de fonctionner jusqu'en 1939, date à laquelle il fut abandonné par sa propriétaire et livré au pillage des soldats français, puis italiens.

Un des hôtels du village, la Pension des skieurs, était tenu par un immigré italien, Asti Silvio, qui l'avait bâti sur l'emplacement d'une vieille masure. Asti Silvio était un excellent cuisinier ; mais ses capacités de gestionnaire laissaient largement à désirer, si bien que les jours d'affluence il ne savait jamais qui avait mangé, qui avait déjà payé ou combien de chambres étaient retenues. Ce joyeux désordre incita quelques jeunes du village à imaginer un canular. L'un d'eux se déguisa en touriste très convenable, avec chapeau, redingote et petites lunettes cerclées, tandis que ses camarades, préposés au rôle de porteurs, remplissaient de paille et de fumier de mouton séché le plus grand nombre de cartons qu'ils avaient pu dénicher. Parvenu devant la pension avec son cortège de sherpas, le « touriste » avisa l'hôtelier :
— Pardon monsieur, vous êtes bien le célèbre Asti Silvio ? Je voudrais séjourner une bonne semaine chez vous. Pourriez-vous indiquer ma chambre à ces garçons, que j'ai rencontrés sur la place du village, et qui m'aident à porter mes bagages ?
Asti Silvio, heureux de l'aubaine, s'empressa d'appeler sa servante Catherine qui conduisit les porteurs à l'étage. Tandis que le client prétextait une visite à faire à des amis logés à l'hôtel voisin, les jeunes Tignards continuaient de déposer des dizaines de cartons dans la chambre qu'on leur avait désignée. Le soir, ne voyant pas revenir son client, Silvio commença à le trouver un peu étrange ; mais il se rassura puisque après tout, tous ses bagages étaient restés dans la chambre. Évidemment, le client ne reparut point, et quelques jours plus tard, la bande de plaisantins eut le grand bonheur d'entendre Silvio pester contre ce

fichu canular en mettant le feu à la montagne de cartons qu'il avait entassés dans le pré voisin.

C'est à un autre immigré italien, Bertoli, que Tignes devait un de ses plus beaux hôtels, La Grande Sassière. Il l'avait aménagé dans une grande maison paysanne et doté de tout le confort moderne. L'ancienne étable avait été transformée en une grande salle basse qui faisait office de bar et de salon de thé. Pendant l'hiver, on voyait même des couples de skieurs y esquisser quelques pas de danse au son du gramophone et certains jeunes Tignards, devenus moniteurs de ski, n'hésitaient pas à venir exercer là leurs talents de gandins au bras de leurs belles clientes parisiennes. Au milieu des années trente, Bertoli eut même l'idée de construire, à côté de son hôtel, une sorte de boîte de nuit baptisée La Cagna, qui fit un peu scandale dans le village.

Mais les hôtels dont le village s'enorgueillissait le plus, étaient ceux de Polett', dont Le Mont-Pourri avec ses belles façades en pierre de taille occupait le centre du village et celui de Florian, La Grande-Motte. Florian, qui voulait orienter le village vers l'accueil et le séjour des amoureux de la neige et de la montagne, s'était mis en tête de devenir maire du village. Seulement voilà : il était radical-socialiste et anticlérical, ce qui constituait un sévère handicap pour rallier les suffrages des Tignards, majoritairement très chrétiens et pratiquants. Pendant l'année qui précéda le scrutin municipal de 1930, Florian mit donc au point une savante tactique électorale. Pour se laver de tout soupçon à l'égard des austères calotins du quartier des Chartreux — dont nous étions —, il lui fallait gagner l'amitié de l'un de ses plus éminents représentants, Pierre-Antoine. Ce dernier, outre ses qualités de cordonnier, était chantre à l'église et comptait parmi ses frères le vicaire général de Tarentaise, monseigneur Théodule. Avec lui, Florian tenait le plus incontestable certificat de morale religieuse.

Il éprouva donc soudainement le besoin de faire réparer une paire de galoches, puis une autre ; d'en commander une nouvelle paire, puis encore une autre. Ce qui, chaque fois, lui donnait un bon prétexte pour rendre visite à Pierre-Antoine. Dans le quartier, sa cour assidue auprès du cordonnier passait d'autant moins inaperçue que Florian avait un chien jaune, lequel le suivait dans toutes ses visites et restait toujours poliment assis sur le seuil de la maison qui accueillait son maître. Et le chien jaune attendait des heures devant la maison de Pierre-Antoine...

A quelques mois des élections, les Chartreux bruissaient de rumeurs inquiètes : Pierre-Antoine allait-il se laisser convaincre et s'allier avec un anticlérical ? A cette idée, Nathalie, sa plus proche voisine, se répandait en lamentations dans tout le quartier, mettant son dernier espoir dans la sagesse influente de monseigneur Théodule, qui saurait sans doute faire renoncer son frère à sceller un tel pacte électoral. Mais plus la date des élections approchait, plus il devenait évident que Florian était parvenu à emporter l'estime de Pierre-Antoine, sans que l'on sût jamais ce qu'en pensait le vicaire général de Tarentaise. Quoi qu'il en soit, cette tactique électorale se révéla payante et la liste emmenée par Florian et Pierre-Antoine l'emporta à une très large majorité. Quelques jours plus tard, Florian était élu maire de Tignes. Le village n'eut d'ailleurs pas à regretter son choix, car l'hôtelier ambitieux se révéla un bon premier magistrat, attaché à développer les possibilités de sa commune. L'ambiance même du village changea, pour devenir plus laïque et tolérante...

SOUS l'impulsion de Florian, qui présidait l'association des Amis du sport et de la lecture, les hommes du village se laissèrent peu à peu gagner au plaisir de ces nouveaux sports de glisse, qui soulevaient tant d'engouement chez nos touristes. Mais si les amis du ski devenaient chaque année plus nombreux, ceux de la lecture, après l'enthousiasme des premiers mois, abandonnèrent bien vite leurs excellentes résolutions... Chaque hiver, au début du mois de mars, l'association organisait un grand concours de ski qui durait pratiquement toute la semaine. Il y en avait pour tout le monde : petits, juniors, seniors, vétérans et même les femmes ! Tous les skieurs de Haute-Tarentaise s'y retrouvaient et la compétition la plus prisée était la course de fond senior, où les meilleurs de chaque commune venaient défier le champion tignard, Nocent. Le tracé, qu'il fallait parcourir deux fois, longeait toute la cuvette, soit dix-huit à vingt kilomètres.

A dix heures du matin, après avoir farté leurs skis, une trentaine de coureurs se rassemblaient sur la ligne de départ, entre deux sapins plantés dans la neige portant bien haut la banderole « Ski-club de Tignes ». Ce jour-là, Nocent n'était pas encore arrivé, mais chacun savait qu'il mettait une grande coquetterie à s'aligner au départ avec un peu de retard. Florian donna le coup d'envoi de la compétition et tous les skieurs s'élancèrent. C'est Cyprien, de Val-d'Isère qui était en tête. Alors que les premiers concurrents s'approchaient déjà du hameau de Ronnaz, Nocent arriva nonchalamment, chaussa ses skis, se roula une cigarette dont il tira quelques bouffées en surveillant l'avancée de ses rivaux. Florian commença à manifester quelques signes d'inquiétude. Son champion parviendrait-il cette fois à rattraper son retard ? Nocent le rassura, et se lança comme un fou à la poursuite de ses concurrents. Vers les gorges de Laval, il avait déjà rejoint les derniers coureurs. A la descente du Grand-Pré, sa technique irréprochable lui permit de doubler un deuxième groupe. Mais les Avallins et les Montvalezanais étaient encore loin devant. Massés tout au long de la piste, nous encouragions notre héros qui continuait de remonter un à un les concurrents.

Au deuxième tour, il ne restait plus devant lui que deux skieurs. Ça y était, Nocent venait de dépasser Cohendoz dans le bois du Boc et se rapprochait maintenant de Cyprien ! Florian, rivé à ses jumelles, ne perdait pas une miette de la course. Pendant quelques centaines de mètres, les deux concurrents ne se lâchèrent pas, et Nocent semblait avoir plus de mal que d'habitude à s'imposer. Dans la dernière montée vers le village, nos encouragements redoublèrent. Devant tous ses compatriotes rassemblés, Nocent n'avait pas le droit de se laisser rafler la victoire par un Avallin. Dans un dernier effort, il parvint à le dépasser et se jeta le premier à l'arrivée dans les bras de Florian.

Convaincu du talent de son champion, Florian décida de le présenter à quelques grandes compétitions internationales. Au cours de l'une d'entre elles, à Briançon, Nocent fut même remarqué par un entraîneur finlandais qui lui proposa de l'emmener dans son pays pour l'équiper du meilleur matériel et le préparer à devenir un vrai professionnel. Mais à l'idée de devoir quitter pendant plusieurs mois son village et ses montagnes pour les plaines finlandaises, Nocent préféra renoncer à une carrière internationale et demeurer champion parmi les siens.

Pendant la Seconde Guerre mondiale, alors qu'il avait dépassé la cinquantaine, Nocent fut l'un des plus grands contrebandiers de la vallée. Il n'hésitait pas à franchir à pied le col de Rhêmes-Golette, avec sur le dos, un sac de cinquante kilos de sel dont il ravitaillait les Valdotains, en échange de la même quantité de riz pour le retour chez nous. Un hiver où, avec une équipe de jeunes contrebandiers, il rentrait d'Italie, Nocent se fit surprendre par une tempête de neige dans la traversée du col, à plus de trois mille mètres d'altitude. La visibilité étant nulle, le groupe décida de s'abriter près des rochers qui bordaient le glacier en attendant que la tourmente se calmât. Nocent posa son sac et resta de longues heures debout dans la neige, tournant le dos aux rafales de vent. Au petit matin, alors que les jeunes souffraient de nombreuses gelures, Nocent fit quelques mouvements d'assouplissement et alluma tranquillement une cigarette...

Mais je n'en ai pas fini avec notre concours annuel de ski. Dans la catégorie junior, à laquelle j'appartenais — fort modestement d'ailleurs —, le meilleur était Adolphe de Val-d'Isère. Je me souviens d'une fois où, arrivé en tête, il avait remporté une marmite pleine de *mazets*, ces bonbons savoyards que nous aimions tant et que nous regardions avec un douloureux pincement d'envie s'éloigner vers Val-d'Isère !

Le clou de notre concours de ski était le parcours en solitaire de Dolfé. Ce dernier était un homme un peu simplet, qui vivait de la charité des gens. En contrepartie de quelques travaux — piocher le jardin, scier du bois, ou pelleter la neige —, il était nourri par les familles du village. Florian lui organisait toujours sa propre compétition, à laquelle Dolfé se présentait fidèlement, équipé de longues et larges planches de bois qu'il avait taillées lui-même dans le tronc d'un frêne et de fixations bricolées avec de solides lanières de cuir empruntées à de vieux harnais. Avec le dossard numéro un, il parcourait bravement la piste sous les applaudissements des villageois. A l'arrivée, Florian proclamait avec solennité la victoire de Dolfé, « *nioun' devan', nioun' derri* » (« personne devant, personne derrière ») et lui remettait, en guise de prix, de quoi se nourrir pendant quinze jours : jambon, saucissons, fromage, pain de seigle et même bouteilles de vin, que Dolfé, ravi, s'empressait de fourrer dans son grand sac à dos en toile de jute...

8

LA PENSION SAINT-PAUL

LE développement du ski incita quelques Tignards à passer leur diplôme de moniteur. Bien sûr, dans la journée, et jusqu'au « thé dansant » de la fin de l'après-midi, ils jouaient un peu les jeunes premiers dans le village. Mais en dépit de ses beaux moniteurs et de son école de ski, Tignes était encore loin de vivre au rythme d'une station de sports d'hiver. Le soir, moniteur ou pas, chacun s'en retournait au *boôu*, auprès des bêtes qu'il fallait nourrir. Contrairement à Val-d'Isère, Pralognan ou Chamonix, il n'y eut pas à Tignes de guide célèbre. Aux

« premières » dans les couloirs rocheux, le Tignard a toujours préféré les cols des colporteurs et des transhumants.

Les plus grands amoureux des sommets se trouvaient d'ailleurs, à cette époque, dans les milieux ecclésiastiques. Notre curé, Louis Pellicier, arrivé à Tignes dès sa sortie du séminaire, en 1931, à l'âge de vingt-cinq ans, était l'un des plus intrépides grimpeurs du village. Quant à moi, c'est grâce à deux étudiants séminaristes, l'un de Tignes, l'autre de Val-d'Isère, que j'ai accompli, le 12 septembre 1931, à l'âge de douze ans, ma première vraie ascension, celle de la Grande-Sassière. Comme je devais entrer en pension chez les frères le mois suivant, et m'engager ainsi lentement sur la voie sacerdotale, il me semblait important de commencer dès maintenant à pratiquer l'alpinisme !

Pour cette course qui allait nous conduire à plus de trois mille sept cents mètres d'altitude, nous avons quitté Tignes à trois heures du matin. Jusqu'au refuge de la Clittaz, c'est moi qui guidais mes aînés, car mes semelles avaient gardé la mémoire des moindres pièges de ce petit chemin escarpé que j'avais parcouru tout l'été précédent, quand j'étais berger de moutons. Lorsque, au petit jour, nous parvînmes au refuge, son propriétaire, Ferdinand, était en train de traire ses vaches ; il nous offrit un bon bol de lait mousseux et tiède en nous donnant quelques conseils pour l'ascension. Je marchai encore en tête jusqu'au pied du glacier et là, après un vrai casse-croûte, je m'en remis à l'expérience de mes deux compagnons. L'escalade de la cheminée se fit sans trop de difficultés ; mais à notre arrivée sur le glacier, une mauvaise surprise nous attendait. Le mauvais temps des derniers jours avait déposé une couche de neige et nous progressions de plus en plus lentement, contraints de faire la trace. Mon souffle s'épuisait et, à la vue des troupeaux paissant tranquillement tout en bas, dans le vallon de la Sassière, je commençai à regretter d'avoir voulu jouer les alpinistes alors que j'étais berger, issu d'une famille de bergers, et que cela aurait dû largement me suffire…

Mes deux amis voyaient que j'étais à la peine et ils s'efforçaient de me réconforter en me tendant la gourde emplie d'un détestable mélange de vin et d'eau que deux morceaux de sucre m'aidaient à avaler. Célestin, le premier, atteignit le sommet. Le pic me semblait immense sous les rayons du soleil. Je saisis sa main tendue pour franchir les derniers mètres et me hisser aux côtés de mes compagnons. Enfin, j'y étais !

En quelques secondes, j'avais oublié ma peine et mes doutes. J'aperçus le Grand-Paradis tout proche, le petit village de la

Gurraz, celui de Val Grisanche, en Italie et, là-bas, qui me semblait si bleu et si petit, le lac de Tignes — mon lac. Le *caïrn*, bâti par Bertrand Chaudan, ce Tignard qui, à l'aube du siècle dernier, avait gravi pour la première fois la Sassière, était toujours là. Nous cherchâmes dans nos poches un morceau de papier pour inscrire nos noms en souvenir de notre passage et le glisser entre les pierres du *caïrn*. Mais, déception ! Aucun d'entre nous n'avait pensé au crayon ! Seule notre mémoire conserverait la trace de cette ascension...

De retour au village, je savourai la petite gloire que me valait cette randonnée auprès de mes camarades. Désormais, je pouvais regarder la pointe rosée de l'aiguille de la Sassière au coucher du soleil comme on salue une amie familière.

Mais je savais que je n'avais plus que quelques semaines devant moi pour jouir de ce spectacle. Déjà, le Père m'avait commandé un nouveau costume à la fabrique de drap de Séez, et une paire de galoches toutes neuves m'attendait sous mon lit. A soixante-dix kilomètres de chez nous, dans cette vallée qui me semblait l'autre bout du monde, j'existais depuis quelques semaines sous le numéro soixante-dix-huit. C'est celui que le directeur du collège de Cevins m'avait attribué en réponse à la lettre de ma grande sœur Philomène lui demandant mon inscription dans son établissement, en classe de sixième. Depuis, mes trois sœurs aînées consacraient leurs soirées à broder ce numéro sur les draps, les taies de traversin, les serviettes, les chemises, les chaussettes, les tabliers, les vestes et les pantalons qui m'accompagneraient en pension.

Plus la date du 3 octobre, jour de la rentrée scolaire, approchait, et plus ma fierté de devenir étudiant s'étiolait. J'enviais la liberté de mes frères restés là-haut dans nos alpages, et surtout celle de Poupou-Tchi, qui aimait tant ses bêtes et ses montagnes qu'on ne jugea pas utile de lui faire poursuivre ses études.

ENFIN, le grand jour arrive. Dans mon sac tyrolien, Mène a glissé de quoi adoucir mes goûters de pensionnaire : chocolat, confiture et fromage. Le Père porte la valise contenant tout mon trousseau brodé. Sur la place du village, le superbe autocar Chevrolet de l'oncle Jean-Baptiste nous attend déjà. C'est le premier et le seul véhicule automobile de toute la commune. Il ne passe pas inaperçu avec sa couleur jaune safran, son grand marchepied et sa bâche décapotable ! Mais même la fierté d'emprunter cet autocar étincelant pour descendre à Bourg-Saint-Maurice ne parvient pas à apaiser le douloureux pincement qui m'accompagne depuis mon réveil. D'autant qu'une vraie déception nous accueille à notre arrivée au car : le cousin Léon Boch, brillant élève de troisième qui devait lui aussi rejoindre le collège de Cevins, est cloué au lit par une forte fièvre qui l'oblige à différer de quelques jours son départ pour la pension. Timidement, je suggère au Père que, peut-être, nous pourrions attendre nous aussi son rétablissement... Il n'est pas du tout de cet avis !

Exceptionnellement, il s'est réservé deux jours de liberté dans son travail, a sorti pour la circonstance ses habits du dimanche et porte, bien rangé dans sa bourse, l'argent de la pension. Il faut donc partir. Au premier ronflement du moteur, je tente bravement d'étouffer mes sanglots, mais à la vue de ces champs où mes camarades bergers s'amusent en surveillant les troupeaux, mes yeux se brouillent. Je sais qu'une page de ma vie vient de se tourner.

A Sainte-Foy, l'autocar s'arrête pour prendre en charge un grand jeune homme blond élégamment vêtu. Il me salue avec un brin de condescendance et j'apprends que c'est Henri Allamand, élève de philosophie, qui rejoint lui aussi le collège. Ma gorge se noue encore davantage. Tant d'années lumière me séparent de cet étudiant distingué auquel je me sens bien incapable de ressembler un jour !

Voilà Bourg-Saint-Maurice. La gare retentit des exclamations des pensionnaires qui se retrouvent après les longs mois de vacances. Henri Allamand a rejoint deux de ses camarades de classe, aussi inaccessibles que lui. Heureusement, il y a la piétaille comme moi. Elle marche dans l'ombre de ses parents et regarde avec inquiétude et fascination ces aînés dégourdis qui achètent eux-mêmes leur billet.

A chaque halte dans les gares de la vallée, le train charge son lot d'écoliers. Dans le compartiment, tous mènent grand tapage. Le Père me présente :

— C'est mon fils Joseph Reymond, de Tignes. Il entre en sixième.

Au nom de Tignes, tous les visages se tournent vers moi. C'est que la réputation de notre village est grande, au collège. Ses élèves figurent souvent au tableau d'honneur. Mais ils sont surtout réputés pour leur gouaille à la récréation et leur esprit frondeur, qui font d'eux d'excellents camarades. A me voir si gauche et si penaud, ils doivent certainement penser que je suis bien indigne de cette réputation !

« Cevins-Saint-Paul », annonce le chef de gare. Le train déverse sur le quai sa cargaison annuelle de pensionnaires, de valises et de balluchons. Le supérieur, Jean Pachod, s'avance à notre rencontre.

— Monsieur Reymond, sans doute ?

— Oui, répond le Père. Je vous amène mon avant-dernier, en espérant qu'il fasse de bonnes études pour devenir un jour curé d'une de nos paroisses de montagne.

— Espérons qu'il ne fera pas comme son aîné Cyrille, qui a abandonné ses études, soupire le supérieur.

Nous prenons tous trois le chemin escarpé qui mène au collège Saint-Paul. L'après-midi est déjà bien avancé. Le Père me laisse quelques instants pour aller régler avec le supérieur la question du prix de ma pension. Un surveillant m'indique le dortoir où, dans la rangée de gauche, m'attend le lit numéro soixante-dix-huit. Mon cœur de berger des alpages se serre : me voilà donc numéroté, fiché, archivé dans cet établissement religieux aux tristes façades. Le Père vient me saluer. Il jauge la souplesse de mon matelas et semble satisfait. Je dormirai bien, affirme-t-il. Puis il me tend une poignée de main vigoureuse — car dans la famille, on n'avait pas trop l'habitude de s'embrasser. Ma volonté s'effondre comme château de cartes :

— Père, ramenez-moi à la maison, je ne vais pas pouvoir rester ici, c'est trop dur !

Une moue d'irritation glisse sur son visage :

— Tu ne vas pas mollir maintenant que tu es à pied d'œuvre pour faire tes études ? Que diraient de toi tes frères et tes sœurs, et même tes camarades, s'ils te voyaient revenir ?

L'argument porte : ma honte serait trop grande à devoir ainsi révéler à tout le village mon manque de courage et de persévérance. Alors, cette fois, je réponds aussi fermement que je le peux à sa dernière poignée de main.

Dans ce collège de Cevins, je vais passer huit ans de ma vie, élève assez médiocre qui bouclera toujours sa valise avec enthousiasme pour rejoindre son village à Noël, à Pâques et retrouver son métier de berger pendant l'été.

A part quelques jeunes garçons, souvent originaires de la ville, qui ont échoué dans cet établissement par hasard ou après avoir été renvoyés de leur premier collège, le gros de l'effectif est constitué de petits paysans de la montagne destinés à aller renforcer les rangs du clergé de Tarentaise. On l'appelle d'ailleurs le « petit séminaire ». Plus encore que les cours, ce sont les prières et l'éducation religieuse qui rythment nos journées.

A cinq heures trente, la cloche nous tire du lit. Aussitôt retentit la voix du chef de dortoir : « *Benedicamus Domino.* » Un chœur ensommeillé lui répond : « *Deo gratias.* » Le surveillant inspecte les lits et tire sans ménagement sur les draps et les couvertures des retardataires. Une vague toilette, et nous voilà dans la salle d'étude. Pour dissiper les brumes « impures » du sommeil, nous devons réciter la prière du matin : « Mettons-nous en présence de Dieu. » Suit une heure d'étude au cours de laquelle nous nous efforçons d'apprendre par cœur les leçons du jour.

A sept heures, sous la conduite du surveillant, nous avançons en file disciplinée vers la chapelle pour assister à la messe. Toujours silencieux, nous écoutons la méditation du jour assurée par un de nos prêtres professeurs. Le style de chacun est très différent : il y a les poètes, les philosophes, les enflammés, les sobres, les tristes, les originaux. Celui que je préfère est l'abbé Chavoutier, capable de s'enthousiasmer pour une phrase, comme lors de cette période de l'avent durant laquelle il nous commenta pendant une semaine ces quelques mots attribués à Jean-Baptiste : « Qu'êtes-vous venus voir dans le désert ? Un roseau agité par le vent ? » J'entends encore la voix fébrile de l'abbé Chavoutier : « Saisissez la beauté de ce passage : un roseau agité par le vent… Tout est contenu dans cette phrase, la nature, le vent, le sable du désert et le roseau ballotté par le souffle de l'Esprit, si fragile et indestructible à la fois. Écoutez, écoutez bien encore. » Nous écoutons en effet, bercés par ses paroles et engourdis par les effluves de cire et d'encens. Dans cette atmosphère de dévotion, je joue à me faire des apparitions. Je fixe longuement le vitrail chatoyant de couleurs qui symbolise la Vierge auréolée, puis je ferme les yeux et tourne la tête vers le mur. Et là, sur la chaux blanche, se dessine miraculeusement la silhouette immense de la Vierge.

La messe se termine. En rang par deux, nous rejoignons le réfectoire. A Saint-Paul, le petit déjeuner se compose invariablement de soupe et de pain. J'ai pris soin d'emporter un bon morceau de beaufort que je partage avec mes voisins, et qui améliore nettement le goût du potage préparé par les religieuses. Une fois le petit déjeuner avalé, nous nous ébrouons dans la cour pour un quart d'heure de récréation. La cloche annonce le début de la classe : il est huit heures trente.

Toute la communauté de Saint-Paul se retrouve à midi au

réfectoire. La table du directeur et des maîtres est dressée sur une estrade, et ce sont les grands élèves de première ou de philosophie qui en assurent le service. Après la bénédiction du repas, le réfectoire résonne du bruit métallique des couverts, du chuchotement des conversations et des exclamations bruyantes des serveurs. Mais durant les quatre semaines de l'avent et les quarante jours du carême, les déjeuners et les dîners se passent en silence, à l'écoute de la lecture. Le supérieur choisit souvent le récit de la vie d'un saint ou des périodes édifiantes de l'histoire de France, comme les guerres de Vendée.

Je me rappelle un incident survenu au réfectoire. L'économe du collège, jugeant que les élèves gaspillaient le pain, avait décrété le rationnement. Il avait servi pendant la guerre de 14-18 et avait même été fait prisonnier au camp de Cassel. De son lieu de détention, il avait rapporté un morceau de pain de seigle noir et rabougri qu'il déposa un jour sur la table des professeurs, lançant à l'adresse des collégiens trop voraces :

— Celui qui n'aura pas assez de sa ration pourra venir chercher un morceau de ce pain que nous mangions à Cassel.

Dans le souci de nous donner une leçon, le brave économe avait seulement négligé d'imaginer que quelqu'un pouvait relever le défi. Je vis soudainement mon voisin de table, Prosper, se lever et s'avancer, son couteau Opinel à la main, vers la table des maîtres. Sous leurs regards incrédules et ceux, ravis et ironiques, des élèves, Prosper planta tranquillement son couteau dans le pain et le découpa en petits morceaux. Il en saisit un et poussa même le culot jusqu'à dire :

— J'en prends un autre pour mon copain le Tignard, qui voudrait bien en manger lui aussi.

Je n'avais rien demandé mais Prosper regagnait déjà notre table et il me tendit ma part de la précieuse relique. Tous les yeux étaient tournés vers nous. J'hésitai un peu mais après tout, bien trempé dans la soupe et recouvert d'une bonne dose de fromage, ce pain de prisonnier se laissait manger. L'économe ne dissimula pas son inquiétude : ce morceau de seigle vieux de plus de dix-sept ans ne risquait-il pas de nous rendre malade ? Au contraire, avec Prosper, nous nous sentions d'autant mieux que nous étions les héros du réfectoire. Le lendemain, les restes de la relique de Cassel avaient disparu de la table des maîtres...

Une autre fois, c'est aux dépens de l'abbé Chavoutier que Prosper exerça ses talents de farceur. Nous étions en classe de quatrième et l'abbé poète était notre professeur de géologie. Il avait demandé à chacun d'entre nous d'apporter une pierre caractéristique de son village pour que nous puissions l'analyser pendant les cours. Consciencieusement, j'étais allé recueillir des cailloux incrustés de mica et du soufre dans les tufs au-dessus du lac de Tignes. Mon ami Prosper, découvrant de son côté, dans un chalet d'alpage, un vieux fromage grataron à la dureté et à l'aspect noirâtre d'une pierre, se dit que sa trouvaille ferait un excellent sujet d'examen pour notre curé-géologue. Le jour du cours arriva. Vint le tour de Prosper. L'abbé se saisit de son étrange tuf, le tourna et le retourna dans ses mains.

— Comme c'est bizarre, comme c'est bizarre..., l'entendit-on murmurer.

Nous étouffions nos rires pendant que notre professeur, tout sourcils froncés, essayait désespérément de déterminer l'origine de ce « minéral » en le faisant réagir à tous les acides de son laboratoire, puis au sel et à l'eau. Finalement, il y planta la pointe de son couteau et un large sourire illumina son visage.

— Sacré Prosper ! Vous vouliez me piéger ! Votre caillou n'est qu'un vieux grataron !

La fierté d'avoir déjoué le piège et la satisfaction de laisser ainsi intacte sa réputation de géologue valaient bien clémence et l'abbé Chavoutier renonça à punir le plaisantin.

CHAQUE journée de classe se terminait par un temps de prière. Avant le dîner, nous avions droit à une lecture spirituelle assurée par le supérieur du collège, qui profitait aussi de cette heure de recueillement pour nous donner les résultats des compositions et nous informer des directives concernant la vie de notre institution. Après la soupe du soir et une courte récréation, la cloche nous rappelait à nos devoirs de futurs prêtres et nous rejoignions la chapelle en rang par deux, pour une dernière prière. Mais nos abbés-enseignants savaient aussi ménager aux adolescents que nous étions les plaisirs de notre âge.

Nous devions notamment à l'un d'eux, l'abbé Albert Loison, héritier d'une riche famille, de vrais ballons en cuir qu'il fallait gonfler à l'aide d'une pompe à air, et surtout des luges en bois. Il en avait acheté une pour chaque classe et les courses de glissade, dans les prés gelés voisins de la pension, étaient un de nos plaisirs préférés pendant l'hiver.

Le jour de la Sainte-Jeanne-d'Arc, il nous offrait toujours un feu d'artifice dont les fusées avaient été commandées bien à l'avance à la maison Ruggieri de Paris. Pendant près d'une heure, nous assistions, émerveillés, à l'embrasement de la cour et des bâtiments du collège. Le silence revenu, le supérieur nous rassemblait pour une dizaine de chapelets suivis d'invocations à Jeanne d'Arc pour la sauvegarde de la France et des Français.

Comme nous étions presque tous issus de villages de montagne, le supérieur du petit séminaire tenait aussi à marquer solennellement les victoires de nos champions de ski. C'est ainsi qu'en 1937, les victoires d'Émile Allais et de René Laforgue aux championnats du monde valurent à toute notre communauté une promenade supplémentaire.

Même dans ces moments de détente, nous étions baignés dans un environnement religieux. Un des lieux de promenade les plus fréquentés était, en effet, le calvaire de la colline voisine de Cevins, avec ses quatorze petits oratoires symboles des stations de la montée du Christ au Calvaire. Quelques jours avant les vacances de juillet, tous les élèves accomplissaient, sous la direction du supérieur du collège, un pèlerinage. A cette occasion, nous étions dispensés de cours. Nous quittions la pension à six heures du matin. A chaque station, le cortège s'arrêtait pour écouter la prière lue par un de nos enseignants. Puis nous reprenions le chemin en récitant le chapelet. Parvenus sur le plateau, nous nous regroupions au pied de la statue monumentale dédiée à Notre-Dame des Neiges, en psalmodiant des Ave.

La cérémonie de distribution des prix nous réunissait tous une dernière fois. Elle était toujours l'occasion d'une grande fête avec représentation théâtrale. Les familles des pensionnaires originaires de la vallée venaient souvent y assister, et j'enviais toujours un peu ces camarades qui pouvaient ainsi se montrer sur les planches devant leurs parents, ou qui avaient la fierté de s'entendre, en leur présence, interpeller par le supérieur pour venir chercher leurs prix sur l'estrade aménagée dans la cour. Mais je savais que la route de Tignes était longue et que, là-haut, les foins et les bêtes n'attendaient pas...

LA cloche résonne dans l'enceinte de la pension, donnant le signal de la dispersion. Sac au dos, valise à la main, nous dévalons la pente jusqu'à la gare. Comme j'ai changé, depuis cette date où, pour la première fois, j'ai entrepris ce voyage ! Le train, maintenant, m'est devenu aussi familier que les visages de ceux qui m'entourent. A Bourg-Saint-Maurice, je retrouve l'autocar flamboyant. Sur la route, mes souvenirs de pensionnaire s'estompent. A Sainte-Foy, où l'autocar s'arrête pour prendre en charge quelques paysans chargés de ballots, je renoue déjà avec le patois. Et, lorsque les quatre hameaux du village m'apparaissent, blottis au fond de notre vallée dans le soleil couchant, je suis redevenu tignard. A la maison, je retrouve Philomène, attentive et souriante, un peu admirative devant le jeune collégien du petit séminaire que je suis devenu. Les frères sont déjà montés à l'alpage où j'irai les retrouver dès le lendemain. Eux aussi me regardent différemment. Dans la famille, je suis désormais considéré comme un futur prêtre et même le Père se montre prévenant à mon égard, me dispensant des travaux les plus durs.

Cette sollicitude nouvelle suscite en moi des sentiments mêlés. Fier de mes études, je ne peux toutefois m'empêcher de ressentir une certaine tristesse. Je suis un peu à part, comme un berger amateur qui serait venu partager pendant quelques mois la vie des paysans de montagne.

Je fais découvrir à Alexis les quelques ouvrages que j'ai reçus à la distribution des prix et que mes maîtres m'ont fortement encouragé à lire pour parfaire ma connaissance du français : les *Lettres* de Madame de Sévigné, les *Mémoires* de Saint-Simon et, surtout, des fabliaux du Moyen Âge, qui font le régal de mon petit frère. Captivé par mes lectures, je me révèle médiocre berger, et mes frères doivent souvent me rappeler à l'ordre lorsqu'une vache s'éloigne trop. L'été passe ainsi, entre les journées à l'alpage et celles consacrées à la fenaison, à laquelle le Père m'a initié, jugeant que ma corpulence d'adolescent me permettait désormais de manier la faux sans danger. Chaque année, mes cahiers de devoirs de vacances restent obstinément vierges. La pension est trop lointaine, les foins trop abondants et la montagne trop belle… Nos abbés professeurs le savent d'ailleurs. Le jour de la rentrée, ils nous admonestent sans trop de conviction pour notre paresse estivale. Souvent originaires de villages de montagne, ils savent bien que les jeunes paysans que nous redevenons pendant les vacances n'ont guère le temps ni le goût de se consacrer aux révisions de latin, de grec ou de mathématiques en rentrant d'une journée de travail dans les champs.

Après trois mois passés ainsi au grand air des alpages, le retour au pensionnat et à sa vie communautaire est pénible. Il nous faut plusieurs jours pour dissiper cette nostalgie envahissante. Mais le rythme bien réglé de nos heures de collégiens et le plaisir de nous retrouver entre camarades l'emportent peu à peu. Pendant toute ma scolarité, je navigue modestement entre la troisième et la sixième place, toujours faible en mathématiques, insuffisant en latin et grec, passable en français, bon élève en histoire et géographie. Seule l'instruction religieuse me vaut régulièrement les honneurs du premier de la classe.

En juin 1938, j'échoue au baccalauréat à cause d'une mauvaise version latine et grecque et d'une grossière faute d'orthographe à la première ligne de ma dissertation de français. Nous devions commenter cette phrase : « Le Français n'a pas la tête épique. » Je m'inspire de *la Chanson de Roland* pour contredire cette affirmation et commence mon devoir par un pompeux : « Tous les peuples sont fiers de leurs grands hommes et se *ventent* de leurs poètes, écrivains, peintres ou musiciens... » Aïe ! mauvais effet que ce « vent » dans ma première ligne !

Contrairement aux vœux de mes professeurs, je renonce à me présenter à l'épreuve en septembre. Il me faudrait travailler tout l'été, ce dont je n'ai guère envie, d'autant que je n'ai pas oublié ma vocation de prêtre et que je sais que les autorités du diocèse de Tarentaise n'exigent pas le baccalauréat pour l'entrée au grand séminaire. Je me contente donc de reprendre les cours à l'automne, en classe de philosophie. Les leçons de l'abbé Roche me passionnent et, bien que non bachelier, je me maintiens aisément en tête dans cette matière. Mes années d'études s'achèvent ainsi sur un bon souvenir.

Le dernier jour de pension, auquel j'avais si souvent rêvé dans mes moments de cafard, me laisse étonnamment triste et désemparé. Le supérieur Jean Pachod vient me saluer et, d'une voix où perce l'émotion :

— Comme disait Montaigne, nous nous sommes efforcés de vous donner une tête bien faite plutôt que bien pleine, mais surtout une bonne éducation religieuse. Souvenez-vous-en.

Avec trois de mes camarades, nous empruntons une dernière fois le chemin qui mène à la gare de Cevins, silencieux et comme abasourdis de nous retrouver soudainement face à notre destin. Les portes du collège se sont refermées derrière nous et, en ce 4 juillet 1939, tandis que l'Europe entière frissonne de peur, elles nous apparaissent soudainement bien protectrices...

Je retrouve mon village de Tignes à l'heure où l'angélus du soir tinte au clocher et où le Père, revenu de l'alpage, décharge le mulet pour le rentrer à l'écurie. Je croyais alors qu'après quelques semaines de repos au village je rejoindrais tranquillement la caserne pour y effectuer mon service militaire. Il sera beaucoup plus long que prévu.

LA DRÔLE DE GUERRE

L E 1er septembre 1939, l'Allemagne envahit la Pologne. La guerre est engagée et j'ai tout juste vingt ans. Dans la vallée, face aux incertitudes de la position de l'Italie dans le conflit, les troupes alpines s'affairent de plus en plus le long de la frontière. Au lac de Tignes, le chalet-refuge de la comtesse, qui employait de très nombreux Italiens, se vide tout d'un coup, ceux-ci craignant des représailles de notre part.

En dépit des craintes qu'inspire cette drôle de guerre, la plaisanterie ne perd pas tous ses droits. Au hameau de l'Illaz vit un certain Constant qui a peur pour son village, situé juste à l'aplomb du col de Rhêmes-Golette, par lequel les troupes italiennes peuvent déboucher d'un jour à l'autre. Comme il ne lit pas les journaux et n'a pas la TSF, à chacune de ses sorties au chef-lieu, il interroge :

— *Comé y va aveye l'Italie ?* (« Comment ça va, avec l'Italie ? »)

Ça va mal, s'entend-il répondre le plus sérieusement du monde. Hier soir, à la TSF, Mussolini a encore réclamé l'Illaz. Du haut de son balcon du palais de Venise, devant des milliers de fascistes, il a crié : « A qui l'Illaz ? » Et la foule lui répondait : « A nous ! A nous ! »

Ces récits inquiètent Constant. Le Père, si sérieux d'habitude, s'amuse de sa crédulité et en rajoute, affirmant que le pape lui-même soutient cette revendication et qu'il a béni les troupes en partance pour nos frontières. Constant est un bon chrétien mais là, vraiment, son pieux respect pour le Saint-Père en prend un coup. Et pour la plus grande joie de ses compagnons, il se met à jurer comme un diable contre ce maudit pape.

Début novembre, le facteur m'apporte ma feuille de mobilisation. Je suis affecté au 28e génie de Montpellier et je dois rejoindre la caserne Joffre le 27 novembre. A l'exception d'Alexis, encore trop jeune, et de Mamin, déjà en charge de famille nombreuse, tous mes frères sont mobilisés. Nous avons encore deux ou trois semaines devant nous et le Père entend bien ne pas nous laisser chômer avant notre départ, mettant à profit le bel été indien de cette année-là. Avec Miguel, un ouvrier agricole espagnol qui travaille chez nous, il me charge d'aller couper un gros tremble sur une de nos propriétés, pour la provision de bois de l'hiver. Il nous faut une grande semaine pour l'abattre et encore plusieurs jours pour le tronçonner, le fendre et le ranger en petits tas sur la *lozi* où le vent et le soleil achèveront de le faire sécher. Appuyés sur les billots nous nous interrompons souvent pour discuter de longs moments. La guerre, Miguel l'a déjà connue. Elle s'est terminée avec la défaite de son camp et il a dû fuir son pays pour trouver refuge chez nous. Je suis affamé de détails sur son expérience de soldat. Songeant à tout ce qui m'attend, je l'écoute me conter ses combats, ses amis blessés ou morts à ses côtés, la douleur et la colère qu'il a ressenties lorsque, voyant que tout était perdu, il a dû se résigner à la fuite vers la France. Pour me donner courage, je me dis en moi-même que tout cela ne risque pas d'arriver à l'armée française, qui a si glorieusement remporté la guerre de 14-18.

Le 26 novembre, je quitte donc mon village natal pour rejoindre Montpellier. Le voyage en train me paraît bien court, tout occupé que je suis à découvrir, rivé à la fenêtre, ces paysages du Midi si nouveaux pour moi. A l'arrivée sur le quai de la gare, un adjudant nous attend ; il a tôt fait de repérer ses nouvelles recrues dans ces jeunes gens peu dégourdis qui descendent du train.

La cour de la caserne Joffre me paraît immense. On nous dirige vers le magasin d'habillement. La mobilisation est passée par là et il ne reste plus, dans les réserves de l'armée, que les tenues bleu horizon de nos aînés de 14-18. Ainsi vêtus, nous rejoignons notre chambrée. J'échange quelques mots avec mon voisin jusqu'à l'extinction des feux. Il est de Nice et me parle de la beauté de sa ville et des filles qui s'y promènent. D'un coup de coude, il me désigne, avec un zeste d'ironie, un de nos compagnons qui s'agenouille au pied de son lit pour prier. Au fond de moi, j'admire ce compagnon si sûr de sa foi et j'ai honte de mon manque de courage. Je n'ai toutefois jamais eu suffisamment de ferveur pour me mettre à genoux dans la chambrée et prier.

L'hiver s'écoule, entre les exercices en plein air au cours desquels nous apprenons à installer des téléphones de campagne, grimpant aux arbres dans un mistral cinglant, et les soirées dans les cafés de la ville. Au printemps, je réussis les examens pour devenir élève caporal : des galons à coudre sur ma manche et huit jours de permission. Me voilà donc, pour une semaine, de retour dans mon village de Tignes, où Philomène m'accueille avec fierté. Alexis et le Père me félicitent pour mes galons. Mais les événements commencent à prendre un tour sérieux. Les bataillons de chasseurs alpins s'apprêtent à partir pour la Norvège qui vient d'être attaquée par les troupes allemandes.

Dans notre caserne, l'ambiance a changé. Nous sommes en mai 40 et Hitler a lancé son offensive sur la France. A la caserne, c'est la consternation. Je figure sur la liste du bataillon qui doit monter en ligne pour assurer les transmissions entre les régiments battant en retraite devant l'arrivée des tanks allemands. Le 6 juin, nous prenons le train pour Paris. Le voyage est mouvementé et nous échouons finalement dans la banlieue, où une ferme cossue a été réquisitionnée pour les troupes. La guerre se rapproche ; on perçoit des bruits d'explosion sans savoir si ce sont des coups de canon allemand ou des mines à retardement placées par les Français. Le lendemain, je suis volontaire pour installer le long de la Seine une ligne téléphonique qui doit relier une batterie d'artillerie à une villa où sont cantonnés quelques officiers de haut grade. Pour la première fois, je me sens utile. Deux jours plus tard, on me charge d'une mission aux environs de Mantes-la-Jolie mais au petit matin, ordre nous est donné de battre en retraite si nous voulons échapper aux troupes allemandes. Nous abandonnons à la hâte nos bobines de fil, nos téléphones de campagne, nos pelles et nos pioches. Notre but n'est plus de gagner la guerre mais de fuir le plus loin possible.

Je suis complètement démoralisé. Qu'ils sont loin, mes livres de glorieuse histoire guerrière, les clairons d'Austerlitz et la bataille de la Marne !

Commence alors pour nous une piteuse retraite parsemée d'embûches qui nous mènera en quelques semaines jusqu'à Limoges. Sur les routes, nous rencontrons des milliers de civils, à pied, en voiture ou en charrette, qui fuient vers le sud. La nuit, nous trouvons refuge dans les granges à foin des fermes. Dans l'une d'elles, nous sommes accueillis par un paysan fou de colère qui nous menace de sa fourche :

— Tas de poltrons, fuyards, bons à rien... Vous ne dormirez pas chez moi, remontez face à l'ennemi. Je les ai arrêtés, moi, les Boches à Verdun !

Nous préférons ne pas insister et nous rejoignons un petit bois moins revanchard, tout en nous disant que ce paysan n'a sans doute pas complètement tort...

De la guerre, de la position des troupes allemandes et françaises, nous ne savons presque rien. Notre seul souci est d'échapper aux camps de prisonniers. Un petit matin de juin, je crois pourtant mon heure venue. Après une nouvelle nuit passée à la belle étoile, je suis réveillé par le contact glacé du fer d'une baïonnette contre mon flanc. Une escouade d'Allemands nous fait face. Ils nous font signe de nous lever et de les suivre, les bras en l'air, jusqu'au village voisin. Nous arrivons au beau milieu de leur campement, à l'heure du petit déjeuner. Les voilà donc, ces fameux ennemis! Torses nus, en train de manger ou de se laver dans la fontaine, ils ne nous paraissent pas si impressionnants. On nous dirige vers un gradé qui parle français. Comme je suis caporal, il s'adresse à moi et m'explique que nous allons être conduits dans un camp de prisonniers qui se forme à Charroux. Puis il me demande de quel coin je suis originaire.

— De Tignes, en Savoie.

— Oh! mais je connais! Je suis Autrichien et je suis allé skier à Val-d'Isère.

Son visage s'adoucit aussitôt et, d'un geste discret, il nous fait comprendre que nous sommes libres. Pour ne pas éveiller les soupçons des autres, il nous accompagne jusqu'à la sortie du village et nous laisse fuir à travers champs. Tout en courant à perdre haleine, je bénis mon identité de Tignard et les belles pentes enneigées de Val-d'Isère, qui viennent de nous éviter des années de stalag...

IL ne nous reste plus qu'une rivière à franchir et nous voilà enfin en zone libre. Dans une ferme, nous avons entendu à la radio le maréchal Pétain annoncer l'armistice. La France est vaincue et, lâchement, je me sens soulagé. Le printemps est beau et les rumeurs de la guerre s'assourdissent. Dans les villages, la vie semble continuer comme avant; les filles sont légèrement vêtues et les hommes plaisantent aux terrasses des cafés. Comme je sais manier la faux, j'aide le fermier qui nous offre asile dans sa grange à faire les foins. Un mois s'écoule ainsi, durant lequel les soldats que nous devrions être mènent la vie de paysans tranquilles et, ma foi, heureux.

J'aurais volontiers prolongé ce séjour, mais l'annonce d'un rassemblement des régiments de transmission finit par nous parvenir et nous rejoignons Limoges. De là, nous sommes envoyés dans une petite ville voisine, avec mission de surveiller la gare et les voies ferrées. J'ai récupéré, je ne sais comment, le *Décaméron* de Boccace. Au collège Saint-Paul, j'avais appris que c'était une œuvre licencieuse, mais la tentation est plus forte, et je lis avidement durant mes heures de sentinelle, assis sur un banc de la gare. La poste fonctionnant à nouveau, j'occupe mes heures de liberté à rédiger une longue lettre à Philomène, lui narrant toutes les péripéties de mon existence depuis mon départ de Montpellier.

Je reçois en retour le récit des derniers mois mouvementés de ma famille et des autres Tignards, que la déclaration de guerre de l'Italie a contraints à fuir le village. Hommes et bêtes ont dû partir pour Bourg-Saint-Maurice dans le plus grand désordre, les enfants pleurant de soif et de faim, les vaches beuglant pour se faire traire. Après avoir abandonné le bétail sur les communes de Bourg, les familles sont parties en train jusque dans la Drôme, puis ont été réparties dans différents villages, où elles ont été accueillies avec beaucoup de sollicitude. Après l'armistice, les Tignards ont été autorisés à retourner chez eux. Comme les Italiens, qui occupent Séez et Sainte-Foy, mettent un malin plaisir de petit vainqueur à faire traîner les formalités administratives nécessaires pour traverser le territoire de ces communes, de nombreux Tignards regagnent le village à pied, par la forêt de Malgovert. Mais il fallait encore récupérer le bétail dans la vallée, ce qui a donné lieu à une belle foire d'empoigne entre propriétaires. Philomène me raconte aussi que tous les frères sont démobilisés, à l'exception de Djanetta, fait prisonnier et envoyé en Allemagne.

En novembre, une permission de huit jours me permet d'aller tous les retrouver à Tignes. Philomène et Alexis m'accueillent comme un héros de la retraite de Russie. Le Père se montre nettement plus dubitatif sur ma campagne militaire et me demande s'il n'y aurait pas un moyen de stopper l'avancée allemande. A m'entendre raconter que je n'ai vu l'ennemi qu'une fois et que l'on ne savait absolument pas ce qui se passait, ses espoirs de revanche semblent s'envoler. Parmi les soldats originaires du village, il y a une douzaine de prisonniers, dont Djanetta. Nous espérons que la lettre qu'il avait écrite à Hitler en août 1939, dans laquelle il se disait prêt à passer la frontière pour aller lui « botter le cul » n'est pas parvenue à son destinataire !

MON retour à la caserne Beaublanc de Limoges sera de courte durée. J'apprends en effet qu'un officier recherche des skieurs pour former une compagnie destinée à partir pour les montagnes auvergnates. Mon origine tignarde me vaut d'être tout de suite sélectionné et je me retrouve, skis aux pieds, à sillonner les pentes du Cantal. Là, je fais la connaissance de Paul Chevrier, un solide Lorrain étudiant séminariste et très bon skieur. Nous passons de longues heures à discuter tous les deux. Sentant chez Paul une vocation religieuse inébranlable, je décide de m'ouvrir à lui de mes doutes, d'autant plus forts que, pendant le mois champêtre passé en juillet dans le Sud-Ouest, j'ai côtoyé des jeunes filles qui m'ont laissé entrevoir certaines douceurs de l'existence…

Paul m'affirme que tout cela est surmontable si j'ai une vraie foi et un grand amour pour Jésus-Christ. C'est bien là la question ! Je n'ai cessé de me la poser pendant tout l'été 1941, en parcourant les belles montagnes du Cantal. Un jour de septembre, ma décision est prise. Dans une lettre un peu cruelle, j'annonce à Philomène qu'après la guerre je n'entrerai pas au séminaire. Je la garde pendant quelques jours dans mon paquetage, hésitant encore à l'envoyer. Mais la perspective de devoir faire part de vive voix, au Père et à Philomène, de mon renoncement à la vie religieuse, me semble encore plus difficile à assumer ; aussi déposé-je finalement cette lettre à la poste.

Les jours qui suivent sont difficiles pour moi. J'imagine la déception qu'a dû ressentir ma famille en apprenant ma décision. Fin octobre, je reçois enfin la réponse de Philomène. Elle me parle de la « démontagnée », qui s'est bien passée, du bois d'affouage que les hommes sont en train de couper pour l'hiver et des petites histoires du village. Au bas de la lettre, sous sa signature bien calligraphiée, elle a ajouté un post-scriptum : « Nous avons bien lu que tu hésitais à poursuivre dans la voie sacerdotale. Mais cher frère, tu restes libre de ta décision. Je prie pour toi. » A la vue de ces mots si simples et si émouvants, je ne peux retenir mes larmes.

Notre séjour en Auvergne prend fin au printemps 1942. On m'envoie pendant les mois d'été sur le plateau de Millevaches, où je renoue avec mes activités de télégraphiste. A l'automne 1942, les fils de famille nombreuse, dont je suis, vont être démobilisés. En « cadeau de libération de la part du maréchal Pétain », je reçois un costume civil tout neuf et des chaussures.

JE retrouve mon village tel que je l'ai laissé, il y a maintenant plus de dix ans, lorsque j'étais entré pour la première fois en pension. Le bois sèche sur la *lozi*, le cochon engraisse royalement à l'étable, les bêtes profitent de leurs dernières heures de liberté dans les champs et les Tignards se retrouvent, le soir, à la veillée. Seuls les sujets de conversation ont un peu changé.

On parle de cette guerre perdue, des prisonniers en Allemagne, des Italiens qui occupent Séez et Sainte-Foy. On raconte aussi l'histoire de cet officier valdôtain qui, en juin 1940, lors de la percée du front des Alpes par les troupes italiennes, a épargné les maisons de Bourg-Saint-Maurice du tir des canons. Il était arrivé avec ses hommes au col du Petit-Saint-Bernard avec mission de bombarder la vallée. Les artilleurs placèrent leur gros canon en batterie et le pointeur le dirigea vers le cœur de Bourg-Saint-Maurice. Mais l'officier qui commandait le tir connaissait la plupart des nombreux Valdôtains venus s'installer dans cette petite ville. Rivé à ses jumelles, il se mit à crier :

— *No, gira la bombarda, c'è la casa di Tresanini!* (« Tourne le canon, c'est la maison de Tresanini ! »)

Le pointeur se mit en quête d'un autre objectif. L'officier, qui vérifiait la ligne de mire, s'exclama encore :

— *No, gira la bombarda, c'è la casa di Anselmetti!*

Et quelques minutes plus tard :

— *No, c'è la casa di Guillermina! No, c'è la casa di Poletti, di Hugo, di Bonda...*

Tant et si bien que le pauvre artilleur ne savait plus dans quelle direction tourner son canon, et que les valeureuses troupes italiennes restèrent en panne dans la forêt du Reclus !

Après m'avoir laissé quelques jours de répit à savourer mon retour au village et à la vie civile, Philomène se décide enfin à me poser la térébrante question de ma vocation religieuse et m'incite à partir en retraite dans un monastère. Sur les conseils du curé de Tignes, je vais frapper à la porte d'une maison religieuse, à Saint-Égrève, près de Grenoble, où je suis accueilli par le père Duru. Auprès de ce jésuite, d'une vraie bonté et d'une grande intelligence, je m'ouvre de longues heures durant de mon angoisse du célibat et de la fragilité de ma foi. Pressentant très vite que mon doute est le plus fort, mesurant aussi la déchirure que ce renoncement signifie pour moi et le poids des superstitions qui me font craindre une sorte de châtiment divin, le père Duru me rassérène. L'essentiel, me dit-il, est de garder une bonne foi chrétienne, qui me permettra de tenir dignement et généreusement ma place dans la communauté humaine. Il m'engage à me marier très vite.

— As-tu quelqu'un en vue ? demande-t-il.

— Peut-être...

En réalité, je n'ai personne. Tout juste la silhouette d'une jeune fille blonde habitant Tignes, et qui m'a fait de l'effet.

Nous sommes le 25 novembre 1942, exactement le jour anniversaire de la disparition de ma mère, douze ans auparavant. J'ai le sentiment de faillir à la promesse que je lui ai faite ce soir-là, sur son lit de mort. En quittant à pied le monastère pour rejoindre Grenoble, je me sens terriblement seul. Enfuies les années bien surveillées au collège Saint-Paul, finie la vie disciplinée de la caserne qui me dispensait des questions existentielles. Me voilà seul face à une terrifiante liberté...

10

TOUS CONTRE LE BARRAGE

A PEINE ai-je franchi le seuil de la maison familiale que Mène m'interroge du regard. A mon air penaud et déconfit, elle comprend tout de suite que les nouvelles sont mauvaises. Ses derniers espoirs de me voir un jour rejoindre les rangs du clergé viennent de s'envoler.

Me voilà donc redevenu officiellement simple paysan. Le Père, un peu fâché contre moi de son ambition déçue, entend bien me remettre tout de suite au travail avec les autres frères. Dès le lendemain, il m'envoie avec Alexis étendre le fumier dans les champs et couper le bois de l'hiver. A Noël, le curé me sollicite, avec trois autres jeunes du village, pour faire partie des chantres de l'église. A l'heure sacrée du *Minuit chrétien*, nos voix fortes et assurées couvrent le chœur des anciens. Symboliquement, une génération vient de passer.

Pendant ces mois d'hiver où Tignes vit au ralenti, où les bruits du monde semblent nous parvenir comme assourdis par la neige, nous écoutons aussi la radio de Londres. Un soir nous parvient le message que nous attendions : « *Maï mé*, Tartarin a passé les Alpes. » Nous comprenons que Jean-Claude, un jeune juif qui s'était caché pendant quelques mois dans notre village, a réussi son pari et gagné l'Angleterre. Pendant son séjour, il avait appris le patois tignard et il en avait retenu ces deux mots : *maï mé* (« moi aussi »). Avant de partir, il nous avait promis de nous envoyer depuis Londres ce message codé.

MAIS plus encore que la guerre, une autre menace occupe nos esprits. Avant le déclenchement du conflit, nous avions reçu la visite de quelques ingénieurs de la société des Forces motrices du Rhône, venus faire des sondages au pied de notre village. On commence à entendre parler de la construction d'un barrage sur nos terres. Les autorités de la Savoie laissent discrètement entendre à certains investisseurs désireux de s'établir dans notre village pour y aménager des hôtels en prévision du développement du ski, que l'avenir de notre belle vallée est incertain. On murmure que des agents des Forces motrices du Rhône se sont enquis de ceux qui, dans le village, connaissent des difficultés financières. Le propriétaire d'un hôtel, qui doit faire face à des échéances d'autant plus lourdes que les clients se sont faits rares, est ainsi approché et accepte de vendre son bien tout en continuant à en assurer la gestion. Des Tignards émigrés à Montpellier et à Paris cèdent également des terrains à bon prix, ignorant qu'ils laissent ainsi le cheval de Troie entrer au village. La population tignarde semble totalement ignorer le danger. Elle croit encore à la construction d'un petit barrage qui ne noierait que quelques prés-marais sans intérêt agricole au fond de la vallée.

Mais pendant la guerre, le chantier de la galerie souterraine, qui devait officiellement servir à aménager une chute d'eau près du village de la Gurraz, continue sa progression bien au-delà de ce site et s'approche de chez nous. La rumeur se répand alors de la construction d'un barrage de cent vingt mètres de haut qui ferait disparaître totalement notre village sous les eaux. En août 1941, le conseil municipal se fait l'écho de cette menace en adoptant une motion dans laquelle il demande au préfet de la Savoie d'intervenir pour interrompre immédiatement ce projet. Pour toute réponse, la municipalité reçoit une lettre des Forces motrices du Rhône l'informant sèchement qu'un chantier de sondages va s'ouvrir dans le lit de l'Isère. Une nouvelle démarche, un an plus tard, auprès de la préfecture du département, nous vaut quelques propos lénifiants. Il ne s'agit pour l'instant, nous affirme-t-on, que d'études préparatoires à la réalisation d'un barrage qui, si elle s'avérait « inopportune », serait abandonnée.

Notre inquiétude a toutefois du mal à se dissiper, d'autant que les offres de rachat de terrains se poursuivent, parfois avec succès. Pour prévenir ce début de contagion des ventes, l'abbé Fernand Boch, originaire de Tignes, essaie en juillet 1943, de monter une association ouverte à tous ceux qui s'engageraient à ne vendre aucun de leurs biens sur le territoire de la commune. C'est un échec. On palabre, on tergiverse, personne ne semblant prêt à céder une parcelle de son indépendance au profit d'un intérêt collectif dont on continue malgré tout de croire qu'il n'est pas vraiment menacé. L'abbé Boch a beau expliquer que la décision de vendre de quelques-uns risque d'engager la vie de tous les autres, peu à peu ceux qui étaient venus à la réunion s'en retournent chez eux, fidèles à cet individualisme tignard forcené qui nous perdra. Lorsque l'on sait qu'à cause de ce maudit individualisme notre village n'a jamais été capable de se doter d'une section de pompiers, les rares bénévoles refusant de se soumettre à l'autorité d'un quelconque chef, on imagine mieux ce qu'il pouvait en être concernant l'abandon, même momentané, du bien le plus précieux d'une population de petits paysans : la propriété et la libre disposition de ses terres !

Mais l'abbé Boch ne désespère pas. A l'automne, il prend l'initiative d'une démarche auprès du maréchal Pétain. A la tête d'une petite délégation composée du maire de Tignes et de quelques personnalités du village, dont le Père, il se rend à Vichy. Dans le mémoire qu'il a préparé pour le chef de l'État, l'abbé Boch dénonce « la façon dont on s'y est pris pour capter la confiance de petits propriétaires et les engager à vendre leur terrain ou leur maison à l'amiable, afin de désagréger, petit à petit, le bloc des résistances » et « l'entreprise de véritable corruption qui a essayé, très partiellement il est vrai, d'obtenir ce résultat par l'appât de gains inespérés ». Le Maréchal les reçoit autour d'une grande table. L'abbé Boch et le maire exposent leurs doléances au vieillard attentif. Le Père intervient :

— Mais enfin, on ne peut pas décider, comme ça, de la noyade d'un village qui a des siècles d'histoire et une communauté florissante !

Il nous racontera, à son retour, que le Maréchal s'est alors penché un peu pour le dévisager. L'entretien se termine. Pétain tente de rassurer ses visiteurs en leur disant que « tout se décidera après la guerre » mais que, « vraisemblablement » un tel barrage ne se construira pas.

PENDANT ce temps, je tombe amoureux. Le Père ayant décidé que, cet été-là, je ne rejoindrai pas mes frères à l'alpage car il a besoin de moi pour faire les foins dans nos champs autour du village, je dispose de longues heures de liberté. Je suis attiré par une jeune fille blonde aux yeux bleus que j'emmène souvent en promenade dans les sentiers de montagne. Au crépuscule, après les lourdes chaleurs de la journée et les travaux des champs, nous nous éloignons tous deux discrètement du village pour partager quelques moments de douceur. En septembre, après la capitulation de l'Italie, des Allemands viennent occuper notre village. Ils sont pour la plupart assez âgés et leurs patrouilles nocturnes ne sont pas bien zélées. Mais un soir où nous nous trouvons, ma belle et moi, dans un coin retiré après le couvre-feu, nous entendons distinctement la patrouille allemande approcher. Nous avons tout juste le temps de nous cacher dans l'herbe haute, derrière la chapelle du village, pour échapper à leur vue. Les deux soldats, au lieu de poursuivre leur route, viennent tranquillement s'asseoir sur le banc de prière installé devant la chapelle, à quelques mètres de nous. Angoissés, nous attendons, blottis l'un contre l'autre, en retenant notre souffle, qu'ils se décident enfin à repartir. Ce qu'ils font, au bout d'une heure. Lorsque le bruit de leurs pas nous paraît suffisamment éloigné, nous rejoignons à travers champs chacun notre maison. J'aurais sans doute pu me marier à cette époque-là ; mais, une fois encore, face à une décision qui allait engager ma vie, j'ai hésité. Je l'ai regretté plus tard, mais la complice de mes escapades amoureuses ne m'a pas attendu...

EN 1944, la guerre se rappelle brutalement à nous. Les troupes allemandes, poursuivies par les Américains et l'armée du maréchal de Lattre, remontent du Midi de la France. Elles vont tenter de rejoindre leurs forces stationnées en Italie et doivent pour cela franchir les cols savoyards du Saint-Bernard et du Mont-Cenis. Craignant un débordement de la Tarentaise par le col de la Leisse, la direction de la Résistance intime alors aux jeunes Tignards l'ordre d'aller garder ce passage. Nous partons une dizaine, en août, équipés de vieux fusils, monter un bivouac au sommet du col. Pendant trois jours, nous scrutons la moindre parcelle de chemin, à l'affût des silhouettes ennemies. Nous apercevons des chamois, des bouquetins et des choucas, mais de Wehrmacht, point. Les seuls bruits menaçants qui nous parviennent sont ceux des séracs de la Grande-Motte qui, dans un terrible craquement, vont s'écraser au fond de la vallée. Le quatrième jour, on vient nous avertir que tout danger est écarté et que nous pouvons abandonner notre surveillance.

A notre retour, une sinistre nouvelle nous attend. L'abbé Fernand Boch vient de mourir au combat. Pour arrêter la progression de l'armée allemande dans notre vallée, il avait entrepris de lui barrer la route à l'aide d'un mortier. Mais les troupes avaient fini par repérer la provenance des obus et elles dirigèrent leur artillerie dans la direction des résistants. L'abbé Boch reçut un éclat en plein ventre et mourut le lendemain à l'hôpital de Moûtiers, à l'âge de trente-sept ans.

Il fut enterré à Tignes le 14 août 1944. Pour nous, cette perte allait être irréparable. Non seulement parce que l'abbé Boch était un des chefs de la Résistance de Tarentaise, mais aussi parce que ce licencié ès sciences et lettres était le seul homme du village qui aurait pu argumenter avec les ingénieurs des Forces motrices du Rhône et avec les responsables de l'administration pour défendre notre communauté contre la construction du barrage.

LA Seconde Guerre mondiale se termine. Les prisonniers de guerre sont rentrés. Djanetta est parmi eux. Il dit n'avoir pas trop souffert de ses cinq ans de captivité, car il a été affecté dans une ferme en Allemagne, où les difficultés d'approvisionnement se faisaient moins sentir qu'ailleurs. Après s'être reposé pendant trois mois à l'alpage, il nous quitte pour rejoindre sa place à la salle des ventes de Paris.

Moi, j'ai vingt-six ans et je ne sais toujours pas quoi faire de ma vie. Assis devant notre chalet d'alpage, à l'heure où le jour tombe et où les bêtes ruminent, je me prends à rêver de vivre ici, au pied de ces montagnes que j'aime, et d'y mener une existence d'ermite que seuls viendraient animer quelques amoureux de la neige et des randonnées. Je m'ouvre de cette idée à Alexis, qui m'encourage. Reste à convaincre le Père de me céder une parcelle de ce précieux alpage pour que je puisse y construire mon refuge. A ma grande surprise, il se dit tout à fait prêt à m'aider et me félicite même de prendre une telle initiative. Sans hésiter, il me propose deux mille mètres carrés de terrain au bord du lac. Dans la famille, nous n'aimons guère les effusions ; mais pour une fois, je ne peux me retenir d'embrasser le Père pour le remercier.

J'ai déjà trouvé le nom de mon chalet. Il s'appellera *Le Sérac*, à cause bien sûr de ce fromage de berger qui me régale depuis tant d'années, mais aussi de ces gros blocs de glace qui se détachent dans un craquement sourd de la Grande-Motte toute proche. Je l'imagine, cette maison solitaire, enfouie sous la neige pendant les mois d'hiver, avec une grande cheminée autour de laquelle les touristes viendraient se réchauffer après une longue course en montagne. Je la devine aussi l'été, se reflétant dans les eaux bleues du lac tandis qu'une barque de bois attend les amateurs de pêche à la truite.

Ce que j'ignore encore, c'est que ce Sérac va devenir, un jour, mon unique refuge, lorsqu'une gigantesque étendue d'eau aura englouti mon village et noyé toute trace de mon passé.

Au lendemain de la Libération, les Forces motrices du Rhône se fondent, comme d'autres compagnies privées, dans la toute nouvelle Électricité de France. La France est à reconstruire, ses besoins en énergie sont insatiables et, au regard de ce défi, notre village de cinq cents âmes pèse bien peu. Le 15 mai 1946, un décret signé du ministre de la Production industrielle, Marcel Paul, déclare « l'utilité publique et l'urgence des travaux d'aménagement de la chute des Brévières, sur l'Isère ». Publié au *Journal officiel*, il signe froidement notre arrêt de mort.

De nouveaux ingénieurs se déplacent à Tignes, accompagnés cette fois de représentants de la préfecture du département. Ils persuadent notre secrétaire de mairie de les aider à répertorier et à évaluer les biens de chaque famille. Déjà, il s'efforcent de calculer le montant de notre indemnisation. Lorsque cette sinistre délégation frappe aux portes des maisons pour s'enquérir de la richesse du cheptel ou de la valeur agricole de telle ou telle terre, elle se fait chasser sans ménagement. Accusé de traîtrise, le secrétaire de mairie nous rétorque qu'on ne peut rien faire contre le progrès et qu'il vaut mieux, pour nous tous, quitter ce pays difficile et aller nous installer dans la vallée.

A l'heure où la France retrouve la paix et commence à panser ses plaies, notre communauté, qui avait traversé sans heurts ces années noires, va se déchirer et réveiller en son sein la lutte tragique entre partisans de la résistance et tenants de la collaboration. La plupart des jeunes du village qui, comme moi, ne s'étaient guère illustrés par leur acharnement au combat, vont se découvrir une âme guerrière pour défendre leur village. Au printemps 1946, nous décidons une expédition de sabotage contre les premières installations du chantier au pont du Chevril. De nuit, avec deux de mes camarades, nous partons couper l'alimentation électrique du chantier avant de rejoindre le reste de l'équipe chargée de mettre le feu au transformateur et de détruire les machines de forage et les compresseurs.

La réponse des pouvoirs publics ne se fait pas attendre. Une compagnie de CRS est immédiatement envoyée à Tignes, avec mission du surveiller les installations d'EDF et de nous dissuader de tout nouvel acte de sabotage, tandis que le maire, convoqué à Paris, se fait durement rappeler à ses obligations de maintien de l'ordre. Quant au ministre Marcel Paul, il renouvelle ses ordres au préfet de la Savoie dans une lettre du 19 juillet 1946 : « La pauvreté de la France en sites convenables pour la création de grandes réserves d'eau nous a obligés, à notre grand regret, à accepter le projet de Tignes, bien qu'il submerge une agglomération. » Aussi n'est-il pas question de renoncer à « poursuivre la réalisation de cette œuvre essentielle à l'intérêt du pays ». Le préfet se voit donc confier la mission d'intervenir auprès du maire de Tignes et de l'ensemble de la population pour leur demander, « dans un esprit de solidarité nationale, de réserver bon accueil aux représentants d'Électricité de France chargés d'étudier les compensations en argent ou en nature à donner aux habitants expropriés ». Et le ministre, par la bouche du préfet, de nous assurer que « le problème humain sera traité avec toute la sollicitude qu'il mérite… ».

En 1947, le chantier est déjà bien engagé. Par centaines, des ouvriers originaires de tous les coins de France, mais surtout de la basse vallée de Tarentaise, viennent s'installer dans le village voisin des Brévières, attirés par la promesse d'un emploi et par des salaires mirobolants pour l'époque. La cohabitation est difficile. Au mois d'août, elle dégénère une première fois. Théo, un des commissionnaires tignards de l'hôtel Drouot revenu au village pendant les mois d'été, nous exhorte à la résistance contre les projets d'EDF. Juché sur une pierre au milieu de la place, il nous supplie de refuser de céder aux offres d'achat alléchantes, et de nous battre jusqu'au bout pour défendre notre droit à l'existence. Opportunément alertés par les responsables du chantier de cette tentative de rébellion qui risque de menacer leurs gains et leur emploi, plusieurs ouvriers des Brévières grimpent alors jusqu'à notre village. Le ton monte, les insultes fusent, suivies de premiers échanges de coups de poing. Puis c'est une bagarre généralisée.

Le lendemain, nous apprenons que l'un des employés du chantier a porté plainte contre nous. Cinq Tignards sont inculpés, dont deux de mes frères, Francis et Djanetta. Jugés à Moûtiers, ils sont condamnés à une peine de prison avec sursis inscrite à leur casier judiciaire. Quelques années plus tard, cette mention a d'ailleurs failli coûter son brevet de guide de haute montagne à Henri Extrassiaz, qui faisait partie des cinq inculpés. Mais lorsque le grand guide de Chamonix Armand Charlet, qui présidait le jury, apprit la raison de cette condamnation, il félicita

Henri de son action de résistance pour la sauvegarde de son village...

Toujours avec Henri, nous décidons de nous payer la tête de trois agents EDF, Jolicœur, Lépine et Duvernoy. Nous passons une partie de la nuit à confectionner des mannequins à leur effigie et, pour que nul n'ignore leur identité, nous leur épinglons sur le ventre des pancartes à leur nom avant de les pendre tous trois sur la place du village. Au petit matin, la brave Josette, l'épicière, croyant à un triple meurtre, se met à pousser des hauts cris qui réveillent toute la population.

Une autre fois, c'est au directeur d'EDF, venu en compagnie du préfet de la Savoie nous expliquer ses projets et nous présenter ses propositions d'indemnisation, que je m'en pris. Nous étions réunis dans la salle du conseil municipal. Tout le village était là. Au préfet qui nous parlait de besoin d'énergie, de grandeur nationale et d'utilité publique, nous répondions droit des gens, amour de notre sol natal et devoir sacré de le défendre. Les thèses étaient inconciliables et la réunion devenait houleuse. Pressé par la foule, je me retrouvai bientôt face au bureau derrière lequel avaient pris place le préfet et le directeur d'EDF. J'observai sa serviette, posée devant moi, à portée de ma main. Dans le feu de la discussion, tout le monde se leva, agitant les bras, menaçant du poing. Profitant de cet instant de panique, je me saisis de la fameuse serviette et la fis glisser entre mes jambes. Puis, lentement, je regagnai la porte en traînant les pieds. Quelques instants plus tard, le directeur d'EDF s'aperçut de la disparition de la serviette contenant ses précieux documents. Jugeant la situation trop dangereuse en raison de l'hostilité grandissante de la salle, il renonça à faire appel aux gendarmes et demanda simplement qu'au moins le cuir lui fût rendu. Ce que je fis bien volontiers. Quant aux documents dévoilant toutes les intentions d'EDF à notre égard, je les remis au maire, qui en fit usage lors des nombreux procès qu'il allait intenter, au nom de notre commune, à l'État et à Électricité de France.

Curieusement, alors que nous n'étions qu'une poignée d'irréductibles, nous inspirions une vraie crainte aux autorités qui, maladroitement, attisaient encore notre colère en déployant devant nos yeux un véritable arsenal de sécurité. Ce fut le cas au hameau de la Chaudanne, lorsqu'un géomètre venu faire des mesures en mai 1948 pour les premières expropriations fut menacé par les habitants. La nuit suivante, nous vîmes débarquer un véritable commando d'une centaine d'ouvriers équipés de jeeps et de bulldozers pour occuper les lieux. La provocation était insupportable. Dès le matin suivant, les femmes et les enfants se mirent en travers des bulldozers pour empêcher leur progression. Mais le 1er juin, soixante-dix gardes mobiles furent dépêchés sur les lieux et l'entreprise chargée des travaux du barrage put enfin occuper les terrains.

Ces mouvements de résistance sporadique et souvent mal organisés dissimulaient mal nos divisions. Le 29 août 1948, je repris à mon compte l'initiative qu'avait lancée l'abbé Boch quelques années plus tôt sur le refus de ventes des propriétés. La pétition, rédigée sur un modeste cahier d'écolier circula de main en main. Cent trois personnes la signèrent, sur les trois cent vingt-neuf inscrits que comptait la liste électorale de Tignes. Le village était donc bien partagé en deux clans. Déjà, celui des partisans de la négociation avec EDF était largement majoritaire. Aux jusqu'au-boutistes que nous étions, ils répliquaient que la raison et la sagesse devaient l'emporter dans ce combat perdu d'avance, du « pot de terre contre le pot de fer ».

La crise divisa le conseil municipal. En mai, le maire Léon Boch et six de ses adjoints accusés d'avoir choisi la négociation démissionnèrent. La campagne était virulente. A la liste du maire sortant s'opposa celle de « la sauvegarde de Tignes », soutenue par la majorité des émigrés à Paris, qui formaient et formeront jusqu'à la fin le gros des partisans de la résistance absolue. Le 24 juillet, Léon Boch obtient dès le premier tour plus de la moitié des voix et neuf des dix sièges du conseil municipal.

11

DERNIÈRES RÉSISTANCES

DANS le village, on commence à se soupçonner mutuellement. Les ventes de terrains se poursuivent le plus discrètement possible. Les rumeurs les plus folles courent sur le montant des évaluations, incitant les Tignards à céder aux offres d'EDF. On laisse entendre que plus les négociations seront longues, moins l'État se montrera généreux et compréhensif à notre égard. Comment ne pas comprendre l'attrait qu'exercera la promesse, sournoisement distillée, de millions à gagner, sur une population majoritairement très pauvre ! Les premiers à céder sont les commerçants, moins attachés à la terre que les paysans. Mais parmi ces derniers, certains acceptent aussi de vendre leurs biens par petits morceaux, croyant ainsi se débarrasser opportunément de champs mal exposés ou trop difficiles à faner.

Dans l'ancienne boîte de nuit du village, *La Cagna*, EDF a installé un bureau d'accueil. Officiellement, son but est d'informer les Tignards des indemnités auxquelles ils peuvent prétendre à cause des travaux préliminaires à la construction du barrage, tels que l'occupation d'un pré pour un forage ou le droit au passage d'engins dans un champ. Le prétexte est habile qui incite les habitants du village à franchir le seuil de *La Cagna* sans prendre pour autant le risque de se voir soupçonné de trahison par leurs pairs. D'autant que l'entreprise publique s'est forgé une réputation de grande prodigalité... Mais une fois qu'ils sont entrés, le bureau d'accueil se transforme en un redoutable service d'incitation à la vente.

En 1949, EDF allait donner le coup de grâce à l'unité déjà largement entamée du village. Cette stratégie de grignotage progressif des terrains ayant porté ses fruits, les agents du bureau d'accueil eurent l'idée de dessiner, au crayon rouge sur le cadastre de la commune affiché au mur de *La Cagna*, toutes les parcelles et les maisons déjà acquises. Et l'on découvrit ainsi brutalement que même les plus irréductibles discoureurs avaient eu quelques faiblesses...

Les histoires d'argent, colportées à mots couverts dans le village, se multiplièrent. Un émigré tignard à Paris, qui avait du mal à nourrir ses huit enfants avec son pauvre salaire de porteur de bagages à la gare de Lyon, apprit qu'il existait au village des indemnités d'éviction pour chaque habitant. Les chiffres le firent rêver : deux mille neuf cents francs par adulte et deux mille francs par enfant ! Et le voilà pliant bagage avec toute sa petite famille pour venir vivre à Tignes, juste le temps de bénéficier des indemnités. On racontait aussi l'anecdote de ce père de famille qui, apercevant son fils penché avec insouciance sur la balustrade du pont de l'Illaz, lui lança : « Va jouer ailleurs ! Sinon, ce sera encore deux mille francs de foutus à l'eau ! » Le bruit se répandit que des personnalités du village avaient acheté, sous un prête-nom, des camions qu'elles faisaient travailler avantageusement sur le chantier du barrage...

En avril 1950, le maire Léon Boch fit une nouvelle tentative pour ressouder la communauté. Il nous proposa un plan global de négociation avec EDF, qui fixait le montant des indemnisations et demandait en contrepartie de notre expropriation, outre la reconstruction de l'église, de la mairie, du cimetière et de l'école au village des Boisses, déjà prévue par l'État, l'aménagement d'un début de station de ski au lac de Tignes, comprenant notamment l'accès routier et la construction de deux téléphériques. Ce plan fut soumis à référendum pendant le week-end. Les émigrés de Paris, venus spécialement pour le vote, s'y opposèrent fermement en affirmant qu'il fallait continuer de refuser tous pourparlers, qui signifieraient immédiatement le renoncement à la sauvegarde de notre village. Même s'il ne reste qu'une chance pour que ce barrage ne se fasse pas, nous disaient-ils, nous n'avons pas le droit de ne pas la saisir.

J'hésitais. Depuis le début j'appartenais, comme mes frères et sœurs, au clan des irréductibles qui voulaient à tout prix contraindre l'État à annuler son projet. Le Père, partisan lui aussi d'une opposition résolue mais pacifiste, refusera jusqu'au bout de vendre ses terrains. Mais le souci de préserver l'unité tant menacée de notre communauté m'incitera finalement à voter « oui » au référendum. La proposition du maire recueillit soixante pour cent d'approbation. Jugeant ce score insuffisant pour défendre avec fermeté son plan auprès des pouvoirs publics, Léon Boch renonça finalement à le leur soumettre. Cette ultime tentative ayant échoué, le chacun pour soi reprit ses droits, avec son cortège de bassesses qui divisèrent les familles et séparèrent les amis. Nos adversaires savaient à merveille en jouer, indemnisant mieux telle maison vétuste que telle autre pourtant en bien meilleur état, payant plus grassement un pré marécageux sans valeur qu'un champ à l'abondante récolte de foin.

QUANT aux communes voisines, inutile d'espérer de leur part la moindre manifestation de solidarité. Val-d'Isère, sur laquelle avait un instant pesé la menace de l'édification d'une retenue d'eau aux sources de l'Isère, poursuivait tranquillement sa croissance de station de ski. Les communes de la vallée de Tarentaise ne pouvaient, elles, que se réjouir de ce gigantesque chantier qui allait assurer pendant plusieurs années un travail grassement rémunéré à leur jeune population masculine. Les commerçants voyaient avec satisfaction le chiffre d'affaires de leur magasin ou de leur bistrot enfler démesurément. A Séez, où vivaient un grand nombre d'ouvriers et d'employés EDF, on ouvrit même un cinéma. Un véritable événement !

Et, pour les ouvriers célibataires et désœuvrés, quelques

dames galantes firent leur apparition dans les rues de Bourg-Saint-Maurice le samedi, jour de paie. Les arrière-salles des bistrots s'ouvrirent aux jeux clandestins et les jours de marché, quelques femmes des villages avoisinants paradèrent dans les rues de Bourg en costume du pays, mais avec un manteau de fourrure jeté sur les épaules...

Même le village des Brévières, notre plus proche voisin, ne pouvait voir que d'un bon œil la construction de ce mur qui allait pourtant étendre désormais sur lui son ombre gigantesque. Les écuries désaffectées, les granges abandonnées se révélaient soudain, pour leurs propriétaires, de très rentables cafés. La population ne cessait de croître et bénéficiait chaque jour de nouveaux équipements. Un médecin, un dentiste, un pharmacien s'étaient installés. Une note au préfet en témoigne : « Le village est envahi par une population d'ingénieurs, d'agents de maîtrise et d'ouvriers qui bénéficient de salaires élevés, décuplent le nombre d'habitants de la commune, en bouleversent les habitudes et en centuplent les revenus. Tignes et son hameau des Brévières prennent un aspect de Far West... » Quant à la mauvaise conscience qui pouvait germer dans les esprits face à cet enrichissement miraculeux, elle s'effaçait au souvenir de la réputation de roublards, de contrebandiers et d'individualistes des Tignards. Et puis, après tout, se disaient-ils, les Tignards aussi allaient toucher de l'argent. Et on nous faisait perfidement confiance pour en obtenir le maximum...

ABANDONNÉE à son sort, déchirée à l'intérieur, la commune continue de mener, à l'extérieur, une vraie bataille juridique. Avec l'énergie du désespoir, elle multiplie les recours auprès des tribunaux ou du Conseil d'État. Elle obtient même quelques victoires, telles que l'annulation par le Conseil d'État du décret d'utilité publique de mai 1946. Ces succès sont toutefois de courte durée. Dès qu'un jugement administratif nous donne raison, un autre décret, conforme cette fois, est publié. Le maire se déplace régulièrement à Chambéry, à Paris, demande audience au ministre de l'Intérieur, fait appel aux meilleurs avocats. De leur côté, les Tignards émigrés à Paris, plus dégourdis que nous, mieux informés du fonctionnement de l'administration, s'organisent et déposent à leur tour des recours. Mais aucune de ces fragiles barricades juridiques ne parvient à freiner la construction de la muraille blanche qui, lentement, s'élève devant nos yeux.

Sur ordre du Père, nous faisons les foins comme si de rien

n'était. De nos champs, nous assistons au va-et-vient des bennes qui déposent inlassablement leur chargement de béton au fond de la vallée. Régulièrement, le bruit d'une explosion retentit, qu'un sinistre écho répercute d'une montagne à l'autre. Au bois de la Laye, du côté de Val-d'Isère, des ouvriers sont en train de miner le rocher de calcaire qui leur servira à l'édification du barrage. Notre ciel est désormais barré de câbles et nous entendons, parfois, au-dessus de nos têtes, le grincement des chariots qui sillonnent la vallée.

Comment expliquer notre aveuglement? Le paysage de nos ancêtres est défiguré par les mines et les coups de boutoir des bulldozers, nos journées sont rythmées par le vacarme du chantier, le mur se dresse inexorablement, la vie même de notre communauté est bouleversée par l'arrivée de plusieurs milliers d'ouvriers... Et pourtant, nous refusons d'y croire. Le Père plus que tout autre. Comme dans le passé, il nous a recommandé de mener du mieux possible notre travail de paysan : faucher le moindre recoin, ratisser le dernier fétu de paille, étendre soigneusement le fumier pour que, dans les années à venir, la récolte soit abondante. Sourd aux explosions des mines, aveugle devant la construction du barrage, il fredonne tranquillement un chant de la terre, en surveillant d'un air sévère la tâche de ses fils :

> Paysan, ce n'est pas en vain,
> Sème, sème à pleine main,
> Sème le bon grain
> Qui sera demain du pain...

L'hiver arrive, assourdissant les bruits du chantier. Après la « démontagnée » je travaille petitement, car je me remets lentement d'une tuberculose rénale. Le soir, nous nous rendons à la veillée dans la maison de ma sœur Thérèse, mère de cinq enfants que j'aide à faire leurs devoirs. Je leur conte aussi les histoires d'autrefois, celles dont Fredjo m'avait régalé lorsque j'avais leur âge. Et le dimanche, j'aide toujours le curé à chanter la messe.

A L'AUTOMNE 1951, quelques Tignards, qui ont vendu leurs biens, quittent le village pour aller s'installer dans la vallée ou à Val-d'Isère. Chez nous, comme d'habitude, nous engraissons et tuons le cochon, nous coupons et préparons le bois pour l'hiver. Les veillées reprennent et les dimanches se suivent. A la sortie de l'église, les hommes se retrouvent au bistrot autour d'un verre de blanc. Comme d'habitude. Le pot-au-feu fumant nous attend à notre retour, sur la table familiale. Les vaches mettent bas leurs petits et le Père se réjouit de ces quatre veaux qui vont grossir notre troupeau l'été prochain.

Noël passe. A la lueur des falots, glacés de froid, nous rejoignons l'église par les chemins enneigés, pour la messe de minuit. Comme d'habitude. Nous savourons cette nuit de Noël en trempant notre brioche dans un grand bol de chocolat chaud. Vient le jour de l'an. On s'embrasse dans le village en se souhaitant une bonne année et une bonne santé pour 1952. Nous ignorons encore que ce sera la dernière fois.

12

TIGNES VIVRA !

CHEZ nous, le sujet est presque tabou. Face à l'opiniâtreté silencieuse du Père qui met un soin désespéré à accomplir chacune des tâches de la vie quotidienne comme si de rien n'était, comme si ce mur de près de quatre-vingts mètres de haut ne devait être qu'un mauvais rêve, nous osons à peine parler.

Pourtant, dès les premiers jours de février, les indices d'une fin proche se multiplient. De nouvelles compagnies de CRS ont été envoyées au village et leur nombre égale maintenant celui des habitants. Les premiers journalistes arrivent. Le 5 mars, le sous-préfet d'Albertville vient nous faire lecture de l'arrêté signant la disparition administrative de Tignes en tant que chef-lieu. Dans un silence pesant, il annonce le prochain déménagement des archives de la commune, du mobilier de l'école, de la poste et du presbytère. Il ajoute :

— Les morts seront exhumés et transférés dans un dépôt provisoire au hameau de la Reculaz.

C'en est trop. A ces mots, le calme cède à la révolte :

— Eh bien, non ! Ce n'est pas avec des moyens pareils que vous nous ferez partir. Déménagez ce que bon vous semble, mais les morts, vous n'y toucherez pas, car les vivants sont encore là, s'exclame Justin Reymond, chef de la délégation spéciale chargé d'expédier les affaires courantes depuis la démission du maire.

Mais la phrase redoutée tombe de la bouche du sous-préfet :

— Dans un mois, l'eau sera là.

DANS la matinée du 8 mars, le tocsin résonne dans le village. Un Tignard qui a aperçu le préfet venu prendre possession des archives de la commune s'est précipité jusqu'au clocher pour nous alerter. En quelques minutes, la mairie est envahie. La confrontation est houleuse et les vieux Tignards s'efforcent d'apaiser les plus jeunes, prêts à en découdre. Une voix s'élève de la foule :

— Nous ne sommes pas des méchants, ayez pitié de nous !

Une autre lui fait écho :

— Et nos morts des deux guerres, qu'est-ce qu'ils diraient, s'ils vous voyaient ici, Monsieur le préfet ?

Craignant l'incident, le préfet de la Savoie renonce à emporter les archives et quitte la salle, le visage pâle, tandis que nous nous écartons pour le laisser passer. En sortant de la mairie, il croise le cortège nuptial de celle qui sera la dernière mariée de Tignes, et il l'embrasse gentiment. La presse, chaque jour plus nombreuse dans les rues de notre village, y verra un symbole : celui auquel Marthe s'est promise est un ouvrier du barrage…

La satisfaction que nous éprouvons à avoir fait céder le préfet est de courte durée. Car le 10 mars, l'école ferme ses portes. Les soixante-quinze élèves se retrouvent pour la dernière fois dans leurs salles de classe. Berthe Boch enseigne à Tignes depuis dix-sept ans ; elle ne trouve pas la force de leur lire le texte qu'elle avait préparé. Elle leur dit simplement :

— Il y en a parmi vous que nous reverrons, ceux qui iront à la Reculaz et aux Boisses. Aux autres, ceux qui partent loin de nous, je demande de venir nous voir, s'ils reviennent ici, en vacances. Soyez sages, là où vous irez…

Son émotion gagne les enfants qui quittent l'école les yeux rougis. D'une écriture maladroite, l'un d'eux a écrit sur le tableau noir « Dernière classe, 10 mars 1952 ».

UNE fois encore, la commune tente de retarder la date fatale. On écrit au président de la République Vincent Auriol, qui reçoit quelques jours plus tard une délégation de Tignards. Ils lui demandent en vain un délai de grâce pour l'exhumation des morts, dont les tombes sont enfouies sous plus d'un mètre de neige. A la Chambre, des élus interviennent en notre faveur et demandent l'ouverture d'une commission d'enquête. Nous ne recevons que quelques paroles d'apaisement et l'assurance de la sollicitude de la patrie. Le président de la République nous exprime, par lettre, sa « sympathie » et nous promet que « les pouvoirs publics et le pays n'oublieront pas les sacrifices » faits par notre commune. Mais nous constatons avec amertume que le président et ses services ignorent jusqu'à l'orthographe exacte de Tignes, dont ils ont maladroitement oublié le « s » sur leur lettre officielle…

Désormais, nous ne pouvons plus faire « comme si ». « Comme si » il y avait encore un quelconque espoir de voir la décision d'engloutir notre village et tout notre passé cassée par un ultime recours devant le Conseil d'État ou même devant la Cour internationale de justice de La Haye. « Comme si » notre cause pouvait encore l'emporter contre un projet destiné à fournir, chaque année, les centaines de millions de kilowattheures nécessaires au développement industriel de tout le pays. Une date est dans toutes les têtes, sur toutes les lèvres : le 15 mars, les vannes seront fermées et l'eau de l'Isère, lentement, commencera à refluer dans notre plaine. Déjà, les agents des PTT sont venus couper le téléphone.

Le 12 mars, le bulldozer commence à dégager le chemin qui mène au cimetière. Dès que la nouvelle se répand dans le village, nous partons à une dizaine pour leur barrer la route. L'un d'entre nous grimpe sur la machine et saisit fermement l'épaule du conducteur. Le bulldozer s'immobilise dans la neige. Des cris fusent : « Arrêtez, que faites-vous là ! », « Vous ne toucherez pas à nos morts ! » Les ouvriers, vaguement inquiets, et surtout mal à l'aise, rétorquent qu'ils ne sont là que pour exécuter les ordres. Un ingénieur est dépêché jusqu'à la caserne des CRS pour y prendre de nouvelles consignes. Nous restons là, bien décidés à empêcher l'accès au cimetière. Au bout de quelques instants qui nous semblent une éternité, l'ingénieur revient :

— Il faut arrêter et faire reculer le bull, lance-t-il à son conducteur.

Aucune voix ne s'élève dans notre petit groupe pour saluer cette annonce. A pas lents, nous rebroussons chemin jusqu'au village, muets et sans doute trop conscients de la dérision de notre petite victoire.

LE samedi 15 mars, à six heures du matin, la course de l'Isère est stoppée. Au petit matin, dans un froid glacial, quatre hommes ont exécuté l'ordre préfectoral d'abaisser les vannes. Sans témoin. En fin d'après-midi, nous découvrons, abattus et désemparés, un lac de deux à trois cents mètres carrés de superficie au pied du barrage.

Mais les esprits sont ailleurs, tout préoccupés du deuxième tour des élections municipales. Le premier tour n'avait pas permis de dégager une majorité entre les deux listes qui s'affrontent : celle des Tignards, et celle des habitants des Brévières qui, épargnés par la noyade, entendent bien récupérer au passage le titre de chef-lieu. Ils sont cette fois largement battus. Quelques jours plus tard, c'est à Michel Barrault, un chef d'entreprise originaire de Lyon qui partageait notre existence depuis quelques années que nous confions la destinée de notre commune.

Au lendemain du deuxième tour, le président de la délégation spéciale, Justin Reymond, est réveillé par les CRS au petit matin. Le préfet est là, lui aussi, qui lui demande avec insistance les clés de la mairie pour aller déménager les archives. Quatre à cinq cents gendarmes, appelés en renfort de Lyon, Chambéry et Grenoble, ont envahi dès l'aube la place du village. En moins de deux heures, toutes les archives de la commune sont entassées dans les camions des gardes mobiles. Dans leur empressement à en finir, avant que l'agitation ne gagne les habitants, ils laissent choir dans la neige des paquets d'archives mal ficelés. Et nous recueillons ainsi, précautionneusement, des documents maculés de boue qui nous rappellent que, moins d'un siècle auparavant, en 1860, nos ancêtres avaient plébiscité le rattachement de la Savoie à la France…

A l'autre bout du village, le bulldozer a reçu l'ordre d'aller déblayer la route du cimetière. Par mesure de sécurité, le préfet a accordé aux ouvriers chargés de ces travaux la protection des CRS qui nous interdisent l'accès au cimetière. L'église, à son tour, ouvre ses portes aux déménageurs. Les tableaux, les statues, les chandeliers, le retable, sont empaquetés sous le regard suspicieux de l'abbé Pellicier et, là encore, la garde sévère des CRS. Au passage des ouvriers portant les précieux ornements qui faisaient la fierté de notre paroisse, les femmes se signent avant de détourner la tête.

A midi, une à une, les cloches sont descendues, arrimées à une forte corde. Dans un dernier clin d'œil, Mélanie nous fait entendre encore une fois son appel, ce tintement familier qui avait rythmé toutes les heures de notre vie. Comme ses compagnes, elle sera fondue et son métal utilisé au coulage des six cloches de la nouvelle église des Boisses qui nous attend déjà là-haut, au-dessus du barrage, exacte réplique de celle qui sera dynamitée devant nos yeux quelques jours plus tard. Sur la plus grosse, le curé Pellicier fera graver dans le bronze : « Je remplace mon aînée Mélanie, fondue sur la place de Tignes en 1836 [...]. » En haut de la cloche, l'abbé ajoutera ce texte en latin :

> *Ferai-je entendre une voix triste ou joyeuse ? Je ne sais.*
> *A vrai dire, l'une et l'autre, selon que je chanterai*
> *Le passé ou l'avenir.*
> *Je pleurerai le vallon jadis verdoyant, endormi*
> *Maintenant sous les eaux.*
> *Et le peuple pieusement fidèle à son église,*
> *Aujourd'hui dispersé au loin par un sort inexorable.*
> *Mais dans ma prière, je ferai en même temps*
> *Monter vers Dieu des accents joyeux.*
> *Afin que, ici même, reprenant vie,*
> *Une communauté chrétienne se lève à nouveau.*

L'EAU continue de monter, au rythme d'un mètre par jour. Elle se rapproche maintenant du hameau le plus bas, la Chaudanne, où vivent encore trois familles. Le préfet multiplie les appels insistants aux déménagements, évoquant le danger encouru par les retardataires. Tignes va maintenant vivre ses premières scènes d'exode. Des camions de déménageurs sillonnent les rues, chargés de buffets, de lourdes tables de mélèze, de vaisseliers qui, pour la plupart, trônaient dans les maisons tignardes depuis plusieurs générations. Les familles de la Chaudanne, contraintes au déménagement par la montée des eaux, emportent jusqu'aux pierres de leurs demeures livrées aux pioches des démolisseurs. Mais le plus dur est à venir.

Le 24 mars, dans le cimetière enfin dégagé de la neige, des employés des pompes funèbres envoyés de Paris ont reçu l'ordre d'exhumer les corps. Ce matin-là, j'ai accompagné Philomène au cimetière. Les fossoyeurs ont déjà commencé leur sinistre mission. Ils creusent les tombes, découvrent des cercueils éventrés dont le bois a pourri sous l'humidité, exhument des ossements, mettent le feu aux vieilles croix de bois abandonnées. Vient le moment tant redouté : ils abordent la travée où repose notre mère depuis vingt-deux ans. Elle nous apparaît, squelette parmi les autres, couchée dans ses beaux habits de Tignarde. Mène descend dans la tombe pour vénérer les restes de celle qui nous a donné le jour. Elle se penche, effleure les mains croisées et soulève le chapelet de buis dont elle a elle-même entouré les doigts de notre mère ce soir de 1930. Puis elle cède la place aux ouvriers qui vont transférer ses ossements dans un nouveau cercueil.

Le 26 mars, en fin d'après-midi, nous découvrons sur les murs l'ultimatum du préfet, qui me glace de colère : « Le retard apporté à vos déménagements risque de compromettre dangereusement l'exécution du plan d'évacuation de votre village menacé d'inondation à très brève échéance. Les conditions atmosphériques, l'obstruction possible des vannes par les bois flottants peuvent entraîner une montée de l'eau extrêmement rapide contre laquelle nous serions désarmés. C'est pourquoi je vous conjure, une dernière fois, de mettre vos familles en sécurité et votre mobilier à l'abri avant qu'il ne soit trop tard. Des moyens de transport sont, vous le savez, à votre disposition. Il vous appartient dès à présent de vous faire inscrire pour le départ. »

L'accès du village est désormais interdit à tout véhicule autre que les camions de déménagement.

Chez nous, le Père a enfin admis l'inéluctable. Un matin, il annonce à Philomène qu'il part pour Bourg-Saint-Maurice à la recherche d'une maison.

Jusqu'au bout, il a refusé l'aide des agents d'EDF. Le lendemain, nous l'avons vu revenir avec, en poche, la clé d'une nouvelle ferme située à un kilomètre de Bourg-Saint-Maurice. Philomène s'est mise à pleurer. Cette fois, c'est donc vrai, il va falloir déménager.

Alors, elle a entrepris de ranger la maison. Un jour, elle y découvre, pendue à une poutre, une lourde grappe de paires de galoches qui ont accompagné les premiers pas de tous les enfants. Elle les abandonne là, au milieu de vieux chiffons, de vaisselle ébréchée, d'outils usés et de meubles trop lourds à transporter. Début avril, ce sera le tour du bétail. On sort du *boôu*, où ils ont passé l'hiver, les vaches, les moutons et le mulet que le grand frère Damien emmène à l'alpage. Il a dû pelleter le chemin pour permettre aux bêtes de passer sans trop de difficulté et engranger du foin en attendant que l'herbe réapparaisse sous la neige.

Pour faciliter les déménagements et permettre aux camions l'accès à toutes les maisons, les ouvriers ont élargi les rues à coups de bulldozers, écrasant clôtures et cabanons. Le village ressemble chaque jour davantage à un sinistre champ de bataille. Le 6 avril, le monument aux morts est démonté. Le 13 avril, jour de Pâques, notre curé célèbre sa dernière messe dans une église mutilée. Les maisons sont dynamitées les unes après les autres. Leurs habitants les abandonnent sans révolte, vaincus. Seul Planton, le plus irréductible d'entre nous, résistera jusqu'au bout. Lorsqu'on vient l'informer que sa maison va sauter, il refuse de sortir et se barricade chez lui. Après quelques hésitations, les CRS arrivés en masse forcent sa porte, qui vole en éclats. Sur la place, les esprits s'échauffent. Nous ne pouvons pas laisser faire cela. Une bataille rangée va s'engager lorsque nous voyons sortir Planton, maintenu par une escouade de CRS. Vaincu lui aussi.

Le 24 avril, ce sera le tour de l'église. Les gendarmes nous ont regroupés loin du village. Le bruit sourd d'une explosion retentit. Dans un ultime salut, le clocher s'élève avec fierté vers le ciel avant de s'écraser sur les murs de l'église.

Trois jours plus tard, le Père, âgé de soixante-dix-sept ans, prend place avec Philomène dans le camion qui les emmène vers leur nouvelle demeure. Je les regarde longuement s'éloigner sur cette route qu'ils n'emprunteront plus.

TRENTE-NEUF ans déjà. Je me revois encore, ce 27 avril, caché derrière un saule, tout seul, lorsqu'une charge de dynamite a soufflé notre maison familiale. L'écho de l'explosion a résonné longuement dans la plaine. Une fois dissipé le nuage de poussière, j'ai aperçu un amas de pierres dont jaillissaient des poutres de bois, comme les membres d'un corps déchiqueté. « C'est une période de la vie qui part », ai-je murmuré en moi-même. Mais il est plus facile d'assister à l'enterrement de son père qu'à l'engloutissement de sa maison et de son village.

Plus tard, je suis descendu à Bourg-Saint-Maurice. Philomène et le Père m'attendaient. Je leur ai annoncé que la maison avait sauté. Ils m'ont écouté sans rien dire, sans colère. Juste une tristesse silencieuse. Puis le Père m'a demandé :

— Et là-haut, au lac, comment vont les alpages ?

Je lui ai répondu que la saison s'annonçait belle, que les fleurs de tussilage avaient envahi les talus et que, déjà, quelques violettes pointaient leur tête.

JOSÉ REYMOND

L'idée de ce livre, avoue José Reymond, ce sont les autres qui me l'ont donnée. « Toi qui es allé un peu au collège chez les curés, tu devrais savoir faire ça », lui a-t-on lancé un jour. L'argument était judicieux : José, que jadis on avait destiné à la prêtrise mais qui avait perdu la foi, consolerait les Tignards de leur désarroi en consignant la mémoire de leur village disparu.

Mais la modestie de l'auteur ne doit pas nous égarer. Pour que les Tignards lui confient le rôle d'historien de leur communauté, il fallait qu'il possédât un véritable don de conteur ainsi qu'une excellente mémoire. Ni l'un ni l'autre ne font défaut à José Reymond qui possède autre chose encore : l'amour du pays.

Si grande est sa passion pour la montagne qu'il en fera *sa* montagne. Décidé à ne pas se laisser décourager par la triste fin de son village natal, il construit de ses propres mains un chalet-refuge sur les bords du lac de Tignes en 1947. L'hiver, il reste en compagnie de son père dans sa nouvelle ferme des environs de Bourg-Saint-Maurice, mais, dès les premiers beaux jours, il monte à l'alpage et ouvre volontiers sa porte à tous les randonneurs.

L'engouement pour les sports d'hiver s'annonce si prometteur dans ces années d'après-guerre que José Reymond et Laure, qu'il a épousée en 1956, décident de construire un hôtel à l'enseigne pittoresque: *Lo Terrachu.* Un nom symbolique puisqu'on désigne ainsi le patois tignard. Laure et José ont reçu de la façon la plus sympathique qui soit plusieurs générations de touristes au *Terrachu.* Depuis 1981, leur fille Isabelle et son mari dirigent l'hôtel. Justine, dont il est question dans le livre, est l'une de ses deux petites-filles. Espérons qu'elle prendra un jour le relais de ses parents pour perpétuer cette belle tradition d'accueil qu'ont établie les Reymond sur leur terre natale.

MORTEL TRAQUENARD

Louis Charbonneau

Traduit de l'américain par Ralph Nicolas
Illustrations de Dan Gonzalez

Elle, c'est Angela Simmons.
Brune et ravissante bibliothécaire.
Lui, c'est Barney McLean.
Agent d'assurances.
Voilà deux ans qu'ils vivent ensemble.
Un couple comme il en existe
des milliers d'autres aux États-Unis
et dans le monde. A un ou deux détails près,
cependant : Angela Simmons
n'est pas le vrai nom de la jeune femme...
et son paisible compagnon
ne s'appelle pas davantage Barney McLean.
En outre, il semblerait
que certaines personnes très obstinées
soient extrêmement soucieuses
de les retrouver l'un et l'autre.
Mais qui sont donc Angela et Barney
pour s'attirer à la fois les foudres
de la Mafia et celles de la CIA ?

1

BAPTISÉE « cottage californien » par l'agent immobilier, la demeure datait du début des années 30. McLean remonta l'allée menant au vaste porche. Il ne pensait plus au coup de téléphone qu'Angie avait reçu la veille au soir, pas plus qu'à l'inquiétude qu'il en avait par la suite éprouvée. Seules des bribes de leur conversation de la nuit dernière lui revenaient à la mémoire. Un sourire adoucit ses traits rudes.

« Les gens ne se rendent pas compte que même les espions vieillissent, avait déclaré Angie. Si tu voulais révéler tes secrets, tu t'attirerais davantage de sympathie. »

« Je n'ai pas besoin de sympathie, avait-il répondu. D'abord, je ne suis pas vieux. Ensuite, je ne suis pas un espion. »

« Non, mais tu l'as été. A présent, tu grisonnes. Tu as la barbe poivre et sel. J'admets que cela fasse distingué, mais, si tu te rasais, tu rajeunirais de dix ans. »

« Quarante-quatre ans… Ce n'est tout de même pas si vieux que ça ! »

« Prouve-le ! »

Le sourire aux lèvres, McLean ouvrit la porte d'entrée. Mais, lorsqu'il parvint dans le hall obscur, son sourire s'évanouit. Par quelque perception subliminale, il sut qu'Angie et le petit garçon ne se trouvaient plus dans la maison. Ni même dans les parages. Ils étaient partis, laissant à leur place un vide semblable au froid glacial qui règne en hiver dans une demeure depuis longtemps déserte.

Mais, déserte, celle-ci ne l'était pas.

McLean se retourna trop tard. Ses réflexes n'étaient plus aussi rapides qu'avant. Deux types marchaient vers lui, en convergeant pour le prendre en tenaille. De vrais professionnels. Le plus costaud, aussi grand que McLean mais plus massif, avait la carrure d'un pilier de rugby. Cheveux noirs et frisés, lèvre supérieure écrasée, nez cassé. Ses petits yeux marron lui donnaient une expression à la fois avide et innocente. Plus petit, plus mince et plus vif, son acolyte avait un regard aussi gris et froid qu'un jour d'hiver. De longs cheveux raides et blonds cachaient ses oreilles collées au crâne. Il avait l'air plus flegmatique que son compagnon et, de l'avis de McLean, plus dangereux.

— Où est-elle, Redfern ? demanda-t-il.

— Si je le savais !

D'une pression presque imperceptible sur l'épaule, le costaud le fit pivoter et lui envoya son poing en pleine figure. McLean vit arriver le coup, mais il ne réussit pas à l'éviter. Tandis qu'il fléchissait, l'autre type lui flanqua un coup vicieux dans les reins.

L'instinct de conservation reprit le dessus. Sans réfléchir, McLean adopta le comportement qu'il avait eu durant ces trois dernières années : celui d'un type moyen, banal, le genre que deux costauds entraînés démolissent en quelques coups de poing. Se laissant tomber, il se roula en boule.

Le pilier de rugby lui donna un coup de pied à la tête et, pendant un moment, McLean vit tourbillonner la pièce autour de lui. Coups de poing, coups de pied. Les deux types étaient décidément des pros, mais des pros d'une autre race que la sienne. Du moins celle à laquelle il avait appartenu auparavant. Ils ne faisaient pas partie de son monde, ce monde qu'il avait quitté depuis si longtemps. Il avait cru la rupture désormais complète et définitive. Dans son univers actuel, les coups étaient trop lents, pas assez précis.

— Fallait pas le démolir ! s'exclama le plus mince. Comment veux-tu qu'il nous raconte quoi que ce soit si tu lui fais éclater les tympans ?

— Il se payait notre tête. Peut-être que c'est un dur.

— Ah ouais ? Un type qui vend des polices d'assurance ? T'appelles ça un dur ?

— C'est qu'il a bougé vite, répondit le costaud.

Il s'agissait d'une discussion toute théorique, sans une ombre de méchanceté.

— Ah ouais ? Et maintenant, tu trouves qu'il bouge vite ?

McLean essayait d'assimiler le plus grand nombre possible de détails. Par la suite, il risquait de n'être plus en état de penser avec lucidité ou de se rappeler ce qu'il avait vu : le K-Way vert pâle du costaud, ses chaussures de pont, sa peau basanée, sa chemisette de sport échancrée, l'épaisse toison de poils noirs couvrant sa poitrine qui s'ornait d'une chaîne d'or. « Un Californien, pensa-t-il. Ou un type de Las Vegas. » Son acolyte, lui, devait venir de la côte Est : de l'État de New York ou du New Jersey. Le teint cireux, il était vêtu de façon recherchée : complet gris de bonne coupe, à rayures très fines, chaussures italiennes noires, en cuir véritable, impeccablement cirées, cravate bleu marine sur une chemise bleue à motifs.

Ils l'avaient appelé « Redfern », nom qui figurait sur la boîte aux lettres de McLean, ainsi que dans l'annuaire. Ils ignoraient donc sa véritable identité.

C'était Angie qu'ils recherchaient. Ça n'avait rien à voir avec lui.

— Allez, allez, toi ! Réveille-toi !

Le costaud le souleva comme une poupée de son et se mit à le secouer.

McLean cligna des yeux et le regarda stupidement.

— Où est-elle ?

— Je... J'en sais rien, marmonna McLean.

Un formidable coup de poing lui explosa dans la mâchoire et il sombra avec soulagement dans l'inconscience.

McLean reprit peu à peu connaissance. De la lumière lui parvenait de l'avant de la maison. En raison de la confusion de son esprit, il lui fallut un certain temps pour se rendre compte de l'obscurité qui régnait dans la pièce où il se trouvait.

« Il fait nuit », pensa-t-il.

Était-il resté si longtemps évanoui ?

Il entendait des voix lointaines, à peine un murmure. Il finit par comprendre qu'elles appartenaient à ses deux agresseurs.

Mais où pouvait bien être Angie ?

Évitant de bouger le reste du corps, il remua la tête. Il éprouva une vive douleur, mais réussit à regarder autour de lui. Il n'y avait personne d'autre dans la pièce. Il se détendit et fit jouer ses bras, ses poignets, ses pieds. A première vue, rien de cassé.

On avait négligé de l'attacher. A l'évidence, ils ne se méfiaient pas de lui. Il ne leur avait d'ailleurs donné aucune raison de le faire. Cela n'expliquait tout de même pas pourquoi ils l'avaient laissé seul, dans une chambre du fond, sans même le ligoter.

Des rires lui parvinrent. Il pensa tout d'abord qu'il y avait tout un groupe, puis il comprit que les deux loustics étaient simplement en train de regarder la télévision en toute insouciance. Une petite soirée tranquille, dans un pavillon de banlieue ! Mais quelle émission regardaient-ils ? Le « Cosby Show » ? « Family Ties » ? « Cheers » ?

McLean souleva un peu plus la tête. Posé en équilibre instable sur le bord du matelas, à quelques centimètres de sa cheville gauche, se trouvait un verre d'eau.

Voilà pourquoi ils l'avaient laissé sans surveillance. S'il revenait à lui et faisait le moindre mouvement, le verre basculerait et se briserait avec fracas sur le plancher.

Un tel luxe de précautions laissait supposer autre chose. Ils voulaient éviter de lui laisser d'autres marques que sa lèvre fendue, que l'on pouvait à la rigueur attribuer à une chute. Il ne devait porter aucune trace de cordes, ni d'un quelconque garrotage.

Et ils voulaient aussi qu'on retrouvât son corps.

Le cerveau de McLean se remettait à fonctionner, mais il ne pouvait encore compter sur ses forces. Immobile, il tendit ses muscles tandis qu'il rassemblait très lentement quelques pièces du puzzle.

La nuit dernière, lorsque Angie avait répondu au téléphone, il avait compris que quelque chose ne tournait pas rond. Elle était sortie de la cuisine pour décrocher, car la plupart des appels lui étaient destinés. Angie était amicale, ouverte et appréciée dans la petite ville balnéaire de Fortune, alors que lui, McLean, était plus taciturne, plus sombre, plus réservé. Tout en écoutant son interlocuteur, Angie avait regardé McLean par-dessus son épaule, avec un sourire affecté. « Oui, bien sûr, avait-elle murmuré. Je comprends. »

Pendant ce temps, McLean la contemplait avec admiration. Sa longue chevelure noire était ramassée en chignon et quelques mèches rebelles lui tombaient sur le front. D'un geste de la main, elle les avait remises en place. Alors, il s'était rendu compte qu'elle était en nage.

La soirée était chaude. Angie portait un corsage blanc, sans manches, sur un jean délavé. Les rayons du couchant, à travers la fenêtre, éclairaient la courbe pure de ses épaules nues. Elle avait une peau olivâtre qui bronzait facilement au soleil californien, et son corps hâlé était empreint d'une douceur qui ne manquait jamais de l'émouvoir.

Se sentant observée, elle avait détourné la tête. Un geste naturel, insignifiant, apparemment presque gratuit. Mais, grâce à cette intuition toujours en éveil qui le caractérisait, McLean avait décelé toute la tension contenue dans ce mouvement.

« Oui, merci, avait-elle presque chuchoté en raccrochant. Je sais ce qu'il faut faire. »

Puis elle était revenue dans la cuisine. McLean n'avait rien dit, ne l'avait pas interrogée. A présent, étendu sur ce lit, il se rendait compte qu'il y avait nombre de questions qu'il ne lui avait pas posées au cours des deux dernières années. En contrepartie, Angie non plus n'avait pas cherché à percer le mystère du passé de McLean. Elle s'était contentée de ce qu'il avait bien voulu lui en révéler. Au fond, chacun avait respecté les secrets de l'autre et ils avaient très bien vécu ainsi. Un accord tacite, en quelque sorte.

Dans le salon, le costaud pouffa de rire, un rire prolongé par celui des spectateurs. McLean en conclut qu'il s'agissait d'une émission enregistrée en public, et non en studio. On était donc jeudi soir. Le soir du « Cosby Show ».

— Va voir ce que fabrique notre Casanova.

— Une minute.

— Il devrait être réveillé, maintenant.

Le type du New Jersey manifesta son impatience.

— Où veux-tu qu'il aille ? Je veux regarder ça.

McLean se redressa en évitant de bouger les jambes ou de remuer le matelas. Il avait étudié chacun des mouvements qu'il allait faire. Le verre bascula, il tendit vivement le bras et l'attrapa avant qu'il eût atteint le sol.

Les deux types lui avaient ôté ses chaussures, ne lui laissant que ses chaussettes. Il enfila une vieille paire de mocassins qu'il gardait à côté du lit.

La fenêtre à guillotine de la chambre n'était qu'à peine entrouverte, mais il ne pouvait la remonter davantage sans faire de bruit.

Par la porte entrebâillée du cagibi, McLean aperçut les barreaux de l'échelle accrochée à la paroi. Elle servait à accéder au grenier par une trappe située juste au-dessus. Il mit l'échelle en place, souleva la trappe avec précaution, la rabattit sans bruit et, s'étant hissé par l'ouverture du plafond, la referma tout aussi silencieusement.

Seul un disque de lumière provenant d'un panneau d'aération éclairait le grenier. McLean se déplaça rapidement dans sa direction, marchant en crabe sur les solives du plafond de façon à ne faire aucun bruit. Le conduit d'aération donnait sur le toit du garage et le panneau d'ouverture n'était pas solidement fixé. Au moment où McLean s'en saisissait, un hurlement de rage lui parvint de la chambre. Glissant la tête et les épaules dans le conduit, il projeta le panneau en avant le plus loin possible : celui-ci heurta le bord du toit et rebondit, pour aller s'écraser dans l'allée en contrebas.

Avant même qu'il eût touché le sol, McLean avait rebroussé chemin. Il retraversa le grenier à toute allure, retourna vers l'échelle du placard. Il espérait que le bruit de la chute du panneau attirerait les deux hommes à l'extérieur de la maison. Il rabattit la trappe, se laissa tomber par l'ouverture et arriva au sol, genoux fléchis, tous les sens en éveil.

La chambre était plongée dans l'obscurité. Ayant découvert son absence, ses agresseurs avaient eu la présence d'esprit de ne pas allumer, ce qui au moins leur éviterait de se faire canarder par la fenêtre.

McLean gagna rapidement le salon. Il fut accueilli par des éclats de rire. La pièce était restée éclairée et la télévision marchait toujours. Les interrupteurs se trouvaient à côté du vestibule d'entrée, à l'autre bout de la pièce. McLean aurait bien voulu éteindre, mais il ne voyait pas comment traverser le salon en pleine lumière sans se faire descendre.

A présent, le silence régnait au-dehors. Les deux types savaient qu'ils s'étaient fait rouler et que McLean devait se trouver à l'intérieur. Ils n'étaient plus certains maintenant qu'il fût sans arme et inoffensif.

Cependant, McLean avait toujours refusé de garder un revolver dans la maison, surtout à cause du fils d'Angie. Et, en cet instant, il allait être obligé d'affronter deux types — de vrais durs, armés sans aucun doute —, avec pour seul atout sa fureur grandissante.

McLean ne voulait pas leur laisser trop de temps pour réfléchir. Il résolut d'aller jusqu'aux interrupteurs en faisant le tour par l'arrière. Passant par la cuisine, il aperçut sur la table un couteau à désosser, s'en empara prestement et se rendit dans le vestibule. De là, sans prendre de risques, il pouvait enfin atteindre les deux interrupteurs situés juste à l'entrée du salon : l'un commandait la télévision et l'autre l'éclairage. Il les actionna.

L'obscurité envahit la demeure. Un silence presque douloureux s'installa.

McLean attendit. Au bout d'un moment, il perçut un léger craquement derrière la porte d'entrée. Quelqu'un marchait, quelqu'un de lourd. Le Californien, sans doute. Il se tenait du côté gauche, dissimulé dans l'ombre.

Il fallait repérer le second. En se courbant, McLean revint dans la cuisine et s'arrêta devant la table, près de la fenêtre. Les deux types avaient éteint le réverbère qui se trouvait dans la rue en face, mais non celui qui se dressait à mi-chemin du premier pâté de maisons. Il diffusait un éclairage faible mais suffisant. McLean scrutait les ombres immobiles.

Son attente fut bientôt récompensée. Un homme tendu ne peut longtemps garder la même position sans remuer, expirer ou se gratter le nez. McLean vit une main rejeter en arrière une chevelure raide. Le type du New Jersey.

C'était le moment que McLean attendait. Il retourna en courant dans le hall et, sans hésiter, balança de toutes ses forces un lourd cendrier en verre par la fenêtre. La vitre explosa, arrosant d'éclats la terrasse et les arbustes. Sans attendre la réaction, McLean revint sur ses pas et sortit précipitamment par la porte de la cuisine.

Le vacarme avait détourné l'attention du type du New Jersey. Entendant s'ouvrir la porte de la cuisine, il tenta une volte-face, mais, avant qu'il ait pu braquer son arme, McLean fut sur lui. Il le frappa du tranchant de la main droite. La manchette n'atteignit pas la gorge du tueur mais le choc lui fit fléchir les genoux. Le revolver glissa de ses doigts inertes. McLean lui porta avec précision un autre coup sous le menton. Un coup fatal qui lui broya la trachée en défonçant la pomme d'Adam.

Il n'avait fallu à McLean que quelques secondes pour se débarrasser de son adversaire. Il ne perdit pas de temps à tenter de récupérer le revolver de sa victime. Il se rua vers le devant de la maison et plongea dans les genévriers, en faisant passer le couteau de sa main gauche dans sa main droite.

Une rafale de mitraillette hacha le buisson juste au-dessus de sa tête. McLean fit un roulé-boulé et lança le couteau au jugé, retrouvant des pratiques oubliées qui faisaient appel à l'œil, au bras et à la main, le genre de pratiques auxquelles il faut avoir recours instinctivement, sinon elles ne vous sont plus d'aucune utilité. Le manche en plastique du couteau dépassait à présent de l'orbite gauche du costaud. McLean n'avait pas précisément visé l'œil mais il avait eu de la chance. Le tueur hurla, recula en titubant et en se labourant le visage.

Ramassant prestement la mitraillette qui était tombée, McLean tira une courte giclée, balayant avec précision la poitrine du colosse qui criait de douleur.

Un silence de mort régna soudain dans la nuit.

2

TOUT le long de la rue, les fenêtres commencèrent à s'éclairer. Perplexes, effrayées, rageuses, surprises, des voix s'élevèrent çà et là.

Pas question d'attendre, ni d'essayer de s'expliquer. D'ailleurs, il n'y avait rien à expliquer. McLean était considéré à Fortune comme un honnête citoyen, un type sans histoires, tranquille, réservé, vivant avec cette beauté brune et son fils, et travaillant pour une compagnie d'assurances. Bien entendu, s'il disait qu'il avait été attaqué par deux hommes armés et qu'il n'avait fait que défendre sa vie, on le croirait.

Mais, par la suite, on lui poserait des questions. Qui était-il réellement ? Quel était cet homme qui, avec un couteau de cuisine, avait été capable d'éliminer deux tueurs professionnels armés de revolvers et de mitraillettes ? Et ces tueurs, après tout, que lui voulaient-ils ?

Sans compter que, en restant là, McLean offrait une cible idéale, dans le cas où il y en aurait d'autres.

Deux tueurs à la recherche d'Angie l'avaient attendu dans l'intention de le faire parler avant de le liquider. Ils avaient échoué. D'autres allaient venir terminer le travail. McLean ne savait pas qui ils étaient, ni qui les avait envoyés, ni pourquoi. Mais il en savait assez pour ne pas s'éterniser !

Tout au long de ces trois dernières années, McLean avait gardé dans le garage, pour les cas d'urgence, une sacoche dissimulée dans le double fond d'une grande caisse à outils. A l'intérieur se trouvaient quelques objets qu'il n'avait pas cru nécessaire de restituer lors de sa retraite anticipée : deux jeux de faux papiers d'identité auxquels s'ajoutaient quelques documents annexes, un Beretta automatique non enregistré, deux chargeurs supplémentaires, la clé d'un coffre à Newport Beach, en Californie, et des liasses de billets de 50 et 100 dollars pour un montant total de 2 000 dollars. Un petit calepin noir, renfermant des noms et des numéros de téléphone, complétait la liste.

McLean se demanda soudain si ce calepin avait un quelconque rapport avec l'agression qu'il venait de subir. Mais il repoussa aussitôt cette éventualité. Angie n'avait rien à voir avec son passé à lui et quelqu'un l'avait prévenue de l'arrivée des tueurs. Mais l'heure n'était pas à la spéculation. Il y avait à présent des gens dans la rue. Certains, d'un pas hésitant, s'approchaient de la maison.

Les deux tueurs n'avaient pas de papiers d'identité sur eux. Mais, en fouillant le costaud, McLean avait trouvé des clés de voiture dans la poche droite de son veston. Les clés d'une Buick.

Il traversa rapidement la maison et sortit par une fenêtre de derrière au moment où les premiers voisins arrivaient devant la terrasse. « Il y en a un autre ! glapit une voix. Près de la petite entrée… » Quelque part dans la nuit, une sirène gémit, de plus en plus proche.

McLean récupéra sa sacoche et la fourra dans un sac de voyage, en même temps qu'une chemise de rechange, des sous-vêtements, un blouson de golf, des chaussures à semelles de crêpe, une paire de chaussettes et un transistor. Puis il trotta silencieusement sur l'herbe humide, franchit la barrière d'un bond et, une fois dans l'allée, courut à toutes jambes.

Dans la première rue, il repéra la Buick garée dans un coin du parking de la station-service. Une voiture de police passa en hurlant. McLean mit le contact. Le moteur de la Buick démarra. Dès que la voiture de police eut tourné au coin de la rue, il sortit du parking et prit à droite.

Il roula à vitesse moyenne, phares allumés. Au premier croisement, il prit en direction de l'autoroute. La Buick n'avait peut-être pas été volée mais quelqu'un pouvait la reconnaître. Et, dans ce cas, il risquait d'être vite repéré. Il lui fallait l'abandonner dans un endroit où il serait difficile de la retrouver, une grande ville ou peut-être un aéroport.

S'il ne s'arrêtait pas en cours de route, il lui était possible d'arriver à San Francisco dans la matinée.

TOUT en conduisant dans la nuit sur l'autoroute presque déserte, McLean se rendit compte qu'il ne s'était pas une seule fois retourné pour jeter un dernier regard à la maison où il avait vécu pendant trois ans avec Angie et son fils.

Angie partie, cette maison ne signifiait plus rien pour lui.

McLean avait rencontré Angie deux ans plus tôt, dans un supermarché. Apercevant cette jeune femme au bout d'une travée, il avait éprouvé une espèce de frisson, un intérêt tout à fait inhabituel et l'avait délibérément suivie tandis qu'elle circulait entre les rayons. Quand il l'avait vue se diriger vers les caisses, il avait renoncé à la moitié de sa liste de courses et s'était arrangé pour se placer derrière elle dans la file.

Dans le caddie de l'inconnue, assis sur le siège basculant en plastique rouge, un petit garçon observait McLean de ses yeux noirs, avec un intérêt réservé. Au bout d'un moment, McLean lui sourit. Le garçon répondit instantanément à son sourire en penchant la tête de côté. Comme McLean devait l'apprendre par la suite, ce petit garçon avait un caractère en or. Sa mère, qui semblait n'avoir rien remarqué et regardait la caisse au fur et à mesure que ses achats étaient comptabilisés, jeta un coup d'œil à McLean, coup d'œil accompagné d'un sourire timide. Mais ce fut si bref que McLean ne put rien en déduire.

Peu après, elle se dirigea vers la sortie tandis que McLean, retenu à la caisse, la suivait du regard en se demandant pourquoi le petit frisson persistait.

Certes, il existait de nombreuses raisons pour regarder cette jeune femme. Une bonne demi-douzaine, à dire vrai, pour lesquelles d'autres hommes en faisaient autant tandis qu'elle marchait vers une Volkswagen jaune garée sur l'aire de stationnement du supermarché. Elle portait un pantalon beige pâle qui moulait ses jambes longues et fuselées. Dès cette première rencontre, McLean enregistra automatiquement certains détails, comme on remplit une fiche d'identité : jeune, environ vingt-cinq ans ; un peu moins d'un mètre soixante-dix pour une cinquantaine de kilos ; cheveux bruns, longs, légèrement ondulés ; grands yeux gris fumée ; nez fin ; lèvres sensuelles, finement ourlées aux commissures ; type italien ou méditerranéen. (En fait, elle tenait ses superbes cheveux bruns de sa mère grecque.) Son port altier faisait penser à celui d'un mannequin : elle marchait en se tenant très droite, ne remuant que les hanches et les jambes. Voilà. Que l'on ajoute à cela un petit garçon âgé d'environ un an : elle devait avoir un mari jeune et jaloux. « Tu n'as aucune chance, McLean. Rentre à la maison et prends une douche froide. »

Durant les mois qui suivirent, il la revit à plusieurs reprises : dans la rue, au supermarché, et même une fois à la banque. Il se mit à espérer ces rencontres fortuites. Il lui semblait qu'elle n'était pas aussi indifférente à son égard qu'elle voulait bien le laisser croire, comme si une relation tacite s'était déjà installée entre eux. Chaque fois qu'il la voyait, McLean souriait intérieurement, même si ce sourire ne transparaissait pas sur son visage, habituellement inexpressif.

Il avait depuis longtemps accepté sa solitude : le lit froid, le café matinal dans une cuisine vide et silencieuse, les émotions refoulées, scellées au plus profond de son être. Physiquement et psychologiquement, il se considérait comme handicapé : physiquement, il marchait en boitillant. Les jours de pluie, au réveil, son genou — il avait une prothèse — le faisait souffrir ; comme le faisait souffrir sa main gauche que trois articulations écrasées l'empêchaient de fermer tout à fait ou de serrer fortement le manche d'un club de golf. Psychologiquement, il savait que la plupart des gens le trouvaient froid et dur, dénué de toute sensibilité. Si tel n'était pas réellement le cas, c'était du moins l'impression qu'il désirait donner de lui.

Trois mois passèrent avant que McLean pût parler à la jeune femme. Il savait déjà pas mal de choses sur son compte. Fortune était une petite ville. Les gens jasaient. Autrefois prospère, cette bourgade forestière située sur la côte septentrionale de la Californie était aujourd'hui un coin tranquille où affluait en été, pour de courtes vacances, un régiment de touristes. Après quoi, la ville retrouvait son calme brumeux. Dans un endroit pareil, Angela Simmons ne risquait certes pas de passer inaperçue. McLean apprit que le petit garçon, Anthony, était son fils unique ; qu'on n'avait jamais vu son mari ; qu'elle travaillait à la bibliothèque de l'université ; qu'elle louait un petit appartement dans l'est de la ville.

A la fin de cette période, McLean cessa de se leurrer. Tant pis pour ce frisson qu'il ressentait à chaque fois qu'il la voyait. Il se répéta qu'il était fou, qu'il n'était plus un jeune homme. Durant sa première année à Fortune, tout avait marché comme prévu. Il aimait la ville, avait un travail d'agent dans une compagnie d'assurances, emploi qui lui rapportait un revenu décent ; et le temps lui semblait lointain où ceux qui lui vouaient une haine mortelle le recherchaient avec acharnement. Il n'allait pas tout remettre en question en se liant avec une femme.

Ils se rencontrèrent un après-midi d'automne, durant la mi-temps d'un match de football organisé par l'université. Alors qu'elle attendait son tour devant le stand du marchand de hot dogs, McLean se plaça dans la file juste derrière elle. C'était une journée fraîche et nuageuse. Elle avait négligemment jeté sur ses épaules un imperméable léger. A la vue de ses cheveux brillants et de son cou gracieux, McLean sentit monter en lui un violent désir, ce désir qu'il avait si longtemps réprimé.

Pendant plus de deux minutes ils restèrent ainsi, se rapprochant lentement du comptoir, puis elle se retourna. L'impact de son regard était physique. Ses lèvres s'entrouvrirent, mais elle ne sourit pas.

Alors McLean parla. Il prononça ces mots mémorables dont ils riraient plus tard :

— Moutarde et assaisonnement ?

Elle acquiesça. Il la dépassa, alla au comptoir, acheta deux hot dogs et deux gobelets de café. Ayant étalé la moutarde et la sauce, il lui tendit hot dog et café, puis lança :

— Mais sans oignons.

Pour la première fois, elle rit. Il perdit la tête.

Deux semaines plus tard, Angie et Tony vinrent habiter avec lui dans son « cottage californien ». McLean crut que sa vie avait commencé l'après-midi de leur rencontre, que rien de ce qui avait eu lieu auparavant n'avait d'importance.

Mais c'était aller vite en besogne.

A présent, fonçant sur l'autoroute obscure, seul avec ses phares qui transperçaient la nuit, McLean avait le sentiment de remonter le temps, de retrouver non seulement son passé mais aussi celui d'Angie.

En quittant Fortune comme il venait de le faire, il enfreignait les règles du jeu et violait la promesse qu'il avait faite à l'Agence. « Si tu quittes la ville et qu'il t'arrive quelque chose, nous dégageons toute responsabilité », lui avait déclaré Eric Zeller. Pourtant, ce n'était pas le passé de McLean qui avait ressurgi, mais celui d'Angie.

Et, pour McLean, ce passé représentait une énigme.

LORSQU'IL eut atteint la banlieue d'Oakland, McLean s'arrêta dans un café ouvert la nuit. Il faisait encore noir. Il s'assit à l'écart et avala méthodiquement des œufs au bacon, un hachis parmentier et des toasts. Le café était fort et corsé.

A sa troisième tasse, il entérina la décision qu'il avait mûrie durant son long parcours : fallait-il ou non rompre les termes de son exil de trois ans et téléphoner à l'Agence ? De toute façon, ils allaient vite savoir qu'il avait quitté Fortune à la hâte en laissant derrière lui deux cadavres. Mieux valait les mettre au courant lui-même.

Il prit son temps. Lorsqu'il quitta le café, le jour se levait. La brume matinale était si épaisse qu'elle faisait comme une bruine et qu'il dut mettre en marche ses essuie-glaces. Leur crissement rythmé lui donna le cafard. « Pourquoi es-tu partie, Angie ? Pourquoi ne m'as-tu pas fait confiance ? Pourquoi ne m'as-tu pas parlé de tes difficultés, si tu en avais ? »

Elle avait toujours éludé toute question sur son passé. « La seule chose qui compte, c'est ce que nous vivons aujourd'hui », lui avait-elle dit un jour.

Une seule fois, il lui avait posé brutalement une question sur son mariage. C'était un soir où ils regardaient un film à la télévision : il y avait une femme battue par son mari. McLean avait observé Angie durant une séquence violente et l'avait vue serrer ses bras autour d'elle, toute frissonnante.

— Il te battait ? avait-il demandé.

Un éclair de surprise avait passé dans ses yeux gris.

— C'était donc si évident à me voir ?

— Oui. Et Tony, il le frappait aussi ? C'est pour cela que tu es partie ?

Angie remua la tête.

— Oublie ça, mon chéri. Tout ça est loin. Ça n'a plus rien à voir avec nous.

« Pas si loin que ça ! » pensa McLean, la mâchoire crispée. Mais un ex-mari, même furieux, aurait-il envoyé deux tueurs à la recherche de sa femme ? Peut-être voulait-il récupérer son fils ? Ou bien le passé d'Angie était-il encore plus opaque, plus mystérieux qu'il ne l'avait soupçonné ?

Il ressassa ces questions jusqu'à l'aéroport. Là, il abandonna la Buick dans un parking souterrain, non sans avoir essuyé ses empreintes sur le volant et les poignées des portières. Cela fait, il prit un billet pour le premier vol à destination de Los Angeles, en se servant d'un des noms d'emprunt attesté par ses faux papiers d'identité. Il paya en liquide.

Tout ce qu'il avait emporté se trouvait dans le sac de voyage, lequel était assez peu volumineux pour être placé sous le siège de l'avion. Auparavant, il avait démonté son Beretta et en avait abandonné les pièces dans des poubelles situées en trois endroits différents : une station d'essence sur l'autoroute, le café où il avait pris son petit déjeuner et les toilettes de l'aéroport. Ainsi avait-il pu passer sans encombre les services de sécurité.

Il téléphona d'une cabine du terminal. L'indicatif était celui de Langley, en Virginie.

Une voix sèche répondit en se contentant d'indiquer un numéro de téléphone. McLean eut un petit sourire en reconnaissant la voix et les trois dernières années se dissipèrent telle de la brume au soleil. « John Wesley », annonça McLean. Ce n'était pas son nom à lui, ni même un nom de code, mais le sobriquet que Thornton lui avait donné à l'époque où ils travaillaient ensemble. C'était un mot de passe entre eux : John Wesley Hardin, grand hors-la-loi devant l'Éternel, un homme qui avait plusieurs entailles sur la crosse de son revolver. Le vrai prénom de McLean était Bernard. Barney pour les intimes.

— Barney, souffla Thornton dans le combiné. Mais que diable s'est-il passé ? Nous avons reçu un télégramme la nuit dernière, et je l'ai trouvé ce matin. La police de Fortune ignorait ta véritable identité. Tu n'aurais pas dû t'enfuir.

— Et que pouvais-je faire d'autre, répondit froidement McLean. Je n'aurais pas dû les abattre non plus, mais je n'avais pas le choix.

— Qui étaient-ils ?

McLean écoutait attentivement. Il trouva que l'affolement de Thornton sonnait assez juste.

— Je n'en sais rien. Mais ce n'était pas après moi qu'ils en avaient, Paul. C'est pourquoi j'ai dû partir. J'aurais besoin d'avoir des réponses à certaines questions… le plus vite possible.

Un ange passa. McLean entendait les chuchotements produits par d'autres conversations sur le réseau interurbain. Paul Thornton était un homme de l'Agence, loyal et fiable, pas trop ambitieux. Au début de sa carrière, il s'était tout naturellement retrouvé derrière un bureau. Mais McLean lui avait une fois sauvé la vie lors d'une opération qui avait échoué et au cours de laquelle Thornton s'était trouvé soudain sous le feu de l'ennemi. Du coup, Thornton avait demandé à McLean d'être le témoin de son mariage et le parrain de sa première fille, Linda. McLean pouvait imaginer le dilemme de Thornton, partagé entre son amitié pour lui et son devoir envers la *Central Intelligence Agency*, ou CIA, l'« Agence » pour les habitués.

Thornton soupira.

— Qu'est-ce que tu veux savoir, Barney ?

— J'ai vécu avec une femme durant ces deux dernières années.

— Je sais. Cette information figure dans ton dossier. J'en étais content pour toi.

McLean hocha la tête. Évidemment, ils continuaient à se renseigner sur lui. Ils pouvaient lui trouver une planque sûre, lui procurer une nouvelle identité et un emploi, le protéger contre ceux de l'Agence qui ne lui avaient jamais pardonné ce qu'il avait fait. Mais ils ne coupaient jamais complètement les ponts. McLean reprit :

— Il n'empêche que je ne sais presque rien sur elle. Elle ne voulait pas parler de son passé et je ne l'ai pas forcée à le faire. Mais aujourd'hui elle a des problèmes : elle fuit quelqu'un, ou quelque chose. Il faut que je la retrouve.

Thornton ne fit aucun commentaire. Barney ressentit un picotement à la nuque. L'instant d'après, sa colère explosa :

— Mais toi, tu sais quelque chose !

— Du calme, Barney. Tu ne penses quand même pas qu'ils t'auraient laissé te mettre en ménage avec quelqu'un sans se renseigner sur la personne en question. C'est normal, Barney.

McLean reprit d'une voix glaciale — et pour la première fois dépourvue de toute trace d'aménité :

— Il faut absolument que je la retrouve.

— Tu ne dois pas te mêler de ça, Barney. A l'heure qu'il est, ta couverture est peut-être éventée. Zeller se démène comme un beau diable pour faire intervenir ses relations là-bas, en Californie, afin d'étouffer cette affaire. Mais nous ne pouvons te laisser continuer comme ça. Fais le mort, Barney. Et quand la situation redeviendra normale...

— Pas question, Paul. Que sais-tu à propos d'Angie ?

Thornton hésita.

— Nous ne savons pas grand-chose.

— Mais qu'est-ce que tu racontes ? Tu m'as dit que Zeller s'était renseigné sur elle.

— Elle... Elle est sous protection, Barney. Son nom figure sur la liste des témoins protégés. C'est une pure coïncidence, une histoire de dingue, le fait que tu aies rencontré cette femme.

Sa voix s'étrangla. McLean commençait à comprendre.

— Ce n'est pas du tout une coïncidence. Cela devait arriver un jour ou l'autre. Deux organismes gouvernementaux, différents, consultent les mêmes banques de données, cherchant chacun une planque sûre pour cacher un individu !

Il sourit durement.

— Non, rien d'impossible à cela !

Thornton bredouilla :

— Le problème est que nous n'arrivons pas à retrouver ses antécédents.

— Tu sous-estimes Zeller, Paul.

— Je te dis la vérité, Barney. Nous avons cherché à nous renseigner, mais la réponse qu'on nous a faite était claire et nette : « Son identité est protégée, et nous ne pouvons faire aucune exception. »

— Il faut que je parle à Zeller.

— Barney, tu vas m'écouter ! Il faut que tu fasses le mort. Quant à moi, je ferai tout mon possible au sujet de cette Angie. Mais si tu t'en mêles, tu vas te faire repérer et tu ne seras plus en sécurité nulle part. Certains veulent toujours te faire la peau, Barney. Des gens qui te tiennent pour responsable de ce qui s'est passé.

McLean jeta un coup d'œil à la pendule située au-dessus du panneau des arrivées et des départs.

— Pas le temps, Paul. Je dois y aller. Il faut que je parle à Zeller. Il est presque huit heures. Je te rappellerai demain à midi, heure locale. Débrouille-toi pour qu'il soit là.

— Il ne faut pas que tu reprennes du service, Barney. Cela fait partie de notre accord. Plus de croisades.

— Ce n'est pas une croisade cette fois. C'est un problème personnel.

— Avec toi, c'est toujours un problème personnel. Ils ne te croiront jamais. Beaucoup ne t'ont pas cru il y a trois ans. Ce n'est pas maintenant qu'ils vont le faire.

— A midi, Paul. Et dis bien à Zeller que je veux des renseignements sur elle. Il faut absolument que je sache où elle se cache.

Il raccrocha malgré les protestations de Thornton et se précipita vers la salle d'embarquement.

3

LE Boeing 727 quitta la piste et disparut dans l'épaisse couche de nuages. Pendant un moment, McLean ne vit que du brouillard par le hublot. Cela correspondait tout à fait à son état d'esprit. Puis l'appareil émergea des nuages sous l'éclatant soleil matinal. L'humeur de McLean n'en fut pas pour autant éclaircie…

Il se demandait si Angie était partie sous le coup de la panique ou si elle avait suivi un plan tracé d'avance. La seconde hypothèse lui paraissait la plus probable. Angie aurait-elle gardé ce plan en réserve, tout comme lui la trousse qu'il avait cachée dans le garage?

Tony avait maintenant près de trois ans et demi, et à cet âge on pouvait déjà être dérouté et effrayé. La vie de son fils comptait plus pour Angie que la sienne propre ou celle de McLean. Cela ne dérangeait pas McLean. Il n'avait en rien l'impression d'avoir été trahi. Angie s'était probablement persuadée (ou avait essayé de se persuader) que quiconque viendrait les chercher Tony et elle, et ne les trouverait pas, s'élancerait sur leurs traces mais ne s'en prendrait pas à McLean.

Si elle n'y avait pas cru totalement, la seule solution eût été de tout révéler à McLean. Cela, soit elle ne pouvait le faire, soit elle ne se sentait pas encore prête.

McLean inclina son siège en arrière et regarda par le hublot le ciel d'un bleu uniforme. Il songea aux nombreuses zones d'ombre qu'il restait à éclaircir. A commencer par l'appel téléphonique qu'Angie avait reçu. Quelqu'un l'avait prévenue : un ami ou un parent. En d'autres termes, elle avait pris le risque de laisser ses coordonnées à une personne de confiance. C'était une erreur grossière car il suffisait d'un rien pour faire échouer tout le programme de protection : une écoute téléphonique, une lettre interceptée, une remarque au hasard.

Le programme de protection des témoins, mis en place par les autorités, avait déjà fait ses preuves dans de nombreux cas. L'idée de base était de fournir à tout individu en danger de mort (le plus souvent en raison de son témoignage à un procès important) une nouvelle identité. L'utilité de ces témoins justifiait amplement les crédits considérables alloués à ces mesures exceptionnelles.

L'objectif initial du programme consistait à protéger les personnes qui osaient témoigner contre le syndicat du crime. La Mafia avait le bras long et possédait une mémoire d'éléphant. L'intimidation, voire l'élimination physique étaient chez elle pratique courante. Voilà pourquoi, dans les procès où elle se trouvait impliquée, la plupart des témoins à charge disparaissaient subitement, modifiaient leur témoignage au dernier moment ou étaient victimes de brusques trous de mémoire lorsqu'ils comparaissaient à la barre. Quant à ceux qui prenaient le risque de témoigner et redoutaient des représailles, les autorités leur accordaient leur programme de protection des témoins. Solution extrême, certes, mais il n'y en avait pas d'autre. La fonction de cette nouvelle procédure était de garantir la sécurité des témoins en les cachant jusqu'à leur comparution, puis en leur procurant, une fois le procès achevé, une nouvelle existence.

Mais ce programme n'avait pas toujours parfaitement fonctionné. Certaines personnes se révélaient incapables de couper les ponts. Elles écrivaient des lettres et se croyaient très malignes parce qu'elle les postaient depuis une ville distante de trente kilomètres, tout au plus, de celle où elles résidaient. Elles téléphonaient d'État à État. Elles retournaient dans des lieux qui leur avaient été familiers : leur université, leur ancien quartier, l'endroit de leur lune de miel. Alors, la pieuvre remontait jusqu'à elles. Il était difficile de faire comprendre aux témoins bénéficiant de ce type de protection qu'il leur fallait rompre définitivement avec le passé et mener une vie radicalement nouvelle.

Les témoins à charge n'étaient pas les seuls bénéficiaires de ce programme : celui-ci assurait également la protection des transfuges, c'est-à-dire des agents venant de l'autre bloc avec des informations intéressantes.

Enfin, il existait des cas isolés comme celui de McLean, un agent qu'il fallait protéger contre ceux de son propre camp.

Le fait qu'Angie bénéficiât elle aussi de ce programme était éloquent : il expliquait ses silences, sa tentative d'éluder toute question concernant son passé, mariage compris. Il expliquait aussi cette anormale nervosité qui la faisait sursauter quand McLean entrait à l'improviste dans la pièce où elle se trouvait. Tout cela, enfin, éclairait son refus d'envisager l'avenir de façon positive. Elle n'y croyait plus.

Qui aurait pu l'en blâmer ?

McLean et elle faisaient la paire. Tous deux se trouvaient prisonniers de leur passé, définitivement piégés par leurs identités respectives.

« Et fausses, de surcroît ! » se dit McLean avec une ironie désabusée.

Il sentit l'appareil changer de cap en traversant la couche de nuages jaunes qui recouvrait l'immense « Cité des Anges ». Il pensa soudain à Angie, à son mari qui la battait, laissant une empreinte qui subsistait encore en elle, longtemps après la cicatrisation de ses blessures superficielles. Il faisait partie du passé d'Angie, mais n'avait probablement rien à voir avec ses difficultés actuelles. Il n'existait pas de programme de protection pour les cas de divorce. Non, Angie fuyait pour échapper à des ennuis bien plus graves que cela...

Elle fuyait pour sauver sa vie. La sienne et celle de Tony.

Au volant d'une Ford Mustang de location, McLean prit l'autoroute de San Diego, direction sud. Il traversa les cités dortoirs de Westminster, Huntington Beach, Fountain Valley et enfin Costa Mesa, située au cœur des immenses orangeraies. Le paysage était plat et sans relief. Prenant un embranchement en direction de la côte, il dépassa les infrastructures d'un grand nombre d'immeubles de bureaux qui s'élevaient de toutes parts au milieu des appartements privés et des logements de la municipalité. Il quitta l'autoroute à Jamboree Road et suivit la voie sinueuse qui menait, à travers de majestueuses collines, jusqu'à l'océan.

La journée avait été couverte en raison de la chaleur et de la couche de pollution qui planait sur la ville. Mais là, à Newport Beach, l'air était plus pur, les alizés plus frais et le ciel d'un bleu magnifique. Au sommet d'une côte, McLean aperçut l'océan Pacifique. Il scintillait sous le soleil et des voiles fringantes se détachaient sur l'horizon. McLean eut envie de s'arrêter pour s'imprégner de la beauté du paysage.

Cependant, il préféra prendre une route transversale conduisant à une galerie marchande huppée et ouverte aux alizés. Il était onze heures précises à sa montre quand il se gara devant une caisse d'épargne. Au cours des dix années précédentes, il y avait conservé un compte sur lequel il déposait assez d'argent pour pouvoir justifier la demande d'un coffre gratuit. A l'époque, il avait parié de grosses sommes des semaines durant sur un yacht mouillé au club nautique de Newport Harbor.

Dix minutes plus tard, de retour de la caisse d'épargne, il émergeait en plein soleil avec, dans les poches de son blouson, trois mille dollars supplémentaires répartis dans deux enveloppes. Il portait également à l'épaule un étui en cuir contenant un colt Cobra 357 Magnum.

Vérifiant l'heure, McLean vit qu'il lui restait du temps avant de téléphoner. Il se promena une demi-heure dans la galerie. Des clients étaient assis aux tables disposées sous des parasols colorés, parmi les drapeaux flamboyants et les jets d'eau rafraîchissants. Il acheta dans une maroquinerie une valise souple et, chez Brook Brothers, deux chemises, une cravate et un blouson léger.

De retour à sa voiture, il retira le revolver de son étui et le glissa dans son sac dont il referma la fermeture Éclair. Puis il fourra le sac avec le reste de ses emplettes dans la valise qu'il ferma à clé.

Il s'éloigna de l'océan en suivant le boulevard MacArthur. Peu après, arrivant en vue de l'aéroport John Wayne, il décida de s'arrêter. Dans les circonstances douteuses, il avait toujours privilégié les aéroports ou les gares pour téléphoner. Il se fraya un passage à travers le flot de voitures qui encombraient les abords du terminal et pénétra dans le parking ouest.

La plupart des cabines téléphoniques situées dans la zone d'enregistrement des bagages étaient occupées ; et, de plus, aucune d'entre elles ne lui assurait le secret de la conversation. McLean traversa l'aéroport en direction du nouveau terminal. Les niches téléphoniques qui s'y trouvaient étaient alignées les unes contre les autres. Là encore, il n'y en avait pas une seule de libre.

En revanche, il repéra deux téléphones muraux devant le terminal, de l'autre côté de l'autoroute, près d'une passerelle métallique située à l'extrémité du parking extérieur. Il n'y avait personne à proximité.

Il traversa la portion d'autoroute, franchissant en courant le flot ininterrompu des voitures. A midi pile, il composa son numéro. A l'autre bout du fil, à Langley, en Virginie, le téléphone retentit.

— Comment ça va, Barney ? demanda Eric Zeller, d'un ton aussi froid et impassible que d'habitude.

On eût dit que McLean prenait simplement quelques jours de vacances, alors qu'il avait été obligé de quitter l'Agence trois ans auparavant dans des circonstances graves.

— Ça va, merci, répondit McLean en pensant : « Essayons d'avoir l'air aimable. »

Il ne pouvait pas se passer de l'aide de Zeller.

Zeller reprit :

— C'était un véritable feu d'artifice, ton aventure de la nuit dernière. Tu aurais pu nous éviter ça, tu sais.

— Je n'avais pas le choix, répondit sèchement McLean.

Zeller garda un moment le silence.

— Que veux-tu que je fasse exactement, Barney ? Le ménage après ton passage ?

— Ça, c'est ton problème. J'ai besoin de renseignements et tu peux me les donner. Ce n'est pas bien compliqué. Aide-moi à retrouver cette femme et son gamin. Après, nous disparaîtrons ailleurs, au soleil. Et je ne te demanderai plus jamais rien.

— La vie n'est jamais aussi simple, Barney. Tu as fichu tout le programme en l'air.

— Je remettrai tout en ordre.

Zeller resta de nouveau silencieux. McLean profita de cet

instant pour jeter un coup d'œil autour de lui. Des passagers débarquaient d'un avion qui venait d'atterrir et la zone de réception des bagages était bondée. Personne ne prêtait attention à lui. Zeller reprit alors :

— Je ne puis prendre ce risque.

— Tu n'as pas le choix.

— Ah... vraiment ?

Par moments, Zeller pouvait donner l'impression d'être un parfait imbécile. Et plus d'un s'y était laissé prendre. McLean le savait. Il parla rapidement :

— Ne raccroche pas, Eric. Je ne te le conseille pas.

— Encore une menace, Barney ? Tu n'as pas l'air de comprendre la situation. Tu n'es pas en position d'exiger quoi que ce soit. C'est terminé, pour toi. Tu es définitivement brûlé !

— Non ! J'ai pris certaines précautions.

Cette fois, ce fut McLean qui garda le silence pendant un moment qui sembla durer une éternité.

La voix de Zeller se fit encore plus froide et plus menaçante.

— Quel genre de précautions, Barney ?

McLean esquissa un sourire. Zeller n'avait pas raccroché.

— Les bonnes, Eric. Si quelque chose m'arrive et que je ne donne pas signe de vie tous les six mois, mes Mémoires seront publiés. Tu y figures, Eric. Peut-être pas dans le rôle principal, mais je t'ai tout de même réservé une place de choix.

— Aucun éditeur ne prendrait ce risque, répondit Zeller. Pas en ce moment en tout cas.

Sous la direction de William Casey, la CIA avait brandi la menace de poursuites judiciaires à l'encontre de toute personne qui publierait des informations secrètes. Cette campagne avait eu un effet dissuasif sur les éditeurs.

— Dans ce pays, je ne dis pas...

McLean laissa Zeller réfléchir. De fait, les éditeurs londoniens qui avaient lu le manuscrit étaient impatients de le publier, même s'ils continuaient à respecter l'accord passé avec McLean stipulant que la décision finale lui appartenait, sauf en cas de mort accidentelle.

— Ça ne m'impressionne pas, Barney.

— Alors, tu n'as pas à t'en faire.

— D'accord, dit Zeller sèchement. Je verrai si je peux rappeler les chiens.

— C'est ça, répondit McLean.

Zeller n'avait jamais été un ami, mais McLean pouvait avoir

avec lui une relation différente. Personne n'avait jamais réussi à manipuler Eric Zeller. Et il valait mieux éviter de s'en faire un ennemi.

— Que sais-tu sur Angela Simmons ?

Zeller hésita.

— Pas grand-chose, j'en ai bien peur. J'ai le vague sentiment qu'elle était impliquée dans un grand procès contre la Mafia sur la côte Est. Bien sûr, Angela Simmons est un pseudonyme.

McLean réfléchit un instant aux paroles de Zeller. Il se demandait jusqu'à quel point il pouvait lui faire confiance.

— Tu peux m'avoir un autre renseignement. Elle a reçu un coup de fil vers 19 heures, avant-hier. Je veux savoir qui appelait et de quel endroit.

Zeller réfléchit.

— Je verrai ce que je peux faire.

— Ou plutôt trouve-moi juste le nom et le numéro, reprit McLean. Tu les donneras à Thornton. Je le rappellerai à son domicile ce soir, avant minuit si possible. Son numéro de téléphone est toujours le même ?

— Oui.

Cette réponse de Zeller signifiait que, malgré ses réticences, il lui donnait son accord. Il ferait ce que McLean lui avait demandé. Puis Zeller reprit :

— Il y a quelque chose que tu dois savoir, McLean. J'ai dit que je ferai le maximum pour rappeler les chiens. Mais l'incident de Fortune va s'ébruiter chez nous, même si nous cherchons à l'étouffer le plus possible.

— Que veux-tu dire, Eric ?

— Que je ne pourrai pas rappeler Coffey.

McLean réprima un léger frisson. « Drôle de réaction après tout ce temps », pensa-t-il. L'Agence avait toujours nié posséder l'équivalent du département des Missions spéciales du KGB, qui s'occupait des affaires délicates. Mais si une telle fonction avait jamais existé à un moment ou à un autre, ou existait encore, Clark Coffey en aurait été tout spécialement chargé.

— Il ne sait toujours pas ce qui s'est réellement passé ?

Zeller marqua une pause. Puis il dit :

— Il n'y a rien à savoir.

— C'est vrai.

McLean réfléchit. La collaboration que Zeller lui offrait était probablement ce qu'il pouvait espérer de mieux. Elle allait même bien au-delà de ses espérances. Il répondit :

— D'accord, mais si Coffey, ou quelqu'un d'autre, me cherche, il le fait de sa propre initiative ?

— Bien sûr, répondit Zeller sans la moindre hésitation.

Ce que McLean demandait — et que Zeller venait de lui accorder à son corps défendant — c'était l'autorisation de se défendre contre les justiciers solitaires, sans se mettre à dos l'Agence tout entière.

— J'espère que tu souhaites qu'il échoue dans ses tentatives, dit McLean.

— Bien sûr que je le souhaite, grogna Zeller. L'Agence n'a aucun besoin d'un règlement de comptes à la OK Corral, surtout en ce moment.

— Tu ne m'as pas très bien compris, Eric. Je t'ai dit que si un accident m'arrivait, toute l'histoire serait publiée. Point final. Peu importe qui sera le responsable : Coffey ou un routier soûl ou une tornade. Je ne peux pas arrêter la machine, pas plus que tu ne peux rappeler Coffey.

— Va au diable, Barney ! Tu ne me fais pas peur…

McLean raccrocha. En récupérant la monnaie restituée par l'appareil, il fit tomber quelques pièces. Il se baissa pour les ramasser et entendit plus qu'il ne vit le téléphone se désintégrer sous l'impact d'une balle à fragmentation qui pénétra dans l'appareil en faisant un trou minuscule avant de se pulvériser. Le téléphone explosa en une masse informe de fils colorés, grouillants comme des spaghettis.

McLean se redressa et courut. Il retraversa à toute vitesse l'autoroute, évita un bus de justesse, jeta rapidement un coup d'œil par-dessus son épaule en direction du parking extérieur, d'où le coup avait été tiré. Quelqu'un le traquait. Un chasseur à l'affût guettait sa proie.

Les portes automatiques du terminal s'ouvrirent avec un sifflement comme il se précipitait pour entrer. Une autre balle le manqua, faisant éclater une baie vitrée. A l'autre bout de la salle, un agent de sécurité, alerté par le bruit, se tourna vers lui.

A gauche, la zone de réception des bagages était bondée. McLean se fraya un passage en force parmi la foule.

Alors qu'il se ruait vers le parking souterrain, McLean vit un autre agent de sécurité se précipiter vers la cabine téléphonique qui avait essuyé le premier coup de feu.

Les employés du parking se tournèrent vers lui, l'air perplexes, tandis qu'il passait en courant devant leurs boxes vitrés. Tout était arrivé si vite que McLean doutait que quelqu'un pût l'identifier ou même dire exactement ce qui s'était passé. Il parvint à sa Mustang, s'attendant à tout moment à recevoir une autre balle... celle qu'il ne verrait ni n'entendrait...

La voiture démarra au quart de tour. McLean s'élança vers la sortie, brisa la mince barrière de bois qui fermait le parking et se faufila dans la circulation. L'autoroute s'orientait vers l'ouest, puis, après un virage à cent quatre-vingts degrés, continuait parallèlement au parking extérieur situé devant le terminal, là où le tireur l'avait guetté. Avait-il anticipé la réaction de McLean ? Avait-il deviné que celui-ci allait emprunter l'autoroute pour sortir de l'aéroport ? L'attendait-il plus en amont ?

McLean se dit que Coffey avait réagi très vite. Il devait se trouver dans le sud de la Californie, ou assez près pour arriver à l'aéroport en même temps que lui, voire l'y précéder. Zeller avait-il renseigné Coffey ? Lui avait-il confié une mission ?

Le trafic de la mi-journée était plus dense encore, en raison des feux qui réglaient la circulation sur le boulevard McArthur. Au moment où McLean arrivait au croisement, le feu passa au rouge. Il accéléra, le brûla et, après un virage sur les chapeaux de roues, prit, à gauche, le boulevard. Au même moment, les autres voitures démarrèrent, coupant le croisement et interdisant toute poursuite.

McLean s'engagea presque aussitôt sur l'autoroute de San Diego, direction nord. Cependant, malgré toutes ces précautions, il n'était pas sûr de n'avoir pas été suivi depuis sa sortie de l'aéroport. Il prit une voie secondaire, déboucha sur l'autoroute 55 en direction de Santa Ana, puis attendit le dernier moment pour couper deux files de voitures et s'engagea dans la boucle qui conduisait à l'autoroute de Garden Grove. Personne n'essaya de répéter la dangereuse manœuvre qu'il venait d'exécuter.

Alors, il ôta une de ses mains du volant et la contempla. Il remarqua avec dégoût qu'elle tremblait légèrement. Il s'en était bien sorti. Pourtant Coffey — si tant est que ce fût lui qui avait tiré — avait dû être retardé au péage du parking principal. A moins qu'il n'eût tout bonnement renoncé à le poursuivre.

McLean n'avait pas entendu les coups de feu. L'arme devait être munie d'un silencieux. Coffey l'avait de toute évidence suivi à l'intérieur de l'aéroport. Mais comment avait-il pu le retrouver si rapidement ?

Réfléchissant toujours à cette attaque surprise, McLean s'engagea sur la bretelle d'accès au petit aéroport de Long Beach. Il se dirigea vers le parking extérieur puis, se ravisant, entra dans le parking souterrain. Il laissa la voiture au premier sous-sol, derrière un pilier, enferma les clés à l'intérieur et se dirigea à pied vers le terminal, sa valise à la main. Il avait calculé que Coffey n'aurait pas assez de temps pour se rendre à l'aéroport de Long Beach. Il le ferait plus tard, après s'être assuré que McLean n'était pas revenu à l'aéroport international de Los Angeles. Ou qu'il ne s'était pas caché à proximité.

Ce raisonnement paraissait correct. McLean acheta un billet pour Chicago sur le premier vol de la compagnie America West. Il enregistra la valise contenant le colt, afin que l'arme ne soit pas repérée aux rayons X. Trente minutes plus tard, son avion décollait.

Cette fois, McLean avait réglé sa dépense avec une carte de crédit qui se trouvait dans son second jeu de faux papiers d'identité. Le nom qui figurait sur la liste des passagers était celui de Dave Patterson, résidant à Los Angeles. McLean avait la certitude que ce pseudonyme n'était connu de personne à l'Agence. Pour combien de temps, cela restait à déterminer.

— Vous êtes de Chicago ?

La passagère assise près du hublot, à côté de McLean, était de race noire. Elle avait le même âge que lui, ou un peu plus. Ses cheveux étaient d'une incroyable teinte orange. Ses yeux souriaient, de même que sa large bouche.

— Non. Je suis originaire de Detroit. Et j'habite à présent à Los Angeles.

La femme renifla.

— Detroit ? Il y fait très froid en hiver.

— Pas autant qu'à Chicago, enchaîna McLean en souriant.

— Eh bien… Chicago est une ville où il fait un peu froid et où il y a un peu de vent. Chicago a un peu de tout, c'est vrai.

McLean lui fit un bout de conversation, se contentant de marmonner quand ses pensées vagabondaient. Il se redit que, pour la deuxième fois, il l'avait échappé belle, moins de vingt-quatre heures après la tuerie de Fortune. Une chose le surprit : il ne s'était pas rendu compte à quel point le danger et l'action lui manquaient. Un athlète de haut niveau — un footballeur de classe internationale, par exemple — qui aurait dû interrompre sa carrière alors qu'il était encore au sommet, devait ressentir la même chose. Quel effet cela faisait-il de rempiler ?

Puis ses pensées convergèrent sur Clark Coffey. La rapidité avec laquelle celui-ci avait retrouvé sa trace ne laissait pas de le surprendre. Zeller l'avait-il renseigné ? Il rejeta cette possibilité.

Zeller avait bien dit que l'Agence n'avait aucun besoin d'un règlement de comptes à la OK Corral, surtout en ce moment. A moins que Coffey n'eût personnellement décidé de se lancer sur ses traces sans en référer à l'Agence, ni révéler à personne ses véritables intentions...

Mais alors, comment l'avait-il retrouvé?

McLean n'était nullement surpris de l'action qu'il imputait à Coffey, pas plus que de la hardiesse de son attaque à l'aéroport John Wayne. Coffey était un agent audacieux et brillant, qui savait prendre des risques sans se faire repérer. Mais McLean, pour sa part, considérait qu'il était aussi un psychopathe. Il s'était d'abord fait un nom en servant dans une unité antiterroriste au Viêt-nam, où la police secrète du Viêt-cong constituait sa principale cible. Le problème était qu'il adorait tuer. Il haïssait tout le monde sans exception.

Ou plutôt si, il existait une exception à sa misanthropie : Carl Warner, l'homme que McLean avait prétendument trahi.

La compagne de voyage de McLean s'appelait Ella. Elle le distrayait en causant gaiement de choses et d'autres tandis qu'il repensait aux événements de la journée, toujours à la recherche d'une explication.

Il était près de huit heures sur la côte Ouest lorsque McLean avait passé son coup de téléphone à Paul Thornton. Ensuite, il n'avait pas fait grand-chose. Il s'était garé à l'aéroport John Wayne pour téléphoner à Zeller à midi. Entre les deux appels, un peu plus de quatre heures s'étaient donc écoulées.

Ce matin-là, Coffey devait se trouver à Los Angeles ou dans une ville voisine. Mais comment avait-il pu localiser si précisément McLean? Il ne l'aurait certainement pas attendu à l'aéroport de Los Angeles s'il n'avait eu la certitude qu'il se rendrait justement à ce terminal. Même pour un homme comme Coffey, le hasard avait des limites.

Pour parer à toute éventualité, McLean s'était automatiquement assuré que personne ne l'avait suivi dans le terminal d'arrivée de l'aéroport, ni dans le parking de l'agence de location de voitures. Nulle part il n'avait aperçu la silhouette trapue de Clark Coffey.

En retraçant mentalement son itinéraire, McLean finit par acquérir la conviction qu'il n'avait pas été suivi : Coffey l'avait attendu à Newport Beach.

Dès que Coffey avait appris que McLean vivait en Californie et qu'il était en fuite, il s'était rendu directement à Newport

Beach en pensant que McLean s'y rendrait aussi. Il était donc au courant de l'existence du coffre.

— Mais pourquoi riez-vous ?

— Je viens de résoudre une énigme.

— Ça alors ! Vous résolvez de tête des mots croisés ? Il faut que vous me donniez votre truc. Mon ex-mari, voilà un homme qui aimait les mots croisés. Il en faisait chaque jour dans le journal.

McLean sourit, plus détendu, car il avait résolu une partie du problème. Il valait toujours mieux trouver des réponses aux questions, même si ces réponses laissaient présager de mauvaises nouvelles. McLean ignorait toujours la façon dont Coffey avait appris l'existence du coffre, mais il comprenait à présent comment celui-ci était parvenu à le retrouver si rapidement, et à passer à l'attaque avec une vivacité si stupéfiante.

Une autre question demeurait en suspens : comment Coffey avait-il pu se tenir informé si rapidement des événements de Fortune, lesquels avaient eu lieu — McLean avait lui-même peine à le croire — à peine dix-huit heures plus tôt. Les journaux du matin n'avaient pas parlé de la tuerie. Il était évident que Zeller avait agi rapidement afin de limiter les dégâts.

Tout cela débouchait sur une seule conclusion : quelqu'un appartenant à l'Agence avait renseigné Clark Coffey.

Le soir tombait. L'avion commença à décrire des cercles au-dessus de l'aéroport O'Hare en attendant la permission d'atterrir. McLean contemplait les verts pâturages qui s'étendaient au-dessous d'eux. Il distinguait même les fairways bien entretenus d'un terrain de golf zébré par les rayons du couchant. Il rompit le silence :

— Ella, pourrais-je vous demander de me rendre un service ?

— Ça dépend lequel, répondit-elle prudemment.

— Il s'agirait d'acheter un billet d'avion à ma place. Un aller Chicago-Washington. Sur un vol direct.

— Vous allez voir le Président ?

— Pas cette fois-ci.

Elle se mit à rire.

— Ça me va. Vous avez dit ça comme si vous étiez sérieux. Comme si vous aviez vraiment l'habitude de passer à la Maison Blanche pour le saluer.

Une lueur malicieuse éclaira ses yeux sombres.

— T'as des ennuis, mon chou ?

— Rien de bien grave. Tu m'achèteras ce billet ?

Le sourire de la femme fit place à un air songeur.

— En admettant que je le fasse, sous quel nom dois-je le faire enregistrer?

— Pourquoi pas celui de ton ex-mari?

Elle se tut sans quitter McLean des yeux, puis reprit :

— C'est donc pour ça que tu m'as fait du charme?

— Moi, j'aurais cru au contraire que c'était toi qui me faisais du charme!

Elle eut un large sourire.

— C'est vrai, je l'admets. Je t'achèterai ton billet et je le mettrai au nom de mon ex-mari. C'est celui qui figure encore sur mon permis de conduire. Étonnant, n'est-ce pas? C'est à peu près tout ce que ce type m'a laissé.

— Avec quelques bons souvenirs, je suppose?

— Des bons souvenirs? Oui, il doit bien m'en rester quelques-uns.

4

DE prime abord, il pouvait sembler téméraire de se jeter ainsi dans la gueule du loup, mais McLean était convaincu que personne ne l'attendrait de sitôt à Washington. Puis il se rappela qu'il n'avait pas su prévoir que Coffey serait capable de le retrouver à Newport Beach, seulement quelques heures après que sa couverture eut été éventée.

Il faisait nuit quand il débarqua sur le tarmac mouillé de l'aéroport de Dulles. Quand il monta dans la navette qui transportait les passagers au terminal, l'air lourd de la nuit, telle une main chaude, lui caressa le visage.

Washington au mois de mai. La pluie tiède, les cornouillers en fleur dans les parcs et en bordure des routes. McLean ressentit une bouffée de nostalgie, une impression fugitive d'amour perdu.

Il avait téléphoné à Paul Thornton. Celui-ci résidait à proximité de l'aéroport et il était venu l'accueillir au terminal.

— Heureux de te revoir, Barney! dit-il en lui serrant chaleureusement la main.

McLean jetait des regards inquiets autour de lui.

— Sortons de cet endroit.

Petit, trapu, avec une grosse tête, des joues creuses, d'épais

sourcils noirs et des cheveux gris, Paul Thornton ressemblait davantage à un lutteur poids plume qu'à un agent secret. De son torse rond et son cou épais se dégageait une impression de force physique. En fait, c'était le plus doux des hommes. Une barbouze professionnelle, mais qui n'avait jamais fait de mal à une mouche. Il compensait son manque d'agressivité par d'autres qualités : loyauté, dévouement familial, fidélité à l'Agence, à laquelle il avait consacré toute sa vie, et un esprit perspicace qui, tel du Velcro, s'accrochait aux moindres détails.

Ils montèrent en voiture et, sans parler, roulèrent en direction de chez Thornton, une maison à un étage et sans prétention, non loin de Tyson Corner, dans la banlieue de Washington. Au grand soulagement de McLean, son ami n'avait pas l'intention de l'emmener chez lui : on ne l'avait peut-être pas espionné à l'aéroport de Dulles, mais il était possible que l'on eût posté quelqu'un devant chez Thornton, puisqu'on savait que celui-ci était un de ses meilleurs amis, le seul, peut-être, qui lui restât à l'Agence.

— Ça vient d'ouvrir, expliqua Thornton en garant sa Ford Escort dans le parking d'un restaurant de poissons. D'ici, je peux rentrer chez moi à pied.

— Et pourquoi le ferais-tu ?

— Je te laisse la voiture.

McLean ne répondit rien. A travers le parking, il suivit Thornton dont la silhouette massive fendait la pluie tel le soc d'une charrue. Ils entrèrent dans le restaurant. Ayant choisi le grand salon tamisé de préférence à la salle à manger principale, ils s'installèrent à l'écart, devant une table éclairée par une bougie, et commandèrent deux scotches.

— Tu as l'air en forme, Barney, dit Thornton au bout d'un moment. Je suppose que tout allait bien, jusqu'à…

— Jusqu'à hier.

— Je ne comprends toujours pas ce qui se passe. Est-il arrivé autre chose… je veux dire depuis que tu as parlé à Zeller ?

— Coffey a essayé de me descendre.

— Oh ! mon Dieu !… s'exclama Thornton en renversant un peu de son whisky.

Il tenta de dissimuler son anxiété en épongeant avec une serviette en papier le liquide qui avait coulé sur sa chemise. Son émoi était sincère, comme son ton consterné.

— Je t'avais bien recommandé de te planquer, Barney. Je t'avais prévenu !

MCLEAN lui raconta tout par le menu. Thornton l'écoutait en contemplant fixement le fond de son verre. « Il faut que je lui fasse confiance, se dit McLean. Je n'ai personne d'autre à qui me fier. » Les sombres dédales de la trahison et du compromis, où les apparences l'emportaient sur la réalité, faisaient partie intégrante de ce monde clandestin que McLean avait quitté sans regret. Thornton, lui, en sa qualité de collaborateur administratif perpétuel, n'avait jamais suivi de telles voies.

— J'ai du mal à croire que Coffey ait pris autant de risques, marmonna Thornton, les sourcils froncés. Tu es sûr qu'il s'agit bien de lui ?

McLean eut un geste évasif.

— Qui d'autre, Paul ?

Thornton ouvrit la bouche comme pour répondre, mais il se ravisa.

— Je ne sais pas. Coffey a pas mal d'amis.

— Penses-tu qu'aujourd'hui encore, il puisse exister à l'Agence des gens qui m'en veuillent au point d'aller rencarder Coffey ?

Thornton haussa les épaules.

— Rappelle-toi, il a toujours été très estimé à l'Agence. Comme Warner, d'ailleurs. Quand tu t'en es pris à lui, c'était comme si tu t'attaquais à toute l'Agence. Toi-même, tu savais parfaitement à quoi t'en tenir.

— Je n'avais pas le choix.

Thornton garda le silence et McLean se demanda soudain si son vieil ami ne s'était pas, lui aussi, posé des questions sur la véritable raison qui l'avait poussé à provoquer la chute de Warner. Si tel avait été le cas, ces doutes n'avaient jamais paru affecter ouvertement leur amitié.

A l'époque, on cherchait à démasquer une taupe à l'Agence. De fait, plus d'un agent tout à fait loyal avait vu sa carrière ruinée par des rumeurs ou des allégations sans fondement. Il suffisait alors d'un simple soupçon pour discréditer celui qui en était l'objet. Plus d'un ami de Carl Warner avait insinué que McLean pouvait parfaitement être la taupe que l'on recherchait, un agent double au service du KGB. Et pourquoi pas ? Existait-il une meilleure façon de faire du tort à l'Agence que d'éliminer un de ses meilleurs éléments, lequel passait pour un héros aux yeux de la plupart des membres de la Division des opérations ?

Clark Coffey faisait partie de ceux qui voyaient en Warner un héros et en McLean un traître.

— Que pensent vraiment les gens de l'Agence, Paul ? A commencer par toi ?

Thornton rougit, détourna son regard, puis cacha sa confusion en appelant la serveuse.

— On remet ça ? proposa-t-il.

— D'accord.

Après le départ de la serveuse, Thornton commença :

— La plupart des gens pensent que… qu'il a dû réellement se passer quelque chose. Qu'il n'y a pas de fumée sans feu… Voilà ce qu'on entend dire. A l'époque, tout le monde, ou presque, te considérait comme le traître dans cette histoire. Personne ne croyait à la trahison de Carl Warner. C'était un des piliers de l'Agence. Mais, au bout d'un certain temps, la plupart d'entre nous — et moi y compris — nous sommes rendu compte qu'il devait quand même y avoir anguille sous roche… que, sans cela, on ne t'aurait pas lancé sur sa piste…

Thornton se pencha par-dessus la table.

— Il est vrai… je sais que tu ne peux pas me dire ce qui s'est réellement passé, mais personne n'a jamais cru au suicide de Warner. Coffey, encore moins que tout autre. Warner n'était pas homme à se suicider. On prétend que Coffey a déraillé pendant un temps, Barney… qu'il t'a cherché partout. Ensuite il a disparu.

— Où se trouve-t-il actuellement ?

Thornton paraissait mal à l'aise.

— J'ai enquêté. Il travaille sur la côte Ouest et le long de la frontière mexicaine. On a reçu le talon d'un billet aller-retour pour Mexico City il y a quelques semaines.

— Et le retour ?

— Pour San Diego.

C'était juste assez proche pour que Coffey ait pu se trouver à Newport Beach au moment où McLean avait été agressé.

Les consommations arrivèrent. Thornton prit son verre.

— Quelqu'un d'ici aurait pu renseigner Coffey ce matin ou la nuit dernière, reprit-il après une gorgée de whisky. Il ne fallait pas longtemps pour découvrir que l'homme que nous planquions à Fortune, en Californie, n'était autre que le célèbre Bernard McLean.

— Donc, quelqu'un a passé un coup de fil sur la côte Ouest.

— Ce n'est qu'une supposition.

McLean sourit à son vieil ami.

— En voici une autre, Paul. Zeller a pu, tout bêtement, téléphoner à Coffey dès que tu l'as informé de ce qui s'était passé la veille au soir.

— Je n'y crois pas une seconde, Barney. Je sais que tous les deux vous ne vous êtes jamais très bien entendus, mais l'Agence représente tout pour Zeller. Il est un de ses plus fervents admirateurs. En outre, ne faisait-il pas partie de la commission qui t'a demandé de faire un rapport ?

— C'est juste, reconnut McLean.

— Alors, lui, il sait exactement ce qui s'est passé. Il connaît la vérité. Il est même probablement un des seuls à l'Agence à savoir où tu vis depuis trois ans. Pourquoi aurait-il subitement décidé d'en informer Coffey ?

— Parce que, tout d'un coup, voilà que je me mettais à représenter une menace pour son Agence chérie. S'il estime que la protection de l'Agence passe par l'élimination du problème (moi, en l'occurrence), Zeller n'hésitera pas.

— Pourtant tu l'as prévenu des conséquences que cela entraînerait.

— Il te l'a dit ?

Thornton rougit. Son embarras était visible, même avec la lumière tamisée.

— Il m'a demandé si je savais quelque chose à propos de tes Mémoires. Barney, as-tu vraiment écrit un de ces maudits bouquins à scandale ?

McLean ne répondit pas directement à la question.

— Si quelqu'un — Zeller, par exemple — avait donné le feu vert à Coffey, il l'aurait fait avant que je lui parle au téléphone cet après-midi-là. Avant de savoir que je menaçais de tout révéler.

Thornton se redressa sur son siège et se gratta la tête de ses doigts courts. Il réfléchit aux paroles de McLean.

— Dans ce cas, il aura rappelé Coffey, maintenant qu'il est au courant. Il n'avait pas le temps d'empêcher la première tentative. Mais la suivante, si !

McLean eut un geste de colère.

— C'est comme s'il essayait d'arrêter un camion lancé à toute vitesse. Je dois continuer à prendre des précautions. Au fait, Zeller a-t-il pu apprendre quelque chose au sujet du coup de fil qu'Angie a reçu à mon domicile, la nuit précédant la tuerie ?

Thornton hocha lentement la tête.

— C'était un appel sur le réseau interurbain. Cela venait de Detroit. La ligne avait été branchée en dérivation sur un numéro d'abonné. L'appel original provenait en fait d'un autre endroit.

— Donc, aucun moyen de retrouver son origine ?

— Aucun.

Thornton avait l'air ennuyé. McLean jeta à son ami un regard plein d'affection.

— Zeller savait-il que nous devions nous rencontrer ?

— Non. Il savait seulement que tu m'appellerais. Il ne savait même pas que tu viendrais à Washington.

— Je pense que nous nous sommes suffisamment montrés ensemble ce soir, dit McLean. Merci pour tout, Paul.

— Garde la voiture, répondit rapidement Thornton. Elle appartient à mon gendre. La carte grise est à son nom. C'est plus prudent, Barney. Comme ça, il n'y a aucune raison qu'elle apparaisse sur une liste quelconque et que l'on puisse faire le rapprochement avec moi.

— Je t'en suis reconnaissant, Paul. Mais je ne veux pas que tu t'exposes davantage. Donne-moi jusqu'à demain matin, puis révèle à Zeller que j'étais ici et que nous nous sommes rencontrés.

McLean marqua une pause.

— Pourrais-tu me conduire à la station de métro la plus proche ?

— Bien sûr, si c'est ce que tu veux. Où vas-tu ?

McLean hésitait, luttant contre la fatigue qui l'envahissait. Il se faisait tard, mais il pouvait encore prendre un avion pour Philadelphie.

— Je vais retrouver Angie, répondit-il.

Philadelphie était le seul endroit qu'il savait être, à coup sûr, associé au passé d'Angie.

LE vol de Washington à Philadelphie fut court et sans incident. McLean avait commencé à s'endormir quand l'avion émergea de la nuit noire pour survoler la ville immense et les remous gris du fleuve Delaware, pâle sous le clair de lune. Il récupéra sa valise et prit une navette qui le mena à l'hôtel Quality Inn de l'aéroport.

Pendant quelques minutes, seul dans la chambre silencieuse, il regarda par la fenêtre. Il eût été insensé de croire qu'il percevait effectivement la présence d'Angie quelque part dans la ville. Et pourtant, il sentait qu'elle était là, que c'était l'endroit où elle se réfugierait.

On croit souvent que les gens qui veulent se cacher, ou éviter

que l'on retrouve leur trace, se réfugient dans des endroits lointains. Et pourtant, très souvent, ils cherchent, au contraire, des
lieux familiers dont ils connaissent les moindres recoins et où ils
ont des amis tout prêts à les aider.

LE lendemain, McLean acheta des articles de toilette, dont
un paquet de rasoirs jetables. Il lui en fallut bien deux pour faire
disparaître sa barbe drue. Il ne conserva que la moustache. Aux
endroits où il s'était rasé, son visage était blanc, d'une pâleur
maladive. McLean se passa une lotion autobronzante. « Si tu te
rasais, tu rajeunirais de dix ans. » Les paroles d'Angie lui revinrent à la mémoire. Il se regarda dans la glace : indéniablement,
cela le changeait !
   Il loua une Chevrolet Celebrity et se rendit en ville. Les rues
étaient aussi étroites que dans son souvenir, et encore plus
encombrées. Il se fraya un chemin dans la 20ᵉ, obliqua vers
Chestnut, mais il avait oublié l'enchevêtrement des sens inter-
dits. Vingt minutes plus tard, il atteignit enfin la 17ᵉ Rue. Il tourna
dans une allée qui le mena au parking d'un vieil hôtel, le
Warwick.
   Ni le garage — aussi froid qu'un entrepôt — ni le vestibule
spartiate de l'hôtel ne laissaient augurer de l'intimité cossue du
lieu : petit hall orné de marbre, lustres étincelants, profusion de
bouquets de fleurs fraîches.
   McLean remplit une fiche à la réception, laissa sa valise dans
sa chambre et sortit faire une promenade, afin de prendre le
pouls de cette ville qu'il associait désormais à Angie. Bien qu'il
fît près de vingt-cinq degrés et que le temps fût ensoleillé, il fut
frappé par l'animation et la vivacité régnant dans les rues ; cela
contrastait avec la côte Ouest, plus nonchalante.
   Il aimait les petits kiosques et les étalages en plein air. Il
aimait aussi la façon qu'avaient les femmes de cette ville de
s'habiller et de marcher. Il essaya de se représenter la jeunesse
d'Angie à Philadelphie. Écolière, elle devait prendre le bus pour
Independance Square avec sa classe, admirer la fêlure de la
Liberty Bell, la fameuse cloche. Plus grande, elle déjeunerait chez
Bookbinder's et ferait ses courses au Wanamaker's, car ces grands
magasins à l'ancienne justifiaient à eux seuls une visite dans le
centre-ville.
   McLean était venu plusieurs fois en touriste à Philadelphie.
Mais il connaissait mal la ville. Tout en déambulant dans les rues,
en écoutant les conversations et en s'imprégnant de l'atmosphère,

il avait l'impression de se rapprocher d'Angie comme jamais ni elle ni lui n'avaient encore osé le faire. Mais sa griserie disparut au fur et à mesure que la journée tirait à sa fin. Il regagna l'hôtel à pied. Dans les embouteillages, il retrouvait cette agressivité typique de la côte Est. Ici, les automobilistes ne respectaient pas les feux. De retour au Warwick, il prit l'ascenseur pour regagner sa chambre au cinquième étage. Il défit sa valise, sortit de leur emballage de plastique et de carton les chemises qu'il avait achetées à Newport Beach et rangea ses affaires de toilette dans la salle de bains. De sa fenêtre, il contempla la 17e Rue plongée dans l'obscurité précoce du soir.

Il n'avait aucune chance de rencontrer Angie en arpentant les rues à l'aventure. S'il désirait vraiment la retrouver, il lui fallait suivre la méthode qui lui avait permis de s'attaquer à des centaines de problèmes similaires pour le compte de l'Agence : explorer méthodiquement le terrain, comme un détective, chercher le moindre indice, le détail le plus ténu qu'il pourrait ensuite classer dans sa mémoire.

Et dire qu'Angie pensait que ses liens avec l'univers du renseignement n'étaient qu'une plaisanterie !

« — Tout ce que j'ai dit, c'est que j'ai travaillé pour le gouvernement.

— Je le savais ! Je savais que tu étais un espion !

— Plutôt une sorte de comptable.

— Menteur ! Tu étais un espion… j'aime un espion. »

Bien qu'il eût été recruté par l'Agence alors qu'il faisait partie des services d'espionnage de l'armée durant la guerre du Viêtnam, et malgré les longues missions qu'il avait remplies en Asie du Sud-Est, la principale qualité de McLean se trouvait ailleurs que dans l'action sur le terrain.

Il possédait au plus haut point l'esprit d'analyse, et il savait parfaitement s'en servir.

Cette qualité — qui lui avait valu sa mise à la retraite anticipée — consistait à analyser une vingtaine de rapports de terrain, ou une centaine de photos sur une foule d'événements pris au hasard, et à trouver le petit détail qui clochait, l'élément qui n'était pas à sa place, l'objet insignifiant qui, après un examen plus approfondi, revêtait une importance qu'on ne lui prêtait pas au départ. Ce travail n'était pas particulièrement prestigieux, mais il procurait des moments d'exaltation où l'on savourait pleinement la joie d'avoir révélé au grand jour ce que personne, jusque-là, n'avait su voir.

La plupart des trouvailles de McLean avaient été assez banales et ne faisaient, en général, que confirmer les résultats obtenus par d'autres agents. Mais, à une occasion, il était tombé sur quelque chose que personne ne désirait découvrir : et cette découverte, si elle avait été rendue publique, aurait pu sonner le glas de l'Agence. Cela lui avait coûté sa carrière, et avait failli lui coûter la vie.

En regardant par la fenêtre les phares des voitures glissant dans l'avenue, McLean pensait qu'il devait analyser non seulement sa propre existence au cours de ces deux dernières années, mais aussi celle d'Angie. Il devait passer au tamis les plus menus détails de quelque sept cent trente jours, dans l'espoir de trouver enfin une pépite.

Durant ces journées ordinaires, ces conversations banales et ces moments pris au hasard, Angela Simmons — ou quel que fût son vrai nom — lui avait sûrement révélé quelques éléments sur son passé.

Une bonne éducation a tendance à faire disparaître chez une personne un certain nombre de choses, parmi lesquelles son accent d'origine. Mais pas tout à fait, cependant. Quiconque a vécu à New York ou à Philadelphie ne parvient pas à perdre toute trace de prononciation locale. Il était également évident qu'Angie avait reçu une éducation universitaire, antécédents dont on pouvait toujours se réclamer, mais qui ne faisaient pas longtemps illusion si on ne les possédait pas réellement. Cette piste menait-elle quelque part ? Il y avait trop d'écoles, trop de registres scolaires à feuilleter, alors qu'il ne savait même pas quel nom rechercher.

Angela comment ?

McLean était allongé sur son lit dans la chambre obscure, faiblement éclairée par l'enseigne de néon qui se trouvait à proximité de sa fenêtre. On n'entendait que le bruit du trafic dans l'avenue, juste en dessous, et, dans le lointain, le hurlement d'une sirène dans la nuit. Il laissa ses pensées vagabonder. Angie avait parlé une fois de Philadelphie. Elle lui avait donc dit d'où elle venait. Elle ne l'avait pas fait intentionnellement, cela lui avait échappé. Elle avait essayé de changer de sujet et y était certainement parvenue, car aujourd'hui McLean ne se souvenait plus de rien.

« Tony », pensa-t-il. Anthony. Le prénom du garçon évoquait-il quelque chose de particulier ? Un prénom trop courant pour cela…

La mère d'Angela était grecque. Angela l'avait perdue à l'âge de trois ans. Son père était mort quand elle en avait quinze.

Elle ne savait pas faire la cuisine. Cette lacune laissait à penser que, dans la famille où elle avait grandi, on ne trouvait pas naturel qu'une femme apprît à faire la cuisine. Cet élément avait fait partie intégrante du décor.

McLean s'assit sur le lit et faillit s'assoupir. Une autre sirène gémit dans la nuit.

Cet incendie. Quand était-ce ? Ils avaient pris de brèves vacances dans l'Oregon et s'étaient arrêtés à Coos Bay une nuit. Dans la chambre du motel, McLean avait allumé la télévision pour écouter les informations. A ce moment, on passait un documentaire commémorant l'anniversaire du terrible incendie de Philadelphie. Provoqué par une police trop zélée, le feu avait pris des proportions gigantesques. Le spectacle était dantesque : deux pâtés de maisons avaient été entièrement dévastés et réduits en cendres.

Angie avait regardé cette scène avec horreur, visiblement choquée par le spectacle. « Là-bas, en été, il y a toujours des incendies. »

« *Là-bas*... il y a toujours des incendies. » Angie était originaire de Philadelphie. Sa remarque était celle de quelqu'un qui avait été affecté par une catastrophe de ce genre. Elle avait éprouvé un choc et après du chagrin, comme devant une situation familière.

Puis, se rendant compte de son imprudence, elle s'était rapidement reprise et s'était mise à parler du dîner. McLean avait observé son émoi et remarqué ses paroles, mais il n'avait pas fait le rapprochement. Par la suite, cet incident était sorti de sa mémoire. Mais il ne l'avait pas complètement oublié.

Il était environ trois heures du matin. Subitement, McLean sortit de son état de somnolence et réfléchit : elle s'était mariée à Philadelphie. Elle y avait grandi. Elle avait fréquenté les meilleures écoles et acquis le goût des vêtements chics. Elle n'avait pourtant jamais appris à cuisiner. Elle s'était fiancée à un type bien en apparence, mais qui s'était révélé odieux par la suite. Les journaux de l'époque avaient certainement parlé de ce mariage. Et, si McLean ne se trompait pas, la cérémonie devait être mentionnée dans les pages mondaines de l'*Inquirer* de Philadelphie.

Il se recoucha. Au bout d'un long moment, il sombra dans un sommeil profond, sans rêves.

L_E dimanche, McLean rôda dans les rues désertes. Le fantôme fugitif d'Angie avait disparu. Le lundi matin, il prit un café accompagné d'un pain au lait au petit bistrot très fréquenté qui se trouvait en face de l'hôtel. Il arriva au siège de l'*Inquirer* à dix heures. Un appariteur le conduisit à la salle des archives du journal.

Là, un homme d'une soixantaine d'années au visage poupin, dont la longue mèche de cheveux blancs rappelait à McLean les portraits de Benjamin Franklin, lui apporta les microfilms des journaux. Il avait demandé à consulter ceux qui couvraient une période de cinq ans, à compter du printemps : Tony ayant maintenant près de trois ans et demi, McLean s'était dit qu'il avait dû naître durant la première année de mariage d'Angie.

— Vous cherchez quelque chose en particulier ?

— Un mariage, répondit McLean.

— Vous avez un nom ? Je peux regarder dans l'index.

— Non. J'espère trouver une photographie du couple.

« Ben Franklin » fronça les sourcils d'un air sceptique et l'abandonna à ses recherches. Deux heures plus tard, il revenait de déjeuner. McLean faisait toujours défiler des pages de nouvelles révolues : crises achevées, compétitions sportives remportées et perdues, détournements d'avion, saisies de drogue, cyclones et tornades, sans oublier, bien sûr, des légions de mariées souriantes.

— Alors, vous avez fini par trouver ?

McLean fit défiler une autre page et eut un sursaut. La mariée était superbe, avec sa longue chevelure noire, sa robe et son voile immaculés, ses grands yeux et la noblesse de ses traits.

Le marié aussi était bel homme : un Italien, brun, aux cheveux bouclés, ressemblant à Victor Mature à ses débuts, avec des lèvres comme sculptées dans le marbre, un nez aquilin et de longs cils. Les époux étaient réunis sur la photo. Il la dépassait d'une bonne tête. Un homme de grande taille.

La mariée, Angela Stevens, pupille de Mme Anne Stevens, de Bucks County, était diplômée de l'université de Bryn Mawr. Le mari, Louis Marchetti, originaire de Philadelphie, avait fait ses études à Harvard. Le couple projetait de passer sa lune de miel en France, sur la Côte d'Azur.

McLean étudia attentivement l'homme, essayant de trouver le petit détail qui clochait derrière ce beau visage, cet air confiant, ce vernis de Harvard. Il finit par le découvrir dans ses yeux : Louis Marchetti avait des yeux cruels, des yeux de tigre.

— Le mari rêvé, dit une voix par-dessus son épaule.

L'expression outrée de McLean fit sourire « Ben Franklin » qui enchaîna :

— Désolé, mais, avant, je travaillais ici comme reporter.

Il fit un geste en direction de la page affichée sur l'écran de McLean.

— C'était vraiment une drôle d'histoire.

— Ce mariage était-il si important ?

— Eh oui… Surtout le procès. Quand le petit oiseau s'est mis à chanter.

Devant le regard que lui jeta McLean, le sourire de l'homme disparut.

— Désolé, je ne voulais pas vous offenser. Écoutez, je m'appelle Ralph Hamilton. Si l'histoire de Louis Marchetti vous intéresse, je pourrai peut-être vous aider. J'étais encore journaliste à cette époque. J'en connais un rayon là-dessus.

McLean retrouva son calme. Tomber sur un reporter qui connaissait l'histoire d'Angela, c'était presque trop beau pour être vrai !

— Je m'appelle Patterson, dit-il à son tour. Dave Patterson. Que pouvez-vous m'apprendre là-dessus ?

— C'est une longue histoire, M. Patterson. Je n'aurais pas le temps de tout vous raconter maintenant. Mais je puis déjà vous fournir certaines dates qui vous permettront d'orienter vos recherches.

— Merci. Vous êtes trop aimable.

McLean passa une heure à lire les débats de l'audience, les gros titres de l'acte d'accusation et les auditions pénibles qui avaient abouti au tragique procès venu à son terme trois ans plus tôt. Tout juste avant la venue d'Angela Simmons à Fortune, en Californie.

McLean fit photocopier un certain nombre d'articles. Puis il alla retrouver Ralph Hamilton à son bureau.

— Maintenant, j'aimerais bien que vous me parliez de ce procès. Seriez-vous libre à dîner ?

Hamilton eut un large sourire.

— Ma foi, si c'est une invitation… Où logez-vous ?

— Au Warwick.

Hamilton avait perçu la légère hésitation de McLean. Ses yeux bleus d'ancien reporter brillèrent d'intérêt.

— Vous connaissez Arthur's ? C'est un restaurant qui se trouve sur l'avenue Walnut. Ce n'est pas très loin de votre hôtel.

— Dix-huit heures ? proposa McLean.

— Parfait. Dix-huit heures.

HAMILTON ne semblait pas pressé de raconter son histoire. McLean s'arma de patience, en attendant qu'il voulût bien se décider.

— Qu'est-ce qu'un reporter comme vous peut faire aux archives ? lui demanda-t-il.

Ils étaient attablés devant un verre dans le magnifique bar lambrissé du restaurant.

— Vous voulez dire que je suis fini ? J'étais rédacteur à l'*Inquirer*, et j'ai enquêté sur des crimes pendant des années. C'est pourquoi le procès de Louis Marchetti, dans lequel sa femme était témoin à charge, m'intéressait tant. Un peu plus tard, cette même année, je suis tombé sur une bonne histoire — un médecin qui avait été assassiné. J'étais sûr qu'il y avait là matière pour un best-seller. J'ai donc donné ma démission pour écrire le livre. Un vrai fiasco ! Quand j'ai décidé qu'il valait mieux reprendre mon travail de reporter, je n'étais plus dans le coup. J'étais trop vieux. Mais le journal ne laisse pas tomber ses anciens collaborateurs. Ils m'ont proposé un job de correcteur ou bibliothécaire. J'ai choisi le second. J'étais trop heureux d'avoir du boulot.

Les steaks étaient savoureux et tendres. Au moment du café, Ralph Hamilton alluma une cigarette et accepta le cognac que McLean lui proposait. Puis il en revint aux questions concernant l'affaire Angela Marchetti.

— Je l'appelle ainsi car, sans elle, il n'y aurait pas eu de procès du tout. Mais Louis Marchetti, qui aurait dû normalement écoper, a réussi à s'en tirer.

— Racontez-moi ce que les journaux n'ont pas dit.

Hamilton fit une grimace.

— Il y a pas mal de choses que les journaux ne peuvent imprimer. L'affaire commence avec le vieux Tony Marchetti. Il appartient… c'est une des plus anciennes familles mafieuses de Philadelphie. Comme la plupart des membres de ces familles, le vieux Tony est devenu quelqu'un de respectable. L'argent de la Mafia est de plus en plus souvent investi dans des affaires légales.

Tony désirait même que son fils, Louis, restât en dehors des affaires de la famille. C'était un beau garçon, brillant, qui avait joué au football dans l'équipe universitaire. Le vieux Tony l'a pistonné pour le faire entrer à Harvard.

Hamilton poursuivit :

— A partir de ce moment-là, tout se passe comme dans un conte de fées. Le jeune Louis obtient ses diplômes, travaille pour une des plus grandes entreprises de construction de Philadelphie, une affaire parfaitement honnête, et se met à fréquenter le grand monde. Il rencontre cette beauté qui appartient à la haute société de Philadelphie : il ne faut pas qu'elle lui échappe. Car Louis, vous comprenez, ne désire pas seulement Harvard et la respectabilité. Il veut tout, y compris la ravissante fille qui sort de Bryn Mawr. Il y a pourtant un petit problème.

Hamilton sirota son cognac, avant de laisser tomber :

— Louis Marchetti est une ordure.

— Le procès a été intenté pour drogue, intervint McLean. La famille Marchetti était-elle à ce point impliquée dans le trafic de drogue ?

— Quelle famille mafieuse ne l'est pas de nos jours ? lança Hamilton en examinant son verre vide. Un autre cognac ?

McLean attendit l'arrivée des consommations.

— Parlez-moi de Louis. Vous dites que c'est une ordure ?

— Je vais vous expliquer. Le vieux Tony, son père, a été poursuivi pour une demi-douzaine de meurtres sa vie durant, sans jamais être condamné. Il a trempé dans des affaires d'escroquerie, de prostitution, de jeux et d'extorsion de fonds. Eh bien, comparé à son fils, c'est un prince charmant !

Hamilton conclut :

— Le plus drôle, c'est que Louis appartient toujours à la haute société. Sa femme l'y a introduit, mais, quand elle est partie, ça n'a rien changé pour lui. Comme son procès n'aboutissait pas, il est devenu, pour cette même haute société, une sorte de héros. On a même fini par reprocher à sa femme de s'être retournée contre lui.

— Comment ses ennuis ont-ils commencé ?

— Il est sorti de la famille, dit Hamilton. Il s'est cru malin. Le vieux Tony voulait qu'il restât à l'écart, avec sa femme de la haute, ses relations des grandes universités et son bébé qui allait naître. Le vieux Tony oubliait que les élites aussi aiment « sniffer de la coke ». Louis avait des relations. Il pouvait leur fournir toute les drogues souhaitées, en n'importe quelle quantité. Ça a

349

duré un certain temps, mais Louis s'est mis à vouloir développer son activité secondaire. Peut-être aussi en avait-il assez de traiter directement.

Hamilton marqua une pause, fit tournoyer le liquide ambré dans son verre et le huma avec délice.

— A partir de ce moment-là, on ne peut plus parler « d'argent de poche »! Il s'agit de millions de dollars! L'affaire prit des proportions gigantesques. Louis pensait probablement se lancer, faire son trou et s'en tirer sans éveiller l'attention de quiconque. Pas même de son père.

Hamilton fixa McLean de son regard bleu.

— C'est sa femme qui l'a balancé.

— Mais pour quelle raison?

Hamilton haussa ses épaules grassouillettes.

— Elle seule peut le dire. Mais j'ai tout de même ma petite idée là-dessus.

— Allez-y toujours.

Hamilton alluma une autre cigarette.

— Angela avait gardé ses illusions, si cela peut encore se concevoir à l'époque actuelle. Élevée par sa tante après la mort de ses parents, elle avait un frère, d'environ cinq ans plus âgé qu'elle. L'idéal américain, blond, beau de sa personne, athlète de haut niveau. Vous savez comment sont ces gamins. Ils prennent un peu d'herbe, un peu de cocaïne, juste « pour s'éclater », comme ils disent. Lors d'une soirée, le frère d'Angela, Grady Stevens, son aîné qu'elle vénérait comme le font généralement les jeunes filles, a pris une saloperie. La dose était-elle forte pour lui? Ou coupée avec autre chose? Toujours est-il qu'il a été pris de convulsions et qu'il est décédé à son arrivée à l'hôpital.

Le reporter ne souriait plus.

— Ce n'est là qu'une hypothèse, une supposition, vous savez. Mais elle pourrait bien expliquer le comportement d'Angela Marchetti.

— Elle détestait le milieu de la drogue?

— Tout juste. Par-dessus le marché, je dirais qu'entre elle et Louis, il y avait déjà de l'eau dans le gaz. Son mariage tournant mal, elle devait redouter que Louis lui enlevât l'enfant. Elle a donc cherché une solution pour s'en tirer, et c'est Louis lui-même qui la lui a apportée.

— C'est-à-dire?

— Elle s'est rendue à la brigade des stupéfiants pour leur raconter son histoire. Il semblait que Louis utilisât leurs vacances en famille pour s'adonner à son petit trafic. Les flics ont monté une opération d'envergure. Ils ont réussi à coincer le pilote et les complices de Louis Marchetti, puis ils ont démonté son réseau en Colombie et reconstitué toute la combine. Mais ils ne sont pas parvenus à faire tomber Louis. Par la suite, Angela Marchetti s'est présentée pour témoigner. Mais, en tant qu'épouse, elle ne pouvait pas témoigner directement contre son mari, et celui-ci s'en est sorti. Néanmoins, ils ont utilisé son témoignage pour démanteler le réseau. Louis était brûlé. Vis-à-vis de son père, des trafiquants colombiens et de la Mafia. Dès l'annonce du verdict, Angela avait disparu.

Un ange passa. Autour d'eux s'élevaient des tintements de verres et des bribes de conversations, mais ces bruits leur semblaient très lointains. McLean se mit à réfléchir. Angie avait indéniablement du cran pour tout prendre ainsi sur ses épaules, au risque de sa vie.

Après un moment qui parut long, il dit :

— Et que lui est-il arrivé par la suite ?

Hamilton le regarda.

— Je ne sais pas ce que vous recherchez, Patterson. Mais ce n'est un secret pour personne qu'Angela bénéficie du programme de protection des témoins. Personne ne sait où elle se trouve. Mais elle est en sécurité. Avec son fils.

McLean se rejeta en arrière sur son siège.

— Plus maintenant, dit-il.

STACY BARRETT n'était pas chez elle ce mardi matin. La personne qui avait décroché demanda à McLean s'il voulait laisser un message. Il répondit qu'il rappellerait ultérieurement. Savait-elle quand Mme Barrett reviendrait ? La bonne (ou la secrétaire) était désolée, mais elle n'en savait rien. McLean lui dit que son nom était David Patterson, qu'il était descendu à l'hôtel Warwick et qu'il avait hâte de parler à Mme Barrett au sujet d'une amie commune. Il laissa le téléphone de l'hôtel et le numéro de sa chambre.

En raccrochant, il se dit qu'il devrait bientôt changer d'adresse. Trop de gens savaient où il résidait.

Quand il eut fini de lire le journal, McLean étudia une carte de l'agglomération de Philadelphie en apprenant par cœur les noms des rues et les directions. Il hésitait à quitter sa chambre, dans l'attente d'un appel de Stacy Barrett.

Celle-ci figurait comme demoiselle d'honneur dans la chronique de mariage des Marchetti. Ralph Hamilton avait révélé à McLean qu'elle s'appelait Randall de son nom de jeune fille et qu'elle appartenait à une vieille famille de Philadelphie. Son mari, Roderick Barrett, s'occupait de conseil en investissements.

McLean se fit monter dans sa chambre un déjeuner léger : salade du chef accompagnée de thé brûlant. A la deuxième tasse, il composa le numéro de Thornton, à Langley.

— C'est moi, Paul, dit-il en reconnaissant la voix de son ami.

— Barney ? Ça va ? Où es-tu ?

— Je vais bien. Pas de problème. As-tu parlé à Zeller de notre rencontre ?

— Ouais.

— As-tu appris quelque chose de nouveau ?

— Nous avons identifié les deux tueurs qui t'ont créé des problèmes en Californie. L'un était de Las Vegas : un dur du nom de Raymond Ryder, alias Dutch Ryder. Condamné pour des délits mineurs, plus une tentative d'extorsion. L'autre, Benny Popolano, vient d'Atlantic City. Il est du même calibre, sauf que, lui, il avait la réputation d'être un petit futé.

Thornton fit une pause.

— Zeller pense que tu as eu beaucoup de chance.

— C'est aussi mon avis, dit McLean. Peut-être devrais-je lui parler ?

— Je te mets en attente, le temps de le trouver.

— Non. Je préfère rappeler dans cinq minutes. Ce n'est pas que je ne te fasse pas confiance, Paul, mais il faut regarder les choses en face. Quelqu'un de chez vous m'en veut.

— Bon Dieu, s'ils ont mis mon téléphone sur écoutes, je…

— Disons simplement que je prends toutes les précautions nécessaires. Dans cinq minutes, OK ?

McLean regarda par la fenêtre. Il faisait une superbe journée. La température dépassait vingt-cinq degrés. Le temps allait se couvrir en fin d'après-midi, avec des risques d'averses pour le mercredi. Mais, en l'absence d'Angie, quelle importance ?

Cinq minutes plus tard, il rappela Langley et eut immédiatement Eric Zeller au bout du fil.

— Tu as encore l'intention de n'en faire qu'à ta tête, hein, Barney ?

— Cette fois, il ne s'agit pas simplement d'une mission, répondit McLean. C'est ma vie qui est en jeu. Mais cela ne signifie pas qu'il ne faille pas m'aider.

— Je ferai mon possible, dit prudemment Zeller.

— Je voudrais que tu m'arranges une rencontre avec Tony Marchetti.

Un ange passa. McLean se demanda si quelqu'un d'autre écoutait leur communication.

— Je ne connais Marchetti que de nom, finit par dire Zeller. Je ne vois pas ce qui te fait penser que je pourrais t'arranger une rencontre avec lui.

McLean sourit à cette réponse.

— Allons, Eric. Si tu n'as pas de relations à Philadelphie qui puissent te mettre en contact avec Tony Marchetti, l'Agence, elle, en a sûrement…

— C'est donc là que tu te trouves, Barney ? A Philadelphie ?

— Là n'est pas la question, Eric. Tu feras ce que je t'ai demandé ?

— Mais où penses-tu que tout cela va te mener, Barney ?

— Angela Simmons, de son vrai nom Stevens, a épousé le fils de Tony Marchetti. Elle a également témoigné dans une affaire de drogue. Son mari, Louis Marchetti, y trempait jusqu'au cou. S'il n'a pas été condamné, c'est parce que la justice n'avait pas le droit d'utiliser le témoignage de sa femme contre lui. Mais son réseau de trafic de cocaïne a été démantelé. Ça l'a rendu méchant. C'est pour cette raison qu'Angela a été placée sous protection.

— Tu t'enfonces de plus en plus, Barney.

— Tu sais ce qu'on dit quand on s'enfonce comme ça ? Qu'il suffit simplement de remuer les bras et les jambes et de continuer à nager.

— Il n'y a vraiment pas de quoi plaisanter.

— Mais je ne plaisante pas. Et je ne peux pas dire que vous me soyez d'un grand secours. Et Coffey ? Tu as pu le raisonner ?

— J'ai bien peur que Coffey ne soit, disons… injoignable. Je t'avais dit que je ne pouvais rien promettre de ce côté.

— Et en ce qui concerne Tony Marchetti ?

— C'est impossible, McLean. Ce que tu demandes pourrait s'avérer très dangereux pour l'Agence. Imagine que les médias commencent à s'en mêler. Nous ne saurions nous compromettre avec un parrain notoire comme Tony Marchetti !

— Ça ne serait pas la première fois, lança sèchement McLean.

Il sourit en imaginant le regard glacial de Zeller.

— Où puis-je te joindre ? demanda Zeller.

— C'est moi qui te recontacterai.

— Mais nous ne pouvons te venir en aide si nous ignorons…

— Ni me trucider ! coupa McLean.

Puis il raccrocha doucement le combiné malgré les protestations de Zeller.

A QUATRE heures de l'après-midi, Stacy Barrett rappela McLean. Elle avait une voix étrangement chaude et sonore. Mais cette cordialité s'atténua nettement quand, après les présentations initiales, elle demanda à McLean :

— Ai-je l'honneur de vous connaître, M. Patterson ?

— Non, j'ai bien peur que non.

— Vous avez parlé d'une amie commune.

— Angela Marchetti, répondit-il.

— Angela ? Je… je ne comprends pas.

— Cependant, vous étiez demoiselle d'honneur à son mariage, il y a cinq ans.

— Je le sais bien, M. Patterson, dit-elle d'un ton placide. Mais Angela a déménagé il y a trois ans. Je ne l'ai pas revue depuis et je n'ai aucune idée de l'endroit où elle se trouve actuellement.

— Mme Barrett, Angela a vécu en Californie. Jeudi dernier, elle est partie. Je crois qu'elle est revenue à Philadelphie, et qu'elle avait besoin d'être soutenue par quelqu'un de confiance.

— En quoi Angela vous intéresse-t-elle, M. Patterson ? Je ne me souviens pas…

— Patterson n'est pas mon vrai nom.

— Je comprends.

— Je ne crois pas, Mme Barrett. Mon nom est McLean. Barney McLean. C'est-à-dire que… Angela me connaît sous le nom de Redfern. Nous avons vécu ensemble durant ces deux dernières années. Je vous appelle car il faut que je la voie. Il faut absolument que nous parlions, elle et moi.

— Vous semblez avoir pas mal de noms, M… McLean, n'est-ce pas ? Parfois ça ne doit pas faciliter les choses.

McLean perçut une pointe d'ironie dans la voix distinguée.

— C'est bien pire que cela. En ce moment, j'ai quelques ennuis personnels. Rien de bien important.

— Si Angela vous a quitté, c'est qu'elle avait ses raisons. Ça ne me concerne aucunement. Ce n'est pas à moi d'intervenir.

— Elle ne m'a pas quitté, Mme Barrett. Elle fuyait les mêmes personnes qu'elle a cherché à éviter au cours de ces trois dernières années. A commencer par son mari. Mais celui-ci a malgré tout réussi à retrouver sa trace. Quand on l'a prévenue qu'il savait où elle se trouvait, elle a été prise de panique et s'est enfuie. J'ai de bonnes raisons de croire qu'elle est revenue à Philadelphie.

— Je vois.

Cette fois, il y eut un long silence.

— Vous semblez très inquiet, M… McLean.

— Bien que cela puisse sembler banal, Angie est la meilleure chose qui me soit arrivée dans la vie. Angie et Tony. Mme Barrett, je suis sûr que vous savez où elle se trouve. Que, du moins, vous pouvez lui faire savoir que je suis ici et que je peux l'aider.

— Comment être certaine que vous ne faites pas partie de ces personnes qu'elle cherche à éviter, comme vous l'avez dit vous-même ?

McLean fronça les sourcils.

— Je suis descendu à l'hôtel Warwick, Mme Barrett. Angie connaît ma voix. Dites-lui de me rappeler ici. C'est très important.

Il y eut de nouveau un long silence.

— Je vais voir ce que je peux faire, dit Stacy Barrett. Puis elle raccrocha.

« Une femme prudente, pensa McLean. Et très intelligente. Elle ne se trahit jamais. »

Il se demanda comment Angie et elle étaient devenues des amies fidèles, et à quel point elles étaient liées. Avaient-elles grandi ensemble ? Elles sortaient toutes deux de Bryn Mawr. Y avaient-elles partagé la même chambre ? Appartenu au même club d'étudiantes ? Jusqu'où pouvait-il compter sur Stacy ? Plus grave encore, jusqu'à quel point Angie pouvait-elle compter sur elle ? Comble de l'ironie, le fait que Stacy Barrett protégeât Angie pourrait compromettre toute coopération avec lui, à moins qu'il ne parvînt à dissiper tous les soupçons de cette dernière.

Stacy Barrett le rappela le soir même à 9 heures. McLean décrocha le combiné dès la première sonnerie.

— Allô ?

— M. McLean ? Stacy Barrett à l'appareil. Êtes-vous libre demain ?

— Bien sûr.

— Parfait. C'est l'époque de la fête annuelle de Philadelphie. Cette fête est consacrée au patrimoine historique de la ville. Je suis membre des Amis du parc national d'Independance.

Chaque année, en mai, nous organisons des visites de maisons, jardins et sites historiques. Ces excursions constituent notre principale source de revenus.

— Je comprends fort bien, dit McLean, perplexe.

— Vous vous demandez sûrement quel rapport cela peut avoir avec Angela?

— Ma foi...

— Je dois être très prudente, M. McLean. Vous savez qu'Angela pourrait courir de graves dangers. Qu'on pourrait aussi s'en prendre à son fils. Je ferai tout ce qui est en mon pouvoir pour éviter cela.

— Moi aussi, Mme Barrett, répondit tranquillement McLean.

Il était soulagé de constater la détermination de Stacy Barrett. Il se dit qu'elle devait être aussi redoutable comme ennemie que fidèle en amitié. Stacy Barrett reprit :

— Nous organisons donc, demain, une excursion à Riverton en car et en bateau. Nous considérons cet endroit comme un des sites historiques de Philadelphie, même s'il se trouve de l'autre côté du fleuve, dans le New Jersey. En effet, il a été fondé par des colons philadelphiens qui s'y rendaient en villégiature pendant l'été. Je vous ai pris un billet au nom de David Patterson. Départ de Penn's Landing à 9h 30 demain matin.

Les pensées de McLean se bousculaient dans sa tête. Quelle était l'intention de Stacy Barrett? Sans doute retrouverait-il Angie soit à Riverton, soit dans l'autocar, soit sur le bateau. Ainsi Stacy Barrett — et probablement Angie — pourraient-elles le surveiller et s'assurer qu'il était seul. De cette façon, chacune d'entre elles pouvait choisir le moment opportun pour entrer en contact avec lui. Il demanda :

— Participerez-vous à l'excursion, Mme Barrett?

— Je vous souhaite une agréable visite, M. McLean.

Allongé sur son lit dans l'obscurité, McLean essayait de maîtriser son impatience et son angoisse. Il se demandait où se trouvait Angie en ce moment, et quelles étaient ses pensées et ses sentiments. Était-elle seule ce soir? Ou en compagnie de Tony? Dans tous les cas, son fils devait demeurer avec elle.

Angie n'avait plus de famille sur qui compter. Elle ne voulait pas mêler McLean à ses problèmes. Il ne lui restait que ses amis. Et pour elle cela signifiait : Philadelphie.

Comme Angie, McLean avait perdu ses parents : son père était mort d'une crise cardiaque alors que lui-même se trouvait à l'étranger. Peu après, sa mère décédait d'un cancer. Son unique frère, Frank, vivait dans le Michigan. Ils avaient grandi ensemble, proches à tous égards l'un de l'autre, puis chacun avait suivi son chemin. McLean n'avait jamais pensé à lui demander de l'aide quand il avait eu des ennuis. Il avait trouvé en l'Agence un soutien. Et c'était vers elle qu'il s'était tourné instinctivement au moment où il se retrouvait en fuite et sans aucune protection.

Angie, elle, s'était adressée à ses amis. Et, à en juger par les apparences, ils veillaient sur elle du mieux qu'ils pouvaient.

6

MCLEAN rata Dock Street à son premier passage. Il rebroussa chemin et, l'ayant trouvée, s'y engagea et déboucha dans l'avenue Delaware, juste en face de Penn's Landing ; l'embarcadère portait ce nom en souvenir du célèbre William Penn, fondateur de la ville, qui avait débarqué à cet endroit. McLean déclara au gardien du parking qu'il participait à l'excursion, paya et ferma la voiture à clé, après avoir rangé dans le coffre son sac de sport contenant son revolver. Il lui répugnait de le laisser dans sa chambre d'hôtel mais il avait fini par se convaincre qu'il n'était pas nécessaire d'emporter un revolver, même dissimulé dans un sac, au cours d'une excursion en compagnie de nombreuses personnes. Cela risquait d'inquiéter les accompagnatrices, si d'aventure elles s'en apercevaient.

La journée était grise et froide. La plupart des gens qui attendaient le long du quai ou près de l'autocar étaient en imperméable ou bien avaient emporté un parapluie. McLean, ne possédant ni l'un ni l'autre, avait revêtu son nouveau blouson de sport.

Près de la porte de l'autocar se tenait une femme munie d'un bloc-notes. McLean rejoignit le petit groupe qui faisait cercle autour d'elle et, quand arriva son tour, se présenta.

— David Patterson, dit-il.

— Oh, mon Dieu, je ne trouve pas votre nom sur la liste. (Puis elle sourit :) Ah, si... le voilà ! Vous êtes inscrit dans le groupe A.

— Le groupe A ?

— C'est ça. Écoutez-moi, vous tous. Tous ceux qui ont des cartes rouges font partie du groupe A. Vous partirez ce matin pour Riverton en bateau et vous reviendrez en autocar cet après-midi. Les personnes qui ont des cartes bleues appartiennent au groupe B et partiront ce matin par autocar...

McLean se mit à l'écart et attacha d'un air absent la ficelle de sa carte de participant au premier bouton de son blouson. La femme qui s'occupait du pointage n'avait pas la voix de Stacy Barrett.

McLean était déçu par l'absence d'Angie. Déçu, mais non surpris. Il ne s'attendait pas à ce qu'elle se montrât au milieu de tant de gens. Elle serait probablement sur le bateau, à moins qu'elle ne l'attende au débarcadère de Riverton.

Il s'arrangea pour être un des premiers à embarquer. Il gagna le pont supérieur du navire de plaisance et se plaça à tribord, près du bastingage, juste en face de la passerelle d'accès. De là, il voyait tous ceux qui montaient à bord.

La plupart des touristes préféraient le pont inférieur, lequel était couvert en raison de l'averse qui menaçait. Il semblait y avoir trois ou quatre accompagnatrices. McLean se demanda si Stacy Barrett se trouvait parmi elles.

Deux d'entre elles, des femmes d'âge mûr avec des cheveux gris-bleu aux boucles courtes, étaient bien trop âgées pour avoir été en classe avec Angie. La troisième, plus jeune, vêtue d'une jupe en tweed et d'un pull en cachemire, avait l'air d'une fée avec son sourire charmeur et évanescent. McLean l'élimina d'office pour cette raison. Quelle que fût la ressemblance, Stacy Barrett n'avait sûrement pas l'air d'une fée.

Restait la quatrième. La seule possible, de l'avis de McLean. Grande, mince, blonde, elle paraissait du même âge qu'Angie ou légèrement plus âgée. Elle portait un pantalon gris et un pull bleu sur un chemisier en soie blanc. Par sa façon d'escorter les participants, elle donnait une impression d'efficacité et inspirait confiance. Elle sourit à McLean sans prêter particulièrement attention à lui, avec un mouvement vif de ses yeux bleus et sereins. Stacy? Si c'était elle, elle n'était visiblement pas encore prête à se manifester.

Deux jeunes gens, costauds, retirèrent la courte passerelle et larguèrent les amarres. Un moment plus tard, le bateau fendait les eaux du fleuve Delaware, qui coulait gris et froid sous un amas de nuages sombres.

A mi-chemin des deux rives, la brise soufflait plus âprement, rendant plus pénible encore l'humidité matinale. Les guides firent passer parmi les passagers des paniers contenant des bretzels et des boissons non alcoolisées. A l'avant, appuyé contre le bastingage, McLean grignotait son bretzel. Il passait totalement inaperçu, se contentant d'écouter sans y prendre part les conversations gaies et amicales des passagers. La plupart d'entre eux avaient déjà un certain âge. Ils formaient un assortiment de gens bien élevés avec leurs vestes aux coudes renforcés de cuir, leurs drôles de chapeaux imperméables, la courroie de leurs appareils photo passée autour du cou. McLean chercha du regard la femme blonde aux yeux bleus, mais elle se trouvait en dessous, sur le pont inférieur.

Vers onze heures, le bateau arriva en vue de la rive du New Jersey et accosta devant le grand débarcadère du club nautique de Riverton. Quelques touristes visitèrent le club, d'autres prirent des photos. Chacun tournait en rond en attendant les consignes. Les guides firent passer des exemplaires de l'itinéraire indiquant les maisons et les boutiques à visiter. S'y trouvait une carte de la petite ville de Riverton. Les passagers du bateau furent répartis en deux groupes. L'intérêt de McLean redoubla quand il vit que l'un des guides de son groupe était la grande femme blonde.

La ville de Riverton était accueillante avec ses rues bordées d'arbres, ses vastes pelouses et ses ravissants manoirs datant du début de ce siècle. Plusieurs des maisons à visiter faisaient face au fleuve. Leur style architectural allait de l'ère post-victorienne à la renaissance coloniale. McLean suivait sagement son groupe : il visitait les maisons en traînant les pieds, gardant l'œil ouvert et se demandant à quel moment Stacy Barrett allait se décider à l'aborder.

Nulle part il n'apercevait Angie. Il essaya de se mettre à la place de Stacy Barrett quand elle lui avait donné ce rendez-vous. Il lui aurait paru plus sûr de cacher Angie jusqu'au dernier instant, peut-être le moment où McLean se retrouverait isolé du reste du groupe. Tôt ou tard, il apercevrait une sorte de signal.

— Il reste une dernière maison à visiter, annonça le guide, tandis qu'ils sortaient d'un manoir de style italien. Ensuite, nous déjeunerons au Porch Club. Mais, auparavant, ne manquez surtout pas la visite de la maison Borden.

McLean parcourut sans se presser la belle maison victorienne d'une blancheur immaculée, ornée de coupoles, de vitraux et de fioritures. Il prit du retard sur le groupe. Son impatience grandissait. Qu'attendait-on pour le contacter ?

Il émergea d'une bibliothèque lambrissée de noyer, se

retrouva dans le hall d'entrée et repéra la grande femme blonde au pied d'un escalier à la gracieuse courbure. Elle parlait à une autre femme qui tournait le dos à McLean. Un cordon interdisait l'accès à l'escalier, car la visite se limitait aux pièces du rez-de-chaussée.

La femme qui lui tournait le dos jeta un coup d'œil par-dessus son épaule. Leurs regards se croisèrent et McLean eut la certitude que c'était elle, Stacy Barrett. Comme il s'avançait, elle retira le cordon de l'escalier et commença à monter les marches.

McLean se précipita derrière elle dans l'escalier. En se retournant, il vit le guide remettre le cordon à sa place et faire un signe négatif à un couple de touristes qui voulaient prendre le même chemin.

— Je suis désolée. Les salles du haut ne sont pas ouvertes aujourd'hui. Avez-vous visité la bibliothèque ?

McLean arriva au premier étage. Stacy Barrett avait disparu. McLean n'avait fait qu'entrevoir la jeune femme vêtue d'un élégant pantalon de couleur ivoire et d'un pull en cachemire. Ses cheveux blonds, laqués, encadraient un visage large aux pommettes hautes avec une bouche généreuse. McLean se rendit compte que le pull était assorti à ses yeux, d'une extraordinaire couleur violette.

Il la suivit impatiemment. Par une porte restée ouverte, ils pénétrèrent dans une grande chambre à coucher au plafond élevé, dont les rideaux de dentelle avaient été tirés sur les hautes fenêtres, ce qui plongeait la pièce dans une pénombre épaisse. Le peu de lumière permettait tout juste de distinguer le papier bleu des murs, les moulures blanches, le mobilier lourd et ancien : un lit à baldaquin sur la gauche et, à droite, une grande armoire plaquée contre le mur.

— M... McLean ?

La femme s'était immobilisée au bout de la pièce, près d'une des fenêtres.

— Mme Barrett ? Où est Angie ? dit-il en jetant rapidement un coup d'œil circulaire dans la pièce, déçu de voir qu'elle était vide.

Stacy Barrett — il avait aussitôt reconnu sa voix — sourit et se dirigea vers une autre porte située dans un coin de la chambre. Elle l'ouvrit et s'arrêta sur le seuil. On entrevoyait par-dessus son épaule le mur carrelé d'une salle de bains.

— Je crains bien que vous n'ayez commis une erreur, M. McLean.

McLean sentit alors une présence derrière lui. Il pénétra plus avant dans la chambre et fit volte-face. Une vive inquiétude s'empara de lui.

— Attendez, Mme Barrett. C'est vous qui commettez une erreur.

Deux jeunes gens vêtus de T-shirts et de jeans — des étudiants, pensa McLean — avançaient dans sa direction. Comme il reculait, il perdit l'équilibre. L'un d'entre eux était un blond aux yeux bleus et aux cheveux frisés d'environ un mètre quatre-vingt-dix, il avait les épaules larges, la taille mince et une belle musculature. L'autre, brun, épais et velu, avait des bras comme des troncs d'arbre. Son nez semblait avoir été cassé à plusieurs reprises et il portait les cheveux coupés ras à la manière des marines. Encore plus grand et plus lourd que son camarade, il obstruait le seuil de la porte. Leurs jeunes visages n'exprimaient ni méchanceté ni sadisme, mais quelque chose d'aussi effrayant : la détermination.

McLean n'avait d'yeux que pour les battes de base-ball que les deux jeunes gens brandissaient de la main droite.

— Je vous ai dit la vérité au téléphone, dit-il lentement à l'adresse de la femme. Mon nom est McLean, Barney McLean.

— Et vous êtes un ami d'Angie ?

— Bien plus que cela. Nous vivions ensemble. Angie vous en a sûrement parlé. Nous menions tous deux des vies secrètes. Elle ne pouvait utiliser son véritable nom, ni moi le mien.

— Mmm… Et pourquoi désirez-vous la voir maintenant ? Si elle n'a pas voulu vous dire où elle allait…

— Elle est en danger. Elle est partie parce qu'elle avait peur. Mais cela, vous le savez déjà.

Les deux jeunes ne disaient mot mais le plus costaud donnait de petits coups de batte sur la paume de sa main gauche, d'un air impatient. Chacun de ces coups faisait un bruit sourd, qui résonnait désagréablement aux oreilles de McLean.

— Tout ce que je vous demande, Mme Barrett, c'est de délivrer un message à Angie. Dites-lui que je suis à Philadelphie et que je veux la voir.

Stacy Barrett fit un signe de tête aux deux jeunes gens. Ils refermèrent la porte de la chambre dans leur dos. Une porte épaisse et lourde. Elle étoufferait complètement le bruit. McLean ne percevait d'ailleurs plus les voix du rez-de-chaussée. Il se demanda si on pourrait entendre des cris.

Le costaud s'avança vers McLean, le forçant à reculer

jusqu'au centre de la chambre. Pas moyen de sortir de cette pièce, pensa-t-il. Et les deux malabars étaient bien décidés à lui barrer le chemin de la porte d'entrée. Il ne pouvait espérer arriver jusqu'à Stacy Barrett avant qu'elle pénétrât dans la salle de bains qui s'ouvrait derrière elle. Cette pièce communiquait sûrement avec une pièce adjacente, ce qui permettrait à Stacy de refermer la porte pour éviter que l'on n'entendît ce qui allait se passer, puis de s'en aller.

— Vous commettez une grave erreur, dit McLean.

— Non. C'est plutôt vous qui en avez commis deux, M... McLean, ou qui que vous soyez. Tout d'abord, vous me téléphonez et essayez de vous servir de moi pour retrouver Angie. Louis Marchetti avait employé le même truc auparavant. Angie est une de mes meilleures amies. Même si j'avais su où elle se trouvait, je ne l'aurais jamais dit à personne.

— Et quoi d'autre ?

— Vous prétendez vous appeler Barney Redfern.

— C'est bien mon nom, Mme Barrett. Tout du moins celui sous lequel Angie me connaît. Mais je ne vois pas ce qui vous chiffonne.

— Redfern est mort, lança-t-elle avec une colère froide. Après son départ, Angie a tenté de revenir sur les lieux à cause de lui. Elle a vu les tueurs qui la recherchaient. Elle a entendu les coups de feu, et aussi les cris.

Malgré l'imminence du danger, McLean éprouva un immense soulagement. Angie était bien retournée à Philadelphie ! Elle s'était simplement méprise sur ce qui s'était passé ce soir-là, dans l'obscurité, à Fortune.

— Redfern n'a pas pu tirer ces coups de feu, M. McLean, reprit Stacy. Il n'aurait jamais gardé une arme chez lui à cause du fils d'Angie.

Elle le regardait avec un mépris glacial.

Dans le silence, une rafale de vent secoua la fenêtre. Des gouttes de pluie cinglèrent les vitres. Le mauvais temps allait gâcher l'excursion.

Stacy Barrett prit quelque chose sur l'étagère derrière elle, et McLean se sentit à nouveau momentanément soulagé.

— Bonne idée, Mme Barrett. Montrez cette photo à Angie. Elle saura ainsi qui je suis.

— Justement, c'est bien ce que j'ai l'intention de faire, répondit-elle.

Elle pointa sur lui l'appareil Polaroid. L'éclair du flash

illumina la pénombre qui régnait dans la pièce, l'aveuglant momentanément.

Il sentit alors les deux athlètes se rapprocher. L'un d'eux passa derrière lui, tandis que le plus costaud l'attaquait de front.

— Bon Dieu, Mme Barrett, arrêtez-les ! Montrez au moins la photo à Angie...

— Adieu, M. McLean.

Le géant avança sur lui en brandissant sa batte de base-ball comme s'il s'agissait d'un vulgaire bâton. Une toison de poils noirs émergeait du col de son T-shirt. McLean fit un pas de côté. Mais à son tour le frisé le frappa dans le dos. Il y eut un bruit sourd.

La puissance du choc coupa le souffle à McLean. La douleur était insupportable et il vit trente-six chandelles. Tombant à genoux, il eut le temps d'apercevoir le regard implacable de Stacy Barrett. Puis elle se retira, telle une diva sortant de scène, en refermant doucement la porte derrière elle.

Elle l'avait attiré dans cet endroit pour lui tendre un piège. Était-elle vraiment une amie d'Angie ? Ou s'était-il encore plus gravement trompé sur son compte ? Se pouvait-il qu'elle fût plutôt l'alliée de Louis Marchetti ?

McLean se jeta en avant, projetant son poing en direction des genoux du costaud, afin de lui faire perdre l'équilibre. Mais le géant se servit adroitement de sa main libre pour détourner le coup, tout en frappant de sa batte. Il atteignit McLean au coude, lui engourdissant le bras gauche.

Le frisé le frappa à nouveau. La batte ricocha sur l'épaule de McLean et lui érafla la tête.

La pièce tourbillonnait autour de lui. Il plongea sur le lit à baldaquin et roula sur le matelas pour retomber sur ses pieds, de l'autre côté du lit. Les deux jeunes gens ne le lâchaient pas d'une semelle.

— Elle se trompe complètement, dit-il. Mais qui êtes-vous, enfin ? Vous faites ça pour de l'argent ?

— Nous sommes des amis, grommela le géant sans sourire.

— Des amis ? D'Angie ou de Stacy ?

— Ferme-la ! lui lança le frisé.

Il contourna le lit pour se placer sur la gauche de McLean, brandissant agressivement sa batte, tel un batteur de base-ball à son poste, attendant le prochain lancer.

McLean fit une feinte en direction du géant. Le blondinet se rapprochant alors, McLean virevolta en lui envoyant son poing dans la figure. Le jeune homme chancela, les yeux vitreux, et recula en perdant l'équilibre.

McLean lui arracha sa batte puis il fit rapidement demi-tour en baissant la tête. Mais il avait sous-estimé la rapidité du géant. D'un mouvement vif de ses mains énormes, ce dernier lui asséna un grand coup dans le flanc. Paralysé par la douleur, McLean sut qu'il avait quelques côtes fêlées. Ses jambes se dérobèrent sous lui, il s'écroula sur le parquet.

Il tenta de se protéger le crâne et la face des coups qui pleuvaient sur lui. Le blondinet avait récupéré assez vite pour reprendre sa batte et se remettre de la partie. Au-dessus de lui, leurs visages devenaient de plus en plus flous. Ils ne semblaient pas particulièrement y prendre du plaisir. Ce n'était pas des tueurs, ni des sadiques, mais ils craignaient que lui ne le fût et ils le frappaient à coups redoublés afin d'éviter toute surprise. Il eut peur qu'ils ne connussent pas leurs limites.

Il reçut un coup en pleine figure et sombra avec soulagement dans l'oubli, sans aucune souffrance ni aucune peur. Dans son esprit, le fantôme d'Angie s'estompa au fur et à mesure qu'il perdait connaissance.

McLean avait la sensation de revoir un film déjà vu. Le réveil dans la pénombre. L'impression d'être désorienté. La douleur qui persistait. Une de ses lèvres enflée comme une éponge. Son visage s'appuyait contre quelque chose de rugueux. Un tapis. Un magnifique tapis d'Orient, bleu pâle avec des motifs floraux roses. Il l'avait tout de suite remarqué à son entrée dans la pièce.

Il se retourna sur le dos en haletant, car la douleur lui brûlait la poitrine et lui causait des élancements dans le crâne. Il resta étendu un bon moment en fermant les yeux, attendant que la sensation de vertige se dissipe. Il ne pouvait supporter de voir la pièce obscure tourner sans arrêt autour de lui. Cela lui donnait la nausée.

Peu à peu, il prit conscience des bruits du dehors. Des bruits de tempête. Un coup de tonnerre. Une pluie violente qui crépitait sur les vitres. Il pleuvait à verse. Une nuit à ne pas mettre le nez dehors. Très lentement et avec précaution, luttant à la fois contre l'étourdissement et l'envie de vomir, McLean réussit à s'asseoir et à s'adosser contre le montant du lit à baldaquin.

Dehors, il faisait noir. Les persiennes avaient été tirées sur les fenêtres, derrière les rideaux de dentelle, mais une lueur jaune et brumeuse filtrait de l'une d'entre elles.

McLean rampa vers cette fenêtre. Elle donnait sur une arrière-cour avec un jardin planté d'arbres vénérables. De l'autre côté, la rue était bordée d'anciens relais de poste transformés en habitations. Il faisait trop sombre pour voir ce qui se trouvait en contrebas. McLean distinguait seulement dans le lointain, à l'intersection d'une rue, une lumière que la pluie rendait floue. Cette couleur ambrée lui parut étrange, mais il se rappela que Riverton tirait beaucoup de fierté de ses réverbères à gaz datant du début du siècle.

L'effort qu'il avait fourni pour se rendre à la fenêtre l'avait épuisé, mais il s'accorda deux minutes de répit en se tenant au mur.

Les deux jeunes gens pouvaient très bien revenir.

« Secoue-toi, se dit-il. Tu peux faire mieux que ça. »

Il se mit debout et s'accrocha à une colonne du lit. Il resta ainsi jusqu'à ce que la pièce cesse de tourner. Puis il se traîna en direction de la porte — cette porte en bois, épaisse et solide. Il ne fut pas étonné de la trouver fermée. Il n'avait d'ailleurs jamais songé à l'enfoncer.

Il lui fallut plusieurs minutes pour parcourir la distance interminable qui le séparait de la salle de bains. Il y parvint épuisé, en nage. Il essaya la poignée de la porte. Elle aussi était fermée à clé.

McLean s'assit sur le lit pendant quelques minutes. Son étourdissement commençait à disparaître. Il avait probablement deux côtes fêlées, à quoi s'ajoutaient plus de bleus et de contusions qu'il n'en pouvait compter.

Mais il s'en sortirait.

Il ne voulait pas rester là à attendre le retour des deux jeunes gens. Qu'ils aient fermé les portes à clé montrait bien qu'ils avaient l'intention de revenir. Il essaya de se représenter la chambre telle qu'il l'avait vue en plein jour. Existait-il un endroit où se cacher ? Ou un autre moyen de sortir de la pièce que par les portes ?

Il regarda la vieille armoire au style tourmenté. De l'acajou, avec des portes décorées de marqueterie. Le meuble faisait plus d'un mètre quatre-vingts de haut et presque autant de large. McLean ouvrit les portes et examina l'intérieur : quelques vêtements féminins moisis suspendus à des cintres, des cartons à chapeaux posés sur le plancher.

« Bizarre », pensa-t-il. L'armoire, qui avait l'air de tenir debout toute seule, était appuyée contre le mur. McLean frappa légèrement le panneau du fond, qui rendit un son creux. Au bout de quelques minutes, il poussa un levier en bois dissimulé par les cartons à chapeaux et le panneau s'ouvrit avec un grincement.

McLean pénétra dans le mur par un étroit passage poussiéreux et plein de toiles d'araignées. Il se retourna alors et, de la main, remit les cartons à chapeaux en place, afin de dissimuler à nouveau le levier qui ouvrait le passage secret. Puis il referma les portes de l'armoire, le panneau d'accès dans le mur, et se retrouva dans une obscurité totale.

Le passage secret devait sûrement mener quelque part mais il ne put trouver aucune autre ouverture. Peut-être s'agissait-il simplement d'une cache condamnée, aménagée dans la maison depuis une centaine d'années?

Une clé tourna dans une serrure. Puis il y eut un bruit de pas précipités.

— Il s'est tiré!

— Impossible!

— Mais si. Regarde toi-même. Je te dis que ce salaud s'est tiré!

— Il doit sûrement se trouver quelque part. Les fenêtres sont toutes fermées. Et les deux portes aussi. Il n'a aucun moyen de sortir de cette pièce.

Puis le silence revint. McLean attendit, le cœur battant. Les portes de l'armoire s'ouvrirent.

— Il n'est pas là-dedans! Il n'y a pas assez de place.

C'était la voix du géant au torse velu.

— Mince! Stacy va me tuer!

— Nous n'aurions pas dû nous mêler de cette affaire, Brad.

— Stacy est ma sœur. Que pouvais-je faire d'autre? Et puis tu as entendu quel genre de crapule est ce type.

— Il ne s'est pourtant pas comporté comme un tueur de la Mafia.

— Comment sont-ils censés se comporter, Freddy?

Les portes de l'armoire se refermèrent. Les voix se firent moins distinctes. Le frère de Stacy Barrett dit alors:

— C'est un magicien, une sorte de Houdini. Il n'y a aucun moyen de sortir d'ici.

— Peut-être qu'il a forcé la serrure et qu'il s'est réfugié dans la salle de bains.

Brad réfléchit. Puis il dit nerveusement:

— Il doit être encore dans la maison.

— Ouais, renchérit Freddy. Nous allons fouiller partout.

— Peut-être bien que l'on devrait plutôt ficher le camp d'ici.

— Et qu'est-ce que tu vas raconter à ta sœur ? répondit Freddy. Que nous l'avons laissé s'enfuir ? Tu ne m'as jamais dit… ce qu'elle comptait faire de lui, après tout ! Je pensais qu'on allait le balancer quelque part, dans une décharge. Pourquoi Stacy voulait-elle le garder ici ?

— Je n'en ai pas la moindre idée.

Il y eut un silence si prolongé que McLean se demanda si les deux jeunes gens avaient quitté la pièce. Puis Freddy dit très distinctement :

— On ferait mieux de le retrouver avant que ça soit lui qui nous trouve.

— Il était blessé, dit Brad. Il ne va sûrement pas rester dans le coin.

Leurs voix faiblirent à nouveau, et ce fut le silence. Dans le passage secret, noir comme de l'encre, McLean retira les toiles d'araignées de son visage et s'appuya contre le mur. Brad voulait de toute évidence s'en aller. Combien de temps Freddy serait-il capable de le retenir ?

McLean prit son mal en patience. Doucement et avec précaution il fit jouer ses muscles, essayant de les décontracter un peu afin de les rendre moins douloureux. Isolé dans cette obscurité, il perdait toute notion du temps. De temps à autre, il entendait des bruits de pas, à l'étage supérieur, puis plus près. La vieille demeure n'était que craquements, grincements et murmures.

Les deux jeunes gens ne revenaient pas.

UNE heure plus tard — peut-être deux — McLean réessaya le panneau secret du fond de l'armoire. Il s'ouvrit facilement.

Au-dehors, la tempête se déchaînait toujours. La pluie cinglait les vitres, le tonnerre grondait dans le lointain, des éclairs illuminaient la pièce par brefs intervalles.

McLean essaya d'ouvrir une des fenêtres. Elle était scellée par les couches successives de peinture. De toute façon, il n'allait pas sauter par la fenêtre d'un premier étage dans l'état où il se trouvait.

Ses yeux s'étaient habitués à l'obscurité et, à sa surprise, il voyait parfaitement bien. Il sortit dans le hall et s'immobilisa. De la lumière provenant d'une des grandes fenêtres situées sur le devant de la maison filtrait le long du corridor.

Il repéra l'escalier et le descendit, marche après marche, commençant chaque fois par poser un pied avec précaution avant d'avancer l'autre. Une marche craqua soudain. Il se tint coi durant une bonne minute. Mais rien ne se passa. Avaient-ils décidé d'abandonner leurs recherches et de s'en aller?

Il continua à descendre sans bruit. Il rampa à travers la maison. Toutes les pièces étaient plongées dans l'obscurité. Il n'y avait personne. Les autres demeures historiques de la ville étaient toutes habitées et on ne les ouvrait que pour les visites.

Stacy Barrett avait dû être informée que celle-ci seulement était inoccupée.

Au moment où McLean pénétrait dans le hall d'entrée situé au pied du grand escalier, la sonnerie du téléphone déchira le silence.

Il sursauta. Il se recula contre le mur, le cœur battant.

L'appareil était posé sur une longue table étroite placée contre le mur. McLean le regarda, comptant les sonneries. Six, sept... neuf... quinze. Puis ce fut le silence.

Quelqu'un était donc censé se trouver là pour répondre à l'appel.

McLean traversa la maison sur la pointe des pieds. La porte de derrière donnait sur une véranda, façon victorienne, qui entourait la maison et protégeait de la pluie. Il y pénétra.

Au-dehors, l'orage s'en donnait à cœur joie. Les éclairs zébraient le ciel et leur lueur vacillante découvrait, au fond du jardin, les grands arbres et un parterre de roses. Un autre éclair révéla un chemin de brique menant à la rue. McLean s'élança hors de la véranda et se rua le long de ce chemin. Il fut instantanément trempé jusqu'aux os.

Le faisceau d'une torche électrique balaya l'arrière de la maison. Des silhouettes se dirigeaient en pataugeant vers lui. Elles tenaient des battes de base-ball.

McLean glissa sur les briques mouillées, reprit son équilibre après avoir trébuché dans une flaque et se remit à courir. La plus proche des deux silhouettes (en fait, les deux jeunes gens s'étaient abrités sous la grande véranda) était celle de Brad, le frère de Stacy. Il coupait à travers la pelouse pour parvenir à la hauteur de McLean à la lisière du parterre de roses.

McLean pesa le pour et le contre, prenant en compte l'état dans lequel il se trouvait. Ayant franchi le parterre de roses, il vira subitement et fonça tête baissée sur Brad. Sa trajectoire prit le jeune homme au dépourvu. McLean évita le coup de batte et enfonça son épaule dans l'estomac de son adversaire, en poussant vers le haut. Il le projeta au beau milieu des roses. Brad hurla tandis que les épines le lacéraient.

Puis McLean reprit sa course, cherchant à éviter Freddy, le géant, qui essayait de lui couper la route. Une clôture haute d'un mètre cinquante entourait la propriété. McLean la franchit d'un bond. Il réussit de justesse à passer de l'autre côté, en l'effleurant d'une jambe. Freddy eut plus de difficulté à hisser son poids considérable par-dessus l'obstacle. Tandis qu'il était en train de l'enjamber, McLean traversa le portail d'entrée de la propriété adjacente et s'élança dans la rue.

La pluie le cinglait et ralentissait sa course. Il prit la première rue à gauche, passa entre deux bâtiments, sauta une autre clôture, entra dans un jardin à la française et émergea de l'ombre d'une maison dans la rue voisine. Ses jambes et ses bras étaient de plomb ; sa course titubante.

Arrivé au coin de la rue, il s'abrita de l'averse sous un énorme pin et resta immobile pendant plusieurs minutes, se confondant avec l'ombre de l'arbre.

Brad et Freddy avaient disparu. McLean écouta la pluie et le tonnerre et éclata de rire. Il s'en tirait grâce à cette maudite tempête ! Ses deux lascars s'étaient dissimulés sous la véranda, bien au sec, en attendant qu'il apparaisse. Ils n'avaient pas voulu se mouiller et avaient rapidement renoncé à le poursuivre.

Il tourna dans la rue bordée d'arbres, se remémorant le plan de Riverton qu'il avait appris par cœur, et se mit en quête d'un refuge pour la nuit.

Il se demandait pourtant qui avait bien pu téléphoner.

7

Trois anciens réverbères à gaz éclairaient une longue rangée de maisons. Leur lueur vacillante, sous l'averse qui diminuait, était indéniablement pittoresque, même si McLean n'était guère d'humeur à admirer le décor. Le ciel, toujours obscurci par les nuages noirs, s'éclaircissait un peu, perdait son aspect menaçant. On entendait le léger crépitement de la pluie qui tombait des arbres.

La route que McLean avait suivie menait à la grand-rue. Il regarda sa montre à la lueur d'un réverbère. Onze heures moins vingt. Plus de onze heures s'étaient écoulées depuis que Stacy Barrett l'avait attiré dans ce piège.

Comme il faisait halte sous l'auvent d'une boutique en bordure de la grand-rue, il aperçut dans la vitrine une petite affiche proposant : VÊTEMENTS D'OCCASION, ARTICLES ANCIENS ET MODERNES. Il regarda à l'intérieur de la boutique. Il y faisait sombre mais la lumière de la rue suffisait à éclairer un véritable capharnaüm : meubles, appareils ménagers, vaisselle, articles de maison disposés sur de longues tables, sans compter un tas de bibelots et des vêtements suspendus à des cintres métalliques.

Frissonnant dans ses habits trempés, McLean constata que la porte ne possédait pas de verrou de sécurité. On pouvait facilement faire jouer le pêne avec une carte de crédit. Il ouvrit et entra.

A l'intérieur, régnait une odeur de moisi. Les chaussures mouillées de McLean produisaient un chuintement vaseux tandis qu'il marchait à travers les allées du magasin. Au fond, il trouva un rayon de pantalons pour hommes et un autre de chemises et de vestes. Il vida ses poches et se débarrassa rapidement de ses vêtements trempés. Il enfila des sous-vêtements et des chaussettes, essaya quatre pantalons avant d'en trouver un qui fût à peu près à sa taille. C'était un pantalon de velours noir, lisse à force d'avoir été porté. Il transféra son portefeuille et sa petite monnaie — billets de banque et papiers d'identité étaient intacts — dans les poches de son nouveau pantalon. Il se dit qu'il aurait pu s'éviter pas mal d'ennuis s'il avait gardé sur lui ses papiers d'identité au nom de Redfern, au lieu du faux permis de conduire et des cartes de crédit portant le nom de David Patterson.

Il enfila une chemise propre à manches longues et un pull épais. Au bout de quelques minutes, grâce à ses vêtements secs et à son pull chaud, il cessa de grelotter.

Dans un coin de la boutique, il trouva un canapé en cuir craquelé et s'y allongea. Le bruit de la pluie ne faisait plus qu'un murmure et la nuit était calme et paisible. Maintenant qu'il ne remuait plus, tout son corps lui faisait mal.

Il se redressa. Une voiture passa dans la rue détrempée. Elle roulait très lentement. Ses phares balayèrent la vitrine du magasin. Protégé par l'obscurité, McLean quitta son canapé et s'approcha de la vitrine pour regarder au-dehors. La voiture s'arrêta pendant un moment qui lui parut interminable, puis elle rebroussa chemin. Quand elle repassa devant la boutique, McLean aperçut deux hommes à l'intérieur. Celui qui était assis à la place du passager, juste devant ses yeux, obstruait toute la vitre de la voiture en raison de sa masse imposante.

La voiture descendit la rue et ses feux de position s'éloignèrent peu à peu avant de disparaître dans la nuit.

McLean regagna son canapé. Au bout d'un long moment, son cœur se remit à battre normalement. Il essaya de réfléchir au moyen de retrouver Angie, à présent que Stacy Barrett refusait de le croire. Mais avant d'avoir pu approfondir cette question, il tomba dans un profond sommeil.

QUAND il se réveilla, le jour était levé. Il ressentit une brève inquiétude. Combien de temps avait-il dormi ?

Sa montre marquait six heures et quart. Le sang lui martelait les tempes. Quant au reste — cette raideur et cette douleur qu'il ressentait dans tout son corps —, il savait qu'il en garderait des séquelles pendant un certain temps encore.

Ses propres vêtements, encore mouillés, ne permettaient pas de l'identifier. Il décida donc de les laisser en échange de ceux qu'il venait d'emprunter. Le propriétaire de la boutique n'y perdrait certes pas au change !

Une fois dans la grand-rue, il se mit à marcher dans la fraîcheur du petit matin. Des pans de ciel bleu apparaissaient çà et là tandis que le soleil se levait. McLean commença par boitiller et tout son corps le fit souffrir, mais, après une dizaine de minutes de marche modérée, ses muscles meurtris se décontractèrent.

A quelque trois kilomètres de Riverton, il entra dans un café et prit un petit déjeuner. Il s'attarda devant le café chaud, laissant son esprit et son corps se réadapter à leur propre rythme. A la caisse, il se renseigna sur l'horaire des autocars. Le prochain pour Camden partait à 9 heures. Il pouvait l'attraper en se dépêchant.

L'autocar le déposa dans le centre-ville. De l'autre côté du pont, il en prit un autre pour Philadelphie, qui le laissa à quelques rues de son hôtel.

Il marcha lentement, méditant sur la satisfaction que l'on pouvait éprouver à être simplement en vie. Il traversa délibérément à grandes enjambées le hall du Warwick et, lorsque les portes de l'ascenseur s'ouvrirent devant lui, il poussa un soupir de soulagement.

On avait fait sa chambre durant son absence de la veille. Une lumière rouge clignotait sur son téléphone pour l'informer qu'il avait reçu un ou plusieurs messages. McLean hésita. Ralph

Hamilton de l'*Inquirer* et Stacy Barrett étaient censés être les seuls à savoir qu'il était descendu au Warwick. Et il ne se sentait prêt à parler ni à l'un ni à l'autre.

Sans plus se préoccuper du clignotement rouge, il se déshabilla et se fit couler un bain chaud. La baignoire pleine, il s'y glissa et, durant une bonne vingtaine de minutes, laissa se détendre ses membres endoloris. Ensuite, il sortit de l'eau, se sécha et se jeta sur son lit tentateur.

Il se réveilla à une heure de l'après-midi, se rasa, mit des vêtements propres et décrocha le téléphone pour écouter ses messages.

— MAIS où diable étais-tu passé, Barney?

Paul Thornton était si nerveux qu'il paraissait en colère.

— J'étais occupé.

— Nous avons attendu ton coup de fil toute la journée d'hier. Zeller a laissé un homme près du téléphone et, moi-même, je n'ai pas beaucoup dormi.

— Zeller, il est là?

— Non. On l'a appelé à l'extérieur pour une autre mission. Il se passe ici des choses bien plus importantes que la petite aventure qui t'est arrivée.

McLean médita brièvement sur ce que Paul entendait par petite aventure. Il demanda :

— Qu'y avait-il de si important qui ne pouvait pas attendre, Paul?

— C'est à propos de ce que tu as demandé à Zeller. J'espère que tu sais ce que tu fais, Barney. Ce rendez-vous avec Tony Marchetti.

— Zeller a réussi à le contacter?

— Là n'est pas le problème. Ces gens-là espèrent un prêté pour un rendu, Barney. Tu le sais bien. Ils te font une fleur et n'hésitent pas à te le rappeler quand ils ont besoin de toi.

— Je ne demande aucune faveur à Tony Marchetti. Je désire simplement lui parler.

— Eh bien, justement, c'est ça la faveur qu'il te fait, dit Thornton.

— Tant pis. Je le contacterai par mes propres moyens, lança McLean laconiquement.

— Non, pas la peine, tout est arrangé, répondit rapidement Thornton. C'est pourquoi nous étions si pressés de te joindre. Le rendez-vous est prévu pour demain soir, vendredi. Le vieux dîne toujours en ville le vendredi soir. Il n'a pas dit à quel endroit, mais nous nous sommes entendus pour qu'une voiture passe te chercher à ton hôtel et…

— Comment sais-tu que je suis dans un hôtel, Paul ?

— Je te connais bien, Barney. Tu as toujours détesté les motels.

McLean resta un moment silencieux. Thornton avait sa réponse toute prête. Une réponse un peu trop rapide, peut-être.

— Dis-nous où la voiture doit passer te prendre et nous en aviserons Tony Marchetti.

— Non. Donne-moi un numéro de téléphone où je puisse le joindre ou lui laisser un message. Je le rencontrerai à l'endroit de son choix.

— Ne sois pas ridicule, Barney. Tu peux faire confiance à nos arrangements.

— Non, répondit McLean. C'est ça qui serait ridicule.

Il y eut un long silence à l'autre bout de la ligne. McLean laissa à son vieil ami le temps de reprendre du poil de la bête.

« Ils connaissent l'adresse de l'hôtel, se dit-il. Ils ont eu tout le temps pour retrouver l'origine de mes appels. »

— D'accord, si c'est ce que tu veux. Juste une minute. Je vais te trouver le numéro…

Après un moment très court, Thornton reprit la ligne et lui dicta un numéro de téléphone.

— Merci. Dis à Zeller que je le recontacterai quand j'aurai vu Tony Marchetti.

— Tu devrais éviter de le voir seul.

— L'Agence m'a bien viré tout seul, répondit sèchement McLean. Et vous m'avez planté là alors qu'un de vos tueurs favoris perdait la boule.

— Personne n'a donné le feu vert à Coffey, protesta Thornton. Il… Il est devenu incontrôlable.

— Alors, passez-lui une camisole. Ou bien c'est moi qui le ferai.

A peine avait-il raccroché que la sonnerie du téléphone retentit. Il laissa sonner une demi-douzaine de fois avant de décrocher.

— M. McLean ?

Il reconnut la voix de Stacy Barrett.

— Oh, merci, mon Dieu ! J'avais si peur que…

— Votre sollicitude me fend le cœur, Mme Barrett.

— Je sais, je ne l'ai pas volé. Mais vous devez comprendre

ma situation. Comment pouvais-je être sûre que vous étiez réellement celui que vous prétendiez être? Je vous l'ai dit, Louis Marchetti a déjà eu recours à de telles ruses...

— Je comprends, répondit patiemment McLean.

— Je... J'espère que vous êtes sincère. Comment vous sentez-vous? J'ai essayé de rappeler la nuit dernière, après avoir vu Angie. Je voulais... tout arrêter. Mais c'était trop tard. J'espère que ces jeunes gens ne vous... Je veux dire...

— Ils ont fait de leur mieux. Mais je n'ai rien de cassé, Mme Barrett. Quelques fêlures, peut-être. Rien de bien grave en tout cas.

— Angie était toute bouleversée. Quand je lui ai montré la photo et lui ai dit ce que j'avais fait, elle était effrayée et furieuse contre moi.

— Elle a probablement pensé que vous auriez dû commencer par lui montrer la photo avant de faire intervenir vos deux sbires.

— Je ne sais que vous dire. Si ce n'est que je suis vraiment désolée.

— Ces jeunes gens m'ont quelque peu ménagé, répondit McLean au bout d'un moment. Ils n'avaient pas le cœur à l'ouvrage.

— Ce sont de gentils garçons, dit Stacy avec sérieux. Ils n'ont agi que sur mes ordres.

McLean sourit.

— Je suis sûr que Brad est en admiration devant sa grande sœur.

— Eh bien...

Visiblement, Stacy était contrariée que McLean sût que son frère était un des agresseurs.

— J'aimerais me racheter auprès de vous, M. McLean. Êtes-vous libre samedi à déjeuner?

Cette question abrupte prit McLean au dépourvu.

— Mais pourquoi samedi? Pourquoi si tard?

— Angie n'est pas en ville. Il me faudra un peu de temps pour tout arranger. Nous devons rester prudents, M. McLean.

— Bien. Où vous rencontrerai-je?

— Au restaurant du Wanamaker's, répondit-elle. Dans la salle de cristal. A midi.

— Angie sera-t-elle avec vous?

Stacy Barrett eut une très légère hésitation avant de répondre :

— Elle viendra, dit-elle enfin. Au fait, il y a autre chose que je dois vous dire. Quelqu'un m'a téléphoné à votre sujet. Un homme. Je pense qu'il doit être un de vos amis. Il connaît tous les noms d'emprunt que vous utilisez.

McLean eut un léger frisson.

— Je ne pense pas qu'il ait daigné laisser son nom ?

— A vrai dire, il ne l'a pas fait.

— Pouvez-vous me répéter exactement ce que vous lui avez dit ?

— Eh bien... que j'avais entendu parler de vous, mais que je ne vous avais jamais rencontré et que je ne voulais rien avoir à faire avec vous.

McLean envisageait les différentes possibilités. Elles n'étaient pas nombreuses.

— Merci, Mme Barrett. S'il vous rappelle, répétez-lui la même chose. Et dites à Angie qu'après samedi... il n'y aura plus de secrets entre nous.

C'était une promesse qu'il avait l'intention de tenir.

La confrontation avec Clark Coffey était donc imminente. Peut-être le destin en avait-il depuis toujours décidé ainsi et, en cherchant à l'éviter, McLean n'avait-il fait que repousser l'échéance ?

Il jeta un coup d'œil circulaire sur la chambre. « Je te connais bien, Barney. Tu as toujours détesté les motels. » McLean se maudit pour sa stupidité. Il savait pourtant bien que la plupart des gens ont tendance à toujours adopter les mêmes comportements. Et un tueur expérimenté se fiait à ces comportements stéréotypés. On savait que McLean préférait le luxe un peu suranné des hôtels anciens au clinquant des motels modernes. Cela devait figurer dans son dossier.

Et Coffey — ou un de ses amis — avait facilement pu accéder à toutes les informations qu'il contenait.

McLean se mit à examiner méthodiquement sa chambre. Avant de partir pour l'excursion, il avait aligné sa trousse de rasage sur une craquelure du mur. Il avait également placé sa valise de façon qu'elle fût exactement parallèle au bord de la commode. Il remarqua que la position de ces objets avait légèrement changé. Était-ce la femme de chambre ? Ou quelqu'un d'autre ?

Il s'approcha de la fenêtre et regarda prudemment dans la 17e Rue, scrutant les boutiques et les bureaux qui se trouvaient en face, le petit bistrot, les vendeurs des rues et les piétons. Il prêta plus particulièrement attention à un immeuble situé sur sa gauche, juste après une rue étroite. Comme la plupart des rues du centre-ville de Philadelphie, c'était une rue résidentielle.

McLean fourra dans un sac en plastique quelques vêtements ainsi que ses affaires de toilette, jeta un dernier coup d'œil dans la chambre et s'en alla. Il avait laissé sa valise et la plupart de ses vêtements pour donner l'impression qu'il ne quittait pas définitivement l'hôtel. Il ne comptait pas non plus prévenir la réception.

Ignorant l'ascenseur, il descendit à pied les cinq étages jusqu'au rez-de-chaussée, évita le hall et se dirigea vers la porte de derrière qui menait au garage de l'hôtel. Là, il s'immobilisa derrière une rangée de voitures garées devant le mur et envisagea les différentes possibilités qui s'offraient à lui.

D'après ce que Stacy Barrett lui avait dit, Coffey connaissait presque certainement son nom d'emprunt du moment. Cela signifiait qu'il avait pu apprendre où McLean était descendu, rien qu'en passant quelques coups de fil aux différents hôtels. Il avait sûrement vérifié que McLean avait une voiture garée dans le garage du Warwick. Il devait savoir que la voiture ne s'y trouvait plus en ce moment. Par conséquent, il avait dû se poster à un endroit d'où il pouvait guetter le retour de McLean à l'hôtel ou de la voiture au garage. Il devait donc faire le guet quelque part de l'autre côté de la rue : soit dans un café, soit dans une boutique ou un bureau du même pâté de maisons, à condition qu'il y eût une fenêtre donnant sur la rue.

McLean traversa le garage à grandes enjambées et sortit dans la rue. La façade de l'hôtel se trouvait sur sa droite. Il prit à gauche. Il alla jusqu'à la 18e Rue, en face du square Rittenhouse, bordé de boutiques et de galeries élégantes. Il traversa et, accélérant le pas, prit une allée traversant le parc ombragé. Il se retourna. Personne ne le suivait.

Assuré que Coffey ne l'avait pas repéré, il prit un bus en direction de la vieille ville et du fleuve. Il dépassa ensuite à pied Penn's Landing et arriva au parking où il avait laissé la Chevrolet de location, la veille au matin, juste avant l'excursion.

Puis il se rendit à l'hôtel Quality Inn, remplit une fiche à la réception et prit une chambre qui donnait sur Benjamin Franklin Parkway, un grand boulevard bordé de parcs avec des cascades d'arbres et de fleurs épanouies. Il se relaxa, prit un bain chaud pour apaiser une fois encore ses contusions et dîna au restaurant de l'hôtel. Ensuite, il s'allongea sur son lit dans l'obscurité. Il pensait à Clark Coffey qui le traquait dans tout le pays. Et à cette haine obsessionnelle qui animait celui-ci.

Il n'était pas rare qu'il y eût des conflits au sein de l'Agence. Étant donné la personnalité de chacun et les pressions exercées dans le travail, il ne pouvait en être autrement. Cependant, ces conflits tournaient rarement au meurtre.

McLean avait combattu au Laos et au Viêt-nam sous les ordres de l'Agence. En même temps, il avait été dégoûté par ceux qui, dans son propre camp, avaient perdu le contrôle d'eux-mêmes et qui détruisaient et massacraient sans aucune discrimination. Quand des hommes en guerre ne respectent plus les règles, il n'existe plus de sécurité ni d'honneur.

Au cours des années passées à l'Agence, McLean avait observé le durcissement du conflit entre les combattants modérés et les extrémistes ; entre ceux qui considéraient que leur rôle se limitait à appliquer la politique des élus du pays et les autres, pour lesquels leur mission était devenue une monomanie et qui étaient bien déterminés à assouvir leur soif de pouvoir absolu. Le pharisaïsme associé au pouvoir semblait à McLean aussi dangereux qu'une drogue.

Carl Warner avait été l'un de ces fanatiques. Et nombreux avaient été ses amis au sein de l'Agence.

Clark Coffey n'était pas seulement le meilleur parmi les protégés que Warner avait entraînés et endoctrinés. Il était aussi une machine à tuer, un marginal qui, en temps normal, n'aurait jamais réussi à bénéficier de l'impunité que lui conféraient les missions sur le terrain, ordonnées par l'Agence.

Eric Zeller, lui, n'avait rien d'un fanatique. Il était ambitieux, de l'avis de McLean, mais réaliste. Zeller considérait que l'Agence servait la nation de la meilleure façon possible. Il aurait donc tout entrepris pour éviter qu'on lui portât atteinte. Il n'excusait pas la quête meurtrière de Clark Coffey, mais sa réaction s'expliquait davantage par des motifs administratifs que par un scrupule moral.

McLean était convaincu que Zeller tenterait d'arrêter Coffey. Il était également persuadé qu'il n'y parviendrait pas. Mais si tel était le cas, qui donc aidait Coffey ?

Quand il fit nuit, McLean quitta sa chambre et descendit au garage de l'hôtel Quality Inn. Il repéra le gardien, un jeune homme, et lui demanda s'il accepterait de conduire sa voiture au garage du Warwick à 21 heures, après son service. Il demanda également au jeune homme, un rouquin à la tignasse épaisse, de ne pas mettre de casquette ou de chapeau, ce qui risquerait d'attirer immédiatement l'attention sur lui une fois arrivé au Warwick.

— D'accord, mon vieux ! dit le rouquin avec entrain.

Un billet de vingt dollars pour conduire une voiture à vingt-cinq rues de l'hôtel ajouta à sa bonne humeur.

McLean était persuadé que le gardien ne courait aucun risque. Coffey n'allait pas se mettre à tirer au hasard en plein centre-ville de Philadelphie sans avoir préalablement identifié le conducteur du véhicule. L'attaque de Newport Beach avait été trop précipitée. Coffey ne commettrait pas deux fois la même erreur. Cette fois, il ne raterait pas McLean.

Avant de quitter le Warwick, McLean avait repéré un point stratégique : une librairie au premier étage d'un immeuble administratif situé juste en face de l'hôtel. L'immeuble abritait des boutiques au niveau de la rue, des bureaux et quelques magasins au premier étage. Le seul risque, se disait McLean tandis qu'il pénétrait dans l'immeuble par une porte à l'écart, c'était que Coffey eût justement choisi le même poste d'observation que lui !

La boutique sur laquelle McLean avait jeté son dévolu était sombre et la porte était fermée à clé pendant la nuit. Mais il n'eut aucun mal à forcer la serrure. Il avait jadis visité cette boutique qui offrait un choix considérable d'ouvrages anciens ou épuisés. Les piles de livres entassées de toutes parts accentuaient la pénombre et absorbaient la lumière provenant de la rue ou de l'hôtel d'en face.

McLean s'installa dans l'obscurité et attendit.

A neuf heures et quart, la Chevrolet s'engagea dans la rue bordant le Warwick et continua vers l'entrée du garage. Placé près de la fenêtre de la boutique, McLean surveillait la rue. Au début, il ne se passa rien. Puis un homme apparut sur le trottoir, presque en dessous du poste d'observation de McLean. La silhouette traversa en évitant les voitures et s'engagea dans la rue d'un pas pressé. C'était un homme grand aux larges épaules. Il marchait d'un pas vif et assuré. Clark Coffey. Il passa en rasant les murs et se perdit dans l'obscurité.

Quelques instants plus tard, McLean laissa échapper un soupir de soulagement : le jeune gardien de l'hôtel émergeait du hall de l'hôtel Warwick et se mettait en faction sur le trottoir. Puis une voiture arriva, une voiture de sport décapotable conduite par une jeune femme. Le rouquin sauta sur le siège et la voiture démarra à toute vitesse au moment précis où Coffey réapparaissait à l'entrée de la rue.

Coffey suivit du regard la voiture de sport. Puis il leva la tête en direction de la façade de l'hôtel, regardant plus particulièrement une des fenêtres du quatrième étage. McLean patienta une demi-heure avant de sortir de l'immeuble en empruntant le même chemin. Et il regagna l'hôtel Quality Inn.

De retour dans sa chambre, il contempla pensivement les embouteillages qui encombraient le vaste boulevard en contrebas. Bientôt, pensa-t-il, Coffey et lui, enfin face à face, allaient entrer en collision mortelle. Tel était leur destin.

Mais, auparavant, il fallait mettre Angie en sécurité. Angie et son fils.

Pour ce faire, il devait commencer par rencontrer non pas Louis Marchetti, mais son père. Le vieux Tony Marchetti. McLean prit dans sa poche le morceau de papier sur lequel il avait inscrit le numéro de téléphone que Thornton lui avait donné.

8

LA voix du vieux Tony Marchetti faisait penser à du gravier dévalant un tube métallique.

— Et pourquoi devrais-je vous parler ? demanda-t-il.

— Je pense que certains de nos amis communs vous ont contacté.

— Nous n'avons pas d'ami commun.

— Des amis de Washington, précisa McLean.

Durant un instant, il n'y eut que la respiration sifflante du vieux Tony dans l'appareil. Puis l'Italien grogna :

— Ce ne sont pas mes amis. Vous perdez votre temps, McLean. Et vous me faites perdre le mien.

— Je vis avec votre belle-fille, M. Marchetti.

Il y eut un long silence. McLean se dit que Tony Marchetti ignorait ce fait. Le vieillard prit la parole :

— Et c'est pour me parler de ça que vous voulez me voir ? Vous êtes donc las de vivre, McLean.

— Je ne l'ai pas forcée à rester avec moi. Elle l'a fait par amour.

— Par amour, dites-vous ? Cette fille est comme ma propre

chair et mon propre sang. Ne me parlez pas de vivre avec elle dans le péché.

McLean fronça les sourcils. En écoutant Tony Marchetti, il percevait dans la voix rauque du vieil homme une inquiétude inattendue. Cela pouvait constituer un obstacle... ou au contraire lui permettre de le rencontrer.

— Je vais vous donner des nouvelles de votre belle-fille, dit tranquillement McLean. Et aussi de votre petit-fils, Tony. Je vous dirai comment nous vivions ensemble, et les projets que nous avions pour l'avenir. Mais il se peut que nous ayons besoin de votre aide, M. Marchetti. Angie et Tony ont besoin de vous pour bâtir leur avenir.

— Mais qu'est-ce que vous me racontez là ? dit Marchetti sur un ton menaçant.

— Vous le savez bien. Angie et Tony bénéficient du programme spécial de protection des témoins. Votre fils, Louis, a découvert l'endroit où nous vivions tous trois. Il a envoyé deux hommes pour les ramener, elle et son enfant. Deux tueurs. Ils sont venus la chercher, et elle s'est enfuie.

— Et vous-même, dit le vieux Tony, sceptique. Vous avez rencontré ces hommes ? Vous leur avez parlé ? Vous connaissez leurs noms ?

— Je les ai rencontrés, mais nous n'avons pas beaucoup parlé. L'un d'eux s'appelait Raymond Ryder. Et l'autre Benny Popolano.

— Et où se trouvent-ils donc à présent, ces fameux tueurs ?

— Ils sont morts.

Il y eut un long silence. Le vieux Tony respirait avec difficulté dans l'appareil. Il semblait avoir de l'asthme ou un emphysème pulmonaire.

— Vous n'êtes pas un plaisantin, M. McLean, dit-il au bout d'un moment.

— Cette affaire non plus n'est pas une plaisanterie.

— Je vous rencontrerai pour discuter. Notre rendez-vous avait été prévu pour ce soir avec ces messieurs de Washington, mais je devais m'en assurer. Où êtes-vous ? J'enverrai une voiture vous chercher.

— A l'hôtel Quality Inn, dans le centre-ville.

— Ce n'est pas ce qu'on m'avait dit, déclara le vieux Tony Marchetti.

— J'ai déménagé.

McLean était à peine surpris que leurs amis communs de

Washington eussent donné à Marchetti son adresse au Warwick.

— A dix-neuf heures, McLean. Une limousine noire.

— D'accord, M. Marchetti. Je la trouverai.

— Ce sont eux qui vous trouveront, répondit Marchetti.

La longue voiture était une Lincoln Continental.

Le chauffeur portait un uniforme gris sombre avec une cravate et une casquette à visière. Un homme corpulent, en complet de coton gaufré, froissé et cravate rouge à rayures, émergea des profondeurs de la limousine afin d'aller chercher McLean.

Dès qu'ils furent à l'intérieur, la voiture démarra. Le colosse se retourna sur son siège pour faire face à McLean. Il semblait souffrir d'un torticolis, car il faisait pivoter tout le haut de son corps sans tourner la tête.

— Vous comprenez, je dois m'assurer que vous n'êtes pas armé.

McLean acquiesça d'un signe de tête. Il n'était pas assez stupide pour emporter un colt Magnum à un rendez-vous avec un parrain de la Mafia.

Il se soumit à une fouille rapide.

Le restaurant italien, situé dans la partie sud de la ville, était vieillot, sans prétention à l'extérieur et de mauvais goût à l'intérieur : moulures en stuc, débauche de fer forgé et boxes en vinyle rouge prétendaient à la splendeur sans y parvenir. L'endroit semblait cependant chaleureux, agréable et tout indiqué pour une rencontre.

Le vieux Tony Marchetti était assis au fond, dans un coin à l'écart qui faisait aussi office de bar avec un long comptoir en bois sombre, équipé d'une barre de cuivre et d'un miroir travaillé sur le mur du fond. Il y avait encore d'autres boxes en vinyle rouge. Le vieil homme jouissait de l'intimité qui lui était due, sans pour autant être isolé du spectacle et de l'animation du restaurant. Un jeune garçon de salle conduisit immédiatement McLean et son garde du corps vers Tony Marchetti, qui dégustait déjà des antipasti accompagnés de vin rouge.

— Asseyez-vous, McLean, dit-il en faisant un geste de la main.

Le costaud se retira sans un mot et les laissa en tête à tête.

Le box était spacieux. McLean prit place en face du vieil homme.

— J'ai déjà commandé pour deux, dit-il en le jaugeant froidement de ses yeux noirs, astucieux et durs.

McLean sourit, se demandant ce qui lui valait tant d'honneur. Car il n'apportait pas de bonnes nouvelles.

Tony Marchetti se redressa derrière la table en formica, son ventre protubérant appuyé contre le rebord. McLean estima qu'il devait mesurer environ un mètre soixante-dix. Corpulent, mais musclé et solidement charpenté, il avait des mains énormes, boudinées, presque carrées, avec de gros doigts aux ongles rognés. Bien qu'il eût près de soixante-dix ans, il avait conservé une épaisse chevelure, entièrement blanche. Sa peau était basanée, ses lèvres épaisses comme celles de son fils, ses traits lourds et grossiers. McLean se demanda de qui Louis Marchetti avait hérité sa beauté… De sa mère ? Quant à son père, peut-être était-ce de lui qu'il tenait ses vices, son amoralité ?

Tony Marchetti alluma une cigarette et souffla la fumée vers le plafond, qu'il contempla comme s'il avait été peint par Michel-Ange.

— Vous travaillez pour le gouvernement ? demanda-t-il brusquement. Pour nos amis de Washington ?

McLean secoua la tête.

Le vieux Tony lui jeta un regard mauvais. Puis il enfourna quelques antipasti qu'il mâcha tout en fumant et en continuant à fixer McLean.

— En tout cas, eux vous connaissent !

— J'ai travaillé pour eux, dit McLean. Mais, il y a quelques années de cela, nous avons eu un… litige.

— Que faites-vous actuellement, McLean ?

— Je suis dans une compagnie d'assurances en Californie.

— Et c'est une police d'assurance que vous voulez me vendre, McLean ?

— Je ne veux rien vous vendre du tout. Je voulais seulement vous faire savoir pourquoi j'étais venu à Philadelphie.

— En quoi cela me concerne-t-il ?

— Cela concerne votre fils, Louis. Et surtout Angie et Tony, votre petit-fils.

Tony Marchetti leva les yeux tandis que le garçon commençait à débarrasser la table des antipasti pour apporter les plats de résistance, une montagne de moules accompagnées de pâtes et de veau en sauce, avec de grosses tranches de pain italien.

— Mangeons d'abord, dit le vieux Tony. Je n'aime pas discuter affaires pendant les repas : ça contrarie la digestion.

Ils mangèrent silencieusement. Quelque part dans le restaurant, un piano se mit à jouer. McLean commença par manger sobrement, par respect pour son hôte, mais, quand il se fut rendu compte à quel point la nourriture était délicieuse, il se resservit généreusement.

Une demi-heure plus tard, Tony Marchetti se redressa sur sa chaise, rota, soupira, claqua des doigts pour que le garçon vînt débarrasser la table et s'essuya la bouche avec une grande serviette. La table nette et le café servi, ses yeux noirs fixèrent McLean comme pour l'épingler contre la paroi du box. Le moment était venu de discuter affaires.

— Je vous donne cinq minutes pour me convaincre de vous écouter, McLean.

— Je veux aller trouver Louis pour lui dire de laisser Angie et Tony tranquilles.

Marchetti le fusilla du regard.

— Vous avez de l'estomac, McLean, dit-il. Louis est mon fils. Je vous accorde qu'il n'a rien d'un ange, mais c'est mon fils tout de même. Angie est sa femme, et Tony son fils, *à lui!* De quel droit vous permettez-vous de lui demander de les laisser tranquilles?

— Je vais vous raconter une histoire, dit McLean. C'est Angie elle-même qui me l'a racontée, mais, à l'époque, je ne savais pas qu'elle parlait de son propre cas. Angie a perdu ses parents alors qu'elle était encore très jeune. Une tante plus âgée qu'elle, et sans enfants, s'est occupée d'elle.

Il fit une pause.

— Cette tante n'avait pas d'enfants parce qu'elle ne pouvait pas les supporter. Elle n'a jamais agressé Angie physiquement, mais elle l'a tyrannisée de bien d'autres façons, la rejetant avec froideur et indifférence. Heureusement, Angie a passé toute son adolescence en pension. Mais elle a grandi en sachant quelles cicatrices indélébiles peuvent marquer un enfant quand il est élevé tyranniquement et sans amour. Elle n'a pas voulu que son fils connaisse cette expérience.

La colère du vieux Tony explosa. Il frappa du poing sur la table.

— Vous avez peut-être de l'estomac, McLean, mais vous n'avez pas plus de cervelle qu'un oiseau. Vous osez vous mêler de mes affaires de famille! Vous dites…

— Je dis des choses que vous n'avez pas envie d'entendre, coupa McLean. Mais vous savez que c'est la vérité. Vous ne le savez que trop!

Le vieil homme inspira bruyamment. Les yeux exorbités, il

semblait respirer avec difficulté. Il dit d'une voix rauque et pleine de menace :

— Vous êtes un homme mort, M. McLean.

— Parce que je vous ai dit ce que vous saviez déjà ? Je ne le crois pas ! Louis me tuerait, mais pas vous. Car Louis est un sadique, M. Marchetti. Il fait du mal parce qu'il aime ça.

Il vit, au regard du vieil homme, que le coup avait porté. Le vieux Tony connaissait parfaitement son fils.

— Louis battait Angie, continua McLean. Il giflait son fils et le terrorisait. C'est une des raisons pour lesquelles Angie s'est retournée contre lui. Les mauvais traitements, elle savait ce que c'était et elle a voulu les éviter à Tony. Pour cela, il lui fallait l'éloigner de Louis.

Il attendit la réaction de Marchetti, mais le vieil homme, sans mot dire, lui lança un regard dangereux et impénétrable. McLean savait le risque qu'il prenait. Mais il s'en moquait. Il lui fallait risquer le tout pour le tout. Il reprit :

— Mais il n'y a pas que ça et, là aussi, je suis sûr que vous savez de quoi je parle. Je parle de la drogue. Je ne pense pas qu'Angie aurait témoigné contre Louis, ni qu'elle aurait seulement songé à le faire, si elle n'avait éprouvé un tel dégoût à l'égard de la drogue.

— Elle a trahi les siens, dit Tony Marchetti. Ce n'était pas bien, ce qu'elle a fait.

— Mais vous savez ce qui est arrivé à son frère, reprit McLean. Que pouvait-elle faire d'autre ? Son frère — la seule véritable famille qui lui restât, le seul être qui l'aimât sincèrement — est mort d'une overdose de cocaïne. Par la suite, elle a découvert que Louis utilisait leurs vacances en famille pour se livrer à son trafic de drogue.

— Ça, vous n'en savez rien.

Le gravier dévalait plus lentement la gorge de Marchetti. Mais il écoutait toujours. McLean jugea qu'il lui restait encore une chance.

— Si, je le sais. Et, vous aussi, vous le savez, M. Marchetti. Peut-être qu'au début vous ignoriez ce que faisait Louis, mais vous auriez toujours fini par l'apprendre. Il doublait votre organisation.

— Continuez, dit le vieux Tony d'une voix menaçante. Votre temps est presque écoulé.

— Louis se servait de l'éducation qu'il avait reçue à Harvard où vous l'aviez fait entrer, mais il s'en servait dans votre dos pour son trafic de drogue qui lui rapportait des millions. Il en prenait lui-même, et...

McLean se pencha pour mieux le défier du regard.

— Pourriez-vous jurer qu'il n'a pas essayé d'en faire prendre à Angie ? Et combien de temps aurait-il fallu au jeune Tony pour devenir accro lui-même ? Combien de temps aurait-il été épargné, quand son père importait, trafiquait et consommait lui-même toutes ces maudites cochonneries ?

McLean se tut. Il sentait son cœur battre à tout rompre et s'efforçait de maîtriser sa colère. Le vieux Marchetti ne l'avait pas interrompu, et des plis qui n'existaient pas un moment auparavant s'étaient formés sous ses paupières et autour de sa bouche.

McLean poursuivit d'un ton plus calme.

— Vous même, vous êtes père. Vous devriez comprendre pourquoi Angie a agi de cette façon. Vous désiriez une autre vie pour votre fils. Vous vouliez le tenir à l'écart des affaires de la famille, à ce qu'on m'a dit. Vous vouliez qu'il travaille dans la légalité, qu'il devienne un homme d'affaires éduqué à Harvard, un Marchetti dont le nom ne serait pas synonyme de crimes, de prostitution, de jeu et de drogue. Eh bien... vous avez échoué.

McLean marqua une longue pause.

— Vous avez échoué avec Louis, mais vous pouvez encore réussir avec votre petit-fils. C'est possible, mais il n'existe qu'un seul moyen. Que Tony reste avec sa mère et que vous obteniez de Louis qu'il les laisse en paix. Vous donnerez ainsi à votre petit-fils une chance de réaliser les espoirs que vous aviez placés en votre fils.

Il y eut un long silence. Le vieux Marchetti regardait fixement McLean. L'amertume qui se lisait sur son visage était terrible. McLean retint son souffle. Les bruits du restaurant s'étaient estompés, mais McLean savait que le garde du corps les observait avec attention et que le vieux Tony n'avait qu'à lever le petit doigt pour qu'il intervînt aussitôt.

Le vieil homme dit alors :

— C'est drôle, ce que recherche un homme. Avoir un fils qui soit... respecté.

Son regard s'embrasa.

— Je suis respecté, McLean. Mais pas dans... dans ce monde-là. Je voulais davantage pour mon fils.

— Il vous reste votre petit-fils. Il est superbe. Et Angie est une femme formidable, et la meilleure des mères.

— Et vous? demanda le vieil homme. Accepteriez-vous de lui servir de père?

— Je ferai tout mon possible.

Marchetti le regarda pendant un moment qui lui sembla une éternité. Puis il dit enfin :

— Au moins, vous êtes un homme sérieux.

Il poussa un profond soupir.

— Vous savez où se trouve Angie actuellement? Et Tony?

McLean secoua la tête.

— Ils sont ici. Je suis en contact avec une personne qui sait où ils se trouvent. Je les verrai bientôt, du moins je l'espère.

La colère du vieil homme avait subitement disparu. McLean contemplait son visage gris et fatigué, au regard désabusé, à la mâchoire tombante. Il répondit :

— Louis n'a rien à faire d'Angie. C'est son fils qu'il veut récupérer. Je ne savais pas qu'il les battait, ni qu'il voulait qu'elle se pique ou qu'elle prenne de la cocaïne.

McLean garda le silence. Il attendait la suite.

— Vous les retrouverez?

— Je vous le promets. Et en ce qui concerne Louis?

— Ne soyez pas trop gourmand, McLean. Considérez que vous avez beaucoup de chance. Je n'interviendrai pas si vous les emmenez. Je veux que mon petit-fils soit en sécurité... même si cela doit signifier que je ne le verrai plus.

— Tout ça peut s'arranger. A condition que personne d'autre ne cherche à les retrouver.

— Vous en demandez trop, McLean. Je ne peux rien promettre. Vous comprenez?

McLean l'observait. A l'autre bout de la salle, le pianiste s'était remis à jouer. Le vacarme qui régnait dans le restaurant bondé était revenu. Pour le moment, toute tension avait disparu.

McLean se glissa hors du box.

— Merci pour le repas, M. Marchetti. Je vous recontacterai dès que j'aurai parlé à Angie et à Tony.

Le vieil homme le regarda s'éloigner. Quand McLean arriva au milieu de la salle, Tony Marchetti claqua des doigts. Le gorille s'anima et emboîta le pas à McLean. Ils traversèrent ainsi la salle de restaurant.

Une fois dehors, McLean se retourna et fit face à son ange gardien.

— La voiture est là, dit celui-ci. M. Marchetti désire que je vous raccompagne.

McLean grimpa dans la Lincoln et se laissa reconduire tranquillement à son hôtel.

Le vieux Tony avait raison.

Oui, il avait eu vraiment beaucoup de chance.

Situé en plein centre-ville, le Wanamaker's était bien plus qu'un grand magasin. Il représentait une institution, un pôle d'attraction, un genre de vie. On y trouvait pratiquement tout. Y compris l'élégance et le raffinement qui manquaient aux magasins de la périphérie.

Ce samedi-là, il était bondé en raison des premiers soldes d'été. Sans un coup d'œil pour les colonnes dorées qui s'élançaient telles des flèches jusqu'au plafond, huit étages plus haut, McLean traversa le grand hall. Dédaignant les ascenseurs, il chercha l'escalier roulant et grimpa les marches quatre à quatre. Au fur et à mesure qu'il s'élevait dans les étages, son cœur battait plus fort. Ce n'était pas l'essoufflement, non, mais l'impatience qui le taraudait.

La salle de cristal était immense, spacieuse et haute de plafond. Les boiseries mettaient en valeur l'éclat cristallin des énormes lustres. L'atmosphère était paisible et agréable. On entendait des conversations feutrées et le tintement des verres. McLean balaya du regard la rangée de tables et éprouva une grande déception. Stacy Barrett était assise à une table située tout au fond de la salle, contre le mur. Mais elle était seule.

Il s'installa en face d'elle. Elle eut un vague sourire un peu forcé.

— Où est Angie? demanda-t-il sans préambule.

— Elle attend, M. McLean. Je… Je désirais auparavant vous parler quelques minutes en tête à tête, si vous n'y voyez pas d'inconvénient.

Il eut une expression qui la fit sourire.

— Je comprends votre impatience. Angie elle-même s'est montrée aussi nerveuse qu'une collégienne pendant toute la matinée.

— Mais elle n'a pas voulu venir jusqu'ici?

Il jeta un regard circulaire dans la salle élégante, essayant de repérer un éventuel danger.

— Il y a trop de monde. Quelqu'un pourrait la reconnaître.

McLean acquiesça, résigné.

— Voulez-vous déjeuner? Ou prendre un verre? J'ai commandé un verre de vin.

— Non merci, sans façon. De quoi vouliez-vous me parler ?

Stacy but une gorgée de vin, réfléchit à ce qu'elle allait dire, ou plutôt, pensa McLean, à la manière dont elle allait le dire.

— J'ai repensé à ces hommes, à Fortune... ceux qui ont essayé de vous tuer. C'étaient bien des hommes de Louis Marchetti.

McLean ne répondit rien. Il attendait qu'elle en arrivât au fait.

— Et vous n'étiez pas armé ?

— Non.

Stacy Barrett hocha la tête, pensive.

— C'est pour ça qu'Angie était sûre que vous étiez mort. Elle se refusait à cette idée, mais il n'y avait pas d'autre explication. Et puis elle devait penser à son fils.

— Je sais, dit McLean. Je comprends à présent pourquoi elle est partie. J'ai été content d'apprendre qu'elle était revenue sur les lieux.

— Vous n'étiez pas armé, alors que ces hommes, eux, l'étaient, insista Stacy.

— Je vous l'ai déjà dit.

— Et vous les avez tués.

McLean se rejeta en arrière sur sa chaise et la regarda. C'était donc cela !

— Mais quel genre d'homme êtes-vous donc, M. McLean ?

— Est-ce vraiment si important ?

— Oui. J'ai dit à Angie que vous étiez exactement l'homme qui pouvait l'aider dans sa situation. Quelqu'un sur qui elle pouvait compter.

— Eh bien, j'ai été...

— Un espion. Je sais, Angie me l'a dit. Mais vous n'êtes plus en activité maintenant ?

— Si vous vous posez des questions à propos de l'homme qui vous a téléphoné à mon sujet, vous avez raison. Ce n'est pas un de mes amis. Et il me cherche des ennuis. Il est aussi dangereux que Louis Marchetti. Mais ce n'est pas après Angie, ni après Tony, qu'il en a.

Stacy le regarda en silence et but une gorgée de vin blanc.

— Et c'est pour ça que vous viviez à Fortune ? Une sorte d'exil, tout comme Angie ? Vous bénéficiez aussi du programme spécial de protection ?

— En quelque sorte.

— Et vous êtes en danger ?

McLean sourit.

— Il me semble que pour l'être je n'ai pas besoin de mes anciens ennemis.

— Mmm…

Stacy marqua une pause, faillit dire quelque chose, hésita, visiblement embarrassée.

— Un de ces jeunes gens, à Riverton, était mon frère Brad, comme vous le savez. Il était là parce que je le lui avais demandé. Et Freddy également. Ils… ce qui est arrivé n'est pas de leur faute… Ni… (Elle frissonna.) Ni ce qui aurait pu arriver. Ce qu'ils ont fait, ils l'ont fait pour moi.

— Et vous, vous le faisiez pour Angie.

— Alors, vous n'êtes pas fâché ?

Stacy ne cachait pas sa stupéfaction.

— Plus maintenant, répondit franchement McLean. Mais croyez bien que je l'étais sur le moment.

— Je m'en doute. C'est pour ça que j'ai repensé à ces deux types à Fortune. Vous les avez tués alors que vous n'étiez pas armé. Et cependant, vous n'avez fait aucun mal à Freddy ni à Brad.

— Ils ne m'en ont pas donné l'occasion.

— Permettez-moi d'en douter, M. McLean.

— Appelez-moi Barney.

— Barney. Vous avez évité de leur faire du mal, et je voulais vous exprimer ma reconnaissance. Je tremble encore à la pensée…

— N'y pensez plus, Mme Barrett.

— Stacy…

— Stacy.

Ils échangèrent un sourire. Mais, aux yeux de McLean, cela ressemblait davantage à une trêve qu'à une déclaration d'amitié.

— L'incident est clos, dit-il. Où donc se trouve Angie ?

Stacy Barrett eut un large sourire.

— Elle vous attend en bas. Du côté de Market Street. Elle est garée dans la zone de livraison.

— Vous voulez dire qu'elle s'y trouve en ce moment ?

L'impatience lui brisait la voix.

— Je ne veux pas vous retenir…

McLean s'était déjà levé et traversait rapidement la pièce. Il allait se précipiter vers les escaliers roulants, quand il vit s'ouvrir une porte à double battant et aperçut la haute silhouette dressée au-delà de l'escalier ; au bout du bras tendu, un revolver dont le canon paraissait démesuré à cause du silencieux. Clark Coffey.

En se courbant, McLean se rua en avant. Le long corridor qui passait à l'extérieur de la salle de cristal était bondé. Il dépassa d'un bond une femme qui s'engageait dans l'escalier roulant, puis descendit les marches quatre à quatre. Il n'y avait que cette femme sur l'escalator. Quand McLean la bouscula, elle sursauta et agrippa son sac. Sans doute le prenait-elle pour un voleur à l'arraché.

Arrivé au niveau inférieur, McLean se retourna. Coffey, le bras toujours levé, était en haut de l'escalator. McLean bondit sur le suivant, au moment précis où le revolver de Coffey crachait silencieusement.

A mesure que McLean descendait, la foule devenait plus dense, ralentissant sa progression, mais aussi celle de Coffey. Après avoir mis deux étages supplémentaires entre le tueur et lui, McLean décida d'abandonner l'escalier mécanique. Il se retrouva à l'étage inférieur, au rayon des cadeaux, traversa une autre allée et débaula dans une zone cloisonnée en plusieurs salles qui exposaient de remarquables antiquités. Cet étage était moins encombré que les autres. S'il fallait riposter…

C'est alors que Coffey le repéra. McLean arrivait au bout de la galerie d'antiquités. Tournant à angle droit, il aperçut, sur sa gauche, un panneau de sortie. Il se précipita dans l'escalier de service.

Il dévala les marches et se retrouva deux niveaux plus bas. A l'étage au-dessus, une porte s'ouvrit à la volée. Une balle ricocha sur la rampe métallique avec une plainte stridente avant de se ficher dans le mur devant McLean. Dans son dos, Coffey martelait les marches.

McLean dégringola encore un étage, franchit une porte artistement décorée et se retrouva au rayon des vêtements masculins : moquette épaisse, piles de pulls, de pantalons, de vestes et de peignoirs. Un vendeur se dirigea vers lui avec un sourire. McLean saisit un pantalon de laine sur un présentoir et lui dit :

— J'aimerais l'essayer, si c'était possible.

— Bien sûr, monsieur. Les cabines d'essayage sont…

McLean les avait déjà repérées. Elles flanquaient un étroit passage. Il passa rapidement devant trois ou quatre d'entre elles, avant de se glisser dans une des dernières dont il laissa doucement se refermer la demi-porte, puis il s'immobilisa.

Il avait à sa droite la porte de la cabine et face à lui un miroir mural en pied. Il se demanda si Coffey l'avait vu entrer dans le rayon. Et si c'était là qu'aurait lieu la confrontation que, depuis trois ans, il cherchait à éviter.

Il retint son souffle. Il n'entendait que les battements de son cœur. Il glissa la main sous sa veste et sortit silencieusement le colt Cobra de son étui de cuir bien huilé.

Il préférait éviter un duel au revolver au Wanamaker's un samedi après-midi. Que lui avait dit Zeller? « L'Agence n'a aucun besoin d'un règlement de comptes à la OK Corral, surtout en ce moment. » Mais Zeller n'avait rien fait pour arrêter Coffey. Et maintenant...

Quelqu'un s'engagea dans le couloir des cabines d'essayage. McLean percevait le chuintement de l'électricité statique provoquée par les semelles frottant la moquette. Un client ?

La porte d'une cabine s'ouvrit et se referma avec un bruit sourd. Après un bref silence, une autre porte s'ouvrit et se referma à son tour. Les pas progressaient sur la moquette. Une autre porte grinça sur ses gonds.

Il ne s'agissait pas d'un client : toutes les cabines étaient vides lorsqu'il était passé devant.

McLean se campa face au miroir. En se plaçant sur la gauche de la cabine, il obtenait un angle de vue qui lui permettait de voir derrière lui dans le couloir. Il aperçut une paire de grandes chaussures en cuir marron, à semelles de crêpe, immobilisées à quelques centimètres de la demi-porte de sa cabine.

Il attendit que l'homme se rapprochât un peu plus encore. Il ne voyait que ses pieds.

Les lieux semblaient absolument déserts. Que pouvaient bien faire les vendeurs? Coffey leur avait-il montré son badge ?

La chaussure la plus proche bougea. C'était le signal qu'attendait McLean. Il ouvrit la porte à toute volée au moment exact où Coffey parvenait à sa hauteur. Son élan doubla la force de l'impact. Coffey chancela sous le choc.

McLean se précipita hors de la cabine. Coffey tenta de reprendre son équilibre, mais McLean lui abattit le canon de son colt sur le crâne. Il y eut un bruit sourd. Coffey s'affaissa et McLean, d'un coup de pied, envoya valser son revolver au bout du couloir. Puis il enjamba le corps inanimé.

Remontant le rayon d'un pas pressé, il lança à l'adresse du vendeur :

— Désolé, il ne me va pas.

Il n'y avait guère de monde sur le grand escalator pour le

rez-de-chaussée. McLean descendit les marches à toute vitesse. L'instant d'après, il traversait à grandes enjambées les allées parfumées du rayon des cosmétiques. Devant lui, un panneau indiquait une sortie sur Market Street.

Une fois hors du magasin, la première personne que vit McLean fut Stacy Barrett. Elle se tenait sur le trottoir. Puis Stacy détourna vivement la tête pour dire quelque chose à la conductrice d'une Oldsmobile Cutlass blanche. Il la reconnut, c'était Angie.

McLean se précipita dans leur direction. Il n'avait d'yeux que pour Angie. Bousculant Stacy au passage, il se glissa sur le siège au côté d'Angie. Il lui sourit bêtement.

— J'ai cru que je n'y arriverais jamais, dit-il. Maintenant, partons d'ici… et vite !

9

DEBOUT, à côté de la fenêtre, Angie lui tournait le dos. Bronzée, frêle, elle avait l'air étrangement vulnérable. Depuis qu'ils avaient refermé la porte de l'appartement, elle semblait timide, hésitante.

— Cet immeuble appartient au mari de Stacy, dit-elle. Nous pouvons rester ici autant de temps que nous le voudrons. Nous y sommes en sécurité.

— Et Tony ?

A ce nom, le visage d'Angie s'éclaira.

— Il va bien. Il est chez la mère de Stacy avec son fils, Brent. Ils ont le même âge.

McLean n'arrivait pas à la quitter des yeux. Elle était plus animée, plus pleine de vie que la femme dont il était tombé amoureux. C'était toujours Angie, mais l'ancienne Angie ne se dévoilait pas. La nouvelle était libérée de ses secrets.

L'appartement était situé au huitième étage d'un immeuble rénové, face au fleuve Delaware. De la fenêtre, on avait une vue magnifique sur la travée du pont Benjamin Franklin qui, à l'ouest, surplombait le fleuve.

McLean vint se placer derrière Angie et suivit la direction de son regard. En cette fin d'après-midi, le soleil rehaussait d'un trait de feu la silhouette du pont. Quand il toucha son épaule, elle tressaillit.

— Je n'arrive pas à oublier cet homme qui te tirait dessus. Comment t'a-t-il retrouvé ?

McLean haussa les épaules.

— Il a dû suivre Stacy.

Angie frissonna.

— Mais dans quel monde vis-tu ?

— Le même que le tien, répondit-il gentiment. Un monde plein de gens peu recommandables.

Elle lui fit face.

— Tu ne me dis pas toute la vérité.

— On a tout le temps pour ça.

— J'ai besoin de savoir.

— Tout de suite ? Tu veux tout savoir tout de suite ?

Ses lèvres s'entrouvrirent, elle fronça les sourcils et un pli apparut entre ses yeux. Puis, tel le soleil émergeant de derrière un nuage, son visage s'éclaira et elle eut un large sourire.

— Tu voulais me retrouver, n'est-ce pas ? C'est l'essentiel...

Elle était encore plus belle que dans son souvenir. Sa peau était couleur de miel et ses lèvres en avaient la douceur. Ils firent l'amour lentement, avides, autant l'un que l'autre, de retrouver des sensations qu'ils avaient crues perdues à jamais.

Puis ils restèrent immobiles un long moment, dans les bras l'un de l'autre. Par la fenêtre, on voyait les lumières du pont qui s'incurvait sous le ciel nocturne.

— Parle-moi de Louis, dit-il.

— Il avait changé. Je pense que la drogue y était pour beaucoup. Il ne se contentait plus de trafiquer. Il en consommait également. Ça a... libéré quelque chose en lui.

— Il est foncièrement mauvais, commenta McLean. Il existe des gens comme ça, qui dissimulent leur perversité sous le vernis de la civilisation. La drogue a décapé ce vernis.

— Oui... C'est peut-être ce qui s'est passé.

Angie hésita et reprit :

— Au début, il était gentil, beau, charmant et attentionné. Tout cela, il peut l'être quand il le veut. Nous avons passé de bons moments ensemble.

Ils restèrent silencieux. Les lumières rampaient sur le pont, telles des âmes en perdition cherchant l'espoir dans les ténèbres. Au bout d'un moment, McLean dit :

— La drogue n'est pas le seul moyen de libérer les mauvais instincts.

— Quoi d'autre pourrait à ce point transformer un homme ?

— Il existe bien d'autres vertiges. Celui du pouvoir, par exemple. Dans le milieu où j'ai évolué, il arrive que des gens soient séduits par la possibilité qui leur est offerte d'assouvir leur soif de pouvoir absolu. C'est aussi dangereux qu'une drogue.

— Explique-moi pourquoi ce type a essayé de te tuer au Wanamaker's ?

Le lieu et les circonstances semblaient propices aux confidences. Angie avait besoin de mieux connaître McLean et, lui aussi, il la découvrait. Alanguis dans les draps froissés en amoureux, ils pouvaient se parler à la faveur de l'obscurité qui régnait dans la chambre et prendre du recul par rapport à ce qu'ils se racontaient.

— Il croit que j'ai tué son meilleur ami, dit McLean.

— Et c'est vrai ?

— Oui. A la fin des années 60 et au cours des années 70, j'opérais sur le terrain. Au Viêt-nam d'abord, puis en Afrique. Au début des années 80, l'Agence m'a rappelé. Essentiellement parce qu'ils commençaient à mettre l'accent sur l'analyse à distance. Ils privilégiaient les moyens techniques de surveillance au détriment des ressources humaines. Je suis donc parti pour l'Afrique comme analyste. Carl Warner était agent spécial en Udombo, une nation montante située à la frontière sud-africaine. Il faisait depuis longtemps figure de héros à l'Agence et il a assuré mon entraînement. J'éprouvais même de l'admiration pour lui.

» Et puis voilà que j'ai remarqué quelque chose de bizarre. Tout ne tournait pas rond dans son secteur d'opération. Au début, je n'ai pas voulu croire ce que je voyais. Mais il fallait que j'élucide la question, que j'en aie le cœur net.

» La mission de Warner, en Udombo, consistait à amener deux factions ennemies à faire la paix. Leur conflit provenait d'une vieille rivalité ethnique. En second lieu, Warner devait empêcher les membres les plus radicaux de l'une de ces factions, laquelle renfermait des éléments marxistes, de lancer des raids contre l'Afrique du Sud. Des rumeurs circulaient selon lesquelles les affrontements entre ces deux factions, bien loin de se raréfier, avaient au contraire tendance à se multiplier et que l'une d'elles, celle justement qui avait des tendances promarxistes, traversait sans cesse la frontière pour lancer des attaques en territoire sud-africain.

» J'ai donc fait un rapport à mon supérieur, un dénommé Eric Zeller, directeur adjoint de l'Agence. Deux semaines plus tard, l'inévitable se produisait. L'Afrique du Sud exerçait des représailles contre l'Udombo, rasant un village tout entier, exterminant des centaines de personnes et utilisant ce coup de force comme prétexte pour adopter la tactique dite de la terre brûlée.

Angie paraissait perplexe.

— Que s'était-il passé en fait ?

— Quelqu'un agissait délibérément de façon à envenimer la situation. En dressant les tribus les unes contre les autres, en encourageant les coups de main, en fournissant aux Sud-Africains un prétexte pour traverser la frontière et en donnant aux rebelles une raison d'exercer à leur tour des représailles.

— Mais personne n'aurait...

— Si, quelqu'un le faisait. L'ethnie la plus radicale avait rallié à sa cause toutes sortes de transfuges après l'attaque sud-africaine. Il ne lui manquait qu'un chef. Or, des rumeurs circulaient selon lesquelles un Blanc se trouvait à la tête du mouvement. L'Agence a donc envoyé immédiatement des instructions à son agent sur le terrain, en d'autres termes Warner, pour tenter de geler la situation dans l'attente que les esprits se calment un peu.

» D'autres pièces sont venues compléter le puzzle. Des rumeurs de ventes d'armes illégales. L'assassinat de deux dirigeants de la faction modérée en Udombo. Une doléance présentée par l'Afrique du Sud qui affirmait que les rebelles d'Udombo étaient équipés de matériel de guerre sophistiqué. Un rapport britannique sur un Américain aperçu près de la frontière, dans l'hôtel où résidait le commandant régional de l'armée sud-africaine.

» J'ai assemblé de mon mieux toutes les pièces du puzzle et j'en ai livré le résultat à Zeller. Il m'a convoqué une semaine après. Il était assis, fou de rage, à son bureau sur lequel s'étalait mon rapport. Mais il était arrivé aux mêmes conclusions que moi. Pourtant Zeller n'est pas vraiment ce qu'on peut appeler un émotif, dit McLean avec un sourire désabusé. Mais il voyait aussi bien que moi le rôle de Carl Warner dans toute cette affaire.

— C'était lui ?

— Oui. C'était Carl Warner qui armait et entraînait l'ethnie radicale. Il attisait leur colère et leur haine et les focalisait contre l'Afrique du Sud. Ces pauvres gens croyaient qu'il se trouvait du côté des opprimés et combattait pour leur liberté et leur dignité.

— Et ce n'était pas le cas ?

— Warner avait l'esprit bien plus tortueux que ça. Il savait parfaitement où il les menait.

— J'ai bien peur de...

McLean ne répondit pas immédiatement. Il se leva et alla à la fenêtre pour contempler l'horizon.

— Zeller m'a envoyé en Udombo, car j'avais déjà opéré en Afrique et je connaissais Warner. J'étais l'un des seuls à être au courant de ce qu'il mijotait exactement. Peut-être le seul avec Zeller lui-même. Et personne, non plus, ne savait que j'allais m'en mêler.

Il se retourna brusquement pour regarder le visage d'Angie qu'éclairaient les lumières venant de la fenêtre.

Angie eut un geste d'étonnement, sinon d'incrédulité. Le récit de McLean lui paraissait par trop invraisemblable.

— Warner jouait son propre jeu en armant les marxistes radicaux, reprit McLean. Mais lui-même n'avait pas pour autant viré à gauche. Il se contentait de les manipuler en utilisant leur naïveté et leur patriotisme. Il les faisait mettre en rangs pour les envoyer au massacre. Le plan de Warner était le suivant : le groupe radical finirait bien par être annihilé, les Sud-Africains auraient le répit qu'ils souhaitaient et les modérés d'Udombo — du moins ce qu'il en restait — se partageraient les restes.

— Et on t'a envoyé... pour l'arrêter.

— Je suis arrivé trop tard, dit McLean avec amertume. Je me trouvais près de la frontière sud-africaine lorsque les rebelles d'Udombo ont traversé. Ils sont tombés tout droit dans une embuscade. L'armée sud-africaine avait été prévenue et les attendait de pied ferme. Warner avait disparu juste avant le début de l'attaque. Il m'a fallu cinq jours, mais je l'ai finalement retrouvé. En Afrique du Sud.

McLean fit une pause.

— Il m'a ri au nez. Il avait mené à bien son plan. Il n'avait de comptes à rendre à personne.

— Et tu... l'as abattu ?

McLean nia énergiquement.

— Je lui ai dit que je ferais tout pour ébruiter cette histoire, sans omettre le rôle qu'il y avait joué, même si, pour cela, je devais démissionner de l'Agence. Il a perdu la tête et s'est jeté sur moi. Dans la bagarre, son revolver est parti tout seul.

Un long silence s'ensuivit. L'écho de la détonation semblait résonner dans la pièce obscure.

— Par la suite, Warner a été découvert dans sa chambre, son revolver à la main. On n'a trouvé sur lui que ses propres empreintes. Tout penchait en faveur de la thèse du suicide. Il avait mené les Udombans au désastre, s'en tenait pour responsable et avait mis fin à ses jours. Ce fut d'ailleurs, à l'époque, la version officielle de sa mort.

— Mais si cette histoire était terminée...

— Elle ne l'était pas.

McLean haussa les épaules, comme s'il avait la certitude que les histoires n'ont jamais de fin heureuse.

— Quelqu'un a fini par découvrir que je me trouvais dans les parages au moment de la mort de Warner. Un certain nombre de ses amis se sont alors mis à poser des questions. Ils trouvaient peu plausible que Warner ait pu se suicider. Ça ne lui ressemblait pas. Il était considéré comme un héros à l'Agence. Mais Zeller n'a pas voulu faire éclater la vérité parce que cela aurait mis l'Agence dans le pétrin.

— Et toi? demanda Angie calmement. Que voulais-tu?

McLean prit un temps avant de répondre. Il avait pas mal réfléchi à la question durant ces trois dernières années.

— L'Agence représentait tout pour moi, dit-il. J'avais confiance en elle, malgré ses quelques ratés. A l'époque, faire connaître la vérité sur Warner revenait à faire le jeu des détracteurs et, d'une façon générale, de tous les ennemis de l'Agence. Cela aurait nui non seulement à l'Agence, mais aussi à l'Amérique tout entière, ici et aussi dans les pays du tiers-monde. C'est pourquoi j'ai accepté de démissionner. Quelques amis de Warner demeuraient convaincus que j'avais quelque chose à voir dans sa mort. Ils ont tenté par deux fois de m'éliminer. C'est pourquoi Zeller a tout arrangé pour que je disparaisse de la circulation, de même qu'ils t'ont cachée à Fortune, après t'avoir procuré une nouvelle identité.

— Cet homme au Wanamaker's, c'était un des amis de Warner?

McLean hocha la tête.

— Clark Coffey, oui. Je pense qu'il n'y a plus que lui qui soit encore à ma poursuite. C'était un des cow-boys de l'Agence, ainsi qu'un ami intime de Warner.

— Mais pourquoi ne l'arrêtent-ils pas? C'est un fou?

Angie était consternée et effrayée.

— Lui ne se considère pas comme tel, répondit McLean. Pour lui, il ne s'agit que de venger un ange déchu. Quant à savoir si l'Agence peut l'arrêter...

McLean marqua une pause avant de poursuivre.

— Je ne suis pas absolument certain qu'ils le désirent.

Il sourit en voyant la stupéfaction d'Angie faire rapidement place à la colère.

— Encore ce Zeller? Mais quel genre d'homme est-ce?

— Il ne soutient pas Coffey. Mais je représente un problème dont il aimerait bien se débarrasser. Si quelque chose m'arrivait, disons que cela ne le dérangerait pas...

Un peu plus tard, Angie avoua :

— Jusqu'à aujourd'hui, je ne te connaissais pas. Je me demandais si nous nous aimerions toujours. J'avais peur que tout soit gâché si nous enlevions nos masques.

— Et maintenant?

— Je t'aime.

— Et moi j'ai toujours été amoureux de toi.

VERS minuit, le téléphone sonna. Angie ne répondit pas.

— Il vaudrait mieux que l'un de nous d'eux réponde, dit McLean. Qui donc sait que nous sommes ici?

— Personne en dehors de Stacy.

Elle décrocha à tâtons le combiné posé sur la table de chevet et l'orienta afin que McLean pût entendre.

Au bout du fil, entrecoupée de sanglots, la voix de Stacy Barrett :

— Tony a disparu!

10

LA splendide maison de la famille Randall était située à Chestnut Hill. Tout en brique rouge, haute de deux étages, elle s'ornait d'un vaste porche surmontant de larges colonnes. Dans le parc, tout autour, se dressaient cèdres et ormes cente- naires, leurs ombres immenses semblaient absorber les lumières jalonnant l'allée. La voiture de McLean et d'Angie franchit le portail de la propriété.

La mère de Stacy Barrett, une demoiselle Randall, parais- sait la soixantaine. Des cheveux gris couronnaient ses traits de patricienne. Elle était alitée, car le médecin appelé sur les lieux avait déconseillé tout interrogatoire supplémentaire. Un agent de police était posté dans le hall d'entrée.

A la suite de Stacy, Angie se précipita dans l'escalier.

L'agent demanda à McLean :

— C'est la mère du petit ?
— Oui…
— Je suis le sergent Turner. Vous êtes de la famille ?
— Je suis un ami. Mon nom est Barney McLean.
— Un ami, je vois.

Turner semblait considérer cette réponse comme hautement suspecte. Il déclara :

— Il semble que le père du garçon soit venu le chercher. Ils auront beau s'égosiller, crier… selon toute apparence, il ne s'agit pas d'un enlèvement.

— Il a emmené l'enfant contre son gré.

L'agent haussa les épaules.

— Comment s'en assurer ? Ce garçon n'a que trois ans, n'est-ce pas ? Et le fait est que ses parents sont toujours mariés. A ce qu'on m'a dit, la mère empêchait l'enfant de voir son père.

McLean répondit :

— Le père s'appelle Louis Marchetti. L'enfant et sa mère bénéficient du programme spécial de protection des témoins. Et cela justement pour être protégés contre ce monsieur.

— Ah bon !

L'agent jeta un regard autour de lui.

— Je ne savais pas qu'ils avaient des planques aussi chouettes.

— Est-ce que cela signifie que vous avez l'intention de ne rien faire ?

L'agent étudia McLean pendant une bonne minute.

— Nous allons faire une enquête, M. McLean. Mais pour moi, jusqu'à preuve du contraire, aucun délit n'a été commis. C'est une simple querelle de famille.

LE lendemain matin, un dimanche, se tint un conseil de guerre dans l'immense bibliothèque aux murs lambrissés, à grand renfort de café. Une banquette occupait l'embrasure de la vaste fenêtre à petits carreaux ; deux autres grandes fenêtres à battants éclairaient la pièce dotée d'une cheminée assez gigantesque pour y garer une voiture. Sur le manteau de bois de la cheminée, le portrait d'une femme à la coiffure apprêtée et aux yeux violets comme ceux de Stacy. McLean reconnut sa mère.

Outre Angie, Stacy et McLean, étaient présentes — et c'était pour le moins inattendu — deux autres personnes : Brad Randall et Freddy Mills. Les deux jeunes gens avaient quelque mal à regarder McLean en face. Ils marmonnèrent des excuses à moitié incompréhensibles, mais ils paraissaient aussi résolus que du temps où McLean était pour eux l'homme à abattre. Aujourd'hui, ils semblaient déterminés à se racheter en aidant à ramener Tony.

— Nous aurions dû prévoir ce qui s'est passé, dit Stacy. Mais je n'aurais jamais imaginé que Louis viendrait chercher Tony jusque chez ma mère.

— Vous n'avez rien à vous reprocher, dit McLean. Ce qui est fait est fait. Tôt ou tard, Louis aurait découvert la cachette de Tony.

Il jeta un coup d'œil à Angie. La pâleur de son visage et son silence disaient assez quel effort elle faisait pour se dominer. McLean poursuivit :

— Il a su aller vous dénicher jusqu'en Californie, même si cela lui a pris trois ans. Et Philadelphie est son territoire !

— Je ne lui laisserai jamais Tony, lança Angie.

— Tu devrais consulter mon avocat, dit Stacy. Louis n'a pas le droit de garder Tony tant que la décision du tribunal est encore en vigueur. Cela va demander un peu de temps. Quelques semaines...

Les yeux d'Angie lancèrent des éclairs.

— Nous n'avons pas le temps ! Je ne sais pas ce qu'il peut faire à Tony.

Son regard croisa celui de McLean.

— Il n'y a pas une minute à perdre.

— Elle a raison, intervint McLean. J'irai le chercher ce soir.

Un concert de voix s'éleva. Stacy Barrett protestait, tandis que Brad et Freddy voulaient être de la partie.

Angie regarda McLean en silence. Quand le calme fut revenu, elle dit posément :

— Je viens avec toi.

— Non, dit McLean. Il vaudrait mieux que...

— C'est mon fils !

McLean l'observa pendant un long moment. Sa bouche, à l'expression d'habitude si douce, se crispait de défi. McLean n'hésita guère :

— D'accord. Mais à une seule condition. Et elle vaut pour tout le monde. C'est moi qui dirige les opérations. Compris ?

Brad et Freddy firent signe que oui. Angie fut un peu plus lente à réagir, mais elle finit par acquiescer à contrecœur, avec un léger sourire.

— C'est d'accord, dit-elle.

McLean lui rendit son sourire.

— Bon. Tu as vécu dans cette maison et tu dois bien la connaître. Quelqu'un d'autre aussi peut-être ?

Stacy et son frère avaient tous deux rendu visite à Angie, au tout début de son mariage, dans la maison de campagne où vivait à présent Louis Marchetti. Il ne faisait de doute pour personne que c'était là qu'il avait emmené Tony.

— Il sait bien que je ne vais pas accepter ça sans réagir, dit Angie. Il espère que je vais me rendre là-bas.

— Louis s'attend donc à notre arrivée, conclut McLean. Lui, ou quelqu'un d'autre. C'est pour cela que j'ai besoin de tout connaître sur cet endroit : routes d'accès, portails, clôtures, dépendances, jardins, arbres, bref, tout ce que vous pourrez vous rappeler. Ensuite, il me faudra un plan de la maison, avec l'emplacement des portes et des fenêtres, des porches et des terrasses. Angie, tu t'en occupes. Brad n'à qu'à dessiner un plan global de la propriété et tu lui indiqueras le plus possible de détails. Quant à moi, j'ai deux coups de fil à passer.

— Quand est-ce qu'on y va ? grommela Freddy.

— Dès qu'il fera nuit.

— Vous les avez retrouvés ?

Dans l'appareil, le vieux Tony coupa court aux salutations de McLean.

— Oui, mais un peu tard. Je suis en ce moment avec Angie. Elle va bien. Mais Tony a disparu.

— Comment ça, disparu ? s'écria le vieil homme d'une voix grinçante.

— Il a été kidnappé, dit brutalement McLean. Il se trouvait chez des amis d'Angie depuis la semaine dernière. Louis l'a retrouvé.

— Vous semblez convaincu qu'il s'agit de lui.

— Personne d'autre n'a de raison d'enlever ce gosse. De plus, Louis a laissé sa carte de visite.

— Ah oui ?

Le vieux Tony respirait plus bruyamment.

— Comment ça, sa carte de visite ?

— Tony demeurait chez la mère d'une des meilleures amies d'Angie. La propriété est entourée par une clôture et, la nuit, on laisse le chien dehors, un doberman.

Le vieux Tony attendit la suite. McLean entendait sa respiration sifflante.

— Le chien a été tué. Avec de la viande empoisonnée. On l'a retrouvé l'œil crevé et évidé : dans l'orbite, on avait enfoncé une alliance.

Tony Marchetti resta silencieux. McLean poursuivit :

— Personne n'a rien entendu. Les portes étaient verrouillées mais il n'y avait pas de système d'alarme. On a scié le cadenas d'un portail et forcé une porte pour pénétrer dans la maison. On a emmené Tony. Il se pourrait d'ailleurs qu'il soit parti avec son père sans faire de difficultés.

— Et alors ? Un enfant sait toujours qui est son père !

— Angie m'a dit que Louis possédait une maison dans la région de Montgomery. Est-ce qu'il y habite en ce moment ?

— Oui. C'est un joli coin à la campagne, dit le vieux Tony.

— Je vais aller récupérer le gosse. J'ai jugé qu'il valait mieux vous prévenir.

— Vous vouliez ma bénédiction ? demanda le vieil homme avec colère.

— Vous avez mieux à faire...

— Je sais.

Jusqu'où irait le vieil homme pour sauver son petit-fils ? Et quelle était sa loyauté envers son fils ? McLean savait que le combat intérieur auquel était en train de se livrer le vieux Tony pouvait faire basculer les choses d'un côté ou de l'autre.

Mais ce ne fut pas avec son cœur que répondit le patriarche. Il répondit avec la froide détermination d'un homme d'affaires. Louis Marchetti devenait gênant. En outre, il était incontrôlable, et cela le mettait en travers des intérêts paternels.

— Que voulez-vous, McLean ?

— J'imagine qu'il y a des gardes du corps dans la propriété de Louis. Et je me demandais si, par hasard, ces braves gens ne travaillaient pas également pour vous.

— Vous voulez qu'ils débarrassent le plancher ?

— Oui.

— Le petit, vous allez le chercher vous-même ?

— Angie m'accompagne.

— Angie ? Et vous la laissez aller là-bas ?

Tony Marchetti était abasourdi.

— Je n'ai pas réussi à la faire changer d'avis.

La respiration du vieil homme se fit encore plus sifflante.

— Louis possède un homme de confiance dans la maison. Son nom est Richie. Richie ne travaille que pour Louis. Quant aux autres, c'est différent.

Il fit une pause.

— Quand est-ce que vous y allez?

— Ce soir. A la nuit tombée.

— Je connais les gardes. Ils ne vous embêteront pas. Mais si j'essaie d'approcher Richie, Louis le saura.

— Je comprends. Je voulais simplement que vous sachiez que je n'en faisais pas une affaire personnelle.

— Dès demain, dit le vieil homme, il vaudra mieux que vous disparaissiez définitivement de mon chemin. Compris, M. McLean?

— Compris.

— Et méfiez-vous de Richie, ajouta-t-il.

Un dernier râle monta du fond de sa gorge et la ligne fut coupée. On aurait dit qu'il agonisait.

McLean se disait que le téléphone était un instrument de communication si anonyme que la rupture d'une relation par ce biais devenait un acte particulièrement cruel et lâche. De même, la révélation d'une trahison par ce même moyen banalisait-elle ce qui aurait normalement dû provoquer colère et chagrin.

Il essaya de joindre Eric Zeller en passant par Langley. Zeller n'était pas là, mais McLean lui laissa un message. Il appela ensuite Paul Thornton chez lui. Le répondeur se déclencha. Au signal sonore, McLean commença:

« C'est encore moi, Paul. Il faut que je parle à Zeller dès que possible. C'est urgent... »

Mais l'enregistrement s'interrompit brutalement et Thornton en personne décrocha:

— Barney? Désolé pour le répondeur. J'étais dans la cour. Où es-tu? Que se passe-t-il?

— Je suis à Philadelphie, dit McLean qui trouvait que l'excuse de Thornton avait été un peu trop rapide.

Avait-il attendu de reconnaître la voix de son correspondant avant de répondre? McLean lui résuma brièvement la façon dont il avait fini par retrouver Angie, sans oublier l'attaque de Clark Coffey au Wanamaker's.

— Zeller va piquer une crise.

L'inquiétude de Thornton n'avait pas l'air feinte.

— Où est-il? Peux-tu le joindre aujourd'hui?

— Non... non. Parce que c'est dimanche. Il n'est pas en ville. C'est tout ce que je sais. Écoute, je vais faire tout mon possible. Où puis-je te rappeler?

McLean lui donna un numéro en ajoutant :

— Je ne suis pas sûr de rester ici très longtemps. Dis à Zeller que Louis Marchetti a enlevé Tony. Que je vais tenter de ramener le gosse.

— C'est de la folie, Barney ! Il existe pourtant des moyens légaux…

— Ça n'irait pas, Paul. Je dois agir en personne. Nous pensons que Louis Marchetti retient l'enfant dans sa maison de campagne de Montgomery. J'attendrai jusqu'à ce soir, mais pas plus tard. Après, j'y vais.

Là-dessus, McLean raccrocha. Il passa mentalement en revue tout ce qu'il avait dit et tout ce qu'il avait tu. Quelque chose l'oppressait.

Il se sentit soulagé lorsque Angie entra dans la pièce. Elle vint directement dans ses bras et il la serra un long moment sans rien dire.

La journée s'écoula. Angie fit un croquis de la maison et de ses abords. Brad et Freddy partirent chercher le matériel dont McLean avait besoin. La police ne revint pas sur les lieux.

La propriété où Louis Marchetti avait presque certainement emmené le jeune Tony se dessinait peu à peu dans l'esprit de McLean : un terrain vallonné et boisé ; quant à la maison elle-même, c'était une demeure de style georgien en pierre grise et aux proportions régulières. Elle se dressait au sommet d'un tertre, à découvert. Au mépris de l'architecture originale, Louis Marchetti s'était fait construire une immense salle de jeux, moderne, qui saillait de la façade sud et dont les baies vitrées donnaient sur une piscine olympique.

— Je ne sais pas s'il a apporté d'autres modifications, conclut Angie. Mes souvenirs datent d'il y a trois ans…

— Y a-t-il d'autres bâtiments ?

— Oui, les anciennes écuries. Aujourd'hui, elles sont désaffectées. Et la maison du gardien, bien sûr. Mais elle est située loin de la maison.

— A quelle distance ?

— Oh… peut-être trois cents mètres ?

McLean étudiait le plan.

— Et ça, qu'est-ce que c'est ?

Une rivière coupait la partie ouest de la propriété et, le long de la berge, Angie avait dessiné un autre bâtiment.

— Oh, ça, c'est le vieux moulin.

— Un moulin ?

— Il a fonctionné pendant plus d'un siècle pour le service des fermiers des environs et il marche encore. Du moins, il marchait à l'époque où j'habitais là-bas. Les anciens propriétaires faisaient moudre un peu de blé pour le plaisir. Une grande roue à aubes actionne tout le mécanisme, avec d'énormes engrenages et des arbres à cames. Il y a même des monte-charge pour les sacs de grain. C'est un bâtiment à cinq niveaux.

Elle se tut, les yeux perdus dans le vague, et McLean se dit qu'elle avait dû aimer ce vieux moulin. L'endroit idéal à explorer avec un petit garçon.

— Fais-moi visiter le domaine, dit McLean.

TARD dans l'après-midi, le petit groupe se rassembla dans la bibliothèque. Stacy Barrett s'inquiétait pour Brad et Freddy.

— Je n'aime pas beaucoup ça, Angie. Je pense que les garçons ne devraient pas être mêlés à cette histoire.

— Oh, Stace, laisse tomber ! protesta Brad.

— J'ai l'impression qu'on va bien se marrer, continua Freddy, le géant.

Il était impatient de se servir de sa camionnette dont on avait renforcé l'avant par une planche en bois de 15 cm sur 30 fixée sur le pare-chocs, conformément aux instructions de McLean.

— Ça n'a rien d'une partie de plaisir, dit McLean. Et vous, les gars, vous ne sortirez pas de la camionnette. Dès qu'on a trouvé Tony, vous l'emmenez avec Angie en vitesse. Vous commencez par créer une diversion comme prévu, ensuite, vous vous tenez prêts.

— Y a-t-il autre chose à faire ?

McLean regarda par la fenêtre le ciel menaçant qui virait au gris.

— Vous avez le numéro de la météo ?

— Ouais, bien sûr, vieux.

— Demandez-leur les prévisions pour ce soir.

Brad revint quelques minutes plus tard, la mine renfrognée.

— De la pluie, grommela-t-il. Il y a une tempête qui se prépare. C'est mauvais ?

Le regard de McLean croisa celui d'Angie et il sourit.

— Au contraire. On ne pouvait pas espérer mieux.

LA tempête éclata au début de la soirée, accélérant la tombée de la nuit. Les deux véhicules — Brad et Freddy avaient pris place à bord de la camionnette Datsun modifiée et Angie et McLean dans l'Oldsmobile blanche — prirent la direction du nord : il tonnait et, tels des flashes, les éclairs zébraient le ciel et illuminaient la campagne par intermittence. La circulation n'était pas très dense pour un dimanche soir. Angie et McLean roulaient en silence. Angie avait pris le volant car elle connaissait parfaitement la route. La tempête qui faisait rage rendait difficile toute conversation.

McLean sentait Angie loin de lui. Ils revenaient vers son passé. Le rêve brisé de son mariage. Son fils.

Angie sembla deviner ses pensées.

— Toi aussi, tu l'aimes, Tony ? demanda-t-elle.

— Énormément.

— Nous le ramènerons, n'est-ce pas ?

— Oui.

— Tu ne m'as pas tout dit.

— Au sujet de ce soir ? Non.

Angie hocha la tête et redevint silencieuse.

Dans la banlieue de Montgomery, Angie et McLean furent séparés de la camionnette des jeunes gens par d'autres véhicules, mais McLean avait prévu cette éventualité. Comme il était convenu, ils se retrouvèrent dans le parking d'une auberge historique. Elle paraissait confortable et accueillante par cette nuit de tourmente.

McLean sacrifia délibérément au rituel qui consistait à faire régler à Brad et à Freddy leurs montres sur la sienne.

— Vous défoncerez le portail à 9 heures pile. Nous passerons par-dessus le mur de clôture immédiatement après.

— D'accord, vieux.

— Donnez-nous ensuite trente minutes. Vous irez faire un tour dans le coin en empruntant les nationales. Vous reviendrez par la voie d'accès qui arrive au sud de la propriété, à 9 h 30. Puis vous récupérez Angie et Tony et vous quittez le coin.

Certaines questions, que personne n'osait poser, restaient présentes à l'esprit de tous : et si la tentative de McLean échouait ? Et si Angie et Tony n'étaient pas au rendez-vous à l'heure indiquée ? Et si Brad et Freddy avaient des problèmes avec les gardes du corps au portail ?

— Prêts ?

Brad déglutit. Freddy passa la main dans ses cheveux coupés ras et lança :

— On y va.

UNE pluie fine et régulière s'était mise à tomber.

McLean avait emprunté à Brad Randall un blouson bleu foncé et Angie portait un coupe-vent noir. Un fichu couvrait ses cheveux. Cela faisait à peine une minute qu'ils étaient sortis de la voiture et ils étaient déjà complètement trempés.

McLean regarda sa montre avec une petite lampe de poche, puis inspecta le mur d'enceinte de la propriété. Haut d'environ deux mètres cinquante, il était recouvert, en surface, de tessons de verre. S'il y avait une alarme dans le secteur, McLean espérait qu'elle serait mise hors circuit lorsque Freddy défoncerait le portail avec son camion. Ainsi ne pourrait-on plus déceler une intrusion à un autre endroit.

McLean avait emporté une échelle de peintre qui se pliait en différentes sections. En la rabattant en partie par-dessus le mur, il recréait une version moderne de l'échalier.

A une centaine de mètres de là, un fracas épouvantable déchira le silence humide de la nuit. La route faisait une courbe à cet endroit, et McLean voyait la lumière des phares filtrer à travers les arbres.

— On y va! lança-t-il à Angie.

Se servant de l'échelle, ils se laissèrent tomber de l'autre côté du mur. Le sol était meuble sous leurs pieds. McLean ouvrit la marche en suivant le plan qu'il se représentait mentalement. Ils descendirent une longue pente à travers un bois touffu.

Pendant plusieurs minutes, il n'y eut plus aucun bruit du côté du portail. Cela signifiait peut-être que le vieux Tony avait tenu parole. Ou bien que Brad et Freddy avaient rencontré des gardes du corps.

Angie poussa un léger cri et trébucha. McLean alla rapidement vers elle et demanda :

— Ça va? Qu'est-ce que…

Il s'arrêta net. La pluie avait raviné un petit remblai et creusé un fossé étroit, mettant à jour une boîte noire. De ses doigts, McLean suivit les fils enterrés qui émergeaient.

— Cela veut dire que Louis sait à présent où nous sommes?

— Probablement.

Ils s'arrêtèrent au bout d'une rangée de pins, restant à couvert sous les arbres. En contrebas, au pied de la pente, un torrent jaillissait d'une ravine naturelle. Au-delà, le terrain montait en pente douce vers la maison située en haut d'une colline. McLean distinguait les anciennes écuries désaffectées et, derrière elles, le toit de la maison.

— Pourquoi attendre ici ?

— Pour voir si quelqu'un réagit au signal d'alarme du portail.

— Et les gardes du corps ?

McLean resta un moment silencieux, puis il dit :

— Je ne crois pas qu'ils soient là ce soir.

— Mais...

— A terre ! chuchota-t-il brusquement.

Ils s'aplatirent contre le gazon détrempé. L'attention de McLean se porta sur une silhouette qui sortait de la maison en courant. Arrivé près de la ravine au bas de la pente, l'homme s'arrêta. McLean le vit regarder en direction du portail, l'air étonné. Puis il approcha quelque chose de sa bouche. Sans doute un talkie-walkie. Il devait se demander pourquoi les gardes n'avaient pas donné l'alerte. « C'est Richie », pensa McLean. Les autres gardes étaient donc bien partis.

La silhouette se détourna du portail pour se diriger vers le bois. Elle sauta légèrement par-dessus la ravine et grimpa la pente en direction des pins.

McLean fit glisser silencieusement le colt automatique hors de son étui.

Arrivé à l'orée du bois, Richie s'aplatit au sol et resta immobile. Seule sa tête bougeait... sa tête et ses yeux.

McLean devina que Richie les avait repérés. Ils n'étaient pas assez bien dissimulés pour échapper au regard exercé d'un tueur professionnel. Richie bondit prestement vers la rangée d'arbres la plus proche.

Ce qui se passa ensuite fut trop rapide et trop inattendu pour être immédiatement compréhensible. On entendit un cri aigu. Il y eut un bruissement semblable à un envol d'oiseaux, suivi d'un hurlement d'agonie. Et le silence retomba.

— Reste là ! dit McLean.

Il rampa en direction de l'endroit où Richie avait disparu dans les arbres.

Il aperçut tout d'abord un sentier naturel qui remontait la colline et pénétrait dans le bois. Richie l'avait suivi en se fiant à sa connaissance des lieux. Mais quelqu'un avait prévu qu'il passerait par là.

Le piège était simple et assez courant. McLean en avait vu une bonne douzaine au Viêt-nam. Richie, qui ne s'attendait certes pas à être piégé sur son propre domaine, avait suivi le sentier et son pied avait buté sur un fil métallique. Il gisait, à demi replié

sur lui-même au pied d'un arbre, avec une demi-douzaine de pieux acérés fichés dans le ventre. Ils avaient été propulsés par la catapulte invisible qu'il avait déclenchée.

Quand McLean revint vers Angie, elle demanda :

— Mais… qui était-ce ?

— Un type du nom de Richie, je crois. Un des gorilles de Louis.

— Il est mort ?

— Oui.

Elle ne voulut pas savoir comment. Elle regarda fixement vers l'arbre au pied duquel se trouvait le cadavre de Richie et demanda :

— Mais qui a bien pu faire ça ? Ce n'est pas Louis.

— Non.

Angie regarda McLean.

— Tu sais qui c'est, n'est-ce pas ?

— Allons voir ce qui se passe dans la maison avant de tirer des conclusions hâtives.

Sans attendre sa réponse, McLean commença à descendre la pente. Angie fut forcée de le suivre sous la pluie. D'en bas, on ne voyait plus la maison. Ils sautèrent par-dessus la ravine. La pente qui remontait vers les écuries était recouverte d'une herbe rase et n'offrait aucune protection. « Coffey aurait très bien pu m'attendre ici », se dit McLean. Pourquoi ne l'avait-il pas fait ? McLean se rappela à quel point Carl Warner appréciait les ruses de son métier. Coffey était comme lui. Il ne désirait pas que leur confrontation fût trop brutale, ni trop rapide. Il voulait le grand jeu, il voulait savourer son plaisir. Cela faisait trop longtemps qu'il attendait ce moment.

Tapi à l'angle des écuries, McLean observait attentivement la grande maison qui se dressait au sommet de la colline. Seule la salle de jeux, côté sud, était éclairée. La lumière qui venait de cette pièce toute en longueur, unique extension de la demeure, éclaboussait le dallage de la terrasse. Plus loin, la piscine jetait sa lueur d'un bleu sinistre.

— Je vais entrer le premier, dit McLean.

— Non !

— J'ai l'habitude de ce genre de situation, Angie. Pas toi. Je veux que tu te tiennes à l'endroit que je vais t'indiquer, afin que je puisse t'y amener Tony ou te l'y envoyer. Sa chambre se trouve bien au coin de la façade, côté est ?

— Oui, mais…

— Donne-moi cinq minutes. Puis va vers la terrasse. Reste à couvert, à un endroit où tu puisses voir ce qui se passe quand je sortirai par la porte de derrière. D'accord ?

— Cinq minutes, répondit-elle. Fais attention.

Il posa un baiser rapide sur ses lèvres fraîches et humides et disparut silencieusement dans le brouillard.

11

LA fenêtre à guillotine de la chambre de Tony était ouverte. Le grillage antimoustiques, tendu sur un châssis en bois, était vieux et rouillé. McLean, qui avait grimpé jusque-là en s'aidant d'un treillage branlant couvert de vigne vierge, tendit l'oreille. La chambre semblait vide. On n'entendait pas la respiration de l'enfant.

Fronçant les sourcils, il creva le grillage, détacha le châssis, le posa de côté et se hissa dans la chambre.

Il lui fallut un moment avant de pouvoir s'habituer à la pénombre. La porte était restée ouverte mais le hall était, lui aussi, plongé dans l'obscurité. Après une bonne minute, il voyait suffisamment clair pour se rendre compte que personne n'avait dormi dans la chambre cette nuit-là. Quelques vêtements appartenant à Tony étaient posés sur une chaise ou éparpillés sur le parquet. Le lit n'était même pas défait.

La maison était étrangement silencieuse. Au dire d'Angie, une domestique s'en occupait, mais elle prenait son congé le dimanche. Ce jour-là, Richie, l'homme à tout faire, devait préparer le repas, nettoyer la maison, conduire la voiture et tenir le bar, tout en jouant le garde du corps si besoin était.

Louis était donc seul dans la maison quand Richie était sorti. Louis était resté avec Tony. Mais où se trouvait l'enfant ?

McLean descendit silencieusement le grand escalier, évitant de faire craquer les marches. Le tapis étroit amortissait ses pas. Un lustre pendait au plafond du hall, à l'extrémité d'une longue chaîne en cuivre. McLean le contourna, le cœur battant. Il avait peur d'être arrivé trop tard.

La lumière provenant de la salle de jeux éclairait l'extrémité d'un long corridor. McLean se faufila à travers le salon plongé dans le noir. Il frôla de grands meubles : un secrétaire dont le panneau était rabattu à l'horizontale et un piano à queue.

Au fond, les portes-fenêtres donnaient sur une vaste pièce : la salle de jeux.

Des appareils électroniques se côtoyaient le long d'un des murs de la pièce garnie de meubles italiens modernes, laqués noir et blanc, d'un bar avec des tabourets en plastique blanc et d'une grande table de poker. A l'extrémité, un billard ancien.

Mais Louis Marchetti ne jouerait plus jamais.

Il gisait sur le billard. Les taches sombres qui maculaient le feutre vert étaient encore humides. Le pouls ne battait plus, mais le visage était encore tiède.

Il avait dû donner du fil à retordre à Clark Coffey. C'était un homme costaud, très musclé, d'une beauté qui s'était peu à peu dégradée en raison de ses excès. McLean ne put voir où il avait été blessé. Il n'y avait pas eu de coup de feu — sa mort remontait seulement à quelques minutes. A l'évidence, Coffey s'était servi d'un couteau.

McLean ouvrit les portes coulissantes et se retrouva sur la terrasse. Angie se tenait sur les premières marches d'un escalier dallé qui menait au jardin situé en contrebas.

— Ne rentre pas dans la maison ! lui cria McLean.

Mais elle ne l'écoutait pas. Elle regardait fixement au-delà de la piscine, à l'endroit où la pelouse descendait jusqu'à la rivière, vers les saules penchés sur les berges, vers le vieux moulin. Il était difficile d'avoir une vision nette dans la nuit pluvieuse. Ce que l'on voyait et qui attirait le regard, comme un tableau éclairé dans une pièce obscure, c'était un grand rectangle de lumière, d'environ trois mètres sur deux, qui semblait flotter dans l'air, à bonne distance au-dessus du sol.

Au beau milieu de cette lumière, prêt à basculer dans le vide, un petit garçon était ligoté sur une chaise en bois.

— Oh, Louis ! Comment as-tu pu…

— Ce n'est pas Louis, dit calmement McLean derrière elle. Louis est mort.

En la soutenant, McLean l'éloigna de la terrasse. Angie descendit en chancelant les marches et ils gagnèrent le sentier qui s'enfonçait dans l'obscurité protectrice.

La pluie s'était muée en une brume légère qui rafraîchissait leurs visages. Ils marchèrent en direction de l'étrange vision. McLean se rappela que le vieux moulin possédait cinq niveaux. La trouée lumineuse provenait probablement du dernier.

Un muret de pierre délimitait un sentier qui menait à une

porte en bois, ouvrant sur la façade du moulin. Ils s'arrêtèrent. Angie leva les yeux vers la lumière et étouffa un cri de rage.

Clark Coffey avait installé un projecteur comme pour une séance de photos. Pétrifié sur sa chaise, Tony était au centre du faisceau lumineux. Il penchait la tête dans une attitude de désespoir.

— Tony! Oh! Tony, mon chéri…

— Maman!

L'enfant poussa un cri de joie.

— Maman, où es-tu?

Comme il se débattait pour essayer de se libérer, la chaise bascula au bord de l'ouverture située devant lui, à plus de six mètres au-dessus du sol.

— Ne bouge pas, chéri. Ne bouge pas.

— C'est ça, Tony, reste tranquille. Nous allons monter te chercher.

— Papa! Je savais que tu viendrais. J'en étais sûr!

McLean sentit sa gorge se serrer. Ce n'était que les derniers mois que Tony s'était mis à l'appeler : papa.

McLean vit une ombre traverser le cadre de lumière. Il entraîna Angie sous le couvert des arbres, puis il s'éloigna d'elle et cria :

— Coffey? C'est moi, McLean.

— Ouais, je sais. T'as eu de la veine là-bas, dans le bois. Ç'aurait pu être toi!

— Ou Angie. C'est donc ça que tu voulais, Coffey? Tuer une femme qui ne t'a rien fait?

Il y eut un bref silence. Coffey se trouvait toujours dans les étages supérieurs du moulin. Puis sa voix flotta dans l'obscurité.

— C'est toi qui l'as amenée ici. S'il lui arrive quelque chose, c'est donc toi le responsable.

— Toujours besoin d'un bouc émissaire, hein, railla McLean. Comme pour Carl Warner.

— Espèce de salaud. Tu ne lui arrivais pas à la cheville!

— Mais qu'est-ce que tu essaies de faire exactement? demanda Angie. L'exaspérer encore plus?

— Je l'espère bien, dit McLean. Angie, je veux que tu entres maintenant dans le moulin, que tu montes les marches jusqu'à l'endroit où se trouve Tony, et que tu le détaches.

— Je… Je ne comprends pas. Comment le pourrais-je?

— Coffey ne te fera rien. Fais-moi confiance, chérie.

— C'est bien lui qui était au Wanamaker's, n'est-ce pas?

— Oui.

— Tu savais qu'il serait là. Mais comment pouvais-tu en être certain ?

— Je l'ai invité, en quelque sorte. Je lui ai fait savoir où je me rendais ce soir. J'ai passé un coup de fil à un endroit où j'étais sûr qu'on lui transmettrait l'information. Puisqu'il ne pouvait pas savoir ce que je projetais, le mieux pour lui était d'arriver ici avant moi. Il y est parvenu, mais de peu.

Elle frissonna.

— Je ne comprends pas cet homme là-haut. Je pensais comprendre Louis, mais cet homme… il n'a pas laissé une chance à Louis, n'est-ce pas ? Pas plus qu'à Richie.

— Pas une seule.

Elle détourna les yeux pour essayer d'empêcher McLean d'y lire son affolement.

— Et toi, tu penses avoir une chance ? murmura-t-elle.

— Moi, je sais qui il est et ce qu'il est. Louis ne le connaissait pas, et Richie non plus. Voilà ce qui me donne un avantage sur eux.

Elle garda le silence pendant un moment, essayant d'appréhender ce monde étrange où elle s'était égarée, et demanda enfin :

— Comment peux-tu être sûr qu'il ne fera pas de mal à Tony ?

— Coffey se prend pour un héros, répondit McLean sans hésitation. Il doit se justifier à ses propres yeux. Les héros tuent leurs ennemis, mais ils ne s'en prennent pas à des femmes et à des enfants innocents. Il vous laissera tranquilles, Tony et toi. Tout ce qu'il veut, c'est moi.

— Comment pouvons-nous en être sûrs ?

— Je vais le lui demander. Dès que je commencerai à lui parler, retourne là-bas à découvert et dirige-toi tout droit vers la porte, de façon qu'il puisse te voir. Ne fais aucun geste brusque ou quoi que ce soit. Tu penses pouvoir arriver là-haut dans l'obscurité ?

— C'est au troisième étage, à partir du niveau de la grande roue à aubes. L'escalier se trouve au milieu du bâtiment. Je l'ai pris une centaine de fois. De plus, la lumière qui vient d'en haut me suffira pour me repérer.

— D'accord. Ne te montre pas avant que je te fasse signe.

Il effleura sa joue humide d'une caresse imperceptible. Une étrange angoisse lui étreignait la poitrine.

— Je t'aime, dit-il. Dis à Tony que je l'aime aussi.

— Moi aussi, je t'aime, murmura-t-elle.

McLean s'en alla rapidement. Une rangée de grands saules bordait le lit de la rivière. Sous les arbres, l'ombre était plus dense. Ôtant ses chaussures et ses chaussettes, il traversa la rivière et rampa à travers les arbres jusqu'à l'orée d'une clairière, entre les arbres et l'arrière du vieux moulin.

L'énorme roue à aubes se trouvait toute proche. Levant les yeux, McLean vit un rai de lumière filtrer par une porte coulissante entrouverte.

— Coffey? Je suis ici.

Au bout de quelques secondes, la porte coulissa, déversant un flot de lumière.

— Je te propose un marché, Coffey.

— Pas question, McLean.

— Ça arrangerait tes affaires. Laisse partir l'enfant et sa mère, et je viens te retrouver.

C'était maintenant ou jamais. Sans laisser à Coffey le temps de réfléchir, McLean cria :

— Angie! Tu peux monter. Va chercher Tony et va-t'en.

Une minute s'écoula, qui lui parut interminable. Il ne pouvait voir ce qui se passait de l'autre côté du moulin, ni s'assurer qu'Angie avait rejoint Tony. Il attendit, le cœur battant.

Il lui sembla entendre un bruit de pas pressés. Puis ce fut le silence.

Les secondes s'écoulaient, au rythme des battements précipités de son cœur.

— Ils sont partis, McLean. Je t'attends.

McLean ressentit un tel soulagement qu'il tomba à genoux. Au bout d'un moment, il se redressa en chancelant.

— Ne t'inquiète pas, Coffey, dit-il. J'arrive.

Il y a des échéances auxquelles il faut faire face. Certes, McLean savait parfaitement que s'il s'enfuyait en laissant Coffey sur place, dans ce moulin, à écumer de rage, ce dernier risquait de se venger sur Angie et Tony. Mais là n'était pas la seule raison.

Un marché reste un marché. Et puis McLean désirait cette confrontation aussi fortement que son adversaire.

Durant cette dernière minute, il avait évité de regarder le flot de lumière provenant de l'étage supérieur. Mais, du coin de l'œil, il lui sembla tout d'un coup la voir clignoter.

Il courut vers la face sud-est du moulin et, baissant vivement la tête, franchit la large entrée sous laquelle passait la rivière.

La faible lumière permettait tout juste de distinguer les contours de la roue. Même immobile, elle donnait une impression de puissance. Elle était munie d'un système d'engrenages avec d'énormes dents de bois actionnant toute une tringlerie de poulies, de courroies et de chaînes, lesquelles remontaient aux étages supérieurs par une ouverture du plafond.

McLean grimpa par une large rampe d'accès qui se trouvait à sa gauche, derrière la roue. Sur sa droite, une pièce adjacente abritait une génératrice. Cette génératrice, avait expliqué Angie, fournissait un appoint de puissance en période de sécheresse, quand l'énergie hydraulique devenait insuffisante.

McLean arriva au premier étage. Non loin de lui se dressait un arbre à cames qui disparaissait par un trou sombre dans le plafond. McLean s'éloigna d'un bond. Ce trou lui faisait penser à la gueule d'un canon. Il se tapit derrière un vieux comptoir en bois imprégné d'une farine moulue depuis des lustres et qui sentait le moisi.

McLean aperçut un escalier étroit. Pouvait-il prendre le risque d'y monter ? Ses sens en éveil dans l'obscurité, telles des antennes, lui disaient que Coffey ne se trouvait pas à cet étage.

Il grimpa donc, pieds nus, silencieux comme une ombre.

Arrivé en haut des marches, il s'immobilisa une seconde fois, l'oreille aux aguets. Il se trouvait à présent au deuxième étage. Il commençait à voir un peu mieux à travers l'obscurité qui régnait à l'intérieur du moulin. Ici, il pouvait s'abriter à sa guise : cloisons, arbre à cames, toboggans pour les sacs, monte-charge, tables, corbeilles, poteaux et poutres créaient leurs propres zones d'ombre.

Un peu de poussière filtra à travers les planches du plafond. Coffey était au-dessus de lui, à l'étage où Tony avait servi d'appât. Et il l'attendait.

McLean battit en retraite dans un coin. A tâtons, il trouva un toboggan. Il passait à travers le plafond. McLean commença à y grimper silencieusement. L'ouverture était juste assez large pour lui.

Il engagea avec précaution sa tête et ses épaules, tel un rongeur sortant de son trou, puis il attendit, se servant de l'ouïe, et même de l'odorat, afin de détecter toute anomalie.

Il perçut un mouvement avant même d'avoir entendu le moindre bruit. Rentrant la tête et les épaules, il se laissa glisser le long du toboggan.

Dès qu'il eut atterri sur le parquet, il fit un écart en roulant sur lui-même. Une plainte stridente comme le vol d'un moustique ou d'un moucheron s'éleva tout contre son oreille. Il n'avait pas entendu le coup de feu.

Il bondit dans l'obscurité tel un animal. Il tenait son revolver, sans savoir à quel moment il l'avait sorti. Il s'immobilisa encore un bref instant, afin d'analyser tactiquement la situation. Coffey avait eu le temps de reconnaître le moulin. Il l'avait choisi comme lieu de leur rencontre. A cette pensée, McLean frissonna. Coffey avait exploré à fond le terrain, mémorisé toute la topographie. Nul doute qu'il avait tendu bien d'autres pièges.

McLean entendit au-dessus de lui un bruit de course, comme un rat détalant sur le plancher. Levant la tête dans cette direction, il vit jaillir un éclair rouge. Il se baissa instinctivement. La balle, tirée au jugé, s'enfonça dans le bois à soixante centimètres de son crâne. Le coup de feu provenait d'une des nombreuses ouvertures aménagées dans le plafond, par lesquelles passaient toboggans et monte-charge.

Décidément, Coffey connaissait bien les lieux.

Il fallait le désorienter.

Mais comment y parvenir sans essuyer d'autres coups de feu ? Coffey avait réagi au moindre bruit, au frôlement d'un vêtement contre le bois brut. Comment étouffer des sons aussi faibles ? En produisant un bruit bien plus fort, un bruit qui dissimulerait tous les autres : en faisant un vacarme d'enfer !

C'est alors que McLean se souvint de la génératrice. Il imagina les engrenages, les poulies et les roues dentées. Il pensa au claquement des courroies, au grincement des sangles, au sifflement des cordes, au frottement des roues et des roulettes. « C'est un spectacle extraordinaire ! » s'était exclamée Angie avec enthousiasme. McLean imagina que Louis Marchetti avait certainement fait fonctionner plus d'une fois le système pour épater ses invités.

Il ne lui restait plus qu'à redescendre jusqu'à la génératrice et à trouver le bouton de mise en marche. A travers les balles…

A présent qu'Angie et Tony se trouvaient en lieu sûr, McLean éprouvait une étrange sérénité. Ses craintes antérieures s'étaient dissipées. Coincé dans un bâtiment obscur, avec un tueur professionnel en pleine crise de folie homicide, il se sentait maintenant confiant.

Pour la première fois de son existence, McLean savait que, quoi qu'il pût arriver, il n'était plus seul.

Il réfléchit qu'il ne pourrait jamais redescendre par l'escalier qu'il avait emprunté. Et s'il rampait sur le plancher, il se ferait très vite repérer.

« Les monte-charge ! » pensa-t-il. Un monte-charge, cela voulait aussi dire une cage d'ascenseur. Avec précaution, il leva la tête et regarda autour de lui.

Non loin de l'endroit où il était tapi, s'ouvrait justement la cage béante d'un monte-charge. La cabine se trouvait au-dessus de lui. Quant à la cage elle-même, ce n'était qu'un simple trou noir dans l'obscurité. McLean en ausculta le tour du bout des doigts. Le puits était tout juste assez large pour lui. Il fallait faire vite, retenir son souffle et plonger dedans.

A l'aveuglette, il balaya le vide avec son bras et découvrit deux cordes. Il s'y suspendit, se redressa et glissa ses jambes dans l'ouverture. A ce moment, une des cordes céda, tandis qu'au-dessus de sa tête, la cabine basculait brusquement, déversant sur lui un torrent de farine.

Coffey poussa un cri de triomphe qui résonna aux oreilles de McLean tandis qu'il dégringolait à pic dans la cage, toussant, pleurant, complètement aveuglé. Sa tête heurta violemment quelque chose. Une vive douleur lui traversa l'épaule gauche.

Lorsqu'il déboula à l'étage inférieur, McLean estima qu'il ne lui restait plus que quelques minutes à vivre : le piège tendu par Coffey l'avait momentanément privé de la vue, et il avait en outre perdu son revolver au cours de sa chute. Au-dessus de lui, Coffey continuait de dévaler les marches.

Il jubilait.

— Eh bien, McLean ? Que dis-tu de ça ?

McLean essuya la farine de ses cils et de son visage. Il sentit soudain un souffle d'air frais. En titubant, il se remit sur ses jambes. Coffey dévalait l'escalier. Plus qu'un seul étage entre eux !

McLean se mit à courir à l'aveuglette. Coffey poussa un juron. Il venait de rater une marche dans l'obscurité et il roula jusqu'au bas de l'escalier.

Sa chute donna à McLean le temps dont il avait besoin. La pièce où se trouvait la génératrice n'était qu'un débarras situé à proximité de la roue à aubes. D'un coup d'épaule, McLean enfonça la porte qui vola en éclats.

Entrant dans la pièce obscure, il tâta frénétiquement les murs à la recherche du panneau de commande. Pas d'interrupteur, pas de panneau... rien ! Mais où donc se trouvait ce bouton ?

Enfin, ses doigts effleurèrent l'interrupteur : il était situé sur la génératrice elle-même.

Coffey bondit dans l'escalier. Le sol vibra sous ses pas rapides. Il se trouvait presque au-dessus de McLean.

McLean respira profondément et actionna l'interrupteur.

Le résultat dépassa ses espérances.

Un véritable chaos venait de se déclencher.

En plein jour, le vacarme aurait pu sembler normal. Mais, dans l'obscurité de cette nuit épaisse et pluvieuse, il était multiplié par cent. Cela faisait un fantastique grondement accompagné de grincements et de martèlements.

McLean essaya d'oublier le tumulte qui envahissait son cerveau et l'empêchait de réfléchir.

Où donc était passé Coffey ? Le vacarme, si soudain et si terrifiant, l'avait affolé. Il avait battu en retraite et remonté l'escalier. A présent, quel effet cela allait-il avoir sur son comportement ? Comment son esprit, déjà en proie au chaos, allait-il réagir au Chaos personnifié ?

McLean se força à bouger. Il tressaillait à chaque fois que des forces invisibles semblaient se ruer à côté de lui dans l'obscurité. Une courroie aux bords effilochés claqua à son passage.

Tandis qu'il parvenait au premier étage, il entendit, dominant le vacarme alentour, un hurlement interminable. Le hurlement de Clark Coffey. Il provenait de l'étage supérieur.

McLean retrouva l'escalier et monta, courbé en deux, tâtant chaque marche de la main.

Au deuxième étage, Coffey était en train de vider son arme sur un monte-charge que la machinerie avait actionné.

— Coffey, cria McLean. Je suis là !

McLean vit la silhouette de Coffey se retourner vers lui et appuyer sur la gâchette de son revolver vide. D'un geste de rage dérisoire, Coffey lança violemment l'arme dans la direction d'où venait la voix de son ennemi. Elle cliqueta sur les marches.

Alors Coffey prit la fuite. Il courut, se cogna contre un comptoir, rebondit et reprit sa course folle. McLean se lança à la poursuite de cette silhouette bondissante. Coffey ouvrit une grande porte coulissante dont les roulettes grincèrent sur leur rail. Elle donnait sur le vide. Un souffle d'air humide s'engouffra dans la pièce. A cet instant, McLean vit nettement Coffey. Il le vit se retourner pour lui faire face en poussant un cri qui fusa par-dessus le tumulte.

Coffey avait préparé cette ultime confrontation avec minutie.

Son revolver vide avait rebondi sur les marches, mais il avait prévu cette éventualité. L'arme qu'il braquait à présent dans la direction de McLean était compacte, effrayante. Elle fonctionnait avec une efficacité légendaire : une mitraillette Uzi.

La rafale saccadée fut à peine audible dans le vacarme. A la vue des éclairs jaillissant du canon, McLean se plaqua au sol. Les balles passèrent en sifflant au-dessus de lui.

Une seconde rafale le manqua de peu.

La main de McLean se referma sur un morceau de bois poli et rond, une sorte de manche. Alors qu'une autre rafale étoilait une cloison, juste au-dessus de sa tête, il projeta violemment son bâton sur le tireur.

Touché à l'épaule, Coffey perdit l'équilibre. Il vacilla dangereusement au bord de l'ouverture. A ce moment, venant du sol, le faisceau d'un projecteur éclaira violemment le haut du bâtiment, et McLean vit la silhouette de Coffey se détacher en ombre chinoise contre la lumière.

Coffey fit volte-face et mitrailla le projecteur. Quelque chose le tira doucement, le ballottant de-ci, de-là.

Il eut juste le temps de lâcher encore une rafale qui éteignit le projecteur. Puis il perdit pied.

Le vacarme cessa aussi soudainement qu'il avait commencé.

Le silence s'installa, assourdissant.

Clark Coffey ne tomba pas. Il ne sauta pas non plus. Il se jeta simplement dans la nuit, tirant au jugé des rafales dans le noir. Fidèle jusqu'au bout à son image de héros, Clark Coffey livrait son baroud d'honneur.

Puis il disparut.

Durant cet instant hors du temps, McLean revécut en esprit la mort de Carl Warner, en Afrique du Sud, dans cette chambre d'hôtel torride.

Il ne l'avait pas tué, après tout...

TANDIS que McLean émergeait du moulin, des ombres se mouvaient dans l'obscurité. Des lumières se dirigeaient vers le même point. La lueur vacillante d'une lampe de poche éclaira un groupe entourant une silhouette recroquevillée sur le sol.

Se détachant de ce groupe, Eric Zeller s'approcha de McLean d'un pas lent. Le col de son manteau était relevé.

Les deux hommes se regardèrent sans surprise. McLean fit un signe de tête en direction de Coffey.

— Il a oublié la cavalerie.

— Qu'est-ce que ça veut dire ?

— Je parle de Coffey. Il aimait jouer aux Indiens et aux cow-boys. Mais j'ai l'impression qu'il a oublié que la cavalerie se pointait toujours juste avant la fin.

— Tu aurais quand même pu nous attendre, grogna Zeller.

— Ne pas prendre de risques, veux-tu dire. C'est ce que je fais depuis trois ans. Et j'ai découvert que le fait de ne pas prendre de risques ne vous mettait pas pour autant en sécurité.

Il marqua une pause.

— Au fait, comment as-tu appris pour ce soir ?

Comme Zeller semblait ne pas vouloir répondre, McLean ajouta :

— Je sais que c'est Paul Thornton qui renseignait Coffey.

Zeller hocha la tête.

— Et c'est pour ça que tu as bien spécifié où tu te rendais ce soir quand tu lui as téléphoné ?

— Oui.

— Tu savais aussi que sa ligne était sur écoutes.

— Disons que ça me paraissait vraisemblable...

— Il y a déjà quelque temps que je me doutais que Thornton était impliqué là-dedans, dit Zeller. Il avait bien mal placé sa loyauté, ajouta-t-il avec dégoût.

— Que va-t-il lui arriver ?

— Il sera libre de décider de son sort.

McLean comprit. Thornton ne serait pas publiquement sanctionné, ni licencié. En revanche, il n'aurait plus aucune possibilité d'avancement. En un mot, il serait mis sur la touche. Quand il en aurait pris suffisamment conscience et qu'il commencerait à trouver sa position par trop inconfortable, il donnerait de lui-même sa démission.

McLean regarda derrière Zeller. La pluie avait cessé, et il distinguait le sombre ruban de la voie d'accès à la propriété qui passait en bas de la pelouse. Zeller dit :

— Tes fameux éditeurs de Londres, tu sais... Ils ont été cambriolés l'autre jour. Oh, les voleurs n'ont pas emporté grand-chose, d'ailleurs. Tout juste un manuscrit...

Ces paroles ravivèrent l'attention de McLean.

Zeller reprit :

— Tu m'as induit en erreur, Barney, au sujet de ce livre que tu avais écrit. Tu m'as laissé entendre qu'il était du genre bouquin à scandale, que tu y découvrais tous nos petits secrets. Or ce n'est pas du tout cela, n'est-ce pas ?

— J'ai essayé de faire un compte rendu honnête d'une profession malhonnête.

— Ouais... Les cambrioleurs n'ont pas dû en penser grand-chose, apparemment. Tes éditeurs ont retrouvé le manuscrit deux jours plus tard, dans leur poubelle. Pas très excitant comme lecture, très franchement. Certains incidents graves ne sont même pas mentionnés.

— Il ne s'agissait en fait que de quelques égarements individuels qui auraient fait tache sur le tableau, dit McLean avec impatience.

La voie d'accès était toujours déserte. McLean ajouta :

— Ça aurait fait plus de mal que de bien.

Zeller eut un geste approbateur.

— Oui, bien sûr. En tout cas, sache que si tes éditeurs... je veux dire, si jamais ton bouquin était soumis à un éditeur américain en vue d'une éventuelle publication, nous, nous n'y verrions aucune objection...

Enfin, au bas de la pente, McLean aperçut la camionnette Datsun rouge qui s'arrêtait en dérapant devant les écuries. La portière s'ouvrit et Angie bondit de la cabine. Tony dégringola du siège et courut derrière elle.

Zeller suivit le regard de McLean et dit :

— Tu vas sûrement retourner à Fortune, Barney ? Je ne pense pas qu'il te faille craindre d'autres représailles... ni un quelconque retour du passé.

— Ça, c'est quelque chose dont nous déciderons ensemble, répondit McLean. Nous formons une famille maintenant.

Puis il passa devant Zeller et descendit la colline sans jeter un seul regard derrière lui.

LOUIS CHARBONNEAU

Tel Barney McLean, le héros de *Mortel traquenard*, Louis Charbonneau a la bougeotte. Né et élevé à Detroit, dans l'État du Michigan, il servira dans l'armée de l'air au cours de la Seconde Guerre mondiale, aussi bien en Grande-Bretagne qu'aux États-Unis. En 1952, il s'installe au sud de la Californie et entre au *Times* de Los Angeles, en qualité de rédacteur. Par la suite, il exercera nombre de métiers : publiciste, éditeur, scénariste, voire... éleveur de caniches!

Auteur prolifique, déjà publié dans nos pages — *le Grand Ordinateur* (Sélection du Livre, 1981) et *De glace et de sang* (Sélection du Livre, 1993) —, Louis Charbonneau a abordé avec succès la plupart des genres littéraires, y compris le western et la science-fiction. Écrivain scrupuleux, il aime à visiter les lieux où se dérouleront ses romans. L'exact rendu du décor et la qualité de l'atmosphère sont à ce prix.

C'est en 1984, à l'occasion de sa lune de miel, qu'il se rend pour la première fois à Philadelphie. Il y retournera souvent avec Diane, sa femme, et tous deux n'ignorent plus rien de la Pennsylvanie, des croisières sur le fleuve Delaware, des maisons classées, des emplettes chez Wanamaker's!

Bien qu'il se défende de vouloir faire passer des messages dans ses œuvres, l'auteur de *Mortel traquenard* n'en aborde pas moins les grands sujets d'inquiétude de notre époque, depuis les risques d'une informatisation débridée jusqu'aux menaces de pollutions marines et d'une industrialisation sans frein et sans scrupules.

Dans ce thriller, il fait apparaître les dangers d'une administration toute puissante qui laisse à certains de ses membres une si grande liberté d'action que, grisés par leur pouvoir, ils finissent par oublier leur véritable rôle et les limites de leur mission.

Le vieil homme et le loup

Chien de feu

Georges Bordonove

Illustrations d'Anny-Claude Martin

Esprit de Quatrelys,
fantasque gentilhomme vendéen,
est la providence des paysans,
car grand courseur de loups
en un temps où ceux-ci sèment
la désolation dans les campagnes.
Un jour pourtant, ulcéré
par l'ingratitude des hommes,
le célèbre veneur renonce à la chasse
pour se consacrer — enfin — au bien-être
de sa famille. Mais c'est sans compter
avec le « grand vieux loup »,
surgi d'on ne sait où
par une pure nuit d'automne...

PREMIER MOUVEMENT

Adagio

FROIDE et claire, la lune brillait au milieu du ciel. Ses rayons effilaient une multitude de fers de lance : les hampes des sapins frottaient d'argent le front velu des collines, les bosses émergeant çà et là, pareilles à des sangliers dont le sommeil eût surpris la course vagabonde, et plus loin, fermant le paysage, les puissantes frondaisons des chênes de Brocéliande, antique repaire des druides et des enchanteurs. De grands pans d'obscurité se découpaient dans ces pâleurs semblables à des tapisseries fanées par l'âge. C'était une nuit d'automne extraordinairement pure. Cependant les broussailles enchevêtrées au pied des sapins, les fougères recourbant leurs crosses sous les branches basses, les brins d'herbe perlés de pluie, la terre amollie par les averses du jour exhalaient une buée ici ténue, et là compacte, formant muraille de brume. Cette haleine des choses rampait sur le sol, s'amoncelait au fond des combes ou dans les vallées sillonnant la forêt. Les longues flèches brillantes traversant les feuillages noirs se dessinaient sur ces blancheurs, touchaient de leurs pointes les nodules grisâtres des rochers, la tige épineuse d'une corbeille de ronces ou la barbe du lierre qui pendait aux rameaux.

Brusquement le vent criard de l'après-midi s'était tu, laissant enfin la nuit s'appesantir sur la forêt, envelopper de sa sérénité le peuple des bêtes. Ce silence était un chant prodigieux et suave, composé de mille bruits infimes : le froissement délicat des aiguilles, le remuement discret des feuilles, le susurrement plaintif d'un filet d'eau cheminant sous les pierres, le murmure de la rivière sinuant entre ses berges soyeuses, le grignotement menu des écureuils et des souris des champs, le plongeon d'un brochet, le grattement de millions de vers et d'insectes, sous les plissures de l'écorce, jusqu'à la cime mollement balancée des chênes. Monde rendu, pour quelques heures bénies, à sa vérité originelle !

Mais ainsi que la mer, quand aucun souffle ne l'agite, apparaît déserte et vide, quelles tragédies brutales et brèves dissimulaient ces ténèbres profondes, cette tranquillité mystérieuse ? Combien parmi les bêtes allongées sur les mousses ou tapies dans les broussailles connaîtraient le lendemain ? Deux renards traversèrent une allée. Ils chassaient de compagnie, l'un rabattant, l'autre égorgeant. Les chouettes se détachèrent des branches, brassèrent l'air de leurs ailes lourdes. Des milliers d'oreilles écoutaient, des milliers d'yeux scrutaient l'ombre et le brouillard, des milliers de cœurs battaient d'angoisse ou d'impatience.

Soudain deux courtes flammes rougeâtres trouèrent le noir. Des tiges, violemment ployées, cassèrent. Il y eut un temps d'arrêt : la bête hésitait. Puis elle prit son élan et retomba sur l'herbe baignée de rayons lunaires. Elle avait une encolure épaisse, des pattes larges comme la main, la queue pendante et touffue. Les oreilles et le museau levés, elle se tenait immobile, mais ses prunelles obliques étudiaient les enfourchures et les dômes des arbres. Elles rencontrèrent enfin l'astre blanc. Alors le loup, car c'en était un, fut saisi d'un tremblement convulsif. Ses longues mâchoires s'entrouvrirent. Un hurlement jaillit, énorme, des crocs luisants, de la puissante gorge.

C'était ce que l'on pouvait entendre de plus désolé ; il contenait un désespoir sans limites, mais aussi la cruauté la plus impitoyable, la colère la plus froide. En un instant, tout ce qui vivait s'ébroua ; l'air s'emplit de claquements d'ailes ; la terre, de galopades frénétiques.

Le vieux loup s'était tu. Ses courtes oreilles, incroyablement agiles et sensibles, captaient chacun de ces bruits, en localisaient l'origine et la distance. Il se lécha les babines, écoutant battre en lui son cœur agité par tant de rumeurs, sentant courir sous sa peau brûlant un sang brûlant. Puis, d'un petit trot silencieux, il partit, dédaignant l'abri des fourrés, prenant par la lisière de cette corne de bois. Devant lui détalaient des ombres peureuses ; des sangliers s'enfonçaient dans les noisetiers ; une laie poussait du groin ses marcassins rayés de noir ; des renards filaient, la queue horizontale, vers les buissons d'épines. Mais le vieux seigneur des bois n'avait pas faim. Il visitait son nouveau domaine.

D'où venait-il ? D'une autre forêt, de très loin peut-être, chassé, tenaillé par une meute hurlante, courant devant les chevaux montés d'hommes rouges qui sonnaient de la trompe chaque fois qu'ils le croyaient à eux. Mais lui ménageait ses forces, multipliait les ruses. Il avait traversé des villages, franchi des ponts, atteint cette autre forêt, après deux jours de cette poursuite. Et là, dans ce dédale de feuillage, de gorges, de vallons, les chiens endiablés l'avaient perdu…

Il prit par un sentier qui serpentait parmi les rocs, atteignit un éperon. En cet endroit, contre ces troncs de pin, la veille, les chiens avaient acculé une louve ; les plus hardis avaient roulé, la gorge ouverte. Mais les deux chevaux étaient venus. L'homme vert s'était approché ; il avait plongé une lame dans la gueule béante, et l'autre, son compagnon, un épieu dans le flanc sombre. Des rochers voisins, le vieux loup avait assisté à cet hallali. Ainsi, partout et partout on rencontrait les hommes et leurs auxiliaires, cette chiennaille abjecte !…

Les yeux perçants fouillaient l'immensité noire. En contrebas, les roches s'éboulaient vers un étang qui s'allongeait entre de confuses masses végétales. Les collines l'enserraient de toutes parts, hautaines, obscures, dans une mort d'éternité. En face, au ras de la rive, une maison s'embusquait. Elle avait un long toit, très bas, un seul étage, avec des bâtiments qui la jouxtaient, couverts de chaume. Les fenêtres étaient closes, sauf une qui, malgré l'heure tardive, vivait. Ce mince rectangle de lumière orangée, cette lueur humaine, fascinait le loup. A nouveau le hurlement s'échappa de sa gorge. Un autre lui répondit, monta, mais si lointain, si faible et timide ! Là aussi, là aussi ! les hardes avaient été décimées, réduites à rien ! Naguère, c'était un concert de hurlements joyeux, intrépides, qui répondait, par de semblables nuits, à sa voix de chef… Il voyait, il croyait voir, les grands mâles dociles à son commandement, les louves caressantes et craintives, les louvarts, dont c'était l'apprentissage, sortir des buissons. Et lui le plus fort, le plus rapide, le plus doué, il les menait au festin. Le gibier désigné, sur un jappement bref, ils se rabattaient, et c'était encore à lui que revenait le privilège d'attaquer, d'égorger. Après, les pattes sur le cadavre de la biche, il les défiait, les contraignait d'attendre qu'il leur permît d'approcher. Et les mâchoires claquaient sur cette viande chaude, savoureuse, cependant que les jeunes s'en disputaient férocement les lambeaux…

Tous avaient péri, les uns après les autres, ou presque. Et là, dans cette forêt-refuge aux quartiers impénétrables, il en allait de même ; l'odeur funèbre de la louve, de sa sueur d'agonie, flottait entre les troncs de pin…

Tout le malheur venait de là-bas, de cette maison basse et de sa lumière orange ! L'homme vert en sortait à la pique de l'aube. Et aussi la meute, composée de chiens infatigables. Tout cela, le loup le savait d'instinct, mais, incapable de résister à l'attirance que cette lumière exerçait sur lui, poussé par ses démons, c'était vers elle qu'il descendait. Suivant ses rives sableuses, il contourna l'étang, prit par la levée, puis, l'échine basse, rampa vers un bouquet de roseaux qui s'élevait à l'endroit même où s'en venait mourir la route du moulin.

Tout ici était immobile et sombre. Il ne demeurait de vivant que le clapotis lumineux de l'eau contre la vanne, que cette grosse lune ronde dérivant au-dessus des collines et cette lampe opiniâtre derrière les carreaux. Rien ne bougeait encore, mais l'odeur des chevaux, celle des chiens irritaient les narines du loup. Ses pattes tressaillaient ; la colère s'amassait en lui. Il perçut le grattement d'un pied de chaise, sur les pavés, le crissement du cuir des bottes. Ses yeux dorés par la lumière virent la silhouette s'encadrer dans la fenêtre : une longue tête barbue, de larges épaules, celles de l'Ennemi ! Alors, oubliant toute prudence, il cracha sa haine exacerbée. Son hurlement frappa les vitres, la façade blanche, fusa vers le ciel.

LE piqueux Sans-Chagrin repoussa ses couvertures. Ses ongles raclèrent le bois d'une étagère. L'étincelle d'un briquet raya le noir sauvage de cette grange-là, cependant que, dehors, le hurlement se changeait en plainte. Dans la cage de la lanterne, une petite flamme s'arrondissait, au ras de la face du piqueux. Et cette face sortait lentement de l'ombre, précisait ses traits burinés dans un aubier rougeâtre par quelque menuisier de village. Les yeux avaient des transparences d'agate sous les poils follets des sourcils. Le même poil frisé coiffait le front bas. Le nez s'épatait sur une bouche rieuse et charnue. Le menton avait des proportions carnassières. D'invraisemblables oreilles, aux cavités foisonnantes, aussi pointues que celles d'un renard, atteignaient presque le sommet du crâne.

Un moment, dressé sur son séant, le piqueux écouta. En bas, l'agitation était à son comble. Les chevaux tiraient sur leurs cordes, bombardaient le pavage et les cloisons de leurs boxes de coups de sabot, heurtaient du front la grille des mangeoires. Les chiens, enfermés à double tour dans leur chenil, réveillés en sursaut par le hurlement du loup, griffaient le bois de la porte, aboyaient avec fureur. Le louvart qu'on gardait prisonnier secouait les barreaux de sa cage. Penché dans le vide, tenant sa lanterne, Sans-Chagrin regardait, au fond de la pénombre, les croupes luisantes de cette cavalerie. Il dit, en arrondissant sa voix, en la ponctuant d'inflexions tendres :

— Holà! mes beaux... Ho-là! Ho-là!

Mais cette tentative ne fit qu'augmenter le tumulte. Le piqueux sauta du lit, enfouit son interminable chemise dans sa culotte de chasse, jeta sa veste sur ses épaules.

— Alors quoi, mes jolis?

Une échelle piquait vers la fosse, profondément. Il en descendit les degrés en grommelant, lâcha un juron parce qu'il se recevait sur la paille humide. Et d'abord, il balança sa lanterne au-dessus de la cage de fer où le jeune loup menait son tapage. La méchante lueur frappa deux amandes d'or fin, quatre crocs immaculés rivés à un barreau, un pelage frémissant. De la gueule s'échappait un grondement continu. Sans-Chagrin décrocha le fouet qui pendait à un pilier, en fouailla habilement la bête. Le louvart lâcha prise, recula vers le fond de sa geôle, mais ses yeux dorés guettaient la mèche et sa plainte coléreuse persistait.

« Une de ces nuits, pensa le piqueux, il cassera les barreaux et m'étranglera en moins de deux. Faudra que je retire l'échelle : ce sera ma prudence. La folle idée de retenir ce loup pour qu'il se reproduise avec les chiennes de meute! Au milieu des chevaux, pour qu'ils s'accoutument à ce sacré voisinage! Le bel effet : ils crèvent de peur, à la première alerte! »

Il tapota les fesses noires de la Perle, évita de justesse une ruade, s'exclama :

— Ben quoi, ma Perlette, on reconnaît plus son Sans-Chagrin? Holà, mon cœur... Gentille! Et toi, Persan... Et toi, l'Unique... C'est pas vrai, t'as pas crainte, fidèle Coco, dis?

Il allait de la sorte, leur parlant d'amitié. C'étaient ses camarades. Il préférait coucher près d'eux plutôt qu'à la maison du maître où cependant on lui gardait sa chambre. Il s'était bâti ce lit de soldat dans le grenier. C'était son plaisir, à ce fieffé original, que de dormir dans ces remugles animaux allégés d'un parfum d'herbes sèches, de balles d'avoine et de sacs de grain.

Lorsqu'il eut rassuré les chevaux, il ouvrit doucement la porte du chenil, s'avança au milieu des gueules bavantes et hurlantes.

— Paix, mes beaux… Bellement, petits frères ; vous l'aurez, je vous le dis. Vous l'aurez quelque jour… Oui, il n'est pas loin ; il est dans les roseaux… Sa hardiesse le perdra. C'est vous qui l'aurez… Ah ! vieux Flambo, viens, petit père, viens ici…

Ses gros doigts appuyèrent une caresse sur le cou du chien. Flambo remua sa faucille blanche, et tout fut dit. C'était le chef de la meute, fameux dans ces cantons pour son nez exceptionnel, sa roublardise de vieux coureur des bois, sa ténacité. Trois fois recousu, ni ses blessures ni l'âge ne ralentissaient son ardeur. Pour l'heure, il frottait sa tête osseuse à la jambe de Sans-Chagrin, mais son regard conservait sa dureté.

— Mais oui, lui disait le piqueux de sa grosse voix tendre, tu as raison. C'est un sacré grand vieux loup, nouveau dans la contrée. Il s'en est venu nous renifler… T'en fais pas, c'est partie remise. Nous deux, on le débuchera hardiment. Et tu verras la belle chasse ! On en parlera dans le pays… Nous deux, mon Flambo, c'est du sûr… Laisse-le bêler, ce veau de Satan…

Il y eut un léger mouvement de brise. Les roseaux crissèrent. Les étoiles scintillaient intensément entre ces lances creuses et craquantes. Derrière cette haie bruissante, la crinière du loup s'élargissait. Un feulement rageur, saccadé, lui sortait de la gorge. Il regardait la maison, cette façade longue que les ombres, jouant sur un lait de chaux, bleuissaient. Soudain il pointa les oreilles. La porte s'ouvrait, livrait passage à une lumière d'épi, douce et blonde. Deux silhouettes s'y inscrivirent : l'une juponnante, chaussée de sabots, portant une coiffe paysanne ; l'autre, sèche et haute et sommée d'une barbe de chèvre, pointue et retroussée. Et cette dernière s'éloigna de la clarté, cependant que l'autre demeurait sur le seuil et vociférait. Une lanterne traversa la cour. Ensuite deux hommes s'avancèrent sur la chaussée, coude à coude, l'un comme un chêne têtard, l'autre comme un peuplier pliant sous la bourrasque. Le loup les reconnaissait : c'étaient les messagers de la froide mort, les assassins de la louve. Le pire des deux était le plus grand, le plus chenu, en dépit de sa démarche hésitante. Le loup sentait que ce vieil homme était capable de chevaucher des jours entiers, maintenu en selle par une résolution implacable. Il recula vers le profond des roseaux, la truffe contre leurs racines, au plein de la vase et des décompositions. Les vaguelettes lui léchaient les pattes. Il retenait enfin son gémissement, pour entendre mieux les voix humaines.

— Pour sûr, il est à moins d'une portée de fusil !

— Envolé, je te dis, il y a belle lurette !

— Quand il a hurlé, c'était de ce côté-ci, tout contre le moulin.

— Pourquoi pas sur la levée ? Es-tu fou, Sans-Chagrin ?

M. de Quatrelys disait cela pour rassurer son piqueux. Mais son instinct de veneur lui tenait un langage plus exact. Il savait, il était certain, que le loup guettait sous le couvert des roseaux et qu'il s'agissait d'une bête exceptionnelle.

— Si j'allais quérir Flambo ? suggéra le valet. On serait plus tranquille avec lui.

— Vas-y, si tu as peur.

— Oh ! not'maître !

— Excuse-moi. De ce temps, je ne suis pas dans mes meilleures.

Ils n'étaient plus qu'à un jet de pierre. Mais le loup aperçut, pendant au bout d'une main, le canon luisant d'une carabine. Il s'accroupit entre les tiges. Il avait tant vu mourir de ses congénères ! Les blessures infligées par ces langues de feu, il les savait mortelles, et comment, après les avoir reçues, on se débat, le flanc perforé, quel galop d'agonie on mène ensuite, humectant les herbes de gouttes de sang et comment enfin, à bout de souffle, on tombe, sans même pouvoir mordre le chien qui s'approche. Cette folie d'angoisse le clouait au sable, et il restait là, offert...

— Je m'en vais quérir Flambo, insistait le piqueux. Ce bestiau-là, je prétends qu'il est pas catholique. Pariez-vous qu'il nous souffle aux talons ?

— Tu perdrais ton pari.

— Je sais bien, not'maître, que vous aimez guère fusiller, mais pour une fois ! Si on lui laisse son courage, il reviendra.

— J'y compte bien.

Esprit de Quatrelys vira cul sur pointe et, sans écouter son piqueux, revint à la maison.

— Çà alors ! répétait Sans-Chagrin, non çà alors ! V'là qu'il renonce. Mais qu'est-ce qu'il lui prend ? J'ai jamais vu ça !

Mais, avisant qu'il restait seul sur cette chaussée, il s'empressa de rejoindre son patron, en tapant du sabot le plus fort qu'il pouvait, « des fois que le bestiau aurait une idée de me suivre » : car les loups, si intrépides qu'ils fussent, s'effrayaient de ce bruit-là.

— Ben, not'maître ?

— Ben quoi, Sans-Chagrin ?

— C'est pas du possible, vous êtes malade ?

— Retourne à tes couettes et la bonne nuit.

Le piqueux baissa le nez. Un sentiment bizarre envahissait

sa fruste cervelle, ou plutôt un pressentiment : celui d'une catastrophe imminente, inexorable, d'un de ces drames rapides, imprévisibles comme il en éclate parfois au fond des campagnes. Il
ouvrit la bouche, mais le hurlement du loup lui coupa la parole.
Il éclata au milieu de la chaussée, bref, agressif.

— Tirez-le, not'maître ! On le voit !

M. de Quatrelys haussa les épaules.

— Va donc à tes chevaux ; demain, il fera jour.

— Vous le quitterez partir ?

— Je... me le réserve. Ne te tracasse pas.

Sans-Chagrin s'éloigna, tanguant sur ses jambes arquées,
tandis que M. de Quatrelys s'attardait à regarder cette levée
blanche. En pensée, douloureusement, il suivait l'itinéraire du
loup, sa fuite muette et rapide vers les forteresses des feuillages,
les murs épais des buissons, le labyrinthe des sentiers de la nuit.

TRAÎNANT ses bottes, M. de Quatrelys regagna son logis. La
porte s'ouvrit devant lui.

— Tu faisais donc le guet, Valérie ?

— J'avais de quoi répondre ! dit la servante en brandissant
un fusil.

— Que craignais-tu ? Il est pareil aux autres.

Valérie le dévisageait, la lippe pendante, des mèches folles
sortant de son bonnet tuyauté, semblable, dans sa montgolfière
juponnante, à une mère poule en son plumage rebroussé.

— Pas comme les autres ! Et je vous le certifie !

— Va, tu me bouches le passage.

— La preuve, vous ne l'avez pas tiré. Vous l'avez quitté tranquille s'ensauver de son galop de seigneur. Ce coup-ci, not'Monsieur a trouvé son maître, c'est ben ce qui me surprend.

— Baste ! on se reverra.

— Ça se peut, mais en attendant le diable est venu renifler
vos bottes et vous n'avez pas levé le petit doigt. Or donc voilà
vingt ans et plus que je vous sers et jamais, vous m'entendez ?
jamais Monsieur n'aurait quitté ce loup tout aussi guillere-
tement. Il se passe quelque chose !

— Et toi, si tu me « quittais tranquille », à mon tour ?

— Je m'en sens toute drôle et les sangs retournés. Et vous
voir tout pantin, pis qu'un bourgeois des villes ! Mais qu'est-ce
que vous avez ?

— Rien, ma pauv'fille. Je ne suis pas dans mes bonnes. Ça
t'arrive pas, des fois ?

Il repoussa les ustensiles encombrant la table : des éperons, un couteau de chasse, un plat où moisissait un reste de lard ; posa sa carabine le long d'un bougeoir dont la clarté tremblotait. Dans la cheminée, qui était haute, les cendres rougeoyaient encore, la marmite poursuivait son chantonnement discret. D'étranges objets semblaient sortir du badigeon de chaux : massacres de cerfs, hures de sangliers, trompes de cuivre dont les pavillons mal fourbis jetaient un faible éclat. Au fond, l'escalier se profilait vaguement. Les meubles étaient autant de masses noires, aux contours indistincts.

— Jamais, continuait Valérie, de mémoire d'homme, et je sais de quoi je cause : mon père et moi, nous sommes nés à Gournava ! il ne s'est trouvé des loups si hardis, même quand la faim les harde, au plein cœur de l'hiver ! Jamais ! La nappe d'eau les arrêtait. La levée leur faisait peur.

— Ou la roue du moulin. Ton père besognait bien la nuit ?

— Pour sûr qu'il besognait, le saint homme !

— Le bruit de la roue suffisait. Les loups sont bêtes volages et contredisantes, un jour dans leur folie d'audace, le lendemain plus craintives qu'un poulain.

— Pas celui-ci ! Vous avez entendu son cri ?

— C'est un grand vieux loup.

— Oui, c'est un grand vieux loup ! Mais si ce grand vieux loup vous avait sauté à la gorge ? Dites un peu !

— Arrête ta langue ! Et mouche ta chandelle ; elle file.

La servante obéit. Il la regardait faire.

— J'en informerai Madame. A votre âge, c'est pas du sérieux ; c'est moins que rien. Vous me mécontentez.

Naguère, ces familiarités le ravissaient ; mais il n'avait pas l'esprit à plaisanter. Il traversa la salle de bout en bout. Les pavés disjoints cliquetaient sous ses talons. Son ombre s'enlaçait aux ramures, éteignait le reflet des cuivres.

— C'est-il ce billet bleu qui vous tenaille ?

— La bonne nuit, ma vieille, et à demain.

Elle n'en put rien tirer d'autre ; faute de mieux, sur son jabot de futaine, elle traça un signe de croix.

— Seigneur qui savez comment tournent les choses, soulagez not'maître. Il est dans sa géhenne à cause de ce billet bleu. C'est pitié du pauvre homme !...

LA chambre de M. de Quatrelys était aussi démunie, insolite, que cette salle basse qui servait indifféremment de salon, de salle à manger, d'atelier, de cuisine et d'arsenal de chasse. Une bougie l'éclairait, plantée dans un chandelier d'étain, posé sur une petite table de merisier, humblement paysanne. On avait badigeonné les murs de la même chaux bleuâtre qu'au rez-de-chaussée. Le même carreau de brique tapissait le sol. Et le lit de fer, garni d'une mauvaise couverture de cheval, à damier, occupait une sorte d'alcôve d'où pendaient des rideaux d'une couleur indéfinie. Les bois d'un cerf surmontaient une armoire sculptée. Une selle aux étriers dorés. Un meuble de toilette du plus bel acajou. Un christ d'ivoire, ancien, janséniste, près d'une image d'Épinal représentant un hallali sur pied. Devant un petit bureau dos d'âne dont les pieds aériens, galbés, se terminaient en sabots de biche, s'érigeait un immense fauteuil, au dossier droit, coupé de traverses grossièrement façonnées, perdant sa paille. Au chevet du lit pendait un calendrier, zébré de traits rouges, et sa gravure naïve représentait un cerf aux abois.

Esprit de Quatrelys se déshabillait. Il jetait pêle-mêle ses vêtements sur une chaise de paille. Ahanant, bougonnant, repoussant ses bottes d'un coup de pied rageur, il revint aux carreaux et resta là, campé sur le froid de la brique, dans le vent coulis de cette ouverture qui joignait mal et « tombait en misère », selon l'expression de Valérie. Mais le confort, comme le luxe et autres vanités citadines, ne rencontrait en lui qu'indifférence ; c'était un homme de chevaux, de grand air, de violence ; dès qu'en visite il s'asseyait dans un fauteuil moelleux, il lui fallait lutter contre le sommeil. Donc il était là, regardant, ainsi qu'il en avait accoutumé chaque soir, ce pays de roches, de sapins et d'eau où s'écoulaient ses jours. L'éclat de la lune, les teintes de l'eau et celles de l'horizon, le passage de certains oiseaux, la force et le sens du vent lui parlaient. La nature était un grand livre ouvert, aux leçons, aux attraits inépuisables. On l'admirait de pronostiquer avec tant de justesse le temps du lendemain ; ce n'était chez lui qu'affaire de mémoire, d'expérience et de sensibilité.

Mais, cette nuit-là, il ne se souciait guère du temps qu'il ferait à l'aube, et si les chiens auraient du nez ou perdraient la voie. « A quoi bon ! » dit-il et il retourna vers la chandelle. Sa chemise qui tombait à longs plis raides sur ses mollets maigres, cette barbe, ce vaste front traversé de rides évoquaient irrésistiblement la silhouette de Don Quichotte. Les ressorts du lit grincèrent sous son poids. Il se couchait comme on se jette à l'eau. C'était l'une de ses bizarreries que de n'admettre qu'avec une extrême difficulté cette obligation de gésir entre deux draps, les yeux à compter les poutres du plafond. Mais ce soir d'octobre 1880, c'était pis encore! Il craignait de ne pouvoir trouver le sommeil. Ce qu'il éprouvait, ce qui échauffait sa bile s'apparentait au désespoir du loup : ce mélange de détresse et de colère. Mais le loup avait loisir de hurler sa peine, au lieu qu'Esprit de Quatrelys ne pouvait que remâcher l'herbe vénéneuse de ses pensées.

Le miaulement saccadé d'une chouette arriva du fond de la nuit, droit sur la fenêtre. L'oiseau, attiré par cette lumière, se percha sur la barre d'appui, becqueta la vitre.

— Te voilà, ma vieille? Au moins, t'es fidèle!

« Et plus heureuse que moi! Tu es libre, toi, libre de faire ce qu'il te plaît! Il n'y a pas de loi pour t'empêcher de mener tes chasses à ta guise… Maîtresse de la forêt!… Et tu viens me voir, comme le vieux loup. J'ai de la visite, ça oui! Baste! les bêtes valent mieux que les hommes… Que ne suis-je né sous tes plumes et mangeur de souris, ou sous le poil du chien mâtin! »

Là-bas, au ras de la vitre, la petite robe mouchetée se tenait immobile ; deux yeux verdâtres, immenses, au centre de leurs corolles blanches, regardaient, fascinés, cette pointe de lumière.

M. de Quatrelys avisa les quatre livres qui remplissaient le casier de la table de chevet. Ils formaient toute la « librairie » de Gournava. Il les relisait sans cesse, y trouvant assez de sujets de réflexion, et de perspectives à ses rêveries, pour meubler ses insomnies. Et c'étaient les *Pensées* de Pascal, une bible, le *Traité de la chasse* de Gaston Phébus, et *les Destinées* d'Alfred de Vigny. Il feuilleta machinalement le *Traité de la chasse ;* ses yeux parcouraient la plaisante, la juteuse exhortation de Gaston Phébus :

« Maintenant je te prouverai que les veneurs vivent en ce monde plus joyeusement que toute autre gent : car, quand le veneur se lève au matin, il voit la très douce et belle matinée et le temps clair et serein et il entend le chant des oiselets qui chantent doucement, mélodieusement et amoureusement chacun en son langage, du mieux qu'ils peuvent, selon ce que la nature leur apprend. Et quand le soleil sera levé, il verra cette douce rosée sur les branches et sur les herbes, et le soleil, par sa vertu, les fera reluire, c'est grand plaisir et joie au cœur du veneur. »

Gaston Phébus reprit sa place sur le rayonnage.

« Hélas! plus maintenant! Maintenant, les veneurs ont le rôle du gibier. Le temps d'hallali est venu pour eux. Ils disparaissent, avec tout le reste. Bientôt la dernière trompe s'étouffera de larmes au fond d'un dernier soir… Mais qu'ai-je donc? Pour un peu je ferais de la poésie! »

Près du chandelier d'étain il y avait un papier bleu, plié soigneusement. Et c'était cela seul qu'il avait envie de relire, cela qui expliquait le reste :

> A la requête de Monsieur le Procureur de la République, près le Tribunal Correctionnel de Vannes, séant en cette ville, j'ai, Louis-Alexandre Cormier, huissier de justice à Vannes et y demeurant, donné citation au sieur Quatrelys (de) Esprit, à comparaître en personne, le douze octobre mil huit cent quatre-vingt, à dix heures trente, à l'audience dudit Tribunal, séant au Palais de Justice, à Vannes, à peine d'y être contraint par les voies de droit, pour s'entendre juger du délit de chasse sur terrain d'autrui par lui commis le...

M. de Quatrelys chiffonna le papier, le jeta contre le mur. Il éructa :

— Oui et oui, pour moi une chose qui était grande vient de finir ! Il me faut comprendre, admettre que je ne suis plus ce que je croyais être.

Quand il souffla la chandelle, l'oiseau s'envola, piqua vers les bois, et il n'y eut plus que l'espace étoilé.

DEUXIÈME MOUVEMENT

Andante

L'INÉVITABLE Justice poursuivait le Crime, au-dessus du président et de ses assesseurs comme il se doit. Sa chevelure dénouée, vrai paquet de serpents, son regard un peu bigle mais impérieux, sa bouche généreuse mais tétanisée par le courroux, la torche que brandissait l'une de ses poignes vengeresses évoquaient la face de Méduse. Quant au Crime, il dévalait une sente rocailleuse, pieds nus, une peau de panthère lui battant les fesses, au demeurant fort joli garçon, doté d'une pâleur intéressante et casqué de bouclettes d'astrakan qui devaient faire tourner bien des têtes. Des nuées fuligineuses traversaient ce morceau de bravoure. Un arbrisseau, d'une variété indécise, semblait sortir du crâne du président. La Justice planait au-dessus d'un assesseur et du greffier, cependant que le criminel galopait en direction du substitut, comme s'il eût voulu lui demander asile : cette erreur psychologique lui retirait tout droit à l'indulgence !

Il était à peine onze heures, mais le faciès épanoui du président, sa posture digestive annonçaient la fin de quelque banquet. Il n'était pas assis : il pesait sur son fauteuil de ses deux cents livres de graisse, d'os et de viande. Trois bajoues s'attachaient à son crâne exemplairement chauve. Ses yeux n'étaient que deux petits trous d'eau au milieu d'une vaste étendue d'un rouge bovin, par endroits fibrillé de violet.

Le premier assesseur semblait une incarnation de l'état d'homme de loi, l'image d'Épinal du juge, en ces temps disgracieux. Sa tête anguleuse s'emmanchait dans un corps-hallebarde ; elle avait d'ailleurs le profil exact de cette arme. Pas un trait ne bougeait de cette peau d'ivoire jauni ; aucune expression, même fugitive, ne l'animait. Au contraire, son collègue avait tout l'air de s'être trompé de local et de vestiaire ; dans un autre lieu, on l'eût pris pour un voyageur de commerce, meilleur connaisseur en queues de billard et en épices de cabaret qu'en jurisprudence. Son œil roux pétillait le long d'un museau de renard. De cet animal il inspirait la même confiance ! Le greffier, houppé de gris, les binocles retenus par un cordonnet d'un azur pisseux, le menton en galoche sous deux chicots mouillés de salive et des narines aussi profondes et broussailleuses que des grottes, était, pour ainsi dire, couché sur son registre. Sa plume craquait merveilleusement. Quand le président émettait quelque sentence définitive, lançait à la cantonade l'une de ces reparties mordantes dont il avait le secret et qui faisaient le meilleur de sa réputation, le greffier plongeait encore plus bas, cependant que sa plume égratignait le vélin avec délices. Quant au substitut — qu'une fâcheuse inclination à l'intransigeance avait empêché d'accéder aux cimes —, il retournait son amertume contre « les clients », prévenus ou plaignants selon son humeur. On sentait que ce qui coulait dans ses veines, ce n'était pas du sang d'homme, mais une teinture de vitriol. Son regard vipérin fouaillait et fascinait.

— Au suivant, grasseya le président. Greffier !

— Affaire de Guette Hubert contre Quatrelys Esprit, commença le bonhomme d'une voix forte et bien articulée mais qui, prenant de la vitesse et s'affaiblissant à mesure, se métamorphosa en une sorte de bouillie sonore, où les mots se bousculaient et se chevauchaient tels les moutons de Panurge.

A la suite de quoi, le pauvret parut s'effondrer, le nez sur son livre.

— Avons-nous des témoins ?

— Deux, monsieur le Président. Caradec Lucien et Ruffin Alexis, tous deux gardes du plaignant. Les témoins à décharge se sont récusés.

— Appelez Caradec.

Celui-ci s'avança en tanguant dans sa blouse bleue, barrée d'un baudrier. Il empoigna la barre et resta là, sidéré.

Le président tapota le bout de ses doigts.

— Eh bien, mon brave, c'est donc vous qui avez constaté le délit et dressé le procès-verbal ? Veuillez rappeler les faits.

— C'est ben ça... Dame oui !... Le procès-verbal, ainsi d'suite...

— Explicitez. Une déposition se doit d'apporter au tribunal les précisions qui, nécessairement, ne peuvent figurer dans un procès-verbal... Me comprenez-vous ?

— Ben oui, compris.

— Quand avez-vous constaté que le prévenu chassait sur la propriété d'autrui, en quelles circonstances ? Rassemblez vos souvenirs avant de répondre.

— Ben, c'tait l'dix d'octobre, sur les midi au soleil, j'avons point d'horlogerie su'nous.

— Que dites-vous ! Le dix octobre était avant-hier.

— C'est ben vrai, avant-hier. Ben... ben alors le dix de septembre p't-être... Non, non, j'étions le vingt...

— Votre procès-verbal est daté du dix-neuf septembre.

— Eh ! non, j'étions le vingt-deux.

L'autre garde se leva, cria de son banc :

— C'était le dix-neuf, mon Président, foi de Ruffin ! Même que Lucien l'a vu en premier, raison pour quoi c'est lui qu'a rédigé. Cré nom d'un chien, c'est pourtant simple.

— Venez à la barre, Ruffin. Donnez au tribunal votre version des faits.

Ruffin n'attendait que cet ordre. Il arriva, d'un pas de chasseur, la guêtre avantageuse, la plaque comme un soleil, la tête déjetée en arrière et le tronc en figure de proue.

— Alors quoi, Lucien, tu perds la boussole, mon fils ? Rappelle-toi un peu. Le matin, on avait cassé une petite croûte au Bouchon-d'Argent, chez la vieille Eulalie : même que son pâté de sanglier est fameux dans le canton. Tiens, rien que d'en parler, la salive m'en vient sur la langue.

— Dame oui.

— Alors, c'était le dix-neuf, ou quoi ?

— Le dix-neuf, s'tu veux.

— A la soirante du même jour, t'as perdu dix sous aux cartes et t'es parti sans le salut à la compagnie.

— Dame, dix sous aux cartes !

Le président interrompit ses tapotements. Il fronçait le sourcil parce que le public commençait à rire :

— Silence, où je fais évacuer la salle ! Au fait, vous autres ! Ruffin, puisque vous semblez le plus intelligent, dites ce que vous avez vu.

— C'est pourtant simple ! Je m'en revenais d'un pied gaillard par le travers du carrefour à Ponthus. Qu'est-ce que je zyeute, cré nom ? M'sieur de Quat'lys à la queue de sa meute, avec son sonneur Sans-Chagrin, un diable à quatre, point trop respectueux de l'héritage des autres. Et que je te sonne, que je te ressonne, à se faire péter l'engueuloir : mais c'est sa manière au Sans-Chagrin. Quand i'sonne, y a de quoi décharpenter une grange...

— Que sonnait-il ? demanda le substitut en braquant ses espingoles noires. Le débucher ou l'hallali ?

— Non mais dites ! rétorqua Ruffin, je sais de quoi je cause.

— Des fois, soupira Caradec, tu causes, mais tu dis rien.

— J'ai posé une question, insista la voix glacée.

— Le débucher ou l'hallali ? Sais pas. Mais il sonnait, le diable ; il y allait dru, je vous le promets.

— Donc, enchaîna le président, vous avez vu la meute, le maître d'équipage et son piqueux ; mais la bête ?

— Quelle bête ?

— Le gibier.

— C'était un loup, et de belle taille, un vieux grand loup.

— Vous l'avez vu ?

— Pas le loup, mais c'est tout comme, puisque c'est la chasse à M'sieur d'Quat'lys. I'prétend qu'le reste, c'est du gibier de demoiselles.

— C'est bon, retournez vous asseoir.

Le président consulta du regard ses assesseurs, le substitut. Ces messieurs échangèrent des hochements de tête empreints de la plus exquise aménité. Ensuite il daigna jeter les yeux sur le prévenu qui se tenait coi sur le banc des accusés, entre un ivrogne crasseux et un récidiviste du braconnage.

— Quatrelys, approchez de la barre.

— Allons ! gronda un porteur de bicorne à ganse argentée, vous, là, obtempérez.

On vit enfin la longue silhouette de M. de Quatrelys se

détacher du banc. La fière tête au nez aquilin, à la barbe, à la crinière d'un blanc immaculé, apparut sur le brun de l'estrade. Les yeux clairs, profondément enfoncés sous les arcs des sourcils, avaient des luisances d'acier. Un cou d'échassier sortait d'un invraisemblable faux col attaché un peu de guingois. La coupe du costume — une façon de redingote en beau drap noir à boutons d'argent — accroissait encore la ressemblance du vieux Nemrod avec l'oiseau des étangs. Il tenait à la main l'une de ces toques de jonc qu'il tressait lui-même à ses heures perdues et dont la forme rappelait d'assez loin celle de nos modernes bombes de velours. Il y avait en lui un mélange d'extrême distinction et de rusticité, mais aussi la plus complète indifférence à la mode du jour, au qu'en-dira-t-on, tout cela pimenté de dédain et saupoudré d'une ironie narquoise, pour l'instant refrénée.

Le président fourrageait dans ses paperasses, ânonnait :

— Voyons, mon brave… Voyons… Vous êtes le nommé Quatrelys Esprit, propriétaire, né le deux juillet mil huit cent quinze à Baupuy, Vendée, fils légitime de Quatrelys Roger et de Beaurevoir Elisabeth, époux de Chablun Jeanne, père de quatre enfants vivants, domicilié au même Baupuy, résidant habituellement au moulin de Gournava, forêt de Paimpont, département du Morbihan… ici présent… C'est bien vous, Quatrelys, oui ?

— Ai-je forligné et perdu même le droit à être appelé monsieur, pour avoir tué deux mille loups dans la contrée ?

Le président eut une espèce de ruade. Ses mains s'abattirent sur le buvard et la plume sauta de l'encrier. Son teint virait au mauve sombre. Sa bouche s'arrondissait sur un « oh ! » qui se refusait à sortir.

— Je suis le marquis Esprit de Quatrelys, poursuivait le vieillard, quand bien même il me plaît d'habiter un moulin. Ne jugez donc pas sur les apparences.

— Il s'agit, siffla le substitut, d'un délit de chasse, non d'une dévolution de titres nobiliaires.

— Un délit de chasse n'est pas un crime ; il n'entache pas son homme.

— Vous reconnaissez donc l'avoir commis ?

— Je reconnais avoir rencontré ces deux gaillards-là (et le doigt se tendit vers les gardes-chasse) qui se battaient les flancs au carrefour de Ponthus, en Brocéliande.

— Le nom de cette forêt est désormais Paimpont.

— L'ancien est à ma convenance, comme pour moi, les kilomètres sont nos bonnes vieilles lieues.

— Et la chasse votre privilège exclusif ?

M. de Quatrelys regarda le substitut. Les pointes d'acier et les espingoles luttèrent quelques secondes. L'affaire prenait une tournure fâcheuse. Le président tapota ses doigts. Il dit :

— Eh bien, expliquez-vous, monsieur de Quatrelys. Et rassurez-vous : le tribunal ne vous veut aucun mal, mais il a aussi ses traditions…

— Je n'ai nul besoin d'être rassuré. Quoique vivant dans mes bois, le plus loin possible des hommes, je les ai assez pratiqués pour ne craindre personne, ni rien. Quant aux intentions du tribunal à mon égard, elles ne m'importent guère.

— Vraiment ?

— En vérité, monsieur. Je vous le répète : j'ai tué deux mille loups en Brocéliande et sur les landes de Lanvaux. Ce faisant, j'ai servi mon prochain et satisfait mes goûts de vénerie ; tout est en ordre.

— Deux mille loups ! s'étonna le substitut, c'est fort bien dit, mais qui nous le prouve ?

— Venez à mon moulin. Vous constaterez que j'ai cloué la droite avant de deux mille loups sur les portes de l'écurie, de la grange…

— Ce qui est prouvé, indubitablement, par les assertions des gardes de M. de Guette, c'est que vous chassiez sur terrain d'autrui, sans autorisation. C'est que…

Le président interrompit le substitut :

— Monsieur de Quatrelys, qu'avez-vous à répondre ? Tout d'abord mettons-nous d'accord sur la date.

— C'était le dix-neuf septembre. J'avais lancé ce loup presque au bord du ruisseau d'Aff, sur mon territoire de chasse. Ignorez-vous qu'un loup de trois ans peut couvrir sans encombre ses cinquante lieues, et beaucoup plus, en une journée ? Celui-là m'a emmené en promenade. Rien ne lui défendait de se réfugier dans les quartiers de mon adversaire. Croyez-vous qu'on puisse retenir une meute, quand elle donne à plein et touche au but ?…

Son regard était plein de feux surprenants. Une chaleur amplifiait sa voix. Ses gestes devenaient aussi impérieux qu'éloquents.

— Mais il plaide ! grinça le substitut. Qu'il expose !

— … Le loup trop nourri s'essoufflait. La veille, je l'avais gratifié d'une carcasse de mouton, piégé avec cela, pour qu'il se gorge et s'alourdisse. Donc il donnait des signes de fatigue et commençait à se laisser rejoindre, pour mordre mes chiens et les décourager. J'étais obligé de lui envoyer de grands coups de fouet, pour le faire détaler, le vider de son reste de force. Alors j'ai rencontré ces deux-là qui prétendaient arrêter ma chasse, parce que j'étais sur M. de Guette. Quelle plaisanterie !

— Qu'avez-vous fait ?

— J'ai caressé le ventre de la Perle de mes éperons. La Perle, c'est ma jument.

— Ainsi vous ne niez pas ?

— Je nie qu'il y ait eu délit. J'avais le droit pour moi.

— Mais lequel, monsieur de Quatrelys ?

— Le droit de suite. Il m'était acquis sans restriction, et d'autant plus que je détruisais un nuisible.

— Vous pouvez regagner votre place.

M. de Quatrelys eut un haussement d'épaules. Il revint entre l'ivrogne et le braconnier. Tout le temps que plaidèrent les avocats et requit le substitut, ses longs doigts déformés par la goutte triturèrent sa barbe et il regarda, au-dessus des juges et de « la Justice poursuivant le Crime », un christ dont la grande croix s'inclinait vers la salle. Il semblait lui dire : « Et toi, que fais-tu là ? Mais que fais-tu là ? »

Finalement, le tribunal le condamna bénignement à un franc d'amende et aux dépens. Lorsque le président eut donné lecture de la sentence, M. de Quatrelys déclara :

— Mille grâces, messieurs ! Quand un paysan viendra me signaler les méfaits d'un loup, je vous l'enverrai, puisque c'est ainsi que vous encouragez la destruction des nuisibles. Serviteur, messieurs !

Il coiffa sa toque de jonc et s'en alla.

Il s'était arrêté à l'auberge du « Cheval pie », avant d'entrer dans la forêt. L'aubergiste, Haro, était de ses vieilles connaissances. Maintes fois, au hasard de ses chasses, lorsque la soif et la faim tenaillaient le veneur, ou qu'il s'était laissé surprendre par la nuit, Haro l'avait hébergé. C'était un personnage comme il n'en existe plus guère, hormis dans les campagnes les plus reculées et encore aux lisières des grands terroirs de chasse : poussant le respect jusqu'à la veulerie, l'indiscrétion jusqu'à l'insolence, confondant aisément complaisance et familiarité, complice des maraudeurs, ami des gendarmes, passionné de tout connaître, tout de suite et sur tout le monde, il se racontait pour mettre en confiance et, selon l'expression de M. de Quatrelys, « mentait mieux qu'un arracheur de dents ». Mais il amusait ce dernier, peut-être parce qu'il lui narrait les bévues des autres veneurs. Et qu'il lui avait, à plusieurs reprises, « bénévolement » mais en allongeant la paume, signalé la présence de quelque grosse pièce errant aux alentours.

M. de Quatrelys mangeait à une petite table dressée devant la cheminée. Un menu de fortune : une omelette au jambon, des crêpes et du fromage, avec une demi-bouteille de vin. Entre les bouchées, il poussait de ces gros soupirs qui sortent des hommes en peine. Et l'autre l'observait, essuyant ses mains grasses au tablier.

— Faut pas vous désoler, m'sieur l'marquis ! Une amende, ça tue pas son homme. Ça fait partie des risques, hein ? Et puis quoi ! vous avez du bien, c'est pas ces trois sous qui vous empêcheront de manger.

— Et qui te dit que ça me gêne !

— Même je trouve que le tribunal vous a ménagé. Entre nous, vous en n'étiez point à vot'coup d'essai ? Pas vu, pas pris ; vous avez bien raison. Aussi les lois sont contre le brave homme.

— Verse-moi à boire.

Haro s'exécuta. Ses doigts laissaient leurs empreintes sur la bouteille, mais ces choses, M. de Quatrelys ne les voyait pas.

— Vous avez fichtrement tort de vous mettre martel en tête pour une amende. C'est le jeu, quoi ! Moi qui vous cause — et pourtant je suis l'ami de ces messieurs de la justice ! — combien de fois que je leur ai préparé des chasses ! Va te faire voir, service, service, ils m'ont pincé et condamné.

— Pour quel motif ?

Haro s'approcha, baissa la voix :

— J'avais bricolé deux ou trois chevreuils.

— Pour les vendre ?

— Et cuisiner le reste ; à chacun sa partie.

Il y eut un petit silence. Interloqué, l'aubergiste se taisait, cependant que son sourire se figeait. Tout le poil qui habitait la tête de Quatrelys s'était hérissé, telle une crinière de loup en fureur.

— Alors, dit-il lentement, tu t'imagines qu'un braconnier et un chasseur de loups ?...

— Faut pas m'en vouloir, m'sieur le marquis. J'voulais seulement vous prouver que leur amende et rien... Enfin, quoi ! que c'est pas un déshonneur...

— En somme, d'après toi, on est cousins germains ?

Il s'était levé. Il fouillait son gousset. Les deux lames de son regard, les deux pointes d'acier bleu, restaient fichées dans le regard du pleutre.

— J'ai pas voulu vous faire offense, m'sieur l'marquis.

— Laisse le titre au vestiaire.

— Au moins finissez votre omelette... On va pas se quitter comme ça... après tant d'années... de bonne amitié...

M. de Quatrelys jeta deux louis d'or, par terre, et sortit. Haro le suivit en clopinant :

— Au moins le coup de l'étrier... M'sieur de Quatrelys... M'sieur...

Le vieillard avait détaché la Perle. Il l'enfourcha, d'un bond de jeune homme, l'enleva au-dessus de la barrière et disparut.

Lui qui ne dédaignait pas les allures lentes, par amour et connaissance des chevaux, il éperonnait durement la Perle, si dru que, par instants, elle hennissait de douleur. L'or qui resplendissait au front des chênes, les piécettes trémulant le long des tiges de noisetiers, l'ombrelle légère des pins, tout cela que révérait ce dévot de la nature, qui était sa manne céleste et son pain quotidien, son lyrisme et sa raison de vivre, il ne le voyait pas ; il ne le voyait plus. En vain un cerf coupa-t-il son chemin : effrayé par ce galop d'enfer, il fuyait, les naseaux ouverts et l'œil oblique. En vain un solitaire, la toison ternie par l'âge, descendit-il, le groin menaçant, vers le fond du ravin : la jument le franchit d'un bond magistral. En vain le crépuscule enveloppa-t-il la forêt de sa splendeur passagère, exaltant ces ors vieillis, ces tons de cuivre rouge, ces roux ardents. Les sabots de la Perle arrachaient des mottes d'herbe, faisaient gicler des poignées d'aiguilles, tambourinaient sur la roche nue, en tiraient des volées d'étincelles. Elle allongeait le cou, pour aspirer l'air, soutenir ce train de folie, voulu par son maître. Deux fois elle glissa, mais il évita la chute : on le connaissait pour sa « main excellente ». La colère l'emportait, mais il ne s'en rendait pas compte. Non l'une de ces bouffées de sang qui font, comme on dit, « voir rouge », mais une rage froide, incisive, inexorable. Elle procédait du sentiment qui, la nuit précédente, l'avait si longuement tenu en éveil, désormais multiplié, amplifié jusqu'à la démence. S'il avait rencontré M. de Guette par son chemin, il l'eût renversé, écrasé, sans une seconde d'hésitation et même avec une joie horrible, comme il eût piétiné un aspic. Dans cette rage il entrait du mépris et de l'humiliation. Elle faisait lever en cette âme faussement sereine des voliers de souvenirs croassants : à tire-d'aile, ils arrivaient d'un

passé lointain, pareils à des corbeaux alléchés par une charogne. Oui, brusquement, dans ce cœur ulcéré par la vie, l'ancienne infection prenait un regain de vigueur, à cause de cet insignifiant et grotesque procès, des propos insanes de cet aubergiste. Un vent noir soufflait sur cette âme qu'une obscure douleur avait marquée de ses stigmates. Le seul qui pût se vanter de l'avoir bien connu disait de lui, non sans profondeur : « M. de Quatrelys avait besoin d'être consolé ; il n'était point mauvais. Il y a des blessures que nulle douceur ne saurait guérir. »

Se dirigeant vers son étang et prenant par le raccourci des hauteurs, M. de Quatrelys passa non loin du repaire du vieux loup, dont les prunelles luisirent au fond des broussailles. Noir dans tout ce noir qui venait sur la forêt, il dévala les roches, manquant se rompre le col, se rétablissant d'extrême justesse. Sa botte frôla la frange bruissante des roseaux. Le soleil n'était plus, entre les hampes des sapins, qu'une barrette écarlate qui, bientôt, s'éteignit et sombra.

La lanterne de Sans-Chagrin sortit de la grange, se balança devant la barbe de M. de Quatrelys.

— Alors, not'maître ?

— Que crois-tu ? Ils m'ont condamné. Bien trop contents !

La large face s'épanouissait au ras du verre, les agates riaient tout contre cette lumière tremblotante.

— Moi, not'maître, j'suis point du tribunal, j'ai pour vous que du bon.

— Je le sais, vieux Sans-Chagrin.

— Et même du très bon ! Sur le sable de l'étang j'ai relevé un de ces pieds que j'en accrocherai un cierge à saint Hubert : il mérite bien ça.

— Un pied de quoi ?

— D'un sacré vieux grand loup, et quel lascar !

— Laisse-le courir.

— Not'maître, que dites-vous ?

— Qu'il s'en aille à sa guise.

M. de Quatrelys lui tourna le dos, fila vers la maison en mâchonnant dans sa barbe. Sans-Chagrin en resta coi puis, tout déçu, il se mit à caresser la Perle :

— Ma fille... ma belle... T'es plus morte que lasse... T'en fais pas, j'te vas bouchonner, frictionner à l'eau-de-vie... Après, t'auras pitance : la meilleure avoine... Viens, ma mignonne...

La jument hennit avec douceur.

— C'est pas le méchant bougre, continuait le piqueux. Mais tu le connais : il a jamais ployé le genou devant quiconque. Alors, tu comprends, ces hommes de loi, cet attirail, c'était pas de sa convenance. Mais qu'ils donnent raison à M. de Guette par-dessus le marché, là pardon ! Le verre est plein... Ah ! tu peux dire que tu l'as échappé belle. Quand l'est de ce poil, il casserait tout ; faut pas le contrarier. Mais aussi un vieux brave comme lui traîné devant la justice et pour un loup !

VALÉRIE joignait les mains, prenait le ton qu'elle estimait congruent à la situation. La coiffe sur le nez, le pleur sous la paupière, elle disait :

— Ma doué, c'est trop d'malheur ! Qu'avons-nous fait au bon Dieu, qu'il ne nous aime pas ? Ce m'sieur de Guette, qui vaut pas les quat'fers d'un chien, a gagné : non, c'est pas possible ; c'est pas dans l'ordre du monde ! Not'pauv' maître qu'est la première graine du canton, et not'grand bienfaiteur...

— Parlons-en ! Les témoins que j'avais cités se sont abstenus. Les maires auxquels j'avais demandé des certificats n'ont pas écrit. Quand j'ai déclaré au tribunal que j'avais passé mes deux mille loups, ils m'en ont demandé la preuve. J'affirmais, mais où étaient les témoignages ?

— Pour sûr, c'est pas du propre ! Vous avez rendu assez de services, toujours prêt à galoper de jour et de nuit, à user vos forces, vos chiens et vos cavaleries, pour le bien des paroisses ! C'est une foule qu'aurait dû se porter au tribunal. Mais, j'vas vous dire la vérité : ils avaient peur.

— Peur de quoi ?

— Du tribunal, de m'sieur de Guette qu'est point trop franc du collier, de ses amis et de ses parents. Ils se disaient : quand les gros chiens se mordent, y a toujours un coup de dent pour les petits ; mêlons-nous pas de leur querelle. Quand on n'est pas riche, not'Monsieur...

— N'importe, je retiens le fait. Et sais-tu quand mon avocat a dit que, voilà trois ans, la moitié de la meute avait été empoisonnée par la belle-mère de Guette, le public a ri ? Que trente chiens aient péri à cause de nos histoires, ça le divertissait !

— C'étaient des gens de la ville, not'maître, pas des gars de chez nous.

Deux poings ébranlèrent la table. Une bouteille tomba ; roula sur les pavés.

— Ma décision est prise !

— Vous allez tout de même pas vous en rendre malade ? Dites ? Vous êtes tout pâle...

Il se radoucit brusquement :

— As-tu un morceau à manger ?

— On vous attendait plus. Sans-Chagrin prétendait que vous gîteriez en route.

— Donne ce que tu as.

Et il repoussa, suivant son habitude, les ustensiles qui embarrassaient la table : les éperons, les boîtes, la cravache, les outils.

— J'ai un petit demeurant de cuissot et une demi-salade. J'peux vous casser une paire d'œufs.

— Fais vite.

Valérie essuya la toile cirée du revers de la main ; posa l'assiette, le pain devant la chandelle dont elle moucha la mèche du pouce et de l'index, sans ressentir de brûlure tant leurs cals étaient épais. M. de Quatrelys, le regard perdu, se coupa une tranche de pain, commença son repas. Les miettes parsemaient sa redingote noire. Il n'en avait cure. La porte gémit : c'était le piqueux qui revenait à la charge.

— De ce coup, Monsieur, c'est du sérieux ; pas du gibier de demoiselle !

— Inutile...

— Écoutez quand même, vous déciderez après. Il a contourné l'étang, s'est mussé dans les roseaux. Des traces plus larges que ma main, bien enfoncées dans le sable, de sacrées fleurdelys[1] ! Y a pas d'doute, c'est vot'visiteur de l'aut'nuit : un beau grand vieux loup.

— Sers ton compliment à M. de Guette, des fois que le loup serait de chez lui.

— Un bestiau d'cent livres, pour le moins, un vrai veau, et pas commun de nature : s'en venir hucher à vos bottes, ça dénote du courage...

— Tu perds ta salive.

— A mon avis, c'était pour vous tâter gentiment, pour nouer connaissance, quoi ! Peut-être qu'il est pas natif de Brocéliande, qu'il rapplique du Périgord ou de la forêt d'Ardennes. Les limiers l'auront poussé jusque-là. Mais son expérience lui sera guère de service. Tôt ou tard, le plus malin...

— Tu attelleras demain, pour huit heures.

---

1. L'empreinte du loup affecte, grossièrement, la forme d'une fleur de lys héraldique.

— Lesquels ?

— La Perle, Coco et l'Unique.

— Vous vous en allez, not'maître ?

— Je vais à Baupuy chez moi, en Vendée. Les loups de Bretagne peuvent dormir sur leurs deux oreilles, fiston, saccager troupeaux et bergères, maintenant ça m'est égal.

— D'ici deux mois, le canton vous rappellera. Reviendrez-vous ?

M. de Quatrelys eut un geste évasif ; il cessa de répondre aux questions du piqueux, s'absorba dans une obscure rumination. Quand Valérie se retira, il ne lui rendit pas le bonsoir, lui qui n'y manquait jamais. Tassé dans ce fauteuil campagnard, les mains croisées sur ses cuisses, il penchait la tête. La flamme de la bougie remuait au fond de ses prunelles d'une fixité absolue, inquiétante ; filetait d'or fin sa barbe en désordre et sa moustache tombante. La mèche se mit en crochet, s'entoura d'une spirale de fumée. M. de Quatrelys la laissa s'éteindre, resta dans le noir, à cuver sa rage, sa tristesse, ridicule, touchant.

VERS cette même heure, le loup descendait du massif forestier, la panse lourde, après avoir caché les reliefs de son festin sous des feuillages, à quelque distance de son repaire. Au lieu d'imiter ses semblables qui dorment après manger, lui, poursuivait ses errances inquiètes. Il prit par le sentier qui serpentait entre les pins, s'arrêta au sommet de l'éboulis. Douce était la nuit, et odorante, et molle comme nuit de printemps. La lune projetait sur la terre des ombres rapides qui bondissaient, tels des cerfs, sur le flanc des collines et disparaissaient. La brume s'épaississait, bleuâtre, au fond des combes. Toutefois l'étang demeurait visible, à cause du reflet lunaire, et aussi le toit du moulin et le chaume de la grange. Humant le vent, perçant tout ce noir et ce gris de son regard aigu, le loup cherchait la lueur orange. Mais en vain ! Muettes étaient les fenêtres de Gournava. M. de Quatrelys n'était pas dans sa chambre. Une minute poussant l'autre et la fatigue aidant, il avait fini par s'endormir. Ses longs bras pendaient le long du fauteuil. Un rat festoyait joyeusement entre ses bottes et, de temps à autre, se relevait sur son arrière-train et lui reniflait les doigts. M. de Quatrelys rêvait...

IL avait accoutumé de dormir « comme un gisant » (disait-il), les coudes au corps, le dos bien à plat, le cœur paisible, et la tête creuse : il se refaisait après ses chevauchées haletantes derrière la meute. Mais quand il éprouvait quelque tourment, lorsqu'il avait quelque sujet de tristesse, invariablement ce petit bonhomme le visitait. Ainsi, ce visiteur nocturne avait-il jalonné de menues pierres noires l'itinéraire de sa vie. Il portait un petit tricorne, à la mode de l'ancien temps, un habit de soie pêche brodé de feuillage et des souliers à boucle. Tel, il ressemblait aux petits marquis musqués des bergeries, des boîtes de bonbons. Avec cela, une minuscule épée à poignée dorée et des yeux grands ouverts, des yeux qui semblaient des parcelles du vif azur céleste, et des lèvres qui riaient, mais qui riaient ! Le petit homme allait de la sorte, se donnant un air distrait de promeneur. En réalité, il se pressait. Une dernière fois, il se retourna afin de vérifier si certaine robe bleue, étendue sur une chaise longue, devant le vieux Baupuy, n'avait point bougé. Après quoi, il obliqua vers l'étang et se hâta plus encore, craignant d'entendre la voix maternelle. Une odeur mouillée, celle de la vase et des herbes aquatiques, lui sauta au visage. Il faillit retourner sur ses pas. Mais la curiosité l'emporta sur le malaise. La veille, on avait vidé l'étang. Et, lui, il voulait voir ce que c'était qu'un « étang vidé ». Il voulait cela, pour son malheur peut-être ! Pour emplir ses petits yeux neufs d'une vision que rien, par la suite, ne saurait effacer. Une dernière fois, il s'assura que la robe bleue ne le suivait pas. Puis, tout doucettement et malicieusement, il s'aventura sur la levée qui était étroite, encombrée de branchages de saule et glissante. Tant bien que mal, il atteignit la vanne. La tête lui tournait, à cause de la profondeur de l'étang à cet endroit, de ce fond d'algues et de cailloux gluants. Tout à coup, au ras de la pelle, tout contre le bois noir, recroquevillé, maculé de boue, convulsé par un dernier spasme, il vit l'homme mort. La tête éclatée où le sang s'était caillé, les globes révulsés de ces deux yeux-là et cette bouche ouverte sur un cri qui n'aurait plus de fin…

L'enfant tremblait de tous ses membres. Un froid terrible montait de ses souliers à boucle, gagnait son torse oppressé, gelait son front. Il cria, trois fois, le plus fort qu'il put, et personne ne l'entendit. Des laboureurs suivaient leurs bœufs, loin, sur la pente d'un vallon. La robe bleue, là-bas, prenait son bain de soleil. Les fenêtres du château restaient closes. Seul un chien répondit. Alors, fou de terreur, il s'élança, tel un poulain emballé, hurlant, le regard fou. Il courut vers la robe bleue, la façade rassurante de la maison…

Ce cadavre, au fond de l'étang, c'était celui de son père. Cet enfant qu'Esprit de Quatrelys voyait en songe, c'était lui-même.

C'était lui, à quatre ans, le onze avril dix-huit cent dix-neuf... Et le père s'en était allé dans une boîte, sur une charrette habillée de draps et tirée par six bœufs blancs, à la façon de ces pays de l'Ouest. Tous les parents suivaient, et tous les fermiers...

L'année suivante, ç'avait été la robe bleue... Leurs deux plaques dans le mausolée du cimetière : « Ci-gît haut et puissant seigneur Roger, marquis de Quatrelys, décédé le... Ci-gît haute et puissante dame Marie de Beaurevoir, marquise de Quatrelys... » Et deux orphelins, Esprit et Esther, n'ayant plus que la tendresse qu'ils pouvaient se donner, attendant que l'on décidât de leur avenir, tous deux assis contre cette porte derrière laquelle on disputait. Et plus tard, cette conversation surprise à l'office, ces phrases éclatant soudain comme un coup de tonnerre : « Je te le dis, Germaine, ces morts ne sont pas du bon Dieu, ils y ont donné la main. » L'autre voix disait : « Tais-toi ! Oh ! Je t'en prie, tais-toi ! S'ils t'entendaient ! » Et la première : « Monsieur, on l'a aidé à se fracasser la tête. Et Madame, ils l'ont fait mourir de consomption. » — « Nous sommes trop petites gens, pauvrette. Quand ces messieurs de la justice sont venus, après l'accident, ils ont dîné au château, et bien je te le promets... trop bien. Alors tout ce qu'on dit et rien ! » — « Mais, Germaine, et les petits ? Qu'est-ce qu'ils vont faire de ces deux beaux petits ? J'ai peur pour eux ! » — « Leur oncle n'est pas si mauvais, puisque ces messieurs l'ont nommé tuteur. » — « Et si c'est le diable ? En tout cas, il a pris ses quartiers à Baupuy et s'est fait remettre les clefs. » — « C'est son rôle ! » — « Oui, mais il a renvoyé le régisseur. Tous et toutes, nous nous en irons. Il restera seul avec les petits. Et alors... alors... ALORS ! »

M. de Quatrelys sentit un mordillement au bout de ses doigts. Il s'ébroua, se leva dans cette pénombre, ces remugles de cendres et de viande froide.

— Encore toi ! Ah ! qui me débarrassera de toi ?

Le petit bonhomme s'effaça peu à peu, avec son habit de pêche et son tricorne. En tâtonnant, M. de Quatrelys se dirigea vers l'escalier et monta vers sa chambre. Mais quand la chandelle illumina ses carreaux, le loup n'était plus sur son socle de roches. Las d'attendre, il avait regagné sa tanière puante et le sommeil avait enfin soudé ses yeux obliques.

La voiture de M. de Quatrelys était à son image, un engin unique, une pièce de musée, tout à fait extraordinaire pour ne pas dire extravagante. Il l'avait conçue dans son moindre détail, estimant que les véhicules usuels ne convenaient pas à la destination qu'il leur eût assignée, également poussé par le goût narquois qu'il avait de faire parler de lui et par sa manie de l'invention, de la fabrication. Il répétait à qui voulait l'entendre : « Ne t'attends qu'à toi seul ! » Et, dans cet esprit, il ferrait lui-même ses chevaux, rembourrait les selles, réparait ses harnais, tressait ces toques de jonc qu'il affectionnait, taillait ses houseaux dans des peaux de loup. Au vrai, ces singularités n'avaient qu'un but, mais farouchement dissimulé : celui de préserver cette solitude douloureuse. M. de Quatrelys n'avait besoin de personne ; il pouvait se passer même des ouvriers. Aidé de Valérie et de Sans-Chagrin, il s'improvisait avec délices charpentier, charron, corroyeur, plutôt que de se mêler aux autres, d'oublier pour un jour sa misanthropie. Tous ses efforts pour ressembler aux autres, s'inclure dans une cellule sociale, n'avaient abouti qu'à le rejeter plus loin dans cet isolement où il se complaisait.

Cette voiture donc, pur produit de sa bizarrerie, était une caisse de tôle peinte en vert olive, montée sur deux hautes roues dont l'essieu soutenait deux énormes ressorts. Une galerie de colonnettes faites au tour, et bien sûr « de sa main », constituait le seul ornement. Là se pouvaient entasser une douzaine de chiens. Le protège-boue reposait sur une roue plus petite et dont l'essieu était retenu par une sorte d'étrier muni d'un mécanisme compliqué qui permettait de dételer automatiquement les chevaux, soit en pleine course quand ils s'emballaient, soit en arrivant dans les cours d'auberge, au grand étonnement des bourgeois et des valets d'écurie. Quand on lui demandait la raison de ce dispositif, il répondait en plissant la tempe : « Les chevaux dressés à courre le loup ont de fichus caprices, mon bon ! » Autre originalité, il attelait la Perle, même quand elle était en chaleur, devant l'Unique et Coco, deux étalons. Cela formait un équipage d'enfer. Et si quelqu'un se risquait à parler d'imprudence, il éclatait de rire, disait : « Baste ! elle est plus vite qu'eux ! Mes diables, ça les fait courir ! »

— OUVRE donc la porte et qu'on en finisse !
Sans-Chagrin s'empressa d'obéir. Un peu de clarté pénétra dans la grange. M. de Quatrelys avait un pistolet d'arçon à la main. Il s'approcha de la cage de fer où le louvart tournait et retournait inlassablement.
— Pstt ! Pstt ! fit Quatrelys. Viens çà, mon garçon. J'te vas délivrer du pire malheur qui soit.

— Not'maître, vous le destiniez à des croisements. A la deuxième génération, il aurait fait des chiens incomparables : c'est vous qui le disiez !

— Ça, c'est du passé. J'ai changé d'avis, voilà tout. D'ailleurs, tôt ou tard, il aurait pris la poudre d'escampette, en t'étranglant au passage et en abîmant les chevaux...

Le louvart, flairant le danger, reculait vers l'ombre, l'œil rougeoyant, les crocs sortis, en éructant des grognements de colère. Son poil brun se dressait sous l'effet de la peur. Ses courtes oreilles se relevèrent, lorsque le chien du pistolet eut son déclic. Il cessa même de gronder, mais bondit contre les barreaux qui vibrèrent, et demeura les crocs vissés dans le métal.

— Au moins, risqua Sans-Chagrin, donnez-lui sa chance.

— Si je le lâche, qui le chassera ? Il connaît trop l'homme ; ce serait un damné sujet. Et puis, de toute façon, c'est trop tard ; ce n'est plus la peine. Il est indigne de tuer une bête avec une arme à feu ; et injuste, mais le temps presse. Allons !

Il approcha calmement le canon du front jaunâtre. Une langue de feu jaillit entre les oreilles. Les chiens aboyèrent. Les chevaux hennirent et raclèrent leurs sabots.

— Pour la meute, dit M. de Quatrelys, j'aviserai. Tu recevras mes ordres. En attendant, fais de ton mieux.

— Vous voulez la vendre ? La meilleure meute à loups du pays !

— Il faut que je parte. Sors les chevaux.

Les trois grands chevaux étaient attelés, la Perle dans sa robe d'ébène luisante et, derrière elle, Coco, le cheval bai, et l'Unique, blanc comme neige et chevelu. Esprit de Quatrelys s'installa sur le siège, prit en main le paquet de rênes, le fouet à triple lanière. Il était en tenue de voyage : toque de jonc enfoncée jusqu'aux oreilles, veste de velours vert à grosses côtes et boutons de cuivre, culotte de peau, bottes au vernis depuis longtemps défunt. Valérie hissa un panier, qu'elle coinça sous le siège :

— Un en-cas, des fois que vous auriez faim. Une demi-douzaine d'œufs durs, une bonne tranche de viande et deux chopines de vin clairet. C'est-il assez ?

— Mais oui, t'es la brave fille. Merci et porte-toi bien. Toi, Sans-Chagrin, qu'est-ce que tu as encore ? Je t'en prie, mérite ton sobriquet, ne fais pas cette grimace.

— Not'maître, vous reviendrez ? Y aura encore not'bon temps... à nous deux ?... C'est pas fini ?

Le regard bleu s'humanisa et même, brièvement, s'embua :

— On ne peut pardonner si vite, ni oublier l'injure. Faut que je me reprenne.

Et, pour dissiper cette atmosphère d'attendrissement qu'il détestait plus que tout, il ajouta :

— Je te recommande Flambo. Il a pris un coup de vieux. Souviens-toi qu'il s'enrhume toujours aux premiers brouillards.

S'il recommandait Flambo aux bons soins du piqueux, tout espoir n'était donc pas perdu ? Les agates brillèrent, la fente de cette bouche esquissa ce qui voulait être un sourire. A ce moment, ils aperçurent un petit âne galopant sur la levée de l'étang et, sautant comme une balle sur son dos, un bonhomme en peau de bique et chapeau rabalet.

— C'est Jégu, dit Valérie, not'voisin de Kérantaine. Il a le feu aux fesses, c'est pas possible.

M. de Quatrelys commençait à s'énerver.

— Qu'est-ce qu'il veut ? Nous n'en sortirons jamais !

Jégu descendit prestement de son âne. Il était si ventru, si vaste qu'on se demandait comment une si petite bête en pouvait porter une aussi grosse. Il courut vers la voiture avec une surprenante agilité, enleva son grand chapeau.

— M'sieur de Quat'lys… M'sieur l'marquis, j'ai vu dire que vous leviez vot'camp. Faut pas vous écarter de not'canton !

— Et pourquoi, brave Jégu ?

— Y a-t-un loup qu'a été aperçu su' la lande. J'viens tout uniquement vous averti', à vot'bon sentiment.

— Ah ! oui ? Un grand merci à toi. Mais ne sais-tu pas qu'à présent c'est défendu aux gens honnêtes de détruire les loups ?

— Non point ! Et qui c'est qu'a défendu ça ?

— Ces messieurs du tribunal. Ils mettent des amendes aux tueurs de loups. Alors, mon bon, tu t'es trompé d'adresse ; va raconter ton affaire à ces messieurs, ils se chargeront du reste ; tu peux t'en remettre à eux.

Jégu se gratta la tête.

— M'sieur de Quat'lys, c'est pas bien à vous. Vous étiez pour le paysan et vous v'là tourné.

— Parce que toi et tes pareils, vous m'avez tourné le dos. Comprends-tu ?

— Cette nuit, la porte de mon bêtiaire a été défoncée. Trois moutons d'égorgés ! C'est lui, je vous l'acertaine. Il a été vu, à l'angélus. Au lieu de se rembucher, il faisait mine de rigoler. C'est un terrible, et vous nous laissez comme ça dans la peine ?

457

— Mais dis-moi donc, Jégu, sauf erreur, t'es fermier de M. de Guette ?

— C'est ma foi juste.

— Alors c'est simple, tu ramasses tes cliques et t'en vas de ce pas trouver ton bon maître. Tu lui racontes ton histoire. Pour sûr il te tirera d'embarras.

— Lui, il osera jamais ! Il a peur de son ombre.

— Alors, va te plaindre au maire.

— Lui ? Il...

M. de Quatrelys fit claquer son fouet. L'attelage s'ébranla, s'élança vers la levée, disparut dans les feuillages rouges de l'automne. On aperçut la Perle, crinière au vent, parmi les roches d'en haut, puis la queue horizontale des étalons, puis la toque blanche sur le gris du ciel bas, puis plus rien que les cimes dentelées des sapins, à perte de vue.

— Faut te faire une raison, dit Sans-Chagrin à l'adresse de Jégu. Aussi il est vexé, cet homme, et c'est tant « pire » pour nous, pour vous, et tant mieux pour ton sacripant de loup. Ah ! çui-là, il s'en paiera !

Le berger Judicaël était assis sur le marchepied de sa maison roulante. Il mangeait du fromage, se taillant de larges coupes dans un quignon de pain frotté d'ail. A la porte percée d'un cœur surmonté d'une croix pendait une grosse gourde en peau de chèvre. Il portait le pantalon bouffant et se coiffait du grand chapeau rabalet de ce temps-là. Sa houppelande de laine roussâtre, rapiécée de-ci de-là, tombait sur ses houseaux. Une barbe de roi mage s'étalait sur sa poitrine vigoureuse. Ses doigts pareils à des sarments, ses joues creusées de rides sinueuses avaient la même teinte grise que le dolmen près duquel il avait calé les roues de sa maison. Entre ses sabots, son chien aussi poilu, hirsute et sombre que lui, s'allongeait. D'une langue experte il gobait les miettes. Un peu plus loin, le troupeau de moutons étageait ses croupes laineuses sur la pente du plateau. Le bélier, juché sur un quartier de roche, dominait son peuple. Partout, ocellant l'herbe rase de la lande, repoussant les maigres buissons d'arbustes et les fusées des fougères déjà rougies par l'automne, apparaissaient les vertèbres nues de la terre, de beaux os d'un granit veiné, diapré, encore avivé par une récente averse. Le ruban clair d'une route partageait un monde infini de boqueteaux, de villages, de prairies, d'étangs et de rivières, s'exhaussant vers l'autre bord de l'horizon et se défaisant dans une nappe de brume.

Le berger s'arrêta de manger. Sa finesse d'oreille discernait un roulement lointain. « Qui voyage à cette heure, dans ce désert ?... Il y a trois chevaux... J'entends le fouet claquer... La voiture est légère... Ça ne peut être que mon tueur de loups... Personne ne fréquente ces chemins, hormis les rouliers, mais ils sont moins vites et de beaucoup ! »

Son œil reconnut à presque deux lieues de distance la Perle attelée en flèche avec les étalons, la petite voiture de tôle verte et la bombe de jonc d'Esprit de Quatrelys. Il se leva d'un bond et, suivi de son chien, il gagna la route, se planta par le milieu. La voiture s'approchait dans un bruit de tonnerre, cahotant sur les ornières et les épines rocheuses, mais son démon de cocher fouettait à tour de bras. Le berger mit son chapeau au bout de son bâton, le brandit comme un tambour-major sa canne. La Perle s'arrêta au ras de lui, les naseaux quasi sur la houppelande.

— Le bonjour à toi, Judicaël. Tu vas bien ?

— Le bonjour à vous, m'sieur Esprit. Je vous demande pas votre « portement ». Les nouvelles vont leur train : je sais pour hier. C'est leur révolution qui continue, à la sournoise.

Il était le seul de la région à donner son prénom à M. de Quatrelys. C'était un survivant de la chouannerie. On disait qu'il s'était battu en 1815, sur l'autre rive de la Loire avec les Vendéens, puis de nouveau en 1832, pour la duchesse de Berry. Il était, comme Esprit de Quatrelys, légitimiste obstiné. Mais alors que le marquis l'était par principe et désormais sans illusion, Judicaël l'était de cœur, et contre tout espoir s'opiniâtrait dans l'espérance d'une restauration.

— Aut'fois, reprit le berger, on aurait pris le fusil et, dame, les juges et toute leur justice, les gens d'armes et le reste !

— Autrefois oui, mais à présent, l'ordre règne.

— Le leur ! Pas le nôtre ! Pas celui du feu roi !

Il prononçait à la mode ancienne, joliment, « le roué ».

— Toujours fidèle, alors ?

— Oui, m'sieur Esprit, et je regrette que les balles républicaines m'aient quitté sur pied. Au fond, j'suis content d'êt'berger, tout seul avec mon chien et mes moutons. J'préfère pas voir. Comme vous, avec vos loups. Justement, c'est à ce sujet que je vous retarde. Y a-t-un grand vieux loup qui rôde dans les parages...

— Toi aussi ?

— Un grand loup à crinière, et tout gris d'années. Il laisse des marques larges comme ma main. Il descend de la forêt, prend par votre moulin et s'en vient sur la lande renifler les troupeaux. Deux fois, il a poussé une pointe jusqu'ici. Je l'ai bien étudié. Il a une espèce de bavette blanche sous la gueule et il pèse ses cent bonnes livres.

— Tu as ton fusil ?

— Ma doué oui, le vieux camarade, avec ses soixante-quatre encoches. Vous vous souvenez, une par lièvre en bicorne, deux pour les hussards. Et il tire juste, l'animal, malgré que les vers se mettent dans sa crosse.

— Eh bien, au revoir, Judicaël.

— Un moment ! Me laisserez-vous ce bougre sur les bras ? Il vous revient de droit.

— Je m'en vais.

— C'est égal, vous pouviez remettre et me débarrasser du compagnon.

— Puisque tu as ton fusil ! Tire-le. Comprends-moi, berger, il faut que je change d'air.

— N'allez pas à Baupuy. De ce voyage rien n'adviendra de bon.

M. de Quatrelys eut son rire, mais qui sonnait faux.

— Ne dis pas de bêtises, berger. Ça ne prend pas. Pas entre nous. Et, rappelle-toi, ce loup, je te le donne.

— Vous reviendrez le tuer, je vous le prédis, avant la fin de l'hiver, et vous aurez tort, parce que... parce...

— Grosse bête, mais je t'aime ! Au revoir !

Il empoigna son fouet, mais l'autre crocha dans les rênes.

— Un moment ! La vie d'un homme, c'est une grande route, avec des côtes, des tournants, des descentes en forêt, des traversées de plaines, et aussi des croisées sans poteau. Là où vous êtes, m'sieur Esprit, c'est une croisée : à vous de choisir !

— Que racontes-tu ? La route est droite comme un i !

— Ce loup, c'est pas une bête commune. Vaut mieux le tuer sans désemparer, parce que après...

— Adieu, prophète et bonne chance !

La mèche siffla dans l'air. Instantanément, la Perle reprit son galop suivie de ses deux acolytes. La petite voiture décrut à une vitesse incroyable. M. de Quatrelys agitait sa bombe de jonc, l'agitait sans fin ! Le berger renfonça son chapeau rabalet.

« Un cœur d'or, pensait-il, mais dedans y a-t-une épine noire... Et le v'là perdu... Sa force était dans sa solitude... Dans son Baupuy, il respirera le mauvais air... Un cœur d'or, avec une épine plantée dedans. Tout est là. Lui aussi, il doit avoir le regret que les balles de Louis-Philippe l'aient point couché dans l'herbe. Ah! vie de misère! »

Il appela son chien qui déterrait une musaraigne, ou un serpent.

— Viens çà, Fiérot. Ben oui, il est parti, tu vois. Il nous quitte à la peine, c'est de la nouveauté de sa part. T'as plus qu'à ouvrir l'œil et l'oreille.

Il se produisait un mouvement insolite dans le troupeau. Les brebis tournaient par rangées bêlantes. Sur sa table de roche, le bélier s'arc-boutait sur ses jarrets, comme s'il voulait charger. L'espace d'une seconde, une ombre basse, grise, tachée de blanc, glissa sur la hauteur. Judicaël se signa :

— J'en étais sûr. C'est une bête habitée. Elle le suit. Pourquoi a-t-il ce sort sur lui ?

Au-delà des fossés, les pacages étalaient leurs verdures insolentes, les bois déroulaient leurs frondaisons incendiées par l'automne, les peupliers effilaient leurs pinceaux légers, les petites maisons s'en allaient derrière leurs fourrures d'arbres fruitiers. Des ruisseaux coulaient sous l'arche des ponts. Et les sempiternelles nuées bretonnes pèlerinaient au-dessus de ce petit monde. M. de Quatrelys avait ralenti l'allure. Ses chevaux se reposaient dans un petit trot confortable. M. de Quatrelys se récitait, à voix haute, les vers immortels de « la Maison du berger » :

> [...] Pars courageusement, laisse toutes les villes ;
> Ne ternis plus tes pieds aux poudres du chemin ;
> Du haut de nos pensers vois les cités serviles
> Comme les rocs fatals de l'esclavage humain.
> Les grands bois et les champs sont de vastes asiles,
> Libres comme la mer autour des sombres îles.
> Marche à travers les champs une fleur à la main.
> La Nature t'attend dans un silence austère ;
> L'herbe élève à tes pieds son nuage des soirs,
> Et le soupir d'adieu du soleil à la terre
> Balance les beaux lis comme des encensoirs.

Sur le perron d'une maison sommée d'un haut bonnet d'ardoises, quelqu'un lui envoya un large coup de chapeau. Mais quand il cédait à la poésie, M. de Quatrelys n'eût pas reconnu sa femme, ni l'aîné de ses fils, ni son propre piqueux. Le chant profond de « monsieur de Vigny » ensoleillait soudain son âme.

La forêt a voilé ses colonnes profondes,
La montagne se cache, et sur les pâles ondes
Le saule a suspendu ses chastes reposoirs [...].

Chaque fois qu'au hasard de ses chasses et de ses errances il apercevait la cabane roulante de Judicaël, invariablement, fût-ce dans le plein de la poursuite d'un loup, ces vers retentissaient en lui, s'écoulaient de sa bouche.

[...] Il est sur ma montagne une épaisse bruyère
Où les pas du chasseur ont peine à se plonger,
Qui plus haut que nos fronts lève sa tête altière,
Et garde dans la nuit le pâtre et l'étranger.

Au sortir du village, il y avait une auberge où M. de Quatrelys faisait étape lorsqu'il « descendait » vers la Loire. L'aubergiste se précipita. Il enleva prestement son bonnet de coton bleu, hucha :
— Bienvenue à vous, m'sieur l'marquis !
Il entendit :

Viens y cacher l'amour et ta divine faute ;
Si l'herbe est agitée ou n'est pas assez haute,
J'y roulerai pour toi la Maison du berger.

L'équipage, au pas de promenade, monta vers un bouquet de pins. L'aubergiste en resta bouche bée :
— Çà alors ! M'sieur d'Quat'lys est passé, sans tourner le nez... Çà alors !

Elle va doucement avec ses quatre roues,
Son toit n'est pas plus haut que ton front et tes yeux ;
La couleur du corail et celle de tes joues
Teignent le char nocturne et ses muets essieux.
Le seuil est parfumé, l'alcôve est large et sombre,
Et là, parmi les fleurs, nous trouverons dans l'ombre,
Pour nos cheveux unis, un lit silencieux [...].

Après un moment, M. de Quatrelys s'exclama :
— Ah ! l'amour !... L'amour !... mais...
Il s'était « reproduit », mais avait-il aimé, pris le temps d'aimer, lui qui du 1er janvier à la Saint-Sylvestre pouvait être

de loisir ? Avait-il jamais prêté une attention tendre et soutenue à cet être qui, selon la religion et les lois, « partageait » sa vie ? Il entrevit une femme blonde et gracile, un sourire perlé où l'adolescence subsistait intacte, un regard qui ne savait être que d'émotion délicate et de bonté. Mais, vite, il chassa cette image dont l'attendrissante grâce l'importunait :

— Alors, ma Perle, on musarde ?

Il allongea un maître coup de fouet sur l'encolure de la jument et, comme elle hennissait, il eut son rire, rire où il entrait moins d'allégresse que de nervosité.

IL coucha aux portes de Nantes dans une taverne des rouliers, dédaignant à son habitude les hôtels de sa parenté qui étaient nombreux dans cette ville. Après le café et le tord-boyaux, comme il allumait une pipe en terre, la serveuse, accorte et prévenante, vint lui proposer des journaux.

— Voilà vingt ans et plus que je n'ai pas lu les gazettes.

Mais la fillette eut un minois si désolé, elle haussa si comiquement les sourcils, elle avait tant de jeunesse rieuse qu'il ne voulut lui faire chagrin. Il prit les feuilles et se donna l'air de lire. Les rouliers, sirotant leurs liqueurs ou tapant le carton, l'observaient du coin de l'œil.

— Qui c'est çui-là ? Il est pas de la contrée ?

— Si fait... Un original ! Il mène sa vie tout seul dans un moulin, entre Paimpont et Rochefort-en-Terre.

— Un gars de la haute, riche à en crever, vivre dans un moulin ! Enfin, bref...

— C'est Quatrelys, dit un joueur de cartes, le tueur de loups, un fameux lapin !

Ils le virent repousser bouteille et couvert, s'approcher d'une chandelle, déplier la feuille avec brusquerie. M. de Quatrelys, « après vingt ans et plus » ouvrait enfin une gazette, celle de Vannes : ils en distinguèrent le titre. Quand ils entendirent ses grognements de sanglier, ils s'entre-regardèrent et se poussèrent le coude. Le vieil homme lisait, cependant que pâlissaient ses joues hâlées, que se pinçaient ses lèvres minces :

Qui donc avait prétendu que les gros chiens ne se mordaient pas entre eux ? Le vieux dicton vient d'être mis en défaut hier, à l'audience de police correctionnelle où M. de Guette avait fait assigner M. le marquis de Quatrelys ! De quel noir méfait avait donc à répondre devant la jus-

tice ce vieillard, encore vert et d'un port respectable ? Il s'agissait d'un simple délit de chasse sur terrain d'autrui. M. de
Quatrelys, qui est un grand chasseur de loups, s'était, paraît-
il, laissé entraîner plusieurs fois, à la suite de sa meute, sur
les terres de son voisin, le baron de Guette [...].

Le compte rendu humoristique relatait le témoignage du
garde Caradec, l'intervention de Ruffin, les questions insidieuses
du substitut et la déposition de M. de Quatrelys qu'il présentait
de cette plume :

C'est vraiment un beau vieillard, un beau type de vieux
Nemrod ; avec sa barbe et ses cheveux blancs, encore très
drus, il a un faux air de Henri IV, comme on le représente
dans l'intimité, et, de même que le Béarnais, un penchant
indomptable... pour les loups.

Il rapportait cette anecdote :

Grâce à l'excellent avocat du prévenu, nous apprenons une
plaisante et tout à la fois bien lamentable histoire. Il y a
quelque dix ans, le baron de Guette, ou plutôt sa belle-mère,
Mme de Plélan, voulant se débarrasser d'un seul coup des assi-
duités, jusqu'alors agréées de son voisin, dans ses bois, s'avisa
d'y faire déposer des appâts empoisonnés à l'intention des
loups. M. de Quatrelys en aurait, selon le plaignant, été prévenu. Quoi qu'il en soit, ses chiens furent les seuls à se repaître
de l'appât. Le même jour, la moitié de la meute en périt.
Outré, le vieux veneur, à l'aube du lendemain, faisait amener
les cadavres sur le perron de Mme de Plélan, où il les aligna
en rang d'oignons, afin que la châtelaine pût, à son lever, jouir
de ce beau spectacle.
C'est donc une vieille affaire qui venait au tribunal et, si
l'on peut dire, un règlement de comptes entre deux grands
propriétaires de la région...

— Puis-je disposer de cette paperasse ? demanda M. de
Quatrelys.
— À votre gré, monsieur. Tout le monde ici l'a déjà lue.
Il glissa la gazette dans sa poche, puis, se ravisant, il la jeta
dans la cheminée et ne se retira que la dernière parcelle n'en fût
consumée.

« RIEN que ce torchon de gazetier suffirait à me dégoûter des Bretons ! Si j'étais plus jeune et si l'époque était un peu moins hypocrite, je te montrerais si je suis "un beau type de vieux Nemrod", je te ferais ravaler ton humour à quat'sous. C'est égal, si j'avais du regret de mon départ, cette fichue feuille de chou me l'eût enlevé… J'en ai bien un peu quand même : Judicaël. Je l'ai déçu. Mais il est assez fin pour m'avoir compris à demi-mot. »

Sa pensée cheminant de la sorte, M. de Quatrelys se déshabillait. Il retira le gros édredon rouge, défit la couverture et ouvrit son Pascal. Une veine serpentait le long de sa tempe, tel un rameau de lierre dépouillé de ses feuilles le long d'un mur. « Ah ! que de tremblements, de palpitations de cœur ! Le silence des espaces infinis ? Mais qu'en sait-il ? Le silence, ça n'existe pas. Il y a davantage de sagesse en Judicaël que dans tous les philosophes du monde. Mais le berger n'écrira pas ce qu'il pense ; c'est là toute la différence. Ceux qui écrivent sont des orgueilleux ou des angoissés. »

Il traversa la chambre, pieds nus, se mit à la fenêtre, ainsi qu'il pratiquait à Gournava. La nuit n'était point aussi pure qu'au bord de la forêt ou sur la lande. Une procession de toits aigus se découpait dans la clarté laiteuse qui montait de la Loire. Les seules étoiles visibles étaient celles des hommes, une profusion de lucioles clignotantes, de cierges allumés. Un verger à pommes s'étendait sous sa fenêtre et, au-delà, au bout d'une allée, on apercevait un morceau de façade blanche, le départ d'une tourelle d'escalier avec sa porte gothique. Des carreaux brillaient, dans la sertissure du meneau. C'était quelque manoir de campagne où, naguère, les armateurs nantais s'en venaient le dimanche festoyer entre amis et juponner à la discrète. Voilà que M. de Quatrelys se prenait de sympathie pour cette froide tour fusant au milieu des chênes qui lui rappelait celle de son vieux Baupuy, une autre encore : celle de « monsieur de Vigny » dans les collines de Charente, en ce Maine-Giraud où le poète enferma son austère vieillesse, et laissa courre son génie…

Oui, c'était bien ainsi, avec cette tour gaufrant une façade assez humble, que le Maine-Giraud lui était apparu, une nuitée de chasse. Il était jeune alors, plein de fougue, et le loup l'avait entraîné jusqu'à la demeure de Vigny, aux bois qui l'entouraient. La maisonnée dormait, non le maître : il travaillait dans la chambre ronde, sous le toit pointu de sa tour.

La meute, à la suite du loup, s'était engouffrée par le portail ouvert, et M. de Vigny, extrait de ses songes par le fracas des gueules aboyantes, avait entrouvert son fenestron. Il était descendu quatre à quatre ; il avait salué le jeune veneur qui avait mis pied à terre. Ensuite, drapé dans une ample pèlerine noire, il l'avait accompagné dans le bois où les chiens noir et feu emmenèrent le loup. Il avait assisté à son ultime lutte, lorsque la bête avait fait front, à sa mort stoïque. Ensuite, il avait offert l'hospitalité au jeune Quatrelys et réveillé ses gens.

M. de Quatrelys revoyait ce front immense, presque dégarni de sa toison de cheveux, ce regard où les usages le disputaient au désir de succomber aux songes et qui était semblable à celui des dieux. Après avoir installé son hôte dans la meilleure des chambres, il était remonté dans sa tour et tard, quasi jusqu'à l'aube, il avait besogné. M. de Quatrelys était persuadé qu'au cours de cette nuit finissante Vigny avait écrit sa « Mort du loup ». Le lendemain, devant que de prendre congé, percevant l'admiration éperdue du jeune homme et le prurit de littérature qui le démangeait, M. de Vigny lui avait donné ce conseil :

— Qu'enviez-vous, monsieur ? Ma gloire ? J'ai longtemps cru en elle ; mais j'en ai vu la vanité. Il y a d'ailleurs quelque chose de plus puissant qu'elle : le bonheur de l'inspiration, cette volupté de l'âme qui surpasse de beaucoup les plaisirs physiques. Mais je sens en vous quelque chose d'encore plus fort : le besoin d'agir. Alors, croyez-m'en, vivez ce que vous avez envie d'écrire ; plus tard vous pourrez écrire ce que vous avez vécu.

Souvenirs que cela, mais dont le vieil homme conservait intact l'éblouissement.

A LA pointe du jour, il quitta la taverne des rouliers et traversa la Loire, en empruntant non pas les ponts, mais le bac d'un passeur auquel il voulait du bien. Sur l'eau grise du petit matin, la Perle, l'Unique et Coco, la voiture à trois roues, glissèrent doucement devant les étraves des long-courriers et des goélettes. Au-delà fumaient les cheminées des cargos charbonniers. Sur le quai, une brochette de matelots, les bras en accolades, bramait :

> *As-tu connu le pèr'Lancelot ?*
> *Good bye farewell*
> *Good bye farewell...*
> *Nous irons à Valparaiso...*

M. de Quatrelys avait un faible pour la marine. Ces nobles navires fendaient la solitude des océans ; ils dédaignaient la sordide et putréfiante terre ! Aux alentours de ses seize ans, ne sachant trop que faire de sa personne, il s'était rêvé marin, mais l'affaire de la duchesse de Berry avait décidé de cette illusoire vocation, tout autant que la promiscuité à laquelle les officiers eux-mêmes étaient astreints. La vénerie avait promptement achevé de dissiper ces confuses aspirations. Il n'en subsistait qu'une collection de gravures (représentant principalement des naufrages et des combats) dans le grenier de Baupuy et ce vague attendrissement pour tout ce qui flottait.

— Sont-ils heureux, ces bougres-là ! dit-il en montrant les matelots.

— Voire, répondit le passeur. C'est l'équipage du *Ville-d'Auray*, en partance pour Madagascar. Ils ont bu par manière d'étancher leur chagrin, et beuglent par fanfaronnade.

— Ainsi ? Il n'y a personne de vraiment heureux ici-bas ?

— C'est tout comme.

Ils touchèrent rive. Précautionneusement, M. de Quatrelys prit les rênes de la Perle, débarqua son équipage.

— Bonne route et bon vent, monsieur !

— Qu'importe le vent ! J'ai un bateau à roues.

Derrière ces petites maisons sous leur visière d'ardoises, c'était la Vendée qui commençait ; c'était son pays de naissance et d'élection. Le fouet claqua, joyeusement. La Perle tendit le jarret. La voiture gravit, rapidement, la côte abrupte. L'air, chargé d'épices, de goudron, de salures, changea soudain d'odeurs.

TROISIÈME MOUVEMENT

Scherzo-menuet

COMME à chacun de ses retours, son vieux cœur battit plus vite ; une chaleur de sang quasi juvénile, bondissante, fila sous sa peau. L'air humide, un peu froid, traversé de relents de foin, de laitages et d'herbe drue, dilata ses poumons. Il retrouvait sa terre maternelle, l'antique et toujours jeune Vendée, peuplée d'arbres vigoureux, de croix, de chapelles sans nombre.

La Vendée n'est point de ces provinces qui séduisent, se donnent au premier venu. Elle n'inspire, tout d'abord, qu'une indifférence nuancée de respect, de même que ces femmes dont on ne pense rien, qui ne paraissent ni laides ni belles, mais, peu à peu, s'emparent d'un homme et pour la vie ! Mariage de raison qui se convertit en mariage d'amour, estime qui se métamorphose en passion exclusive ! Terre mystérieuse : où que l'on aille, c'est vers elle que l'on revient, avec la fidélité de l'hirondelle. Le printemps, l'été parent nombre de provinces d'une beauté fluctuante où l'éclat du soleil, les transparences de l'azur, les contrastes des lumières et des ombres le disputent à la fragilité, aux langueurs des fins de jour : que vienne l'automne, ces enivrants astragales déclinent et meurent à la façon des éphémères. C'est précisément alors que, dépouillant sa robe trop verte et son grand chapeau de nuages, s'habillant d'or et de roux, elle triomphe. Je le répète, absolument comme ces femmes auxquelles on ne prête qu'une attention distraite et qui, soudain parées d'étoffes somptueuses, effacent la beauté de leurs rivales et moissonnent les hommages. L'herbe rissolée par les étés, les broderies tumultueuses des chênes, le sombre pelage des sapins soudain s'imbriquent et s'harmonisent. Le ciel s'applique à souligner la pâleur racée de son visage. Sur sa sveltesse, la pourpre et les améthystes des soirs, les aigues-marines et les perles des horizons, tous les joyaux, toutes les gemmes éclosent brusquement, vers la fin de septembre. Et, tandis que s'allument les lumières villageoises, au loin gémissent d'ultimes trompes de chasse. Lyrisme forcené de ces crépuscules ! Le tiède adieu de la lumière, ces tons de miel descendus du ciel, les murmures de la terre, tout devient cantique, acte de foi, psaume de sérénité. L'âme s'endort, avant que ne se ferment les yeux.

MAIS pour M. de Quatrelys, elle était plus encore : la mère qu'il avait trop tôt perdue ! En elle il avait ses racines. Des fruits qu'elle répandait il avait tiré substance. D'elle il tenait sa dureté de muscles. Le gris-bleu de son regard était exactement celui du ciel vendéen.

Ainsi retrouvant le pays de son cœur, il se sentait un homme-arbre portant à bout de bras un univers sonore d'idées-oiseaux. Il avait suffisamment étudié, observé, pour savoir qu'hommes, plantes et bêtes, c'est tout un, qu'entre eux n'existent que de subjectives différences, de formes et de durée. Il percevait en lui la montée des sèves et leur tarissement hivernal. Il se sentait le frère du grand vieux loup hantant la forêt de Brocéliande, le frère des chênes têtards bordant sa route, frère aussi de ces lacs et de ces monts célestes...

De surcroît, pour l'accueillir, la terre des âmes s'était coiffée de cumulus violets au centre desquels, telle une panoplie de roi, luisait la cuirasse niellée et damasquinée d'un gros soleil d'où les épées étincelantes des rayons pointaient. Et ceux-ci, divergeant, piquetaient de cristaux la surface des étangs, l'ardoise des toitures, argentaient les façades, traçaient au milieu des prairies des chemins de lumière.

Pas un de ces bois qu'il n'eût hanté de sa présence, pas une maison qui lui fût inconnue, pas un manoir dont il ignorât l'histoire. Ces routes innombrables qui découpaient les domaines, elles gardaient l'empreinte de ses pas ; il en connaissait les tours et les détours, les commodités et les perfidies saisonnières, de même qu'il pouvait assigner à chaque bois son gibier.

Et partout le passé venait enrichir le présent. Lorsque, vers 1825, on le conduisait au collège de Baupréau, ce hameau n'était encore qu'un tas de pierres calcinées ; la grand-rue, qu'une rangée de moignons noircis, et le vol des corbeaux était visible à travers les poutres de la charpente de l'église. Ici et là, les témoignages des grandes batailles entre les paysans en sabots et les armées de la République attestaient, multipliaient leurs traces poignantes. Le soc qui retournait cette glèbe exhumait des squelettes, des cartouchières et des armes rouillées. La « guerre des géants » se lisait en filigrane dans toute la contrée. Là, pendant des mois, Charette avait tenu en échec le général Travot. Plus loin, dans le boqueteau de la Chabotterie, la meute l'avait cerné et pris. Ce village des Lucs avait été le théâtre d'un affreux massacre de femmes et d'enfants ; et ceux qu'épargnaient les balles et les baïonnettes, l'incendie les changeait en torches vivantes. Or de ce monceau d'os et de cendres, de ce fleuve de larmes et de cet ouragan de cris, tel le phénix, la Vendée ressuscitait. Les bois brûlés reverdissaient. Décimée, elle se repeuplait. Rayée de la carte par la Convention, elle se reconstituait, malgré le découpage des départements. Martyrisée pour ses croyances, elle peignait les portes de ses maisons rebâties de hautes croix de chaux blanche ; elle relevait ses calvaires abattus par les canonnades, en érigeait d'autres plus impérieux. Ah ! terre du bon labour, des prières du soir, des sagesses intimes, des fols élans !

Quatrelys l'avait vue renaître. Il avait vu revenir les années heureuses, se rechapeauter les tours des vieux manoirs, pousser toute une couronne de châteaux neufs. Mais sous cette volonté tenace, cette confiance dans l'avenir, le vieux cœur mystique battait au même rythme, la vieille foi en une éternité de bonheur se maintenait intacte et sans doute les épreuves qu'elle avait subies l'avaient encore recuite et durcie.

Partout et partout s'accrochaient des lambeaux de son existence. Ici, il avait forcé son premier cerf. Là, certain sanglier l'avait culbuté — et la toque du jeune veneur était restée dans la gueule morte ; fallait-il qu'il eût le crâne dur ! Là se situait sa première rencontre avec les loups. Et là-bas filait la méchante route, alors défoncée d'inimaginables ornières, qu'empruntait l'oncle pour le ramener aux vacances. Tristes années, tellement démunies de tendresse, années-prison ! L'oncle écrivait : « Mon neveu mord au latin comme un chien dans un fer rouge. » Il ne pouvait comprendre que cette inappétence aux études, le chagrin de cet enfant que personne n'aimait, et qui n'aimait personne, en était la cause. Cet orphelin sauvage, mal vêtu, mal peigné, exagérant par défi sa tenue déplorable et son mauvais caractère, on prenait en pitié son infortune. On le recevait dans les châteaux, mais on ne savait pas qu'en présence des familles unies, heureuses, dans le cercle des enfants rieurs, il se sentait encore plus misérable. Quand il n'en pouvait plus, il prenait soudain ses jambes à son cou, fuyait vers quelque retraite connue de lui seul, afin d'y dérober ses larmes.

Lors du soulèvement de la duchesse de Berry, il avait seize ans ; il s'était échappé du collège, avait rallié par les chemins creux ce grand toit en bâtière, là-haut sur la colline. Après la défaite des Mattes, la mort des chefs, il avait ramassé l'étendard fleurdelisé sur lequel saignait un sien cousin, et dans la nuit tombante il avait gagné Baupuy où l'oncle se mourait tout seul, abandonné. Dans le même temps sa sœur Esther s'éteignait en son couvent des carmélites, sainte enfant du malheur...

Ces retours en Vendée ouvraient le livre de sa vie. Dans ce château rose, il avait connu Jeanne de Chablun cependant qu'un pianiste jouait... Que jouait-il donc ? Ah ! oui : la sonate *Au clair de lune* d'un nommé Beethoven, un Allemand. Et Jeanne lui avait appris, sans sourire, qui était ce Beethoven... Chaque tour de roue faisait lever un souvenir, restituait son désir de mettre un terme à ses errances et de se fixer enfin tout de bon à Baupuy.

Mais toujours il en était ainsi. La vieille terre natale assainissait son cœur, lui dictait de bonnes résolutions. Voilà que l'extravagance de son comportement lui sautait aux yeux. Il décidait d'être pour Jeanne, sa femme, un peu plus qu'un mari à éclipses ; pour ses enfants, un père attentionné. Par avance, il goûtait cette joie que procure une conduite exemplaire. Et, toujours, après un ou deux mois de vie familiale, ses démons s'éveillaient ; un dégoût le prenait de cette vie rentière, des soucis domestiques, de la monotonie des jours trop confortables, des repas à heure fixe, de la compagnie de ses pairs, les hobereaux du voisinage. Alors Gournava lui paraissait un lieu de délices ; il brûlait ce qu'il avait adoré et, à bout de forces, repartait.

Remâchant ses faiblesses, il pensait : « Cette fois, il n'en sera pas de même. C'est tout de bon que je reviens. Voudrais-je revenir en Brocéliande, je ne le pourrais. Ces messieurs m'en ont chassé. D'ailleurs pour ce qu'il reste de loups, hormis mon grand gueulard de la nuit passée !... Jeanne, tu vas avoir une vraie surprise. Que fais-tu en ce moment ? Ne sens-tu pas que je me rapproche, dis ? Je reviens vieillir près de toi. Tu auras quand même ta petite part de tendresse. Bien sûr, tu méritais cent et cent fois mieux. Mais tu sauras pardonner, oublier et distraire ta vieille bête d'époux. Une autre vie va commencer pour nous. Ah ! je me suis tant répété de choses semblables que je me demande si je ne me mens pas à moi-même, comme, peut-être tout à l'heure, je lui mentirai sans le vouloir... Mieux vaut ne rien lui dire, mais, au fil des jours, la laisser constater que, désormais, il n'y aura plus de départs. Jeanne qui sait tout comprendre... »

Il fouetta la Perle. Maintenant il lui tardait d'arriver.

ET comme toujours, lorsqu'il eut traversé son village de Mouilleron et salué de la toque le grand calvaire qui se dressait sur la place, pris ensuite le routin cahotant qui menait à Baupuy et qu'apparut la barrière blanche marquant l'entrée du domaine, il s'arrêta, le cœur gelé. A ce moment, l'envie le poignait de repartir, à cause de cette comédie qu'il faudrait jouer, de cet accueil qui l'attendait bien pis que le plus cinglant des reproches. Cette douceur qu'il était certain de retrouver le désarmait par avance ; elle lui faisait presque peur, car il détestait d'être le débiteur de quiconque, fût-ce de sa femme.

Le jour finissait, comme il a accoutumé dans cette saison, très vite. Derrière les arbres du parc, sur la droite, s'effilaient les tourelles du Baupuy neuf, ce château que M. de Quatrelys avait permis à sa femme de construire, en néogothique, mais raisonnable et, somme toute, presque plausible en ces contrées féodales. A gauche et à demi enfoncé dans la dénivellation d'une prairie, le vieux Baupuy, celui de son enfance, de sa jeunesse et de ses amours. Tout était immobile, saisi, semblait-il, dans une atmosphère d'enchantement. Aucun bruit ne se faisait entendre hormis l'aboi lointain d'un chien. Au rez-de-chaussée quatre fenêtres trouaient de leur clarté bleuâtre la façade du Baupuy neuf, puis une autre à l'étage, une autre encore au milieu de la tourelle de l'ouest, une autre enfin du côté de l'office. Le vieux Baupuy n'était plus qu'une maison morte ; la famille l'avait déserté. Une telle impression de tristesse agressive s'en déga- geait qu'un visiteur non prévenu eût ressenti que, là, « quelque chose s'était passé ». L'âme des pierres y parlait un langage d'une sourde et bizarre éloquence, celle des âges cruels. Plongeant ses murs dans l'encre des douves, elle semblait receler quelque per- nicieuse et secrète alchimie, distiller on ne sait quels venins sub- tils. Pourtant c'était cette masure hautaine que M. de Quatrelys préférait.

— Allons, la Perle, un peu de courage !

Il en avait plus besoin que sa jument. A croire que ces der- niers tours de roue étaient les plus périlleux. Enfin, après avoir décrit une courbe le long des barrières bordant la pelouse, il s'arrêta devant le perron. Les chiens aboyaient dans leur chenil proche du principal corps de logis ; des portes s'ouvraient ; Lucien, le factotum, se précipitait, les jambes en arceau.

— Ah ! Monsieur ! bienvenue à vous. *C'est Monsieur !*

Félicie, la plus vieille des bonnes, accourait en levant les bras.

— Pas possible, not'Monsieur ! Dieu est avec nous.

Elle s'en retourna, cria à la cantonade :

— C'est Monsieur qu'est d'retour !

Sa voix résonna sous la voûte du couloir. Mme de Quatrelys parut, en robe mauve à parements de fourrure blanche, avec sa vivacité, sa sveltesse d'autrefois. Il s'empressa de quitter son siège, atterrit sur la deuxième marche après un bond d'adoles- cent. Il prit dans ses grands bras cette taille flexible, frotta sa barbe contre cette joue parfumée.

— Bonsoir, mon ami. Avez-vous fait bon voyage ?

Une voix de jeune fille, ou de toute jeune femme !

— Excellent, ma chère Jeanne, sauf que j'ai cassé un essieu dans la côte de Rocheservière. La réparation m'a retardé.

— Aussi vous étiez trop vite avec vos trois « lascars ».

Elle prenait cette expression qui lui était coutumière.

— Point trop, Jeanne. Mes « lascars » ont été sages comme des images, mais avec ces rocs qui affleurent dans nos chemins…

— Entrons. Je crains que vous ne preniez froid, après tout le mouvement que vous vous êtes donné.

Et voilà, le tour était joué ! Il redevenait mari, maître de cette demeure, opulent châtelain ! Le loup pouvait hurler sous les fenêtres de Gournava ! M. de Quatrelys offrait le bras à son épouse, s'étonnait qu'elle fût si calme et si souriante, absolument comme s'il revenait d'un voyage d'une semaine. Or il y avait presque une année qu'un soir de courroux, de délire, il était parti. Jeanne de Quatrelys feignait, par discrétion, miracle de tendresse, de ne plus se souvenir. Lorsque la lumière du lustre tomba sur elle, il vit qu'elle était rose de bonheur. Comme autrefois, comme toujours, elle ne demandait compte de rien, ne s'autorisait aucun reproche, arborait ce sourire d'épousée de la veille, un flux de sang avivant ses pommettes.

— Mon ami, vous devez avoir faim ?

Jamais elle n'avait pu s'habituer à cet extravagant prénom d'Esprit. Elle l'appelait donc « mon ami ».

— Une faim de loup vraiment.

— Votre couvert est mis.

— Vous m'attendez donc chaque jour ?

— Oui, chaque jour.

Il put constater qu'elle disait vrai. D'ailleurs Mme de Quatrelys était incapable de mentir. Le grand verre bleu était à sa place. Ce couteau, dont une patte de chevreuil constituait le manche (« mon premier chevreuil »), était le sien. Son fauteuil Louis XIII, aux lignes raides, aux gros feuillages verts, lui tendait les bras. Il s'y assit, regardant autour de lui ces boiseries blanches à moulures dorées, ces hautes glaces, ces tentures.

— Tiens ! dit-il, vous avez changé la garniture des bergères ?

— Elles étaient en loques.

— Vous avez bien fait. D'ailleurs que ne décidez-vous qui ne soit excellent ?

Il aperçut alors les macules de graisse sur ses mains, le noir de ses ongles, en éprouva quelque confusion.

— J'ai aidé le maréchal à réparer mon essieu, crut-il bon d'expliquer. M'accordez-vous un brin de toilette ?

— Prenez votre temps. Blanche n'est pas descendue. Henri est encore à sa mairie : il prend son métier très à cœur. Félicie vous montera un peu d'eau chaude. Puis-je vous être d'utilité ?

— Ne vous mettez pas en peine.

UNE odeur d'encaustique et de lavande flottait dans cette chambre elle aussi revêtue de boiseries claires et meublée dans le style Restauration. Les gants, la cravache de M. de Quatrelys étaient sur le guéridon, à l'endroit exact où, rentrant de ses promenades cavalières, il avait l'habitude de les jeter. Sur le bureau, près de l'encrier de faïence, il y avait son papier à écrire, celui qu'il affectionnait : un beau vélin bleuâtre, marqué de fleurs de lys. Son linge était rangé dans les tiroirs de la commode, selon l'ordre qu'il avait lui-même fixé. Des fleurs ornaient le vase d'albâtre. Il allait d'un objet à l'autre, inventoriait, vérifiait en hâte : sa manie de fureteur, sa méfiance de bête des bois...

Il fit une toilette de chat, démêla, non sans effort, les poils de sa barbe et de sa crinière de tête, puis, à l'aide d'un canif, rendit ses ongles « à peu près présentables ». Après quoi, dépoussiéré, brossé et pomponné de la sorte, il enfila l'une de ses invraisemblables chemises, ficela sa cravate de soie violette tant bien que mal, endossa enfin sa redingote et se mira :

— Mazette ! on me prendrait pour not'député !

La cloche sonna. Il descendit avec toute la componction dont il était capable. La famille s'était groupée au bas de l'escalier : Mme de Quatrelys, Blanche de Rancogne et ses deux enfants, Henri de Quatrelys, sa femme Ermine et leurs trois enfants, les quatre chambrières dont Félicie, les trois serviteurs mâles dont le vieux Lucien. Il serra des mains, baisa des joues, eut un petit mot d'amitié pour chacun.

— Et toi, demanda-t-il à l'un de ses petits-fils, comment t'appelles-tu déjà ?

Il y eut une seconde de gêne. Mme de Quatrelys eut mine de croire qu'il s'agissait d'une facétie de « bon papa ». Elle frappa joyeusement dans ses mains :

— A table, les enfants !...

Et prit le bras de son seigneur et maître. On eût dit que cette soirée était tout à fait semblable aux autres, qu'il n'advenait rien que du plus ordinaire, que s'accomplissait un rite quotidien. Le vieux couple gagnait la table familiale, comme s'il en avait toujours été, comme s'il devait toujours en être, de la sorte.

Où était le bric-à-brac du moulin ? Instinctivement, M. de Quatrelys cherchait ses boîtes, ses outils, ses éperons. Ici la nappe du damas le plus fin se chargeait de candélabres d'argent, timbrés aux armes de la maison. Tout dans cette vaste pièce respirait le luxe, mais sans la moindre ostentation. A deux reprises, M. de Quatrelys faillit manquer aux usages. Il attira à lui, d'un geste brutal, le grand plat aux viandes afin de s'octroyer une tranche supplémentaire.

— Lucien, dit Mme de Quatrelys, resservez Monsieur. Je crois que vous rêvez !

Après une lampée de vin, il fit claquer sa langue. Enfin, comme le repas se terminait, un sifflotement sortit de sa barbe blanche, pour l'amusement des enfants. Leurs yeux écarquillés fixaient l'étrange silhouette. Ce foisonnement pileux, cet habit démodé les fascinaient. Ils en oubliaient de babiller. Cependant, profitant d'un silence, l'un d'eux risqua :

— Le monsieur, il restera longtemps ?

Mme de Quatrelys égrena son rire. Tous s'empressèrent de l'imiter, y compris M. de Quatrelys dont se plissèrent brièvement les pattes-d'oie. Cependant, cette question enfantine lui serrait le cœur…

— Et alors, Henri, ton métier de maire ? Il paraît que tu y trouves ton plaisir. Raconte-nous ça.

Henri sauta sur l'occasion. Il dit les raisons qui l'avaient conduit à accepter « cette lourde charge », l'importance « toute locale, mais non négligeable » qu'elle revêtait, les espérances qu'elle faisait naître :

— Voyez-vous, mon père, en ceignant l'écharpe, c'était un peu comme si je reprenais possession de nos droits seigneuriaux, des fonctions qui y étaient attachées. Je veille à l'entretien des chemins, au bon état des bâtiments, à la sécurité générale ; je distribue des secours, j'évite les procès, j'aide à éteindre les incendies et je corresponds avec le préfet de même que naguère nos aïeux rendaient compte à l'intendant du roi.

Une lueur d'ironie pétilla dans les prunelles bleues.

— En somme tu viens d'abolir la Révolution !

— Ne vous moquez pas.

— Dieu m'en garde, mon cher, d'autant qu'au fond je ne te désapprouve pas, étant incapable de remplir ce rôle, ton frère aîné n'en voulant pas.

— Dans la presque totalité du département, les nôtres tiennent les mairies. Était-il concevable que nous demeurions en dehors du mouvement ? Notre maison est l'une des plus anciennes et des plus fortunées de la région. Les paysans n'auraient pas compris, se fussent détournés de nous. Écoutez : un beau dimanche d'août, la paroisse entière envahit le parc. Les notables venaient m'offrir l'écharpe.

— Comme en 93 le commandement de leurs bandes ?

— Oui, mon père, comme en 93 ! Les vieilles allégeances demeurent. Dites-moi si je pouvais refuser ?

Trop fin pour ne pas percevoir les pensées de son père, il soutenait le regard ironique, mais sans effort, parce qu'une certitude le soutenait : celle d'être dans le droit chemin.

« Il a pris la place qui me revenait, mais ça n'a pas l'air de l'embarrasser. C'est un garçon de tout repos, bon père, bon époux, et le modèle des fils : la consolation de ma pauvre Jeanne qui en a bien besoin ! »

De sa mère Henri de Quatrelys tenait son sourire, sa blondeur, sa carnation et ses iris d'un bleu de pervenche, sans doute aussi son égalité d'humeur et son application. De son père la charpente et la robustesse. Ermine, sa femme, affichait le même sourire de bonne compagnie, la même élégante simplicité. Après dix ans de mariage, ils avaient fini par se ressembler. Muette comme une carpe, non faute d'esprit mais à dessein, pour laisser la vedette à son époux, elle l'approuvait de ses grands yeux de biche. Quant à leurs enfants, ils alignaient leurs tignasses éperdument blondes et montraient une exemplaire réserve.

— Si je comprends bien, reprit M. de Quatrelys, tu as des visées politiques ?

— Pourquoi non ? intervint Mme de Quatrelys qui flairait l'incident. Son élection fut triomphale. Il ne lui manquait que sa voix.

— J'estime que nous aurions grandement tort de nous confiner dans nos domaines, appuya le jeune homme d'une voix légèrement crispée. Le monde évolue. L'industrie a pris son essor sous l'influence de Napoléon III, provoquant un mouvement irréversible. Nous devons, à peine de disparaître, nous y intégrer et dès à présent !

— Il est habile de se laisser porter par le courant.

— Vous vous méprenez. Il ne s'agit pas chez moi d'opportunisme. Je crois, je suis absolument sûr qu'en nous mêlant aux affaires publiques, nous revaloriserons les structures de l'État et faciliterons les mutations sociales. Les vertus qu'on nous prête mettront un peu d'air pur et de gratuité dans tout cela. Telle est mon opinion.

— Mais, s'exclama M. de Quatrelys, sais-tu que tu prêches comme un évêque ? (Il se tourna vers sa fille, son enfant préféré, parce qu'elle était taciturne, comme lui, et besognée de passions contradictoires bien qu'inavouées.) Et toi, ma Blanche, tu ne dis rien ?

Blanche de Rancogne leva sur son père ses prunelles veloutées (« Elle a juste les yeux de la Perle : c'est un compliment ! »).

Sa chevelure divisée en ailes de corbeau accentuait la pâleur de son visage aux traits fins mais impérieux. Sa robe était de soie noire, sans le moindre ornement. Elle ne portait d'autres bijoux qu'une alliance et un collier auquel pendait un rubis de la longueur d'un ongle.

— Il ne m'appartient pas de juger mon frère. Il est majeur et libre de ses actes.

Mais au ton qu'elle prenait, à la moue de sa bouche, on sentait bien qu'elle dédaignait. Les projets fraternels impliquaient trop de marchandages et de compromissions pour que son orgueilleuse nature les envisageât sans répugnance.

« Toi, mon indomptable, tu prends ton frère pour un benêt. »

Mais parce qu'il était en veine d'amabilité, il eut l'adresse de faire dévier la conversation :

— A propos, et ton époux, où est-il ?

Blanche subissait l'étrange sort dévolu aux femmes de la famille. En puissance d'époux, elle vivait esseulée. M. le vicomte de Rancogne commandait une corvette, sous les ordres de l'amiral Courbet.

— Il croise en mer de Chine. Il est ravi de son bâtiment, de son équipage, de son métier…

Et elle ajouta, par manière de défi, en digne fille de son père :

— N'est-ce pas l'essentiel ?

Il l'aimait aussi parce qu'elle osait lui tenir tête.

— Si fait, insista-t-il plaisamment. Tout homme a son génie propre. Il est dangereux et inutile de le contrarier. Mais je rends grâce à ta patience. Quand rentrera-t-il ?

— Au printemps, après trois ans d'absence.

— Tu ne l'en chériras que mieux !

Soudain il se rendit compte de son inconvenance, posa la main sur celle de sa femme qui se hâta de l'interroger sur la rupture d'essieu. Il saisit la balle au bond, relata, avec force détails, les circonstances de l'accident, peignit sa déconvenue, la balourdise du forgeron de village, pimentant son récit de réflexions narquoises, l'émaillant d'idiomes patoisants. Puis la conversation dériva de nouveau. On parla des amis, des voisins : Jacques de Fonqueure avait convolé en grand apparat. Le pauvre Céris ne possédait plus que six chiens, contre sept l'année précédente. Joachim de Chablun avait du fil à retordre avec Blaise, son petit-fils ; il l'avait, de guerre lasse, confié aux frères Quatre-Bras. La tante Adeline de Beaurevoir était tombée de cheval (à soixante-quinze ans « déclarés ») ; elle avait manqué passer, mais, au bout d'une semaine de lit, elle reparut le tricorne au front, la trompe sur l'épaule, ses vieux os tambourinant sur le dos d'un étalon « vif comme la poudre ».

On se rendit au salon, suivant le même cérémonial. M. de Quatrelys s'assit près de sa femme sur le canapé. Derrière lui s'alignaient les aïeux dans leurs cadres dorés. Devant, ses enfants et ses petits-enfants, le présent et l'avenir.

« La race n'est pas près de s'éteindre! pensa-t-il malicieusement. Encore ne sont-ils pas tous là. »

Henri servait les liqueurs. Blanche s'était mise au piano.

— Ah! dit M. de Quatrelys, ce qu'on est bien chez soi.

Alors, mais alors seulement, Jeanne cessa de sourire.

LE curé de Mouilleron était un personnage! En ce temps-là — qui précédait la séparation de l'Église et de l'État —, embrasser la prêtrise, pour un paysan, c'était gravir un fameux échelon dans la société, devenir le commensal attitré du châtelain de la paroisse, presque son égal, en apparence du moins. Or le curé de Mouilleron n'était pas homme à se repaître d'apparences! Représentant le Roi des rois dans ce coin de terre, il estimait devoir s'entourer d'autant d'apparat que la noblesse du cru. Afin de « tenir son rang », il avait eu l'idée singulière de travestir son sacristain en majordome. Mais, faute de moyens, il avait fait coudre des brandebourgs de coton jaune sur l'une de ses vieilles soutanes. On venait de loin pour voir cette soutane-livrée, flanquée de surcroît d'énormes pattes d'épaules récupérées en quelque grenier! C'était une curiosité locale. Le sacristain, ancien long-courrier, arborait, à l'oreille gauche, un grand anneau de cuivre doré. Remplissant les fonctions de chantre, aux répons, il embouchait un porte-voix de marine et beuglait à faire péter les crânes. Enfin il avait encore la mission de quêter, ce dont il s'acquittait à merveille mais dans un style tout personnel. D'une main il présentait la sébile, en secouant les pièces avec la dernière énergie, de l'autre une tabatière. Se montrait-on généreux, il offrait une prise. Avare, le couvercle claquait, et sèchement! C'était de ce train qu'allait la messe à Mouilleron.

Au cours de ses visites pastorales, l'évêque retardait le plus possible de venir à Mouilleron ; les mauvaises langues colportaient qu'avant l'office il se bourrait les oreilles de coton. De bonnes âmes, que M. le curé avait reçu « des lettres du diocèse ». Mais il tenait trop à son sacristain, à son invention de soutane, et pensait que ce tonnerre vocal frappait les imaginations.

L'église était bondée. Il n'avait pas été possible d'en fermer les portes. Cette foule de bonnets de dentelle, d'habits de gros drap noir boutonnés jusqu'au col, de visages, de regards attentionnés! Non seulement la paroisse entière était présente, mais des curieux étaient venus des alentours : afin d'apercevoir M. de Quatrelys. Tout se sait à la campagne, tout est prétexte à se déplacer et à se distraire. Les rumeurs y ont des ailes. On sut, au bout de deux jours, que « l'enragé veneur » abandonnait son existence « de bâton de chaise », qu'il se fixait définitivement à Baupuy. Le motif de cet abandon suscitait maintes hypothèses dont la plus répandue était qu'« Esprit le Loup » avait « pris un coup de vieux ». Alors, sans méchanceté, par curiosité pure, par sympathie chez quelques-uns, on venait se faire une opinion. Mais on eut beau s'ingénier à lui découvrir de nouvelles rides, une pâleur insolite, un tremblement de mains ou du menton : tous en furent pour leurs frais. Et pourtant chacun put l'observer à loisir!

Arrivé parmi les derniers, il avait dû fendre cette foule, soutenir tous ces regards soudain braqués sur sa personne : mais de cela, à la vérité, il n'avait cure. D'ailleurs avec quelle promptitude respectueuse s'écartait-on sur son passage! Il s'avança au milieu de cette haie de paysans aussi tranquillement que s'il eût traversé un pré. On se montrait sa redingote de coupe Charles X au grand col relevé d'où bouillonnait la cravate de soie violette, la toque de jonc tressé, la barbe étalée en éventail. Mᵐᵉ de Quatrelys, ses enfants, ses petits-enfants suivaient le patriarche.

— Ils sont tous là de ce jour, chuchotaient les commères.

— Oui « Madame » peut faire une croix à la cheminée. La pauvre, elle a tout son monde, pour cette fois!

Jeanne de Quatrelys n'était pas appelée autrement que « Madame » à Mouilleron. On l'y révérait à cause de ses largesses, de ses talents d'infirmière bénévole et, beaucoup plus, de sa gaieté courageuse : « Ah! celle-là, les anges bassinent son lit! » Aimable image : bassiner un lit, c'était y introduire un récipient garni de braises, avant les longues nuits d'hiver.

— Mossieu le Maire est de second rang, an'hui?

— C'est pas lui, l'aîné, fichue bête. Après le vieux, c'est « la Loutre ». Après « Épaminondas ». En lanterne, « Bombardeau ».

La manie du sobriquet sévissait dans la contrée, n'épargnant pas même les châtelains. M. de Quatrelys était « Esprit le Loup ». Louis de Quatrelys, « la Loutre » (qu'il chassait avec autant de conviction que son père détruisait les loups de Brocéliande).

Henri le maire, c'était « Épaminondas », parce qu'il était entiché du capitaine thébain, se référait à lui dans ses discours et que ce nom barbare plaisait. Quant à « Bombardeau », il menait une vie retirée au fond d'un manoir choisi à cet effet, parmi de jeunes personnes « qui n'étaient pas du pays ».

Malgré l'affluence, nul n'avait osé occuper le banc en face de l'autel. La famille s'y installa. On vit M. de Quatrelys faire un large signe de croix, puis s'agenouiller sans l'ombre d'une difficulté. La soutane à brandebourgs apparut.

Fut-ce la présence de M. de Quatrelys, ou le nombre des fidèles ? Le sacristain se surpassa. Ce n'était plus une suite de beuglements qu'il poussait, mais un brame de cerf royal. Une voix pareille, entendue la nuit, dans un lieu écarté, eût mis les carabines aux poings, tiré les couteaux de leurs gaines. Un zoologiste eût immédiatement pensé qu'en ces terrains primaires il n'était pas exclu que subsistât quelque espèce disparue. On se demandait tout de bon comment les voûtes supportaient des percussions semblables sans se fendre. Quant à l'officiant, il montrait aussi peu de discrétion. Plusieurs craignirent que son sermon ne finît à vêpres. M. de Quatrelys commençait à s'énerver. Il avait envie de crier : « Alors quoi, l'abbé, on n'est pas ici pour faire des pataquès ! » Il admirait le recueillement de sa femme, la bonne tenue des petits Quatrelys : « Les a-t-on chapitrés, ces pauvres moutards ! »

Tout de même il s'apaisa, parvint à s'émouvoir. L'un de ses petits-fils allait à la table de communion.

« Sauf erreur, çui-là, c'est le garçon de "la Loutre". Le petit bougre, il me ressemble. Moi, tout craché, enfin quand j'avais son âge. Mon Dieu, comme il me regarde ! C'est peu de dire qu'il me mange des yeux : un vrai carnage ! »

Ce qu'il vit derrière ce mince visage enfantin, dans ces immenses yeux bleus, le remua profondément. C'était un mélange d'admiration et de reproche tendre. Le vieux mit la tête dans ses mains et pria avec emportement, afin d'unir au moins sa prière à celle du petit bougre : « Et je ne sais même pas son prénom ! »

N'empêche que, sitôt l'*Ite missa est*, il reprit son assiette. Et comme l'abbé venait chercher le compliment :

— Magnifique, monsieur le curé, il n'y a pas d'autre mot. Et quel éclat !

On sourit autour d'eux, on se poussa du coude. Heureusement l'abbé ne comprit pas l'allusion. D'ailleurs « Madame » intervenait :

— Monsieur le curé, puis-je vous demander de partager notre repas ? Nous serons en famille…

M. le curé se rengorgeait. Tant de civilité le touchait au vif.

Un coupé gris, élégant, attelé à deux chevaux, déboucha sur la place, s'arrêta devant le parvis. Il en descendit un grand vieux en pèlerine noire et bottes vernies, coiffé d'un large chapeau. Il s'avança vers Mme de Quatrelys, la baisa sur les deux joues, serra la main d'« Esprit le Loup » et de ses fils.

— Mécréant, plaisanta « Madame », tu arrives toujours aux cloches !

— Je suis sûr, rectifia le curé, que Monsieur a rempli ses devoirs.

C'était Joachim de Chablun, le frère de Jeanne de Quatrelys. Partout où il paraissait, on le saluait très bas et personne n'avait jamais pensé le gratifier d'un surnom.

— Assurément, répondit-il. J'ai attrapé ma messe avant de partir. Sais-tu que, chez toi, ce n'est pas la porte à côté !

— Eh bien, « ma Loutre », railla le patriarche, quoi de neuf en ta Perrière ? Quels projets caresses-tu ? Sieds-toi, garçon.

Et il lui fit place sur le canapé. « La Loutre » s'exécuta sans grand empressement. C'était un trop pur Quatrelys pour s'entendre bien avec son père. Lui aussi, il avait une ressemblance frappante avec le vieux, bien qu'il n'excédât pas trente-cinq ans.

— Tu as une mine resplendissante. Bravo ! Je suis bien aise de ta visite.

— Un coup de chance, répondit « la Loutre ». La semaine passée, j'étais en Anjou, pour y gâcher trois bons chiens : un basset et deux otterhounds. Les loutres sont félines dans le coin ! Elles ont proprement saigné et noyé mes trois cabots. Force m'était de rentrer au bercail, pour me remonter.

— Sinon tu serais la pique sur l'épaule le long des ruisseaux ?

— Et de cœur joie !

— Merci quand même. Ta femme n'est pas de cet avis. Je la trouve un peu… tristolette.

— Par inclination de nature.

Il est à peine besoin de dire que l'épouse de « la Loutre » ne jouissait de sa compagnie qu'une paire de mois de l'année. Comme « Madame » et Blanche de Rancogne, elle avait la gestion d'un domaine sur les bras, sans parler du train de maison.

« La Loutre » attendait d'hériter ! C'était un futur riche, d'autant que les notaires de ces familles-là tournaient assez bien les lois pour maintenir une sorte de droit d'aînesse. Il ne reculait donc devant aucun sacrifice pour satisfaire sa passion de « loutrerie » et prenait l'argent où il le trouvait.

— Dis-moi, l'ami, j'ai appris que tu avais mis le Plessis en vente, la meilleure de tes fermes ?

— Impossible de joindre les deux bouts.

— Aussi pourquoi achètes-tu ta chiennaille en Angleterre ?

— C'est la seule valable. La chasse à la loutre n'est pas un sport d'intérieur. Il y faut de l'astuce, de bons auxiliaires et des chiens des quatre saisons. Mais, mon père, voilà que vous me reprochez ce vers quoi vous m'avez naguère poussé si fort. J'ai parfaitement retenu vos paroles : « Fiston, le loup se meurt. Cherche un autre animal, mais que diable ! fais-toi une spécialité, ne va pas courre le cerf comme un citadin. » Votre meute ne coûte rien peut-être ?

— J'ai de quoi l'entretenir et la renouveler. Je ne dépense quasi rien pour moi.

— Et moi, croyez-vous que les auberges où je couche soient des palaces ? Je dors n'importe où, je mange n'importe quoi...

M. de Quatrelys lui prit le bras.

— Inutile de t'exciter, Louis. Je te mettais simplement en garde. Quant à cette ferme, je t'interdis de la vendre. Il y a plus de quatre siècles qu'elle appartient à la famille. Plusieurs des nôtres en tirent leur origine, car, au départ, nous étions tous plus ou moins paysans. Tu connais la jolie boutade de Mᵐᵉ de Sévigné : « Nous fûmes tous laboureurs, nous avons tous conduit notre charrue : l'un a dételé le matin, l'autre après-dînée. Voilà toute la différence. »

— Mais enfin, mon père, je ne puis suffire ! Faut-il que je renonce ?

— Je te donnerai quelque chose, en avance d'hoirie, pour augmenter ton revenu. Mais, de grâce, ne vends rien, jamais. Tout bizarre que je sois, je me suis accru. Les sapins de Gournava représentent une grosse somme maintenant. Pense aussi que tu as un fils et... une femme.

— C'est vous qui dites cela ?

— Oui. C'est moi. Sauf pour la sauvegarde de nos biens, je ne suis guère un modèle à suivre. Tu vois que je ne me flatte pas ! Mais on t'appelle ! Je ne te retiens plus, d'ailleurs le principal est dit.

— Certes, mon père ; je vous en remercie. Mais…
— Quoi encore ?
— Vous ne cesserez donc jamais de m'étonner ?
— Si fait, en perdant la vie.

APRÈS « la Loutre », ce fut Chablun qui vint tailler une bavette. M. de Quatrelys l'estimait, mais il ne l'aimait que peu, l'enviant à son insu d'être ce qu'il était, « le vieux roi de Vendée », roi sans couronne mais de grands pouvoirs, chef de « la confrérie », chef des paysans, par la grâce de Dieu et son bon plaisir. Bon connaisseur d'hommes, il avait jugé le vieux Quatrelys et sa descendance, mieux qu'un psychologue de profession. Il était le seul dont « Esprit le Loup » agréât les avis. Naguère, à l'issue d'une mémorable dispute, il l'avait convaincu de permettre à sa sœur de construire Baupuy-Neuf. Il n'était que temps. Deux ans de plus, « Madame » fût morte dans les humidités pernicieuses de Vieux-Baupuy.

— Alors, beau-frère, la campagne s'annonce-t-elle bonne ?
M. de Quatrelys se frotta les mains : c'était chez lui signe d'hésitation.
— Je l'ignore, Joachim, vraiment.
— Il est encore trop tôt ?
Mais, à la fin, que voulait cet indiscret, que savait-il, qu'avait-il deviné ?
— Oui, mon cher, trop tôt…
Joachim éclata de rire :
— Je me demande toujours si tu ne fabriques pas les loups. Depuis le temps que tu les tues, il en reste donc toujours ?
— Ils s'amenuisent.
— Espérons que l'hiver en rabattra quelques-uns, sinon que ferais-tu ?
M. de Quatrelys eut un geste évasif. Il y eut un moment de silence. Il dit très bas :
— Crois-tu que je ne puisse changer mes goûts ?
— En cas de nécessité.
— Par libre choix ?
— Que dois-je comprendre ?
— Rien encore. Tu l'as dit toi-même : « Il est trop tôt. » J'ai grande envie de t'aller visiter un de ces jours. Il y a si longtemps que je n'ai pas traîné mes bottes sur ton plancher.
— Ta rareté n'en sera que plus appréciée. Tu séjourneras donc parmi nous ?

— C'est probable.

— J'en ressens du plaisir, plus que tu ne crois, mon sauvage. Admettras-tu enfin que, tous ici, nous t'aimons ? Et Jeanne…

— Je t'écrirai donc.

— Ne peux-tu me dire tout de go ? Est-ce donc si important ?

— Rien ne l'est, Joachim, mais j'hésite encore, je me tâte le pouls… Et puis on nous écoute…

— Comme tu voudras.

Des voisins venaient d'arriver. Des groupes se formaient. « Épaminondas » vaticinait sur les plaisirs et les désagréments de sa charge municipale, dévoilait les vastes projets qu'il mûrissait : agrandir la mairie (« Car est-il concevable qu'à Mouilleron la noce attende en plein vent, tandis que l'officier d'état civil célèbre le mariage ? »), remplacer le gué d'une méchante rivière par un pont métallique (« Que diable, il faut suivre son temps ; au surplus le métal a autant de résistance que la pierre, et son coût est moins élevé. »)

« La Loutre » avait pris à partie le bon abbé, et l'endoctrinait sur son sport favori :

— Écoutez-moi bien, l'abbé, la chasse à la loutre débute à l'heure où les autres chasses touchent à leur fin.

— Oui, répondit le curé qui appréciait fort que « Monsieur Louis » lui parlât si familièrement, bras dessus, bras dessous.

— Avec elle, quelle patience, quelle ténacité n'y faut-il pas ! La loutre n'est pas un sot animal ; elle tient du chat par ses ruses et son agressivité. Blessée, elle attaque. Prise, elle se défend avec un admirable courage.

— Et pour la tuer, demanda l'autre, vous prenez quel numéro ?

— Malheur ! s'exclama Louis, hérésie fondamentale ! Ni plomb ni balle. Sachez bien que, dans l'eau, le fusil tue mal. Non, mon cher, une longue pique dans laquelle on visse une petite fourche très pointue. Mais au fait, pourquoi n'essaieriez-vous pas ? Je vous invite…

Chablun conversait avec les dames, ce qui lui permettait de rester plus longtemps auprès de Jeanne. « Bombardeau » ne disait rien. Installé devant une petite table bien pourvue de pâtisseries et d'alcools, il lorgnait, les prunelles émerillonnées, le corsage et les chevilles de la soubrette qui présentait le plateau. M. de Quatrelys prêtait une oreille distraite au discours d'un de ses voisins, qui l'entretenait de coupes de bois et de fermages.

La lumière entrait à plein par les hautes fenêtres. Dehors, les enfants passaient et repassaient derrière les vitres, poussant la balle ou le cerceau. Ils avaient de grands chapeaux à rubans. Mais celui que cherchait M. de Quatrelys ne se montrait pas.

Alors, avec un peu d'inquiétude, oubliant son monde, il se leva, traversa le salon et dit :

— Je vais m'aérer.

De lui rien ne surprenait et nul ne pensait à le contrarier. Seul, Chablun hocha la tête. Jeanne chuchota :

— Il a déjà fait un gros effort. Essaie de le comprendre.

M. de Quatrelys se dressa sur le perron. Instantanément les enfants interrompirent leurs jeux.

— Où est celui de La Perrière ? Où est-il ?

— Jean ? demanda une fillette.

— Oui, Jean ! Pourquoi ne joue-t-il pas avec vous ?

— Mais, grand-papa, il est trop vieux !

M. de Quatrelys consentit à sourire. Sa voix se radoucit :

— C'est bon. Mais où musse-t-il ?

— Il est parti là-bas. Tout seul.

Là-bas, c'était en direction de Baupuy-Vieux, de la masure féodale enfoncée dans ses douves. « Mais que peut-il bien faire dans ce taudis, le petit animal ? Faut que je voie ça. » L'allée bordée de chênes centenaires contournait la pelouse tondue de frais ; ensuite elle se perdait dans une espèce de chemin raboteux et boueux, mangé de ronces, pour aboutir enfin dans la cour du manoir abandonné. Un escalier, aux marches disjointes entre lesquelles s'effilaient de grosses touffes d'herbes, menait à l'unique porte, aussi large qu'un porche, mais assez basse, sommée de fleurons gothiques et encadrée de colonnettes. Cette porte était entrebâillée : « Le petit bougre fait le tour du propriétaire ! Mais que va-t-il dénicher là ? » M. de Quatrelys entra, entendit des pas au-dessus de lui, prit l'échelle de meunier par où l'on accédait à l'étage. Ç'avait été par ce degré que, naguère, il avait conduit Jeanne à sa chambre d'épousée. Là qu'elle avait vécu, attendu, mis au monde ses enfants, prié, souffert, espéré. Trente ans de sa vie de femme ! Les chambres étaient immenses, mais d'une obscurité de sépulcre. Le suintement des murs décolorait très vite la tapisserie. L'écoulement des gouttières gonflait les laizes de papier marron que l'on collait au plafond, y creusait des entonnoirs qui bientôt se changeaient en cataractes : il fallait monter en hâte les marmites, les casseroles de la cuisine située au rez-de-chaussée, près des écuries.

— Qui est ce monsieur ? demanda l'adolescent.

C'était l'oncle accusé du double assassinat, à tort ou à raison. Le tourmenteur d'Esprit de Quatrelys et de sa sœur Esther. On avait relégué son portrait dans cette pièce, en espérant que les souris, les scolopendres et les vers achèveraient la besogne de l'humidité. Sur le front, sur les yeux, sur les dorures de son uniforme et les rubans de ses médailles, des taies blanchâtres s'étalaient. La toile était perforée en plusieurs endroits : au niveau des cheveux, à celui du cœur. Quelle haine puérile s'était de la sorte exercée sur cette relique ? Mais si dégradé qu'il fût, ce visage méritait sa réputation sinistre.

— Qui est-ce ? insistait Jean.

— Un parent éloigné.

— Pourquoi le laisse-t-on ici ?

— C'est quelqu'un que nous avons à peine connu. Et puis la peinture est détestable. Il est donc resté là quand nous avons déménagé.

— C'est ici que vous êtes né ?

— Oui. Autrefois, tu sais, on avait plus de rudesse qu'aujourd'hui. Le confort, on s'en moquait.

— Mon père, mes oncles sont nés ici ?

— Tous, même ta tante.

Lui, ne marquait aucune frayeur. En questionnant il appuyait son regard. Regard qui, par instants, en dépit de sa juvénilité, pénétrait comme une sonde.

— Est-il vrai, père-grand, que vous aviez pour jouet un loup empaillé ?

— Oui, mon petit, c'est vrai. Ce loup avait été abattu près de l'étang. On l'avait apprêté et monté sur des roulettes. Ce fut mon premier cheval. Or, un jour de vacances, me voilà chevauchant le fameux loup. Le bélier ramenait ses brebis de l'abreuvoir. Il m'avise, il me charge, il me culbute dans les douves. C'est miracle que je n'aie bu la tasse.

— Vous saviez nager ?

— Qui m'aurait appris ? Je me suis agrippé à une branche et tiré des lentilles sans lâcher la queue du loup : tu penses, mon unique jouet ! Pour bien dire, je me classais parmi les insupportables. Je grimpais dans la tour, en poussant devant moi un grand braillard de dindon. J'ouvrais le fenestron et je jetais le pauvre volatile dans le vide, pour le forcer à voler : il me paraissait anormal qu'ayant des ailes on ne s'en serve pas. Mes retours étaient moins glorieux. Plus d'une fois j'ai été fouetté aux orties.

Figure-toi, je ne pouvais voir un cheval sans sauter dessus. Je montais à cru. Alors, les dégringolades ! Si j'ai le nez si courbe, une poulinière y est pour quelque chose ; elle m'envoya proprement contre un arbre. Mais j'étais incorrigible.

L'adolescent avait un petit rire ; ses yeux pétillaient. M. de Quatrelys, bizarrement, se sentait en confiance ; il vagabondait parmi ses souvenirs. Celui-là ne le trahirait pas ! Il enregistrait. Il se formait une opinion du vieil homme, pour plus tard. Il réfléchissait.

— Ton père, demanda-t-il tout de go, il te parle de moi ?

— Très peu. Il est si souvent absent. La chasse aux loutres l'absorbe presque entièrement.

M. de Quatrelys nota l'altération légère de la voix et se mordit les lèvres.

— Mais enfin, il t'apprend à monter ?

— Pas lui, un voisin. Ma mère s'occupe de mon éducation, mais l'année prochaine j'irai au collège. Elle dit que je deviens trop fort pour elle.

— Où donc ?

— A Poitiers. Elle m'enseigne aussi la généalogie, la nôtre ! Je l'aide à peindre les écussons de notre famille qui remonte à 1412.

— Bien avant, mon petit. Mais le premier parchemin porte en effet cette date. Et tout ça... t'intéresse ?

— Beaucoup ; j'essaierai de me rendre digne, de faire aussi bien.

— Mieux peut-être.

— Mère écrit un ouvrage, avec l'histoire de chacun de nous. Il y a une phrase qui m'intrigue : « Mal passé n'est que songe, l'honneur reste. »

— Elle signifie que, quoi qu'on fasse, il ne faut pas entacher son honneur. C'est un bien de famille, l'honneur : on doit le transmettre intact. Ah ! petit, tu penses à ces choses ! C'est bien. Mais quel âge as-tu ?

— Douze ans et demi.

— Il ne faut pas m'en vouloir d'ignorer ton âge. J'ai tant de petits-enfants et... moi aussi, je suis si souvent absent.

Ils arpentaient la cour, échangeant leurs idées et leurs confidences. Un soleil se levait dans le cœur de M. de Quatrelys. Cet enfant grave qui stagnait en lui, voilà qu'il le retrouvait incarné, bien vivant, perspicace et curieux de tout, fier de son vieux nom et déjà tout imbu d'honneur. Grave, non encore blessé par l'existence, magnifique promesse d'homme, et peu importait, et même était-il préférable que « la Loutre » eût de si longues absences !

— Ah ! on vient encore nous déranger !

« Épaminondas » gesticulait au bout de l'allée.

— Faut rentrer, petit. On nous appelle. Les invités s'en vont et je dois les saluer. Mais je t'aime, tu sais.

— Moi aussi, très fort. Et je pense souvent à vous.

— Rassure-toi, nous reprendrons cette conversation d'ici peu.

— Vous viendrez à La Perrière ?

— Je te le promets.

APRÈS cette longue journée, le départ des voisins, les enfants ayant regagné leur appartement, ils étaient restés en tête à tête, Jeanne et lui.

« Madame » avait trop de finesse, elle était bien trop femme, pour ne pas percevoir la mutation qui s'opérait dans l'esprit de Quatrelys : l'espèce de douceur qui semblait s'être insinuée en lui et se traduisait par une inexplicable bienveillance. Mais trop instruite par l'expérience, elle n'osait réellement espérer. Son bon sens l'invitait à chercher ailleurs les raisons de cette surprenante métamorphose.

M. de Quatrelys extrayait de savantes et voluptueuses bouffées de sa pipe, non sans avoir courtoisement demandé l'autorisation d'« empester ». « Madame » brodait une chasuble, à points rapides et précis. Une seule lampe était entre eux. « Madame » hésitait. Dans son cœur avide de bonheur, un espoir se levait, informe encore mais déjà insistant. Elle était curieuse aussi, comme une chatte, comme une femme. Mais elle savait son mari de caractère si abrupt qu'en dépit de tant d'années de conjugat elle ne se résolvait pas. Elle débattit plus d'un quart d'heure, puis :

— Mon ami, j'ai souci de vous…

Lui, d'entendre cette phrase-question, ne put s'empêcher de regimber, retenir un réflexe de défense :

— Et pourquoi, ma belle Jeanne ? Qu'ai-je donc qui vous tracasse ?

Jeanne le remercia d'un sourire. Elle était sensible aux compliments.

— Je vous trouve las.

Elle se hâta d'ajouter :

— Ce n'est probablement qu'une impression. Il me semblait pourtant que vous aviez les traits un peu tirés.

— Moi ? Mais, ma chère, je suis en parfait état. (C'était plus fort que sa volonté : il détestait qu'on le plaignît.) Une preuve : je tiens mes quinze heures à cheval, sans une once de fatigue.

— Et moi, je crois que vous vous négligez un peu. Au moins vous nourrissez-vous convenablement ? On m'a rapporté que, chaque semaine, le boucher vous livrait la viande, que votre servante la faisait cuire en une fois et que vous viviez là-dessus, vous et vos chiens. Est-ce vrai ?

— Ce l'est. Mes chiens se portent à merveille !

L'aiguille piqua dans le canevas. M. de Quatrelys secoua sa pipe dans le cendrier. C'était un bel œuf d'écume que la nicotine orangeait.

— Il y a ces veines contre vos tempes. Vous ne les aviez pas.

— Évidemment je ne puis rajeunir, ni me bonifier.

— Mais vous pouvez consulter un médecin.

— Non, Jeanne. Ça non ! Demandez-moi la lune, mais non de consulter ! Les médecins sont de vulgaires empoisonneurs. Sans Fagon, Louis XIV eût touché son siècle. Et d'abord je me soigne. Valérie m'administre des bouillons d'herbe aux changements de saison : le meilleur médecin, c'est le grand air.

Nouvel hiatus, meublé par les jeux de l'aiguille, le crépitement d'une bûche dans la cheminée. M. de Quatrelys bourrait sa pipe. Soudain « Madame » interrompit son travail, risqua :

— De telles journées donnent à penser…

— Et quoi donc, ma belle Jeanne ?

— Que nous sommes devenus vieux.

Il l'enlaça, lui baisa la joue, la tempe :

— Crois-tu ? dit-il, reprenant le tutoiement de naguère, de leurs tumultueuses rencontres dont leurs fils, leur fille étaient nés.

IL avait contre lui ce corps qui n'avait rien perdu de sa beauté. Sur son épaule dure reposait cette tendre tête aux cheveux dénoués. Ce parfum de fleur des champs, il le respirait. Et ce cœur d'amour épris battait contre sa peau brûlante. Mais lui ne pouvait trouver le sommeil. Il le fuyait. Son âme veillait. Comme toujours !

La première nuit s'était écoulée de la sorte. Celle de leurs épousailles ! Il n'avait pu attendre la clôture du festin, l'ouverture du bal qui devait suivre, supporter le verbiage des invités, les regards mouillés de Joachim de Chablun. Sous un prétexte quelconque, il avait emmené Jeanne dans la cour de Puy-

Chablun encombrée de voitures. Il l'avait hissée sur un cheval trouvé là, emportée par les chemins noirs, la nuit venteuse, jusqu'à Baupuy, comme un gerfaut sa proie, un brigand sa prise. Elle lui tenait le cou, riait contre ses lèvres. Ce n'était pas un mariage, mais un rapt. A travers les arbres tout secoués de vent, en plein dans la clarté de la lune, le vieux Baupuy tout à coup avait montré sa façade. Il avait pris Jeanne dans ses bras, bondi vers l'échelle de meunier, sous la voûte obscure. Portée dans la chambre du fond, la moins confortable : et là il l'avait faite femme ! Ensuite, elle s'était endormie du même sommeil heureux et, lui, dans le noir, il avait écouté le chant de l'amour comblé, célébré son triomphe mais en secret !

Quelle autre femme eût accepté de venir habiter cette forteresse ? Quelle autre eût pu l'aimer, lui, Quatrelys, enfermé dans sa sauvagerie, dédaignant les usages, peut-être les ignorant ? Tous connaissaient la douloureuse histoire de sa jeunesse. Le mystère dont s'entourait la disparition de ses parents effrayait, prenait, avec les années, la gravité d'une tare familiale. Déjà son acharnement de louvetier surprenait, inquiétait. Joachim s'était véhémentement opposé au mariage, mais Jeanne avait dit : « Je ne puis lui refuser cette chance. Il faut bien que quelqu'un lui apprenne à être heureux. »

En échange, il lui avait appris à être malheureuse. Ah ! certes non, il ne méritait pas d'avoir une pareille femme ! Dans les premières années de leur mariage, il avait été à peu près « convenable », quoique partant à l'aube et revenant à la nuitée de courre les loups. Mais, ceux-ci se raréfiant, il s'était transporté en Bretagne, avait acheté le moulin de Gournava pour satisfaire son insatiable passion, oublier... Oublier quoi ? Ce sourire consentant, cette égalité d'humeur, ce visage angélique, cette tendresse que rien ne démentait, les enfants qui grandissaient, cette famille qu'il avait fondée, ce domaine qui lui était cher ?

Et toujours il revenait à Baupuy avec l'intention de n'en plus repartir. Toujours il retrouvait Jeanne dans les mêmes dispositions à son égard. Alors saisi de remords, honteux de lui-même, il s'appliquait à être un bon époux, un éducateur pour ses fils, un administrateur pour ses biens. De toutes ses forces, il essayait de s'intéresser. Mais il était comme ces drogués qui réagissent contre l'intoxication chronique, se jettent à corps perdu dans n'importe quoi pour échapper à leur obsession. Un mois, deux mois s'écoulaient. Il n'en pouvait plus de la vie heureuse ! Tout lui pesait, même la compagnie de sa femme. Il s'enfuyait comme un voleur, à toute bride. Et cela recommençait ! Toute son existence partagée, gâchée de la sorte ! *Il ne pouvait pas être heureux !* Vivre comme tout le monde ! Cette violence qu'il y avait en lui ne trouvait pas à s'employer. Il lui fallait combattre, ruser, se démener, s'exposer. Cette inquiétude perpétuelle qui le hantait, les abois de la meute, les sonneries joyeuses des trompes, le galop haletant l'effaçaient. Fréquemment il se demandait pourquoi il était ainsi, et souhaitait de devenir semblable aux autres. Il se peut, il est même probable, que Baupuy lui rappelât trop de choses ; qu'il y respirât « ce mauvais air » dont parlait le berger Judicaël. Traumatisé par la vue de son père mort, il revenait, comme malgré lui, en ce lieu néfaste et le fuyait, au bord de la folie. Mais si quelqu'un eût émis semblable hypothèse, quel accès de fureur n'eût-il pas provoqué ! M. de Quatrelys croyait aimer le vieux Baupuy, de même que certains malades finissent par aimer leur mal et s'en délecter. Et pourtant il avait consenti à ce que sa femme construisît l'autre château, tant il est vrai que la créature est double et triple et se contredit en s'affirmant. Mais ce nœud de contradictions, qui le dénouerait, quel événement ? Cependant ce n'était pas faute d'apercevoir les conséquences, immédiates et lointaines, de sa conduite, de ses manquements. Son exemple portait ses fruits : « la Loutre » avait adopté son mode de vie, fuyant semblablement les siens. Comme son père, il se persuadait d'être utile à la société et ne manquait pas une occasion de mettre l'accent sur les « ravages » des loutres. Il aurait aussi bien chassé le rossignol et le coucou, si le caprice lui en avait pris. « Bombardeau » chassait un autre gibier : celui que les paysans appellent la « perdrix coiffée ». Il se refusait à fonder une famille : peut-être parce qu'il en avait subi les bons effets et savait par trop ce qu'en valait l'aune. Seul « Épaminondas » était « comme tout le monde », presque trop : à cause de cela, M. de Quatrelys ne le prisait que modérément. Mais quelle tare portaient-ils tous en eux ? Naguère, dans les temps anciens, les hommes avaient ces mœurs : ils bataillaient au loin, rentraient chez eux pour se refaire et engendrer, puis repartaient. Les temps avaient changé, mais eux, les Quatrelys, se voulaient libres comme des oiseaux.

« Cette fois, se disait M. de Quatrelys, aurai-je la faiblesse de repartir, surtout après ce qu'ils m'ont fait là-bas ? J'aurais dû parler à Jeanne, la rassurer, proclamer ma décision. Qu'est-ce qui m'a retenu ? Jeanne, te trahirai-je donc toujours ? M'es-tu donc moins chère que la solitude et cette folie des chasses ?

— Mon ami… nous sommes vieux maintenant… Ne mourrons-nous pas ensemble ? Vous voulez mourir loin de moi ?

— Non, ma belle. Non. Reprends ton sommeil.

C'était Jeanne qui poursuivait leur entretien sous la lampe. Jeanne qui rêvait…

LE temps s'écoulait. La saison déclinait, noyée d'averses, fouettée de coups de vent. Les chemins se trouaient de flaques. Les ornières clapotaient sous les sabots. Et toujours, et toujours le grand vent de galerne drossait vers l'intérieur ses paquets de nuages. La terre devenait brune, à force d'être irriguée. Le silence s'épaississait sur la campagne. Tout ruisselait, les ardoises, les pierres, les arbres déshabillés de leurs feuilles. Seuls, les chênes, encore humectés de sève, gardaient leur opulence. La pluie vernissait leur feuillage, en avivait les roux ardents. Autour du Vieux-Baupuy, ils érigeaient leurs glorieux buissons de lumière, leurs grands plumages d'oiseaux des îles, écarlate et or, avec, çà et là, la pourpre des trouées, leurs incandescences déroulées en spirales.

M. de Quatrelys écoutait cette pluie tambouriner. Il regardait les gouttes s'aplatir sur les vitres, se changer en larmes qui n'en finissaient pas de couler, brouillant le paysage. Ou bien c'était le vent qui creusait la pelouse, la bouclait de prestes écailles d'argent.

Vingt-quatre… trente novembre… deux décembre… Il ne parlait pas de repartir. Une vraie révolution ! On disait : « Madame l'aura converti. » Des malins lui signalèrent, par personne interposée, les méfaits de certain vieux loup en forêt de Mervent. Il dédaigna, répondit comme on insistait un peu trop :

— N'y a-t-il pas assez de jeunes pour cette besogne ? Laissez-moi tranquille.

D'autres, pour le réamorcer, l'invitèrent benoîtement à courre un cerf. Il refusa sèchement.

Un marchand de chiens se présenta à Baupuy, avec des « sujets de grand mérite ». M. de Quatrelys le congédia si vertement que le bonhomme en resta abasourdi.

Son tempérament ne le portait guère à l'oisiveté. Quand il eut consacré trois mortelles journées à regarder « tomber les eaux », il se sentit devenir enragé. Il s'organisa donc, et promptement ! C'est-à-dire qu'il s'inventa un prétexte pour sortir et galoper. Il connaissait à peine son avoir composé de fermes, de métairies, d'étangs et de bois, dispersés sur plusieurs communes.

Il se mit en tête de les redécouvrir. Dans ce dessein il alla empoisonner les secrétaires de mairie qui devaient l'aider à recopier les plans cadastraux. Cette besogne achevée, il se lança dans l'action, ou ce qu'il croyait tel.

De bon matin, Lucien sellait la Perle. M. de Quatrelys, quel que fût le temps, prenait le départ. Un carrick jeté sur les épaules (à l'instante prière de « Madame »), la toque de jonc enfoncée jusqu'aux ouïes, on le voyait trotter par les chemins. Que lui importaient les soufflets du vent déchaîné, les giclées de pluie : il était *dehors*! *Et seul enfin*!

Il arrivait dans une ferme, sans crier gare, rameutait les chiens et la maisonnée. N'ayant que peu de mémoire, il avait noté les noms et prénoms dans un petit carnet. De la sorte, il s'épargnait maintes erreurs regrettables. « Madame » le renseignait avec une patience infinie. Il la remerciait d'un :

— Ma chère, vous savez tout !

Qu'il connût si bien « son monde », lui le perpétuel voyageur, produisait le meilleur effet, principalement sur les femmes qui sont sensibles aux petits riens. Elles disaient :

— C'est qu'il a bonne souvenance de nous, not'Monsieur ! Il est point de ces gandins de la ville ; il est de là, et de naissance !

Les hommes, plus sceptiques de nature, en étaient tout de même ébranlés :

— Il a grande estime de nous. Il sait bien qu'on est ses meilleurs laboureurs.

Sans lassitude apparente, il visitait les champs, les prairies, les vergers à pommes, les vignes qui faisaient leur apparition dans ces contrées ; il montait dans les greniers, « comme un écureuil », plongeait une main experte dans les sacs de grain, tâtait le foin au passage ; pataugeait allégrement dans le purin des écuries. Après, il s'asseyait un moment devant la cheminée et dans l'unique fauteuil dont, à son entrée, se levait l'aïeul : c'était la coutume. Il questionnait beaucoup pour s'éviter de répondre. Parfois on lui demandait des réparations, un agrandissement. Il répondait :

— J'étudierai la chose, mes bons amis.

Une phrase que « Madame » lui avait soufflée, oh ! si doucement qu'il s'en pouvait croire l'inventeur.

Parfois la fermière, tortillant les coins de son tablier, le priait à dîner. Il acceptait de grand cœur et faisait honneur au repas. Ces fortes nourritures le comblaient d'aise, compensaient les délicatesses de bouche de Baupuy. Chez ces paysans, en somme, que retrouvait-il ? Son dédain du confort, sa science de la nature, son goût pour une existence seulement dictée par les saisons. Ces intérieurs lui rappelaient Gournava. Ils se ressemblaient tous. La même atmosphère d'eau-forte y régnait. De grands meubles obscurs assombrissaient les murs enfumés. Tel un autel, la cheminée présidait aux destins de la maison, avec son christ au rameau de buis bénit surplombant les fusils de chasse, les chandeliers et les boîtes d'épices. Des poules entraient sans façon, picoraient des miettes, se sauvaient en piaillant. Cela sentait la suie humide, le laitage, la « cuisine de mojettes » ou la soupe aux choux. Mais si l'on voulait « se rafraîchir » les poumons, il n'était que de passer le seuil ; tout l'air du monde, piquant, vivifiant, attendait à la porte.

— Ah ! confiait M. de Quatrelys au débotté, je m'instruis tous les jours. C'est passionnant… Ma chère, vous semblez incrédule ? Eh bien, allez chez eux, vous vous rendrez compte.

« Madame » avait son sourire consentant. Qu'avait-elle donc fait d'autre que visiter les fermiers, « pour les réparations, les agrandissements » ? Elle les avait soignés, aidés, consolés, de tout son pouvoir qui n'était pas mince, de toute son agissante bonté. Mais elle laissait dire « son original ». Elle savait trop qu'il ne fallait pas le contrarier. « Dieu fasse qu'il prenne feu pour l'agriculture, ce sera autant de gagné sur les loups ! »

Dans le vif de son enthousiasme, il écrivit trois lettres : deux pour convoquer charpentiers et maçons, la troisième pour annoncer sa visite à son beau-frère, Joachim de Chablun.

PUY-CHABLUN était une sentinelle heaumée d'ardoises, debout sur la plus haute colline du pays, parmi des arbres fous, je veux dire, tordus et tourmentés par les tornades hivernales. Ce n'était pas une pelouse qui l'enserrait de sa grâce savamment tondue, mais le rude éventail brun des sillons. Le manoir menait sa veille d'éternité sur les travaux des laboureurs, la rumination des troupeaux, le trafic de la route filant en contrebas. Là vivait Joachim, en solitaire depuis que son fils unique s'était sottement tué dans un accident de cheval, que sa bru s'en était allée vivre en Charente près de ses parents et que Blaise, l'ultime rejeton des Chablun, s'instruisait chez les frères Quatre-Bras. Son veuvage douloureusement ressenti, les malheurs qui avaient fondu sur sa maison comme l'épervier sur la tourterelle n'avaient point fléchi son dos, ni détruit sa fierté railleuse, ni même émoussé cette sensibilité frémissante qui le caractérisait.

— Mon Dieu, dit Mᵐᵉ de Quatrelys en apercevant le porche crénelé, la chère vieille tour — donjon de son enfance —, que j'ai plaisir à le revoir, et avec vous, mon ami !

M. de Quatrelys n'était pas si rustre qu'il ne pût saisir qu'en cet instant la jeunesse opérait en Jeanne son ressac douloureux, soulevant une écume de joies flétries, d'espoirs défunts. Il en fut ému, sourdement. « Ma belle, ah ! ma belle, ton temps de peine expire. Avant une heure, tu auras ta joie... Ma belle Jeanne aux yeux de myosotis ! »

Joachim se précipita, mains nues, tête nue, selon ses habitudes cérémonieuses. Il se redressait dans ses habits noirs, devant la porte Renaissance.

— Vous voilà, tous deux, mes bons amis ?

Il les fit entrer dans le salon du manoir ; asseoir devant la cheminée. Il les servit lui-même, d'un petit vin de Thouarcé dont il laissait vieillir les barriques dans ses caves, de ces galettes au beurre dont jadis Jeanne était friande. Il s'informait de Baupuy, des amis qu'il avait à Mouilleron-le-Captif. Il les questionnait sur leur voyage, absolument comme s'ils débarquaient des Antilles ou des Indes. Jeanne, soudain redevenue rieuse, le taquinait parce qu'il oubliait de remplir le verre de Quatrelys :

— Joachim, ne sais-tu pas qu'à cette heure-ci c'est le thé que l'on offre, non du vin ?

— Pardon, ma Jeanne, mille excuses. Qu'est-ce que ton mari va penser de moi ?

« Le mari » ne pensait rien. Son œil furetait à droite, à gauche, en deçà et au-delà des vitres, au plafond, par terre.

— Jeanne, fit-il brusquement, c'est là que je t'ai pris ton bonheur, oui, en t'épousant. C'est là que je te le rends. Car, aujourd'hui, je te le rends !

— Quatrelys, en voilà une tirade ! D'abord que veux-tu dire ?

— Que je ne remettrai plus les pieds à Gournava et resterai près de Jeanne...

Joachim était pris au dépourvu. Il regardait sa sœur dont les poignets tremblaient sous l'effet de l'émotion, Quatrelys qui exultait, mais à la façon d'un naufragé venant de toucher terre.

— Du thé ? plaisanta-t-il. Mais c'est une tisane pour rhumatisants, un bouillon de foin ! Non, mes bons amis, du champagne, pour arroser votre remariage, sacrée tête de bois de louvetier...

APRÈS ces agapes, Jeanne voulut donner leurs prières aux morts qui reposaient dans la fine chapelle de Rochecerf, au creux d'un vallon proche de Puy-Chablun. Et c'était, au fond d'un entre-lacs de rameaux, un bijou ciselé, une châsse gothique abandonnée parmi les herbages. Quatrelys s'agenouilla près de sa femme. Derrière eux Joachim ruminait :

« Le plus fort est qu'on ne peut douter de sa sincérité. Il est venu ici pour faire son annonce et, le pauv'diable, me prendre à témoin, mieux s'enferrer dans ses engagements ! Et Jeanne à c't'heure est comme refiancée. Ma belle Jeanne ! Si tu avais encore ta blondeur, on te donnerait trente ans !... Eh ben, voilà la fin de l'histoire. Ils vieillirent de compagnie. La tempête a passé, il n'était que de patienter. Mais si nos braves morts les voient, ils doivent rire sous cape. Deux vieux amoureux les mains jointes, renouvelant leurs serments... »

Le jour du soir, filtrant à travers les vitraux, posait sa chaude douceur sur les statues couchées, semblait les irriguer de sang : les fols amants de la Renaissance dormant côte à côte et se regardant sous leurs paupières baissées, les roides chevaliers vêtus d'écailles de pierre.

Mme de Quatrelys priait comme on chante.

ET puis le vent tourna ; le temps se remit au beau ; les pluies émigrèrent vers les provinces intérieures, un petit froid sec leur succéda ; les premières gelées apparurent ; le pays prit enfin son visage d'hiver tout fumant de l'haleine bleue des cheminées, du respir des bêtes et des gens, du souffle lent des aurores et des crépuscules au fond des vallées. Les forêts s'emplirent de joyeux veneurs, de cors et d'abois. On reconnaissait les sonneries. De l'oreille on pouvait suivre la chasse, savoir quel gibier l'on débuchait. M. de Quatrelys ouvrait un instant la fenêtre, écoutait, revenait à sa pipe, à son fauteuil.

Coup sur coup, par hasard ou autrement, il reçut deux lettres : l'une de M. de Guette, son adversaire du procès, l'autre du maire de Paimpont en Brocéliande.

M. de Guette écrivait :

Une mauvaise entente vaut mieux qu'un bon procès. Je crois que nous nous sommes bien inutilement heurtés et que, nous opiniâtrant chacun, nous avons été plus loin que nous ne projetions. Certes, il était désagréable que vous vous crussiez autorisé à lancer sur mes terres et, davantage, que vous missiez votre point d'honneur à négliger mes avis. Mais il l'est beaucoup plus qu'offensé par la légère amende que ce tribunal vous infligea, vous eussiez abandonné votre thébaïde. Pour ma part je m'en déclare hautement, et franchement, navré, d'autant que nul ne songeait ici à contester les immenses services que vous avez rendus. Si vous consentez, de votre côté, à oublier cette offense bien involontaire et à nous revenir, je déclare formellement vous autoriser par la présente à chasser sur mes cantons à votre gré. Faisons la paix, Monsieur. Dans cet espoir, je vous prie de bien vouloir agréer mes sentiments de reconnaissance.

— Ses sentiments de reconnaissance ! Son offense involontaire ! Une lettre à encadrer... Ses offres de paix, je m'assois dessus, et comment ! Pourtant une chose m'étonne. Connaissant l'oiseau, je me demande où il veut en venir.

Mais il enfourna le papier dans sa poche et n'y pensa plus ! La lettre du maire de Paimpont l'ébranla davantage :

A Monsieur le marquis de Quatrelys
à Baupuy, en Mouilleron-le-Captif (Vendée)

Le 5 décembre 1880

Monsieur et cher administré, je prends la liberté de vous écrire en mon nom personnel et celui de mes collègues des communes circumvoisines.

En quittant la région vous avez, certainement sans le vouloir, causé un préjudice considérable à nos populations. Un loup, d'une espèce et d'une taille au-dessus de la moyenne, dévaste nos troupeaux. On ne compte plus les moutons qu'il a enlevés, les veaux qu'il a dépecés, les chiens de garde ou de chasse qu'il a mis à mal. Il n'a pas hésité à mordre cruellement un bûcheron revenant de la forêt, ni même à attaquer un groupe de laboureurs armés de fourches et de bâtons qui tentaient de le mettre hors d'état de nuire. Une vieille femme de Pleucadeuc a mystérieusement disparu ; on craint qu'elle n'ait été dévorée. Nos paysans commencent à croire, à répandre, qu'il s'agit, non d'une bête, mais d'une incarnation démoniaque. Sur nos instigations, M. le lieutenant de louveterie a organisé, de concert avec M. de Guette, plusieurs battues. Elles n'ont donné d'autre résultat que de porter l'opinion à son paroxysme. Sans l'autorité municipale et l'appui de la gendarmerie, il est probable que M. de Guette se fût trouvé

en fâcheuse posture. On le tient pour responsable de votre départ. On exige qu'il mette promptement fin aux tristes exploits de ce loup exceptionnel. Mais, de son propre aveu, M. de Guette est impuissant à le réduire. C'est pourquoi je me permets de faire appel à votre civisme, sachant bien que les craintes de nos paysans trouveraient en vous un écho, et un réconfort...

M. de Quatrelys préféra ne pas répondre. Quelques jours s'écoulèrent.

Puis le caprice, la volonté de saint Hubert, mena un dix-cors dans le parc de Baupuy, sous le grand chêne qui se dressait en face de la maison et dont on prétendait qu'il avait trois cents ans. Le cerf, épuisé, s'adossa à l'énorme tronc, et fit front. La meute l'encerclait, museaux levés, faucilles battantes. Et le cerf, devinant sa mort, redressait le col, étalait sa puissante ramure sous les branches. Quand apparurent les veneurs rouges, les chasseresses en dolman et tricorne, la troupe des piqueux, il jeta son brame. Cette plainte profonde tira M. de Quatrelys de sa somnolence. On le vit descendre son perron, s'avancer en coiffant sa toque de jonc. Les chiens n'osaient pas attaquer. Les hommes attendaient. Fonqueure, le maître d'équipage, mit alors pied à terre, écarta les piqueux, repoussa les chiens. Le cerf le regardait venir calmement. Il n'esquissa pas la moindre défense, s'agenouilla, le cœur perforé par la longue dague.

— Je vous fais mes compliments, dit M. de Quatrelys en serrant la main de Fonqueure.

Les trompes d'hallali déchiraient l'air, mettaient un accent triomphal au dépeçage du cerf. Les honneurs furent accordés à Mme de Quatrelys qui, vu l'heure tardive et selon la tradition, garda les veneurs à dîner.

On ne saurait aisément imaginer ce qu'étaient ces réceptions impromptu. La survivance de quelques châteaux, même dans ces contrées de l'Ouest si opiniâtrement seigneuriales, les soupers qu'on y donne encore, de loin en loin, n'en sont que des échos affaiblis. Ces êtres qui, toute une journée, avaient sauté sur le dos de leurs bidets, à travers les champs, les bois, par des chemins impossibles, couru de très réels dangers (au moins celui de se rompre le cou, ou de se casser la tête contre une branche), deviné les ruses du cerf, manœuvré en conséquence et goûté leur modeste victoire d'hallali, montraient une gaieté dont nous avons égaré le secret. Ils avaient le sentiment d'avoir bien rempli leur journée. Ils étaient heureux de se retrouver dans une maison amie, ensemble, de réparer leurs forces. Ils mangeaient d'appétit et buvaient sec. La moindre histoire déchaînait les rires, allumait les pommettes. Ils n'admettaient pas les visages moroses, les propos mélancoliques. Ils vivaient les dernières années d'un état qui avait duré mille ans et plus, et leur paraissait indestructible, parce qu'ils pouvaient encore le soutenir : mais pour combien de temps ? au prix de quels sacrifices ? Leur exaltation d'un moment, ce trot de chevaux, la voix vibrante des trompes, les jappements des chiens, les fastes de l'arrière-saison, cette illusion de force les grisaient, leur cachaient une réalité amère. Ils étaient les derniers, et ils agissaient, parlaient comme si cela devait durer toujours. Fonqueure se ruinait, Céris abattait ses chiens, Bellande louait sa meute, Puyfort hypothéquait pour entretenir ses chiens de Saint-Louis. Les autres, plus fortunés, ou moins imprudents, maintenaient à moindre dommage, mais ne songeaient point à leurs enfants, aux domaines qui seraient partagés, vendus.

Et chacun, entre la poire et le fromage, de narrer ses prouesses de chasse avec ce nasillement hérité du dix-huitième siècle, qui était alors de mode. Fonqueure avait forcé trois sangliers et quatre cerfs dans la même semaine. Céris, vingt-sept renards et Bellande, depuis le début d'octobre, par extraordinaire, six têtes royales. Un autre, moins grandiose mais tout aussi acharné, racontait ses démêlés avec certain blaireau « qui faisait ses farces à une portée de fusil » de son manoir. Diane de Fonqueure prétendit avoir dressé un faucon, exhorta les dames de l'assistance à l'imiter, « pour remettre en honneur ce vieux mode de vénerie ». On l'applaudit. Le vin de Baupuy était si généreux qu'on eût pris un cul-de-jatte pour l'aurige de Delphes. Mme de Quatrelys faisait son métier : elle aiguillait les conversations, donnait à chacun l'occasion de briller, apaisait d'un sourire les débuts de querelle. M. de Quatrelys ne disait rien. Il écoutait, le sourcil froncé. Fonqueure lui demanda, et certes, la question était inopportune :

— Et vous, combien de victimes cette année ?

— Cent dix-sept !

— Je suis sûr qu'au fond nos chasses ne vous semblent... comment dirais-je, pas très sérieuses ?

Il se fit un silence.

— En effet. Les cerfs, les sangliers, les renards sont gibiers de débutants, de demoiselles, juste bons pour se faire la main...

Il y eut des « oh ! » indignés. M. de Quatrelys continuait, imperturbable :

— Eh quoi ! mes amis ? Le sanglier n'est qu'un cochon denté. Le renard, un petit capitaine qui ne mérite pas sa réputation. Quant au cerf, c'est un mauvais cheval cornu : si peu que vous ayez d'expérience et que vos chiens soient de qualité, dès le lancer vous êtes sûr que l'hallali est en bout de course. Non, mes chers amis, non et non, il n'est de vraie chasse que le loup d'au moins trois ans. C'est lui, et lui seul, qui est seigneur de nos forêts, bête intelligente, résistante et redoutable ! Il médite sa défense au lancer et s'y tient. Ses ruses sont mémorables, innombrables, perfides au suprême degré. Quand il s'estime perdu, il ne renonce pas, ne s'agenouille pas sous le couteau ; il tente encore ; il rend coup pour coup. Son dernier quart d'heure est le plus fertile en surprises. J'en ai vu se jeter à la gorge de mon bidet. D'autres m'ont mordu aux cuisses et aux avant-bras...

— Et le sanglier, plaida Céris, n'est-il pas dangereux sur ses fins ? Vous n'avez donc jamais été chargé par un solitaire ?

— Si fait, et proprement culbuté. Mais j'étais jeune, manquant de prévoyance et de jugement. Cela ne se reproduirait plus. Savez-vous pourquoi j'ai tout abandonné, hormis le loup ?

On se doute de l'émoi que ressentit « Madame » en entendant cette phrase.

— Toutes les autres bestioles étaient devenues pour votre serviteur banalité, ritournelle, fastidieuse répétition marquée d'incidents définis à l'avance, prévisibles, éculés. Le loup a plus de nature ! Il ne se laisse pas deviner. On peut, après beaucoup d'années, pronostiquer son épuisement, mais non sa force de cœur, ni sa méchanceté dernière. Son regard n'avoue aucune détresse, aucune terreur. Il ne fuit pas devant la meute ; il la dirige, il met tout en œuvre pour la diviser, l'égarer, décourageant parfois les meilleurs limiers.

Tous l'écoutaient, subjugués par l'éloquence de sa passion, se gardaient de l'interrompre.

— Rien n'est si proche, reprit-il, de la versatilité humaine que le comportement d'un loup. On ignore comment il saura périr, si sa défaite ne lui inspirera pas quelque invention sauvage. Il peut couvrir cinquante lieues d'une traite, tenir cette allure presque pendant trois jours. Oui, mes amis, c'est là une chasse de haute école, une aventure sans comparaison avec rien, renouvelée à chaque sujet. Je me souviens — c'était l'année de la Commune, le fameux hiver ! — en Brocéliande...

La moustache en bataille, l'œil brillant, les joues échauffées par le vin, oubliant ses engagements et résolutions, il ressuscitait. *Il existait à nouveau!* Cela dura plus d'une heure d'horloge. L'auditoire savourait, le retrouvait conforme à son modèle, avec une espèce de soulagement inavoué. Hélas! Mme de Quatrelys le retrouvait aussi, mais elle...

QUAND ils furent seuls, elle ne lui reprocha rien, ne fit aucune allusion au changement qui s'était opéré. Gêné par le silence qu'elle observait, désireux malgré tout de la rassurer en s'illusionnant lui-même, bref, dégrisé, il risqua :

— Je n'ai guère été fameux, ce soir.

— Pourquoi, mon ami?

— Aurais-je dû accaparer la conversation?

— C'était un dîner improvisé, une réunion de veneurs, ce qui autorisait certaines libertés.

— Vous croyez? Il me semble pourtant que j'aurais mieux fait de m'abstenir.

— Mais non, vous racontez fort bien.

— C'est vraiment votre opinion? Alors, puisque vous m'approuvez, il n'y a que demi-mal.

— Vous avez, peut-être, été un peu rude envers nos amis. Les traiter de « demoiselles »?

— Eh quoi! lâcha-t-il, leurs vantardises m'impatientaient à la fin... Je me faisais l'effet d'un loup parmi les chiens!

— D'un loup parmi les chiens? répéta-t-elle.

— Oui, voulut-il plaisanter. Alors, ma chère, comment retenir le coup de croc?

DIX jours passèrent encore. M. de Quatrelys ne bronchait point. Il avait reçu une seconde lettre du maire de Paimpont, relatant les récents méfaits du loup, renouvelant l'appel des « autorités de la région ». Il eut le courage de n'y pas répondre. Mais on le voyait arpenter les couloirs de Baupuy en grommelant on ne sait quoi. Les dîners étaient taciturnes. Lorsque Blanche se mit au piano, joua *la Chasse* de Liszt, il faillit sortir, tant ce galop de notes, coupé de motifs de sonneries, le mettait hors de lui. Cependant « Madame » ne désespérait pas ; elle projetait une grande fête de Noël, réunissant les enfants de la famille et ceux du village. M. de Quatrelys approuvait tout sans discuter, seulement désireux qu'on ne lui cassât pas la tête avec ces « fariboles ». Il luttait aussi loyalement qu'il le pouvait. Les repas servis dans la vaisselle d'argent, le vin dans les carafons de cristal, cette pelouse tondue « comme les cheveux d'un gandin », les visites des dames patronnesses, des hobereautes confites en bigoterie, l'insanité des jours consacrés à rien formaient en lui une irrémissible marée de dégoût. D'un côté, il y avait cette sécurité oiseuse, les promenades-bouche-trous dans les fermes, mais aussi Jeanne et la promesse de Puy-Chablun. De l'autre, les exploits extraordinaires de ce loup, ce climat de terreur qu'il entretenait en Brocéliande. Alors, pitoyable, il interrogeait du regard les portraits d'ancêtres, comme s'ils avaient pu lui donner un avis, trancher le dilemme où il s'égarait. Mais, très vite, il se lassait de ces perruques poudrées de guillotinés, des soubrevestes rouges des cadets de Malte et même du sourire de cette petite Quatrelys qui, place des Viarmes à Nantes, pour l'amusement de Carrier, avait vidé un verre de sang afin de sauver les siens. Il haussait les épaules et s'éloignait à grands pas, les mains soulevant les basques de sa redingote. Faute de mieux, lui qui se contentait des services de Valérie, il en vint à morigéner les domestiques, et pour des vétilles. Ayant pris froid, à souhaiter d'être malade tout de bon, afin de n'avoir plus à débattre, que l'aveugle fortune décidât à sa place. Enfin, pour ne pas troubler le sommeil de « Madame » par ses quintes de toux, il « renonça » à la chambre conjugale.

Les choses en étaient là, lorsque la voiture de la tante de Beaurevoir stoppa devant Baupuy. C'était une volumineuse caisse noire aux portières décorées d'armoiries (couronne, cimier, lambrequins, devise et cri, rien n'avait été oublié !), supportée par des roues écarlates. Adeline de Beaurevoir n'était pas moins pittoresque. Elle ressemblait à un colonel de uhlans. Une ombre de moustache ourlait sa lèvre supérieure. Des poils blancs foletaient autour de son menton en galoche. Ses yeux d'un noir incisif étaient à peu près aussi amènes que ceux d'un aigle. Elle gravit le perron en boitant et en maugréant :

— Pas d'chance, mon pauv'Esprit, je te viens voir dans ma calèche. Figure-toi qu'un imbécile de bidet m'a frottée contre un arbre ; j'ai la cuisse en morceaux. Bref, cette saison, je ne sors pas de mes misères. Et toi, comment vas-tu ? Tu as grise mine et peau de moutarde, mon garçon. As-tu la grippe ?

M. de Quatrelys se demandait quel était le but réel de cette visite. La vieille, en dépit de sa boiterie, paraissait de trop bonne humeur. Il la connaissait assez bien pour savoir qu'elle mijotait quelque redoutable farce. Elle le laissa tirer la langue et, lorsque toute la famille fut réunie, dévoila ses batteries.

— On m'a dit que tu dételais, garçon. Il paraît que te voilà sage comme un saint de cathédrale et que tu as peur du loup. Mais qu'est-ce qu'il t'arrive ? Tout de même, ce ne serait pas ce torchon de journaliste qui te retiendrait ?

Et, lentement, soigneusement, elle tira de son sac la fameuse gazette, mit un temps infini pour la déplier, assura ses binocles et lut de sa voix rocailleuse :

— « Qui donc avait prétendu que les gros chiens ne se mordaient pas entre eux ? Le vieux dicton vient d'être mis en défaut hier, à l'audience de police correctionnelle où M. de Guette avait fait assigner M. de Quatrelys... »

— Ma tante, je vous en prie !

— C'est mon cousin de Kermantren qui me l'a envoyée. Je dois dire que ça ne manque pas de piquant : « De quel noir méfait avait donc à répondre devant la justice ce vieillard, encore vert et d'un port respectable ?... »

Il serrait les poings à broyer les accoudoirs du fauteuil. Tout le poil qui lui cernait le visage, semblable à une collerette de loup, se hérissait. Mais la boiteuse ne désarmait pas pour autant :

— Pourquoi te fâches-tu ? Le journaliste ne t'abîme pas, au contraire. Écoute plutôt : « C'est vraiment un beau vieillard, un beau type de vieux Nemrod ; avec sa barbe et ses cheveux blancs, encore très drus, il a un faux air de Henri IV... » Évidemment, il ne te rajeunit pas, mais il n'y a pas de quoi te vexer...

Quatrelys s'était levé, d'un bond de bête, renversant son fauteuil. Il courut vers la porte qu'il ouvrit avec fracas.

— En voilà une comédie ! s'exclama la tante. Non, mais qu'est-ce qui lui prend ? Un coup de folie ?

« Madame » était devenue pâle :

— Qu'avez-vous fait !

— Une taquinerie, ma chère Jeanne, rien de plus, rien de grave. Ce cachottier ne s'était pas vanté de sa condamnation, j'ai voulu lui faire un tour à ma façon.

— Vous ne le connaissez donc pas ?

Elle se leva, s'excusa, quitta précipitamment le salon. Désormais elle ne pouvait avoir la moindre illusion, elle était sûre que tout était perdu, rayé, anéanti, qu'il allait fuir vers Gournava. Sans hésiter, elle se rendit aux écuries, pour tenter sa dernière chance. Trébuchant sur les graviers tant elle se hâtait, elle sentait d'inutiles larmes brûler ses paupières, s'efforçait en vain de les retenir. Elle s'arrêta, le souffle coupé. Lucien la rejoignit tout courant, portant les bottes et la toque de jonc. Quatrelys sellait la Perle. Il tourna vers sa femme une face ravagée, méconnaissable.

— Il fait froid, dit-il. Vous auriez dû prendre votre cape.

— Ne vous souciez pas de ma santé.

Ils étaient l'un devant l'autre, bouleversés, déchirés, si proches mais impuissants à se rejoindre.

— C'était donc *ça*, mon ami ? Ce stupide jugement vous a ramené à Baupuy ! Votre affection pour moi... pour nous ?...

— Le sais-je ? Pourtant j'étais résolu à vous rendre heureuse, à rester ici, près de vous. Je vous le jure. Et j'ai lutté, ô Jeanne, si vous saviez !

Il tira les lettres de sa poche, les lui tendit. « Madame » accepta de les lire : pour retarder le départ. M. de Quatrelys enfilait ses bottes.

— Si je tue ce loup, reprit-il, l'affront sera lavé. Ensuite je pourrai regagner Baupuy la tête haute. J'aurai gagné la partie. Ce sera une fin superbe.

— Vous dites ?

— Ce sera un coup de maître que de forcer cet animal diabolique. Mon chant du cygne ! Rien ne me retiendra plus là-bas, je vous le promets. D'ailleurs il ne restera que des louvarts et des veuves ; n'importe quel débutant y suffira... Jeanne, vous pleurez ?... (Il baissa la tête, en soupirant.) Certes, je vous déçois. Je me déçois de même. Je ne méritais pas d'avoir une femme comme vous. Lorsque l'étoffe est mauvaise, il ne sert à rien de la rapiécer... Tout est prétexte à qui veut s'esbigner et mal faire... Adieu, Jeanne...

— Au moins, embrassez-moi. Ne nous laissons pas ainsi.

Il la serra dans ses bras, la meurtrit de sa force incontrôlée.

— Et les enfants ?

— Vous leur expliquerez.

Il sauta à cheval, éperonna, cria :

— Pardon, Jeanne... Par... Je...

« Madame » n'entendit pas la suite. La voix, la jument, la toque et la redingote noire disparurent au bout de l'allée.

Elle restait là, statufiée, ses lettres à la main, entre les croupes des chevaux, devant Lucien qui tournait et retournait sa casquette, ne sachant quelle contenance adopter.

— Monsieur a bonne intention de revenir, une fois son compte réglé avec le loup. La preuve : il n'a emmené ni bagage ni voiture. Son séjour à Gournava sera court... Il n'a ni change ni linge.

— A Gournava, il n'en a pas besoin.

La tante de Beaurevoir survint, appuyée sur sa canne, suivie de Blanche et d'« Épaminondas ». Elle avait quand même fini par s'émouvoir.

— Alors, brava-t-elle selon son habitude, quelle est la dernière trouvaille de ton impayable ?

— Fâcheux incident, disait « Épaminondas ». Il y a la fête de Noël que nous avions agencée. Ne pourrions-nous remettre ? Sinon, que penseront nos invités ?

— Maintenant, c'est sans importance.

SEC et raide comme le vent du nord, sur sa jument de feu, ses pistolets aux fontes, le vieil homme fuyait la vie heureuse, les tendresses attentives, l'amitié, la sécurité, son enfance, lui-même surtout. Les arbres, les chaumières, les champs, les haies, les bois, les ruisseaux défilaient. Il ne regardait rien, hormis la route. L'air coupant lui cisaillait les joues, le brûlait sous les côtes. Son cœur menait un bruit d'enclume. Sa vue se brouillait. Mais peut-on fléchir à cause d'une morsure de froid, d'un vertige passager, lorsque l'ivresse est au débotté ? Quatrelys n'avait même pas licence de penser.

Étrange, incompréhensible phénomène que cette vacuité de sentiments ! La tristesse, la notion de culpabilité envers Mme de Quatrelys, le remords qui en était la conséquence logique, tout cela s'effaçait devant l'impatience. Pourtant la force obscure et terrible qui le poussait en avant ne s'accompagnait pas de la joie dionysiaque d'autrefois. Cette fuite était hagarde et lugubre.

LE soleil avait ensanglanté la bourre grise du ciel, puis il avait chaviré derrière la grille aiguë des arbres, et ç'avait été la nuit autour de La Perrière. La maison donnait l'impression d'être un grand vaisseau naviguant parmi les ombres. Pourquoi M. de Quatrelys y avait-il fait étape ? Simplement il avait aperçu, au milieu de sa course, un poteau indicateur et s'était souvenu de la promesse faite à son petit-fils. Une tristesse brusque l'avait envahi. « Au moins ne pas trahir cet enfant, ne pas le décevoir, lui ! » Il avait rebroussé chemin. Il fallait qu'il revît Jean de Quatrelys, imprimât son souvenir dans cette jeune mémoire. Cela devenait plus urgent que tout. Cet adolescent pensif avait prise sur lui. M. de Quatrelys était comptable envers lui d'il ne savait quoi se perdant dans les abîmes du temps. Il y avait entre ces deux êtres du même sang un pacte, un accord si profond que les mots n'eussent pu le traduire avec exactitude. Comme les athlètes antiques, M. de Quatrelys avait un flambeau à remettre.

« La Loutre » vaquait à ses occupations, c'est-à-dire devait errer, la pique sur l'épaule, sur la rive de quelque ruisseau, ou sécher la boue de ses bottes aux chenets d'une cheminée campagnarde. La porte de l'écurie, cloutée de deux cents pattes de loutres, témoignait de son inlassable activité. M. de Quatrelys dîna donc en compagnie de Jean et de sa mère dont la mélancolie le disputait à la timidité. La salle à manger lui plut, parce que meublée simplement, en merisier doux, avec de belles faïences et des gravures de chasse en couleurs. Il ne la connaissait pas, non plus que le salon aux boiseries Marie-Antoinette, aux tentures frangées d'or, renfermant des trésors que Jean lui montrait avec l'ingénuité de son âge : une tasse qui avait appartenu à la reine guillotinée, une croix de Saint-Louis gagnée par un ancêtre. Mais Jean fut mieux encore :
— Père-grand, à Baupuy, vous m'avez parlé de M. de Vigny. J'ai copié ce poème à votre intention.
Il sortit un vélin du bureau Empire, le déroula précautionneusement. Les lignes d'écriture s'historiaient de têtes de loup et de trompes de chasse.
— *La Mort du loup !* rêva tout haut M. de Quatrelys. Tu as eu cette idée ? C'est extraordinaire...
Et, à haute voix, il lut le poème :

> *[...] Ni le bois ni la plaine*
> *Ne poussaient un soupir dans les airs ; seulement*
> *La girouette en deuil criait au firmament ;*
> *Car le vent, élevé bien au-dessus des terres,*
> *N'effleurait de ses pieds que les tours solitaires,*
> *Et les chênes d'en bas, contre les rocs penchés,*
> *Sur leurs coudes semblaient endormis et couchés.*

— Cela est vrai, petit, quoiqu'un peu exagéré. Nous avons pris le loup au fond du vallon, sous le château. Il y avait bien une girouette en fer forgé sur la tour et qui portait les initiales de M. de Vigny, mais inversées, ce qui se lisait « VA », tout un programme ! Le reste est superbe, je te l'accorde, mais archifaux, vu avec des yeux de poète. Écoute plutôt :

[…] Le plus vieux des chasseurs qui s'étaient mis en quête
A regardé le sable en s'y couchant ; bientôt,
Lui que jamais ici l'on ne vit en défaut
A déclaré tout bas que ces marques récentes
Annonçaient la démarche et les griffes puissantes
De deux grands loups-cerviers et de deux louveteaux.

— Vois-tu l'erreur ? Un loup-cervier n'est pas un loup, mais un lynx, une espèce de grand grand chat sauvage : il n'en reste plus en France. Ensuite je ne me suis pas couché sur le sable. D'ailleurs au clair de lune comment repérer une empreinte ? La vérité est qu'invité par le duc, du temps que je fréquentais le monde, ce loup fut lancé dans le bois de La Rochefoucauld et qu'il nous a menés, meute et bonshommes, au-delà d'Angoulême, dans ce village de Blanzac où M. de Vigny possédait son manoir. Je suis arrivé seul au Maine-Giraud, et nuit tombée, avec trois ou quatre chiens.

[…] Nous avons tous alors préparé nos couteaux,
Et cachant nos fusils et leurs lueurs trop blanches,
Nous allions pas à pas en écartant les branches.
Trois s'arrêtent, et moi, cherchant ce qu'ils voyaient,
J'aperçois tout à coup deux yeux qui flamboyaient
Et je vois au-delà quatre formes légères
Qui dansaient sous la lune au milieu des bruyères,
Comme font chaque jour, à grand bruit sous nos yeux,
Quand le maître revient, les lévriers joyeux.
Leur forme était semblable et semblable la danse ;
Mais les enfants du Loup se jouaient en silence […]

— Tout ça ne tient pas debout. A quelques vers d'intervalle, les deux louveteaux sont devenus quatre, note-le en passant. Quand les hommes approchent, « en écartant les branches », la famille du loup a mieux à faire qu'un pas de danse. Ensuite je n'avais point de fusil ; j'ai servi le loup à l'arme blanche. Il avait droit à la mort noble. Enfin les yeux d'un loup ne flamboient pas : ils reflètent. Par contre, la fin est superbe et réelle :

[…] Il nous regarde encore, ensuite il se recouche,
Tout en léchant le sang répandu sur sa bouche,
Et, sans daigner savoir comment il a péri,
Refermant ses grands yeux, meurt sans jeter un cri.

L'enfant semblait chagrin, décontenancé.

— Mais, père-grand, demanda-t-il soudain, êtes-vous sûr que M. de Vigny a décrit la mort de votre loup ? Peut-être a-t-il assisté à une autre chasse ?

— Non, petit, c'est la mienne. Les lieux sont parfaitement reconnaissables. De plus, quand M. de Vigny m'eut installé dans une chambre, il regagna sa tour et besogna jusqu'au matin. Tout concorde : les dates, la réflexion qu'il fit le lendemain : « Je vous dois un grand moment, monsieur. Mille grâces ! »

— Et lui, comment était-il ?

— Déjà vieux, encore très beau, avec un front dégarni mais sans une ride. Sa voix était basse, mais encore agréable à entendre. Une voix d'artiste...

— Et sa maison ?

— Quelconque, assez démunie même. Mais je bavarde, je bavarde ! Voilà des heures, tu devrais être au lit.

IL avait dans la famille une telle réputation d'originalité, voire d'irascibilité, que la jeune femme ne savait quelle chambre lui donner, ni quel parti prendre en l'absence de son mari.

— Père, dit-elle enfin, un peu trop vite, en rougissant, je pense que vous aimerez choisir vous-même votre chambre. Je ne connais ni vos habitudes ni vos préférences.

C'était aussi une façon élégante de satisfaire « sa » curiosité. A l'étage, toutes les portes étaient ouvertes. M. de Quatrelys passa donc sa revue.

— Ici, fit-il. Cette sobriété me plaît.

Par hasard, c'était celle de Jean qui en fut touché au-delà du possible.

A quatre-vingts ans, Jean de Quatrelys me conta cet épisode. L'immense et mystérieuse fierté qu'il avait ressentie de ce choix le comblait encore d'émotion. Il avait dans la voix un tremblement significatif. Ensuite, par pudeur, il détourna la tête, mais je le vis essuyant le verre de ses lunettes.

A L'AUBE le ciel était si bas, menaçant et gris sur les arbres du parc, une telle torpeur glacée s'appesantissait sur toute chose que, pour la première fois de sa vie, M. de Quatrelys hésita.

— Un temps de neige, maugréa-t-il, et la route est longue !

— Faut-il que vous rentriez si tôt à Baupuy ?

— C'est à Gournava que je me rends.

— Ah ! fit la jeune femme, et son visage se ferma.

— Pourquoi là-bas ? demanda l'enfant qui s'était levé, bien
que M. de Quatrelys eût interdit qu'on l'éveillât.

— On m'y demande. Un vieux loup fait des farces dans la
région ; il a tant d'esprit qu'on ne peut en avoir raison.

— Et vous espérez le tuer ?

— En pensant au poème que tu as recopié pour moi, et que
j'emporte.

Dans les yeux de Jean, une ombre passa. La bouche eut une
crispation brève. Mais M. de Quatrelys en avait assez des atten-
drissements, des faiblesses.

— Tu sais, dit-il pour détendre l'atmosphère, ton lit est
fameux. J'y ai dormi comme un loir. Compliments...

Mais le regard anxieux, assombri par un merveilleux amour,
le fixait. L'échange qui s'opérait entre ces deux âmes, elles n'en
savaient pas elles-mêmes l'étendue.

— Adieu, Jean. Souviens-toi de la girouette du Maine-
Giraud, des initiales de M. de Vigny. « VA », c'est tout le secret
de la vie, tout ce que tu dois retenir... Adieu encore...

La Perle s'enleva en hennissant. Devant elle, les corbeaux
apeurés s'envolèrent.

QUATRIÈME MOUVEMENT

Finale : Allegro molto

IL n'y avait plus dans le bleu fluide du ciel qu'un croissant fin
comme une lame. Les étoiles avaient reculé à une incroyable
distance. Il faisait presque clair cependant. Partout des lueurs
ténues s'élevaient de la terre, et c'étaient des nappes de neige.
Le flanc des collines n'était que blancheurs veloutées. De cette
hermine soyeuse et sans fin sortaient les dernières fougères.
Blanches étaient les ramures des sapins, ployant chacune sous
une hotte de givre, scintillant de mille cristaux. Et cette fourrure
s'entassait dans les enfourchures des chênes, ourlait les branches,
gainait les rameaux. Les ruisseaux coulaient sous une carapace
de glaçons, eux-mêmes ensevelis sous la neige. Tout était bouquet de lys, fleurs de verre filé, lustres vénitiens et candélabres
d'argent, écharpes flottant sur des épaules invisibles. Tout était
devenu dentelle et corolle, même les cascades pétrifiées par le

gel, changées en grottes aux parois transparentes. Tout était entré dans un nouvel ordre des choses, composait une cité irréelle où les arbres adoptaient les attitudes pensives et fières des hommes, où la plus simple branche, le plus triste rameau d'épines resplendissait comme une cantate !

Et tout, au fond de ce silence, dormait. Les écureuils dans les profondeurs des aubiers, les oiseaux serrés dans leurs abris précaires, les sangliers dans leurs bauges puantes, les renards dans leurs tanières. Il faisait si froid, l'air était si coupant que les carnassiers s'abstenaient de sortir, par crainte d'être brusquement saisis par le gel. Les hiboux s'acagnardaient dans leurs niches et tremblaient sous leur plumage, leurs iris dorés fixant le désert blanc.

Le loup s'était enfoui dans un fouillis de branches et de feuilles mortes ; il reposait le museau sur ses pattes, en écoutant bruire son cœur ardent, ses entrailles gorgées de viande saignante. Contre son flanc, la tête d'une brebis, des débris de toison laineuse jonchaient la terre végétale. Lui n'avait pas faim, il ne tremblait pas. L'hiver avait épaissi et allongé son pelage. Hardi comme il était, et rusé, et sûr de la terreur qu'il inspirait, la provende ne lui manquait pas. Il avait pour garde-manger les fermes innombrables répandues sur le pourtour de la lande. Et il était là, ramassant sa force intacte, lorsque ses paupières velues s'entrouvrirent et se dressèrent ses oreilles. Un grondement léger fila entre ses crocs. Il sut, à l'instant même, que l'Ennemi était de retour. Alors, d'un coup de reins, il s'arracha à cette tiédeur et bondit sur le sentier, s'arrêta pour humer l'air aigu, scruter la nuit, regarder la lune. Puis, d'un trot rapide, il commença sa course, sans essayer de brouiller ses empreintes en décrivant quelque crochet ou en revenant sur ses pas : mais peut-être savait-il que la neige tomberait à nouveau, effacerait ses traces ; peut-être dédaignait-il. Telle une ombre, il glissait sous les branches abaissées par leur fardeau blanc, parmi les crosses raidies des fougères, les écorces glacées des arbustes. On eût dit que ses pattes appuyaient à peine. Il prit, entre les roches brillantes, le sentier qui conduisait aux pins, à son observatoire habituel.

L'eau de l'étang était gelée sur toute sa longueur. Elle ne reflétait plus la lune. Une épaisse couche de neige la recouvrait. Mais, en bas, sur la rive, derrière les roseaux, une fumée sortait du grand toit blanc. Les fenêtres étaient closes, sauf une. Et celle-ci, une lueur orange l'emplissait. Oui, l'Ennemi était de retour ! Il ne dormait pas. Le loup lança son hurlement haineux, mais rien ne lui répondit : les autres loups avaient émigré, ou péri dans le cours de l'automne. Alors il battit en retraite et regagna ses quartiers.

SANS-CHAGRIN s'était rendu « en ville », c'est-à-dire au village, pour y faire ses emplettes. Il s'était attardé plus que de raison au cabaret, n'était rentré à Gournava qu'à la nuit. M. de Quatrelys avait renoncé à l'attendre. Il avait galopé la journée entière. Une si grande fatigue lui était tombée sur les épaules qu'il avait failli s'affaler en descendant de la Perle.

— Sais pas ç'que j'ai, ma bonne Valérie... J'ai le cœur... comme une machine... Ton bras !

— Not'mait', pas de bêtises ! Vous aurez pris froid.

Elle avait fait un feu d'enfer, puis s'était mise à questionner. Il répondait à peine, « avec une voix toute drôle ». Finalement, il l'avait renvoyée à ses fourneaux, et il était resté dans son fauteuil, les pieds aux chenets, prostré. Son fou de cœur continuait à battre la breloque ; brusquement, il s'arrêtait et n'en finissait pas de se remettre en marche.

« D'un galop à l'autre, pensait Quatrelys, où me mènes-tu, animal ? Est-ce que j'ai le temps de faire le malade ? Par exemple ! Mais j'ai oublié de manger. Voilà donc toute ma maladie ! »

— Valérie, hâte-toi, ma fille. Que mitonnes-tu ?

— Pas grand-chose. J'attendais Sans-Chagrin. Il doit me rapporter des viandes et des épices.

— Tu as bien des œufs, du fromage, un restant de lard ?

— Pour sûr, mais ce sera pas un menu de retour.

— N'importe, j'ai faim. Figure-toi qu'à Châteaubriant j'ai nourri la Perle, mais j'ai oublié son maître.

— Quand aurez-vous l'âge de raison ?

— Le jour de ma mort, et encore !

Après le repas, il se sentit mieux. Pourtant la fatigue subsistait. Alors il se résigna à monter se coucher :

— Fichtre, je ne suis plus ce que j'étais ! Je crois bien que je baisse. Aussi avec cette vie de Baupuy, les petits plats et le reste, je me serai amolli.

— La nuit vous remettra en selle, c'est connu.

— Espérons. Tu m'enverras Sans-Chagrin dès son retour ; j'ai à lui parler.

— Bien, not'maître.

Valérie nota qu'il montait l'escalier d'un pas de vieux et qu'il s'était « touché l'endroit du cœur plutôt deux fois qu'une ».

Sans-Chagrin, assez guilleret quoiqu'un peu dégrisé par l'air, se restaura d'un quignon de pain, d'une gousse d'ail et d'un œuf dur, mais copieusement arrosés. Puis il grimpa chez son maître. Oubliant de frapper, il poussa la porte, apparut hilare, dépeigné et rouge, dans sa peau de bique.

— Bien du salut, not'Monsieur. La joie retourne à la maison.

— Souhaitons-le. Je t'avais entendu venir. Dis-moi, bougre d'âne à deux pattes, ton cheval boitait de la droite avant ; je parie que tu ne t'en es même pas aperçu. Tu as ton plumet, hein, sacré Breton ? Enfin je suis content de te revoir.

— Moi de même, je m'ennuyais de vous. Je me disais : cette fois, mon vieux Sans-Chagrin, y a plus d'espoir ; jamais m'sieur d'Quat'lys avait traîné autant là-bas.

— Ton rapport ?

— Tout va comme à la messe, sauf respect ! Les chevaux, les chiens, la maisonnée. Il vous est né une paire de chiots qui sont d'espérance, de « la Boulotte ».

— La brave petite. Et Flambo ?

— Il se porte comme un pont neuf.

— C'est bien, fiston. Dis-moi, j'ai reçu des lettres d'ici.

— Pour le fameux loup ? Avez-vous point entendu sa criée ?

— Non.

— Il m'a salué de son hurlement, comme j'arrivais. Vous me croirez pas, not'maître, mais il a senti votre revenue ; c'est le premier soir qu'il rapplique depuis votre partance pour Baupuy.

— Tu es certain ?

— Je le suis. Mais, soyez tranquille, j'ai travaillé, emmené Flambo en Brocéliande. Je connais son gîte et ses habitudes. C'est un triple loup.

— Comment cela, mon Sans-Chagrin ?

— Il affole le monde. Aujourd'hui là, ailleurs demain. Il visite, et pas pour le plaisir.

— Le bûcheron, c'est vrai ?

— Et comment ! Mordu à l'épaule, vers les dix heures du soir. Et pourtant il avait retiré ses sabots, se sentant suivi par bête maligne, et il les claquait hardi tiens bon ! Le loup l'a attaqué. Faut dire que le bonhomme s'en revenait avec un faon sur l'épaule, cueilli au lacet.

— Et les gars armés de fourches ?

— Une bande de sots. Ils pouvaient le piquer, mais la peur leur a sauté au ventre ; ils l'ont laissé filer, heureusement ! Il sera dur à prendre, parce que, toutes les nuits, il s'en va pilloter, jamais au même endroit, tantôt dans une ferme, tantôt aux abords d'un village. Les hommes le guettent, mais lui, le malin, il se méfie et porte ses crocs ailleurs. Les gens l'appellent « Satan ». Y a des articles sur lui dans les gazettes du pays. M. de Guette l'a vu ; il s'est même trouvé nez à nez avec lui ; il a sauté dans un arbre ; le loup l'a quitté tranquille : M. de Guette, c'était pas un gibier pour lui...

M. de Quatrelys éclata de rire :

— Et pourquoi, Sans-Chagrin ?

— Il avait peur de s'empoisonner ! A propos de poison, les maires en ont mis, dans de vieilles charognes. Le loup y a pas touché, pas fou ! Finalement le monde s'est émeuté. La grille de M. de Guette a été cassée et, lui, s'est ensauvé à la gendarmerie. Le lieutenant louvetier a organisé une battue. Trois louvarts et une louve au tableau. Point de « Satan ». Moi, j'avais pas bougé de Gournava ; je rigolais.

— Tu as eu tort !

— La leçon, ils l'avaient pas volée. Et puis ce loup, je vous le gardais. C'était trop belle tête pour ces peigne-brebis.

— Et il a continué ses prouesses ?

— Plus que jamais ! Trois moutons, un petit baudet en quat' jours. Qui dit mieux ?

— S'attaque-t-il aux enfants ?

— Non. Plusieurs l'ont rencontré en revenant de l'école, mais il a passé son chemin. Pour les enfants il est bien consciencieux.

QUAND il eut renvoyé Sans-Chagrin à son bat-flanc de planches dominant le bêtiaire, M. de Quatrelys se leva, retrouvant ses habitudes. Pieds nus sur le pavage, en longue chemise, il s'approcha de la fenêtre : afin d'étudier le croissant de lune perdu dans l'immensité du ciel, de revoir son étang « en robe de mariée ». Cet étang, c'était tout ensemble son âme, son horloge et son almanach. Que d'enseignements certaine teinte de l'eau, certain reflet fugace lui avaient dispensés ! Mais aussi quels étranges bonheurs quasi quotidiens ! Toutefois, cette nuit de décembre, il n'éprouvait plus à le regarder la joie coutumière. Ou plutôt cette joie s'appesantissait d'une obscure mélancolie. Non, ce retour n'était pas comme les précédents. Une menace planait dans cette chambre exiguë, autour de ce moulin, entre ces parois rocheuses et ces masses d'arbres inertes. Pourtant le cœur de M. de Quatrelys avait repris son rythme normal et le « rapport » du piqueux promettait du plaisir.

IL dormit longtemps, à sa manière de gisant sur catafalque, son corps ravagé de fatigue. En bas, Valérie s'inquiétait, menait tapage pour qu'il entendît, s'ébrouât. Finalement, elle enleva ses sabots et monta sur la grosse laine de ses chaussettes, non sans faire craquer les marches. Elle entrebâilla la porte doucement. Vit cette forme modelant le drap de ses mains croisées, cette longue tête immobile, creusée et pâlie par la fatigue, les lèvres entrouvertes sur des dents jaunies, et ce foisonnement neigeux de la barbe. Elle faillit crier, mais se ravisa en entendant la respiration, en voyant bouger le drap soulevé par les côtes. Elle referma la porte, descendit « à pas de souris », et s'en fut trouver Sans-Chagrin qui chantonnait en pansant la cavalerie.

— Ce que j'ai eu peur ! De vrai, je l'ai cru trépassé. Mais il dort, et ferme ! Le tonnerre pourrait bouler sur l'étang qu'il garderait l'œil clos. Rompu qu'il est, avec, ça se pourrait, une bonne fluxion de poitrine. Qu'est-ce qu'on fait, Sans-Chagrin ?

Ils disputaillèrent un moment. Le piqueux répétait :

— Fiche-lui la paix à c't homme ! Y a pas meilleur médecin que le sommeil. S'il peut aller son cadran d'horloge, le v'là qui se lève, frais comme un gardon.

Valérie se reprenait à gémir, entrecoupant ses pronostics lugubres de « Jésus ma Doué ! Ah ! Dieu bon, Seigneur ! » Mais toujours elle revenait à ses idées de mort :

— Je te l'acertaine, piqueux : je l'ai cru passé. Raide comme une bûche, il était sur ce lit, et les bras en croix. Manquaient que le crucifix et les chandelles !

— Piète un peu, perdrix de mon cœur. T'es là, pareille à la mouche dans le verre : zzz ! zzz ! Et que je te tourne, que je te retourne, que je te retombe et que je m'envole. Misère de femme !

— Mais écoute-moi donc. Monsieur...

— Il nous enterrera tous. C'est plus solide qu'un roc, plus têtu qu'une... bref, je me comprends. Les têtus vivent plus vieux que les autres. Ils s'accrochent aux branches.

— Un temps se présente où ils lâchent tout.

— Je me demande si t'as une comprenoire ? Des fois, t'as vu dormir un homme ? C'est vrai que t'es demoiselle, tu sais rien.

— Malpoli !

— Aide-moi à changer la paille, ça m'avancera. Parce que, aussitôt sur pied, M. de Quatrelys ira aux chiens et aux chevaux.

— Et alors ?

— Alors, ma belle, faut que tout soit dans l'ordre. C'est pas un œil d'homme qu'il a, c'est un œil de lynx...

ET puis un oiseau se mit à chanter. Il s'était posé dans l'embrasure de la fenêtre, sur la neige tombée à l'aube. C'était un rouge-gorge. Oubliant sa faim, parce qu'un rayon de soleil avait percé les nuages, soudain, ce chant lui sortait du bec. M. de Quatrelys l'entendit. Il s'éveilla, aperçut l'oiseau qui sautillait derrière la vitre. Il se mit sur son séant, se frotta les paupières vigoureusement, étudia la hauteur du soleil.

— Pas possible ? Il est près de midi, et tu fais le dormeur, Quatrelys ! Allez, mon fils, à l'ouvrage !

Il fit sa toilette, en grelottant, s'habilla. Un frisson lui parcourut le dos, lui secoua les épaules.

— Eh bien ! Eh bien ! voilà une nouveauté, bougonna-t-il. J'aurai pêché un rhume.

M. le maire de Paimpont l'attendait, assis dans son fauteuil, en sirotant une eau-de-vie de cidre. Il s'était endimanché pour la circonstance. Lorsque M. de Quatrelys parut dans l'escalier, le gros maire eut quelque mal à s'extraire des accoudoirs en cerisier. Une triple chaîne d'or ondulait sur son ventre en montgolfière, qu'un petit gilet à fleurettes roses essayait en vain d'emprisonner.

— Monsieur le marquis, j'apprends à l'instant votre arrivée ; j'ai tenu à vous rendre visite. Il m'a semblé opportun de vous apporter le bonjour de nos populations. Votre retour est un soulagement pour elles et pour nous. Nul ne doute que vous ne veniez promptement à bout de cet indésirable animal. Pour ma part je rends hommage à votre dévouement.

Il portait des favoris en forme de poires. Sa chevelure était bouclée au petit fer. La poudre de riz dont un coiffeur trop zélé lui avait inondé le menton pointillait sa cravate bleue. M. de Quatrelys ne put s'empêcher de rire.

— Pourtant, répondit-il, ces braves gens avaient M. de Guette. Il est donc passé de mode dans le pays ?

Le maire ne sut que répliquer. Il n'avait pas l'esprit de repartie.

— Hier, enchaîna-t-il, le loup a enlevé un mouton dans la bergerie de Kérantaine. Rien ne l'arrête, rien ne l'effraye. Les pièges, il les évente et laisse aux voisins les appâts empoisonnés.

— Cela, dit M. de Quatrelys, est une indication intéressante. Nous avons affaire à un maître loup. Eh bien tant mieux, monsieur le maire ! Il nous promet de la distraction et de la promenade.

— C'est une bête redoutable. Bref, personne n'a pu l'abattre, même M. le lieutenant de louveterie et nos gaillards rassemblés en troupe. Nous avons tenté l'impossible. Vous êtes notre seul recours.

— J'entends bien.

— Au début de la semaine, j'ai exposé la situation à M. le préfet et l'ai prié d'écrire à son collègue de Vendée. J'ignorais que vous étiez déjà en route, monsieur le marquis.

— Et à ces messieurs du tribunal, l'avez-vous exposée ? Non ? C'est dommage. Ils eussent à coup sûr trouvé la solution... dans leur code pénal.

Le maire rougit violemment, toussa pour donner le change. Le regard de M. de Quatrelys pétillait de malice.

— N'importe, dit-il, je tuerai le pauvre loup, parce que, malgré les apparences, je suis bon garçon.

— Voulez-vous que nous vous aidions ? Le préfet m'a donné carte blanche, droit de réquisition. Je puis, si vous le jugez utile, vous fournir d'autant de rabatteurs qu'il vous plaira, vous indemniser même.

M. de Quatrelys leva la main :

— Je ne demande rien. J'agirai seul, comme à mon habitude. Point de fusils, mon couteau de chasse. Il me reste assez de force pour le servir à l'ancienne.

C'était le destin peut-être qui souriait derrière les joues grasses et les favoris du maire de Paimpont, qui parlait par ces babines vernissées et regardait à travers ces gros yeux humides. Raison de plus pour que le vieil homme s'opiniâtrât. Il dit :

— Faites-moi le plaisir de n'envoyer personne.

Il y avait dans le son de sa voix une tristesse sourde, une mélancolie si étrange qu'elle perça l'épaisse carcasse du « magistrat municipal ».

L'APRÈS-MIDI, M. de Quatrelys chevauchait botte à botte, en compagnie de son fidèle piqueux. Il faisait un joli temps clair, avec autour du soleil, très haut, de ces nuages légers qu'on appelle queues de chat. La forêt s'était parée de voiles somptueux pour accueillir M. de Quatrelys. Et lui, sensible comme il l'était, il goûtait à plein cette paix blanche. Ce velours de la terre, ces couronnes cristallines, ces bouquets diamantés qui semblaient éclore sous les sabots de la Perle le comblaient d'aise. Ces lambrequins d'argent qui échiquetaient les sapins, ces étoiles pendues à la cime des rameaux éveillaient dans son cœur un chant d'ivresse. Ces horizons dont chaque détail apparaissait avec netteté et cependant se perdait dans une brume de songe, comme on voit dans les tableaux de Bruegel, lui rendaient préhensiles le monde et l'atmosphère qu'il portait en lui, et depuis toujours. Sans-Chagrin parlait, mais il ne l'écoutait pas, ou si peu. Ces blancheurs de rêve passaient contre lui ; ces grands cônes blancs l'enserraient de toutes parts. La joie qu'il ressentait était si violente, éclairée d'une telle plénitude, qu'il s'étonnait, s'inquiétait vaguement. Il bénissait le loup de la lui donner, en le ramenant vers ces lieux, les seuls où il connût un semblant de bonheur, à tout le moins une manière d'apaisement.

« Vieux frère, tu as fini de dormir. Je suis là maintenant. Et je te tuerai demain, ou après-demain, mais je te rends grâce. Sais-tu, loup, que nous sommes pareils ? Nous appartenons à une race révolue, une race qui doit disparaître. La terre donne une nouvelle floraison, d'autres bêtes, d'autres hommes que nous. Il ne doit plus y avoir de seigneurs bardés de fer derrière leurs créneaux, ni de loups hurlant dans leurs bois. Cela fait partie d'un passé déjà mort. Nous nous survivons, toi et moi, c'est dire que nous sommes condamnés. Mais quelle importance ? Nous avons eu nos vies, nos plaisirs. Nous avons cru que cela devait durer toujours. Tes pairs, dans les années qui s'annoncent, périront par le poison. Les miens, par la ruine. C'est chose douce que de comprendre ! Ainsi, tu vois, vieux loup, nous nous affronterons, parce que ce sera dans notre rôle. Je t'attaquerai, tu te défendras, tu feras front et je te daguerai. Et puis… Mais est-ce qu'on empêche l'eau de couler ? Est-ce qu'on arrête la marche des saisons ? Je suis content que ce soit toi, car tu es brave et d'expérience. Que les autres ne soient point venus à bout de ta malice ! Tu m'attendais. Il y a entre nous un pacte, une convenance. Eh bien, si tu veux, que cela soit, et jouons le jeu. »

Et les arbres, le peuple hautain des chênes, la tribu des pins, la procession des noisetiers, écoutaient les pensées qui se formaient en lui. Peut-être aussi les oiseaux sautillant parmi les fougères ou traversant d'une aile engourdie ces sentiers déserts. Et peut-être encore les écureuils qui, pointant hors de leurs niches leurs petites têtes curieuses, aspiraient un rai de soleil.

UN peu devant l'aube, la neige était tombée, non pas autant que le loup l'avait calculé. Ici et là, le long de son itinéraire, son pied restait intact et bien visible. Le piqueux le montra à son maître ; auprès d'un orme, M. de Quatrelys descendit de cheval. Les racines de cet arbre évoquaient ces nœuds de vipères que les amants de la nature connaissaient bien. Mais c'étaient de géantes et verdâtres vipères dont les anneaux s'entremêlaient et se perdaient sous une écorce grise rapiécée d'or vif. Les traces du loup les contournaient, bien nettes et profondes. Les fleurs de lys du blason de M. de Quatrelys, avec leur cœur en fer de lance et leurs deux pétales recourbés ! Cette vue rendit ses esprits au vieil homme, l'emplit d'une étrange joie. Il dit à son piqueux :

— Il n'y a pas une minute à perdre. Procure-toi une brebis bien grasse et amène-la dans le canton. Le compère est de taille. Il faut l'alourdir, sinon nous ne l'aurons jamais.

CE ne pouvait être une chasse de gravure anglaise, avec ses chevaux aux silhouettes élancées, ses cavaliers tirés à quatre épingles. M. de Quatrelys y eût fait visage de barbare, d'échappé d'une horde d'Attila. Ce ne fut même pas une de ces chasses telles que le vieil homme les avait pratiquées tout le long de son existence fertile en aventures. Parfois, mais rarement, il avait approché de cette tension semi-divine : mais, très vite, parce que c'est la loi des choses, hommes et bêtes étaient retombés dans leur médiocrité. Jamais, non jamais ! les chasses qu'il avait conduites n'avaient été aussi singulières. Jamais elles n'avaient eu ce caractère tout à la fois de « guerre à mort » et de rite quasi religieux, relié — mais par quels réseaux de mystère ? — à la magie trépidante des combats entre les hommes et les bêtes de la préhistoire. Jamais autant Esprit de Quatrelys n'avait pu descendre au fond de ce puits où gisent nos instincts secrets. Tout verni, toute pensée, tout raisonnement qui se fussent rattachés, de près ou de loin, à ce qu'il est convenu d'appeler la civilisation, s'étaient effacés en lui. La nature entière, qu'il avait adorée païennement, préférée à la compagnie de ses semblables, à ses devoirs et à ses ambitions, en un moment acheva de s'emparer de son être. En sorte qu'il ne lui resta que cette parcelle d'intelligence qui sépare, dit-on, l'homme de l'animal. Si l'antique notion de l'homme sentant bourgeonner au fond de lui les vertus d'un demi-dieu a quelque valeur, on peut dire que ce fut cela même que M. de Quatrelys éprouva. Il se sentit tout à coup, non pas lui Quatrelys, châtelain et fugitif de Baupuy, mais une sorte de bête merveilleuse, de centaure, poursuivant un démon non moins merveilleux, intelligent et pervers. Et dans le duel qui s'ensuivit rayonnait une espèce d'amour, une bizarre tendresse.

Ce fut la plus belle des chasses, et sans doute, pour un cœur aussi absolu, l'unique chasse de M. de Quatrelys.

ET d'abord, le vieux grand loup prouva, comme à plaisir, sa malignité. L'agneau que Sans-Chagrin s'était empressé d'acheter à des fermiers voisins de Gournava et d'attacher à un piquet fut retrouvé le lendemain à demi enfoui dans la neige, mort de froid et intact.

— Il a éventé l'odeur, opina Quatrelys.

— Impossible, not'maître. Impossible ! J'ai frotté la corde et le piquet avec votre « fabrication ».

Cette « fabrication » était une mixture de graisse de loup et d'herbes de sorciers.

— Alors il aura vu la corde et compris. Il est encore plus fort que je ne pensais, et il n'a pas faim ! Ce soir, fils, lâche une chèvre dans les parages.

Au matin, la vieille bique s'en revint au moulin, toute guillerette bien qu'un peu fatiguée par la température. Mais le piqueux apprit que loin, dans le nord de la forêt, vers l'étang de Comper, « le damné Satan » avait enlevé un mouton et mis à mal un fort chien de garde.

— Ce maudit nous fera tourner en bourrique ! Pour sûr, il aura flairé votre venue et déguerpi.

M. de Quatrelys avait la patience et la perspicacité des vrais veneurs. Il ne savait pas renoncer ; les échecs l'amusaient plutôt. De surcroît, il possédait le don, si peu qu'il concentrât son esprit, de se gainer dans le poil du gibier. Il ne déduisait ni ne devinait, mais « sentait », physiquement, intensément, quel parti celui-ci prenait et pourquoi, à quel subterfuge il recourrait bientôt.

— Ce soir, fils, tu lui donneras un veau. M'est avis qu'il n'a point bougé.

— Et comment ce veau, not'maître ?

— Le plus jeune et le plus gras que tu pourras trouver. Qu'il sente le lait et crie après sa mère. Notre lascar finira bien par se laisser tenter.

— S'il est encore là !

— Je te répète qu'il n'a pas délogé. Réfléchis deux minutes. En dédaignant nos appâts, il veut nous faire accroire ; il espère que nous chercherons ailleurs. Quand il nous jugera las de battre la forêt, il quittera son « fort » et nous tournerons en rond pendant qu'il continuera ses exploits.

Le piqueux hochait une tête incrédule.

— Et puis fais ce que je te dis ! Et sans barguigner ! En voilà des façons !

— Ce que j'en disais…

— Tais-toi !

Sans-Chagrin se garda d'insister. Cette irritation brusque et injustifiée de son maître l'inquiétait vaguement. « Après tout, Valérie avait p't'être raison ; le monsieur a point l'air dans son assiette ! » De plus, ce loup qui s'en venait hurler aux portes sans précaution, étranglait des bergers allemands, défiait les hommes, échappait aux chevrotines, au poison, aux pièges de M. de Quatrelys l'effrayait un peu. A ses craintes informulées s'ajoutait une sorte de prescience trouvant son aliment dans les superstitions locales, les propos incohérents des veillées : « C'est Satan en personne venu nous tourmenter. Pour sûr un esprit malin l'habite. J'ai consulté M. le recteur. Mais faudrait lui approcher la bête pour qu'il l'exorcise. Comment faire ? » Entendant cela, Sans-Chagrin n'avait pu s'empêcher de ricaner : et voilà qu'il regrettait, tout à coup, ce ricanement imbécile. Non, cette chasse ne serait pas comme les autres ! Il faudrait se garder, avec encore plus de soin que d'habitude ! Dieu seul savait ce qui sortirait de cette entreprise ! Ses pensées cheminant de ce train, le piqueux fit un grand signe de croix.

— Ma parole, dit M. de Quatrelys, tu as peur ! Ça, mon bon, c'est de la nouveauté. Et de quoi as-tu peur ? Ce n'est pas un loup à cinq pattes, et, une fois dagué, il ne se changera pas en femme. Qu'est-ce que tu crois ? Allez, active-toi.

IL faisait sec et bleu, un temps alpin. Pendant la nuit, le vent avait eu la délicatesse de s'orienter à l'est, ce dont M. de Quatrelys eut la simplicité de se réjouir : car le mouvement de l'air mettait à la truffe des chiens le « sentiment » fugace du loup, et non l'odeur des hommes au nez de celui-ci. Le lever du jour n'avait en rien troublé le sommeil de la forêt. Elle reposait toujours dans sa splendeur, si belle, si noble, qu'il fallait posséder un cœur noir pour troubler ce miraculeux silence.

Le museau entre les parois rocheuses, le loup guettait. Lui non plus, son instinct ne l'avait pas trompé. Ce n'était point par hasard que ce quelque chose qui veillait pour lui l'avait tiré de sa somnolence et guidé vers son observatoire. Les yeux jaunes fixaient un groupe minuscule qui s'avançait là-bas, loin, loin encore, se détachant sur un plan de neige. Le poil rêche de l'échine se hérissa. Un grondement fila entre les babines retroussées. Le loup venait de reconnaître la bombe de jonc, la veste verte dont les manches dépassaient d'une peau de bique. Il reconnut aussi l'intrépide, l'infatigable jument noire. Le piqueux, à sa trompe dont les volutes et le pavillon luisaient. Ah ! s'il n'y avait eu que celui-ci, une charge, une morsure, il eût tourné bride ! Mais l'autre, le vieux à longue barbe, le terrible fouet à boules de plomb sur l'épaule, il irait jusqu'au bout, galoperait jusqu'à la nuit, ne lâcherait pas sa proie. Une gaine battait sa hanche verte, pendue à sa ceinture : la mort était là !

Le loup gratta la neige. A cet endroit, il avait enfoui le veau qu'il avait tué la nuit précédente. Déjà les entrailles étaient gelées, la peau tendue comme un tambour et craquante. Posément, paisiblement, il déchira cette croûte d'une griffe experte, enfonça ses mâchoires dans la chair encore souple, arracha des lambeaux humides et succulents. Non trop ! Il savait que trop manger serait sa perte, que sa panse gonflée l'essoufflerait vite, le livrerait aux chiens. Simplement, il prit ce qu'il lui fallait de force pour affronter le danger, distancer la meute et se perdre, comme il l'avait fait plusieurs fois, dans les dédales de la forêt. Puis, sustenté, revigoré, il revint à la plate-forme. Il pouvait fuir, il ne le fit pas. M. de Quatrelys aussi pouvait rester à Baupuy, mais il préféra revenir à Gournava et, par ce beau matin d'hiver, chevaucher sa Perle noire.

Le groupe ralentissait son allure. Les trente chiens, à la robe noir et feu, trottinaient en silence devant les chevaux. Soudain le chasseur vert se détacha, précédé d'un seul chien. L'autre gardait la meute. Ce jour-là, M. de Quatrelys voulut être son propre piqueux et mener la « quête » avec tout le soin que requérait un adversaire aussi redoutable.

Il n'était pas encore trop tard, et le loup le savait ! Mais ses yeux jaunes étaient comme rivés à cette haute silhouette équestre s'avançant d'un pas de parade, à ce crâne de chien, la truffe levée, humant les odeurs qui descendaient de l'escarpement.

Le loup pouvait encore bondir vers l'allée forestière, atteindre les quartiers sauvages, barrés d'arbres géants, coupés de vallons et de cours d'eau. Enfin il perçut la voix de l'Ennemi, mais basse, adoucie par l'éloignement :

— Bellement, Flambo, tout bellement, mon fils... Harlou, Flambo, harlou ! Par là ! Bellement...

Tout à coup, le chien remua la queue, bondit. Le loup s'enfonça dans une masse épineuse, hérissée d'ajoncs, puis revint sur ses pas. Une lueur joyeuse alluma ses prunelles, lorsqu'il entendit un bris de branches, le respir tout proche de Flambo. Il vit le limier ramper sous les rameaux piquants, hésiter, revenir lui aussi sur ses pas, ensuite et par deux fois, passer tout contre lui, à lui souffler au poil, égaré par ces odeurs qui se croisaient et s'entrecroisaient, puis lancer un aboi de victoire qu'étouffèrent les crocs du loup plantés dans son cou. Et quand Flambo ne fut plus qu'un cadavre à la gueule béante, « Satan » ressortit à l'air libre et d'un bond majestueux s'enleva aux naseaux de la Perle qui se cabra en hennissant, glissa sur ses pattes arrière, faillit faire panache, écraser son cavalier. Mais M. de Quatrelys se rétablit et, du même réflexe, brandit son fouet à lamelles de plomb. Le loup fila vers la crête, puis s'arrêta. Son pelage était gris, sa collerette blanche, son poitrail énorme, et son ventre, celui d'un lévrier. Les poils blancs qui bouclaient entre ses oreilles courtes lui faisaient comme une chevelure mal tenue, usée par l'âge. Ses pattes musclées, d'un roux de fougère, s'enfonçaient dans la neige. Sa taille dépassait celle du plus fort des limiers. Et il restait là, montrant son rictus sarcastique, tout pareil à un homme enflé de mépris. Tellement sûr de lui qu'il ne broncha pas lorsque M. de Quatrelys emboucha sa trompe pour sonner la vue. Là-bas, Sans-Chagrin s'empressait de répondre, doublant l'appel de son maître. Et ces notes de bronze emplirent la forêt de leur fracas, fusèrent vers les plus hautes des branches dont, sous l'effet des vibrations de l'air, des parcelles de givre se détachaient, pétales scintillants, légers, que le vent éparpillait.

Aussitôt après, la meute lâchée donna de la voix. Les abois éclatèrent comme le tonnerre, quand elle aperçut le loup. Alors, mais alors seulement, devant ces trente gueules béantes, ces corps déjà possédés d'une frénésie de poursuite, il fit un bond de côté et, sans hâte apparente, entra dans la forêt.

ET d'abord ce plaisir forcené du « lancer » empoigna Quatrelys. La Perle entre les cuisses, le fouet sur une épaule, la trompe sur l'autre, la meute répondant comme un seul corps, le piqueux à ses côtés et la bête menant le train, il oubliait le monde. Joie violente, incomparable, quasi sexuelle, plaisir haletant qui rejetait au fond de son être ce marécage de pensées confuses et mélancoliques, de nostalgies douloureuses et déraisonnables, cet univers qui, sitôt finie la chasse, éployait ses tentacules sournois. Mais quel était le véritable Quatrelys : de ce veneur spasmé de volupté féroce, ou du vieil homme aux ruminations anxieuses et contradictoires ? Lui-même l'ignorait. Aurait-il pu s'extraire de sa peau et se voir ainsi, le dos en serpette, les jambes épousant les côtes de la Perle, les mâchoires contractées, l'œil étincelant, sans doute ne se serait-il pas reconnu. Mais, peut-être, eût-il alors admis que ce plaisir aigu, cette chevauchée démoniaque, ces cris gutturaux, ces vociférations canines, ces éclats sonores de cuivres, ce martèlement hystérique des sabots, c'était sa *vie réelle*. Que le reste, les périodes de repos, les séjours à Baupuy, n'était que stagnation, sommeil, torpeur et vide. Qu'à certaines heures, il était « possédé », soumis aux effets irrémissibles d'un enchantement. Tels ces hommes sur lesquels une passion dévorante, un vice tout-puissant, une drogue redoutable exercent leur empire.

Mais sur le dos de la jument, au profond de cette forêt mystérieuse et superbe, tout revêtait une simplicité, une pureté des premiers âges. Peut-être existait-il des cités ! Mais c'était ailleurs, au large. La forêt s'érigeait comme une île, préservée par miracle, au milieu d'un océan morose et sombre. Là, sous ces arbres muets, il n'y avait pas à peser le pour et le contre, à finasser, à préparer, à ourdir, mais à décider dans l'instant, à faire face, à foncer d'un galop éperdu vers on ne sait quoi, mais qui est la vie même, rieuse et palpitante. Le jeu cruel de ce pourchas se métamorphosait en quête amoureuse. Et cela était bien, mieux que tout...

Et puis le grand vieux loup acceptait de jouer, loyalement. Mais pourquoi acceptait-il ? M. de Quatrelys se le demanda à plusieurs reprises, dans les répits que lui laissait la course. Vingt fois déjà, le loup avait eu l'occasion de se dérober. Quatrelys ne l'avait pas surpris au gîte. C'était la bête qui, après avoir étranglé Flambo, avait bondi aux naseaux de la Perle et défié la meute de son ricanement. Un moment, devant tant d'arrogance, M. de Quatrelys l'avait soupçonnée d'être atteinte de la rage. Mais une bête « gâtée » charge sans mesure ni réflexion, mord tout ce qu'elle trouve, même un bout de bois. Or le maître loup manœuvrait au plus fin. Il se ménageait, allait de son trot allongé et, de loin en loin, tournait la tête pour vérifier l'écart entre la truffe des chiens et sa queue en panache. Il fournissait juste ce qu'il fallait de vitesse pour se maintenir à distance respectable. M. de Quatrelys avait la certitude qu'en se comportant de cette manière le loup tâtait la meute, étudiait ses réactions et sa résistance. A l'itinéraire qu'il adoptait, on voyait bien aussi qu'il avait une parfaite connaissance de la forêt.

La chasse, apparemment, battait son plein, mais pour M. de Quatrelys elle en était à son début et, même, n'avait pas réellement commencé. Bientôt viendraient les ruses : celles que pratiquait ordinairement la race louvetière, et d'autres plus subtiles.

Car il n'était pas moins évident que le vieux loup avait été chassé, mais en vain, qu'il possédait une science profonde des hommes et des chiens. Il n'était que d'observer son allure et que de se souvenir de l'égorgement rapide du meilleur limier.

Merveilleuse de sûreté, de cadence, de souplesse, la longue échine grise ondulait droit devant, crinière en bataille, tête relevée afin que les narines aspirassent tout ce qu'elles pouvaient d'air. Un maître coureur ! Un topographe hors ligne ! Sans erreur il prenait tel sentier, amorçait des virages savants, franchissait d'un saut les levées, alors que les chiens, même d'expérience, boulaient parfois, glissaient sur un tapon de glace ou s'enfouissaient dans une épaisseur de neige. Le manque de Flambo se faisait sentir. Lui seul eût été capable de deviner les ruses du loup, de guider ses frères hésitants. M. de Quatrelys collait à la meute qui, sans ses ordres, se fût maintes fois égarée. Il eut une pensée tendre pour le vieux camarade à quatre pattes, mort si bêtement dans un buisson d'épines, mais à l'honneur.

« Baste ! on se débrouillera sans toi. Ce sera plus dur, voilà tout ! »

Lui restaient « Blonde », digne fille de « Flambo », une lice de mérite et d'ardeur, quoique par trop émotive « comme sont habituellement les dames » et « Bâtard », un fantaisiste, mais qui avait ses « bons moments ». « Bâtard » était le produit, à la deuxième génération, d'un louvart capturé vivant et d'une lice. Il avait les défauts et les qualités de sa double nature. Quand il courait, il ne se méjugeait jamais. (Ne pas se méjuger, c'était courir comme faisaient les loups, en plaçant exactement les pattes arrière dans les traces de celles de devant.) De sa mère, il avait hérité le goût des flatteries : « Mais, prétendait Sans-Chagrin, un beau jour, not'maître, il vous sautera à la gorge. Et si, dans un courre, vous êtes blessé, je ne donnerai pas cher de votre peau ! »

— Alors, fiston, tiens ma queue de chemise, toi qui aimes à musarder. Comme ça, j'aurai du secours !

— Hélas, la Perle est plus prompte que Persan ; j'ai beau le piquer, j'arrive en lanterne !

M. de Quatrelys riait :

— N'aie point de tracas, mon joli. Celui qui m'aura attend de naître !

Et les grands sapins s'en allaient, de part et d'autre, semblables à des nuages avalés par le vent. Et les collines bougeaient au loin, se rapetissant. Les vallons, les crêtes, les allées, les roches, les troncs de pins, et ceux des saules, les jambes argentées des bouleaux, l'écorce verte des hêtres se succédaient, tourbillonnaient dans une ronde d'enfer.

Le loup forçait l'allure. C'était pour échelonner la meute, isoler les premiers chiens et les mettre hors de combat.

— Sonne, piqueux! Sonne!

Lui-même piqua des éperons, brama :

— Après! Il perce! Après, mes beaux… Blonde, Bâtard, après, il perce!

Sans-Chagrin emplissait la forêt de sa clameur. Le loup courait toujours plus vite. Déjà, dix chiens demeuraient en arrière, cependant que les meilleurs s'égaillaient dangereusement. Brusquement, le loup reprit son petit trot perfide. En un instant, les chiens l'enveloppèrent. C'était ce qu'il avait prévu. Aucun n'osait encore l'attaquer, mais lui, d'un coup de croc foudroyant… Il n'eut pas le temps. Le fouet de M. de Quatrelys lui cingla la nuque. Le loup bondit comme une balle, détala.

— Le bougre de bougre, beugla le piqueux, il visait la Blonde!

— Sonne, sonne, piqueux!

Le loup tourna à main gauche, dévala une pente rocailleuse et givrée. Au fond du val un ruisseau sinuait dont l'eau rapide et bleue, de place en place, avait crevé la glace.

— Attention, not'maître! Oh! attention! C'est tout verglas et pourriture dans le coin!

— Je le sais. Va quand même. Tudieu! il nous échappe!

Le piqueux tenait à ses os. Il descendit au pas. Mais M. de Quatrelys dégringolait la maudite pente, au mépris de toute prudence. Plus sage que lui, la Perle, sentant ses sabots déraper, plia les jarrets, freina instinctivement, se reçut sans dommage. Paisiblement, ironiquement, le loup lapait l'eau bleue.

— Le bougre, s'exclamait le piqueux, il se refait!

— Laisse-le donc. Les chiens reposent.

— Et nous avec! Ah! not'maître, vous êtes fin cavalier, c'est égal, vous devez une fière chandelle à vot'jument.

— Qui soutient le contraire?

— Elle pouvait, la pauv'belle, vous écraser de sa chute!

— Comme une crêpe.

— Et lui, qu'est-ce qu'il mijote? Il est là, à nous zyeuter d'insolence.

— Il décampe! Hardi mes beaux, hardi, après, après! Sonne, piqueux, ça te clouera le bec. Harlou, mes petits! Harlou, la Blonde, Bâtard, et toi, mon Noiraud! Hâ! Hâ!

Le loup repartait, oh! sans hâte, de son trot d'amateur : et toujours cette manie qu'il avait de virer le museau, de guigner la gorge des chiens s'approchant...

Ainsi, longtemps, il longea la rive du ruisseau, courant bien droit, bien sage. Ce n'était plus une chasse, mais une promenade un peu rapide. La queue horizontale, l'oreille haute, le rein solide, la patte assurée, il allait de ce train de touriste, sans apparence de lassitude, ni d'angoisse. Il s'amusait! Cela pouvait durer jusqu'au crépuscule, et le lendemain, et toujours peut-être! Les chevaux, la meute, les deux hommes n'étaient pas moins endurcis, entraînés, infatigables.

Quatrelys et Sans-Chagrin chevauchaient botte à botte.

— M'est avis que la fournée est pas cuite!

— Tu l'as dit, bouffi. On aura de la surprise, si t'aimes ça. Tant qu'il pourra, le compère nous mènera. Où? Je me le demande.

— A not'perdition.

— Comme tu y vas! De l'espérance, garçon, et de la tenue. Vingt diables de matelot, c'est la plus belle bordée que tu tires, tu t'en souviendras!... Ah! par exemple! Ah!

Le loup venait de disparaître. La sente était vide. Les chiens fonçaient, imbéciles, emportés par leur élan, hormis la Blonde qui, d'un coup de reins, s'était envolée et filait, intrépide, vers des hauteurs tavelées d'épines et grillagées de tiges.

— Amène les chiens!

M. de Quatrelys avait mis pied à terre. La pente était si abrupte que la jument n'aurait pu la franchir. Il l'aida, l'encourageant de caresses sur le chanfrein, de paroles douces et chantonnées :

— Ho! Hisse! ma belle Perle. Accroche-toi. Là donc je te tiens. Là! Ah! la meilleure des filles!

Ensuite il la renfourcha, les molettes taquinant le ventre noir déjà strié de filets de sang. Il la poussa dans le fouillis, atteignit enfin une espèce de clairière, un espace vide. Trop tard! la Blonde gisait, le col déchiré du poitrail au menton : et le loup buvait le sang tiède, bouillonnant des artères tranchées. Il repartit comme une flèche, mais M. de Quatrelys seul, sans chiens, le poursuivit. Le loup fit front. La Perle lui soufflait quasi au museau ; toutefois ses pattes, ses flancs tremblaient. Alors, avec un calme extraordinaire, ou une inconscience totale, M. de Quatrelys emboucha sa trompe. Ses carotides se tendirent comme des cordes. Un nuage rouge passa sur ses yeux. Sur ses lèvres convulsées, le son

expira misérablement. Par chance, le piqueux avait deviné le drame et fait vite. La meute débouchait du fourré.

— Eh bien, eh bien, grommelait M. de Quatrelys reprenant ses esprits, que se passe-t-il ? Je perds l'haleine, à présent !

Il se passait que, sans l'arrivée de la meute, il eût terminé là sa carrière. Mais cela, il ne voulut point l'admettre. Cela s'incorporait aux heurs et aux malheurs de la chasse ! Et le loup reprenait sa course, laissant au fort des arbustes, la lice aux yeux morts, allongée pour toujours entre les racines.

— Ces damnés chiens, disait le piqueux, ils l'auraient dévorée ! Leur sœur et leur amie ! Ils sont pires que des loups !

M. de Quatrelys ne répondit pas. Il respirait mal. Un étau comprimait ses côtes. Des mouches zébraient sa vue, plus luisantes que les cristaux pendus à la pointe des rameaux.

— Eh ben ! Eh ben ! répétait-il.

Une douleur lui coupait l'épaule, s'infiltrait sous son omoplate, mordillait son flanc ; des braises cuisaient soudain le fond de ses bronches. Allait-il tourner de l'œil ? Était-ce possible ? Le piqueux avait tiré un quignon de pain d'une poche pendant à sa selle. Il bâfrait à belles dents.

« V'là le raisonnable, pensa Quatrelys. J'ai moins de jugeote que lui. Pardi ! la faim me tiraille ! »

Attachés à sa selle, par la main diligente de Valérie, bringuebalaient aussi un sac de toile et une gourde. Il dévora sa tranche de jambon cru, but à la régalade, sans répandre une goutte :

« Ah ! ça va mieux ! »

LA chasse suivait son cours, pareil à celui des rivières montagnardes, avec des hauts, des bas, des indolences, des cascades, des étranglements imprévisibles et des méandres rêveurs. Trois fois encore, M. de Quatrelys perdit le loup et le retrouva, à force d'astuce, parce qu'il avait noté, si las et si ravagé qu'il fût par l'effort, que le compère virait toujours sur la gauche.

Après avoir galopé en plaine, vers le soir, il repiqua vers Brocéliande. Lorsque le soleil rougit le bord des collines, il força encore l'allure, s'esquiva.

— Sous l'arche ! cria M. de Quatrelys qui se porta aussitôt en avant de la meute.

— ... Là, Noiraud, Bâtard... Harlou ! Harlou !

Il y avait, dans ce fond de vallée où descendait la nuit, un ponceau au parapet triangulaire.

— Là, mes beaux, là! Harlou!

Noiraud roula sur la glace, la gorge ouverte, agitant les pattes. Le loup déguerpissait, la queue sous la truffe de Bâtard qu'il fallait appuyer en toute hâte.

— Sonne, piqueux!

La meute s'élança de nouveau, obliqua vers les hauteurs, replongea dans une vallée, remonta encore, redescendit. La neige prenait un ton d'ardoise, mais le ciel conservait un reste de clarté. Bientôt, il n'y eut plus, au loin, qu'une jetée de braises. « Entre chien et loup », l'heure avait été la bien nommée! La meute, la bête de chasse, les hommes, les chevaux, grappe frénétique, hurlante et martelante, s'enfoncèrent dans l'ombre.

« AH! pensait M. de Quatrelys, impossible de continuer! La lune se lèvera dans une paire d'heures, au mieux, et je suis vanné. »

— Piqueux, sonne la retraite…

Sans-Chagrin ne se le fit pas répéter. Les chiens non plus. Aux premiers coups de langue, ils se rassemblèrent, sagement, autour des chevaux. Combien en restait-il? Malin qui aurait pu les compter! Ce n'étaient, dans ce bleu de nuit, qu'ombres dansantes, trompeuses. Par instants, on distinguait une oreille plus claire, la faucille d'une queue, rien de plus. Les arbres étaient à peine visibles. Loin, dans les bas, deux lumières clignotaient.

— Mais c'est Trécesson, risqua Sans-Chagrin. Ça, c'est du gâteau!

Trécesson était le plus vaste des châteaux de Brocéliande : un reliquaire de granit rose couronné de chênes véhéments, l'ancien château, disait-on, de Lancelot du lac, sur le chemin de la quête du Saint-Graal.

— Oui, Trécesson, répondit M. de Quatrelys, mais nous n'irons pas. Je ne suis pas en veine de conversation ce soir, et le propriétaire est comme moi : un ennemi du dérangement.

— Où coucherons-nous? J'ai des mains de bois!

— Pas loin d'ici, si je me souviens bien, il y a des huttes de charbonniers.

— Et pour manger, not'maître? j'ai les dents dans l'estomac…

Les charbonniers vinrent à leur rencontre. Cette sonnerie tardive les avait alertés. Ils crurent que c'était l'appel d'un veneur égaré, blessé peut-être.

— Mais c'est not'Quat'lys! Le bonsoir à vous, monsieur! Que faites-vous dans nos quartiers?

— Ce qu'il fait, demande-le à « Satan ». Pas vrai que c'est lui ?

Cet accueil chaleureux ragaillardit le vieil homme.

— Eh oui, mes braves, c'est lui. Nous avons fait de compagnie une sacrée promenade depuis ce matin.

— Dame ! si tôt que ça ?

— La brume nous a surpris céans. La lune nous fait défaut.

— Dommage ! renchérit hypocritement le piqueux. Il est par là, mais allez savoir !

— Je te promets qu'il n'ira pas loin. Il en tient.

— Ça se peut, mais le démon a de la force à revendre.

— La queue lui tombait entre les pattes. C'est un signe qui ne trompe pas.

— Sûr que vous l'aurez, monsieur, et bon débarras !

— Mes braves, reprit M. de Quatrelys, la Providence vous envoie. Nous sommes sans gîte, avec notre couteau comme provision. Peut-on manger et loger chez vous ?

— Mais, monsieur d'Quat'lys, vous avez le château de Trécesson à moins d'une lieue ?

— Et si je préfère la paille de vos huttes ? Rassurez-vous, je paierai mon écot.

— Qui parle d'écot ? On n'est pas dans les riches de la paroisse, mais c'est égal…

— Justement, dit un autre, j'ai pris un chevreuil hier matin.

M. de Quatrelys eut un rire bon enfant.

— Je parie que c'est sur ma chasse, braconnier ?

— Il vous revient donc de droit.

— J'accepte. Mais je te préviens, il n'en restera guère : entre nous et nos chiens ! Pour les chevaux aurez-vous de quoi ?

— On a ce qu'i faut.

— Marchons donc, enfants, et à la fortune du pot !

DÉSORMAIS parlotes et mangeries avaient pris fin. Trois faces noircies sortaient de la paille, près de la trogne rose de Sans-Chagrin. Une lanterne pendait à une corde, au centre de cette hutte ronde comme l'étaient celles des Gaulois. Elle éclairait ces formes d'hommes recroquevillées dans leur repos, et aussi les rondins superposés et croisillonnés des cloisons. Une odeur de paille, de résine, de chair humaine, prenait aux narines. Sans-Chagrin ronflait avec une conviction touchante. Un chien blessé, que l'on avait pansé à l'esprit-de-vin, geignait doucement. Dehors, c'étaient la nuit, le désert de la neige, les profondeurs silencieuses de la forêt. Mais ici on avait du bien-être ; il faisait tiède ; les démons lugubres qui assaillent les hommes et leur retirent le sommeil n'avaient point leur entrée.

Seul M. de Quatrelys n'avait pu s'endormir encore, en dépit de son épuisement physique. Pourtant ce caractère aisément inquiet ne pouvait prendre souci de quoi que ce fût. Tout était dans cet ordre qu'il aimait. La Perle et Persan avaient reçu double ration et reposaient dans la hutte aux mulets. La meute, après s'être partagé les entrailles et les bas morceaux du chevreuil, était en sûreté, au chaud, dans une cabane bien fermée.

Mais M. de Quatrelys, au lieu d'imiter ses compagnons, s'adossait aux rondins. Ses grands doigts décharnés trituraient la paille. Une nouvelle crise le saisissait. Soudain, cette douleur de l'après-midi s'était réveillée, sourde d'abord, hésitante, tapotements de doigts de feu, de plus en plus insistants. L'air, bloqué dans ses poumons, l'étouffait. Le sang cognait contre ses tempes, sur sa nuque.

Il s'était arraché à ce lit de paille, avait ouvert le col de sa chemise. La bouche béante, il cherchait sa respiration, ne voulant pas crier par dureté envers lui-même, aussi pour ne pas « embêter » les autres.

« Ben quoi ! vais-je crever comme ça dans cette hutte ?... Oh ! après tout, là ou ailleurs, fallait que ça arrive... Non ! Non ! Pas tout de suite ! Pas encore ! J'ai à faire !... »

Cela s'était apaisé, mais lentement, comme à regret. M. de Quatrelys put enfin s'allonger, avec des précautions infinies : ses coudes et ses genoux craquaient comme des sarments.

« Dommage ! Voilà une bonne soirée de gâtée. Quand même, ces charbonniers, ils ont du joli temps ; rien ne les tourmente, rien ne les tiraille. Des enfants dans leur sommeil ! Et le Sans-Chagrin, a-t-on idée de ronfler aussi fort ! Baste ! ils ont la jeunesse pour eux, c'est là tout leur secret... Et toi, vieux loup, tu dors ou tu veilles ?... Oh ! je suis bien sûr que tu n'es pas loin... »

Il s'assoupit. Mais une part de son esprit restait en éveil. Ce double de lui-même quitta la hutte, se mit à errer par ces blancheurs glacées, à la rencontre du loup. Celui-ci ne s'était guère éloigné des cabanes. La faim grondait au fond de ses entrailles ; il se rapprochait même, prudemment, en rasant la neige, l'œil aux aguets, le nez quêtant l'odeur des hommes, des nourritures. Il savait que l'Ennemi était derrière ces murs de rondins, avec ses auxiliaires. D'arbre en arbre, cherchant l'ombre portée par les rayons lunaires, il avançait toujours. Il contourna la hutte aux chevaux, mais en retenant son « sentiment », de peur qu'ils ne hennissent, affolés. Puis la cabane aux chiens, mais à distance respectable, malgré le mépris furieux qu'il ressentait. Puis, poussé par cette faim qui le tenaillait, il atteignit la porte des hommes. Ses yeux cruels fixaient les traits lumineux filtrant par les interstices des rondins. Puis il baissa le museau, flaira longuement des os frais, d'un parfum succulent, des lambeaux de viande et de poils qui avaient été jetés là : par ordre de M. de Quatrelys. Le loup saisit une côte qui se brisa sous ses crocs. Il n'avait pu se retenir. La faim l'avait emporté sur la prudence.

Le chien qui s'était couché contre son maître se mit à gronder. Les paupières de M. de Quatrelys se soulevèrent. Il repoussa le chien, se mit sur son séant, écouta. Soudain, oubliant lui aussi toute prudence et sa faiblesse de cœur, il bondit vers la porte dont il fit tourner la barre aussi doucement qu'il put. Il attendit encore, puis tira le battant. Le loup fuyait, emportant sa portion d'os. Il fuyait vers la lune qui s'arrondissait entre les troncs. Sans hâte cependant, et même il s'arrêta pour observer M. de Quatrelys qui s'avançait le couteau à la main. Un instant, les deux adversaires demeurèrent immobiles, à se regarder, tous deux portant la collerette blanche des années. Puis le loup s'en alla et M. de Quatrelys constata qu'il boitait de la gauche avant, assez bas.

« Il a pris une épine dans le talon, pensa-t-il. Mais il est assez fin pour se la retirer lui-même d'ici demain... Ou alors c'est une morsure de Bâtard, sous le pont, pendant qu'il attrapait le pauv'Noiraud ; dans ce cas, c'est du sérieux... »

Il rentra dans la hutte et se recoucha, rasséréné. Son absence, son retour, n'interrompirent aucun des ronflements. Le nez de Sans-Chagrin était « comme les orgues de Ploërmel » !

QUAND ils partirent, le soleil n'était encore qu'un croissant d'écarlate à l'horizon et la lune vagabondait au zénith. M. de Quatrelys serrait les mains noires :

— Un grand merci, mes bons amis.

— Et not'cœur avec vous, m'sieur d'Quat'lys. Ce coup-ci, vous l'aurez ! Pas vrai ?

— J'y compte bien.

Il ne s'écoula pas un quart d'heure que le loup fut relancé. Il était dans un buisson à une portée de fusil des huttes. Il passa en trombe devant les charbonniers, serré de près par une meute joyeuse que Bâtard conduisait.

— Sonne, piqueux ! A pleine gorge !

Et, à l'adresse de ses amis, il fit un grand geste de bras, cria :

— A nous revoir ! Merci !

— A son âge ! dit l'un des charbonniers. Mais je trouve qu'il a vieilli. Regarde le dos qu'il a...

La trompe de Sans-Chagrin couvrit les voix, emplit la forêt de sa rumeur orgueilleuse et vibrante.

Le loup ne boitait plus. « Ce n'était donc qu'une épine, pensa M. de Quatrelys. Il aura pu se la tirer. N'empêche qu'elle lui aura attendri le pied. Laissons-le donner, on verra la suite. »

Désormais la bête défendait sa vie. Il s'agissait pour elle, coûte que coûte, de distancer la meute et le plus vite possible. La tête de blanc barbue dédaignait de se retourner pour observer les chiens. Le jarret s'allongeait, dangereusement. Les oreilles commençaient à se coucher sur la nuque, mais la queue restait en prolongement du corps. Non, le grand vieux loup n'était pas encore sur ses fins ; il conservait assez de vigueur pour gagner encore une fois la partie, mettre les chiens, les hommes et les chevaux sur le flanc.

— Appuie les chiens, piqueux, hardi ! Sonne ! Ils mollissent.

Le vent avait tourné au cours de la nuit ; il était à l'ouest. Le soleil monta dans une auréole jaunâtre que traversaient des nuages épais et sombres. Sans nul doute, il reneigerait pendant la journée, mais plus tard, lorsque ces cumulus difformes perdraient de leur altitude, raseraient les hampes des sapins. D'ici là, le loup serait sauf ou mort. Il galopait vers les hauteurs, dans l'espérance d'essouffler la meute. Mais les chiens, rendus prudents par les morts de la veille, et furieux tout ensemble, suivaient à deux bonds de cheval, par ligne de quatre, Bâtard en avant. Alors « Satan » tourna vers la gauche, mais à la loyale, en prenant une allée forestière. Au carrefour de Ponthus, il obliqua à droite vers Folle-Pensée et la fontaine de Baranton, lieux-dits de haute mémoire cités dans les romans de la Table ronde. Après, il traversa le village encore désert de Tréhorenteuc, au manoir si vieux qu'il semblait — et semble encore — l'ancêtre de tous les manoirs, de même que cette forêt de Brocéliande paraît être la mère de toutes les forêts de Bretagne.

A PARTIR de là, il se remit à boiter ; le panache de sa queue se rabattit entre ses pattes. Cela fut à peine perceptible. Il fallait pour s'en apercevoir l'œil sagace et perçant de M. de Quatrelys.

— Sonne, piqueux. N'importe quoi. Le bien-aller, si tu veux.

Il nota le sursaut du loup quand éclata la fanfare. Il eut un sourire de satisfaction. Lui se sentait bien. La fatigue de la veille semblait effacée. La douleur s'en était allée, comme elle était venue, au vent de la course...

Le loup ne quittait plus les routes. Il prenait vers l'Étang-au-Duc et Ploërmel. En tête, M. de Quatrelys se remémorait les lieux.

— Mais c'est jour de marché, cria-t-il au piqueux.

— Et même une grosse foire, not'maître ! Mais avec ce fichu temps, p't'être...

Une dernière fois, le loup ralentit, visant la gorge de Bâtard qui s'écarta d'un bond. Le fouet lui caressa le dos, le contraignit à courir plus vite, à se vider de cette force impétueuse qui le soutenait. A cet endroit où la route n'était séparée de l'étang que par une étroite bande de terrain, il esquissa un crochet. La glace était assez épaisse pour porter la meute, mais non les chevaux. M. de Quatrelys devina son intention, brocha la Perle et le rabattit à coups de fouet précis vers la route.

C'ÉTAIT la fin. On approchait de Ploërmel. Nonobstant les pronostics de Sans-Chagrin, il y avait affluence aux abords de la ville et dans les rues. Le loup n'en pouvait plus. Son panache fripé pendait misérablement. Son pelage se hérissait. Il tenta pourtant un dernier effort et fonça les crocs à l'air vers cette foule.

— Taïaut ! Taïaut ! Piqueux, sonne ! Il en a !

L'incroyable tumulte ! Les uns applaudissaient Quatrelys, les autres s'enfuyaient effarouchés. Le loup, se jugeant perdu, s'était glissé au milieu d'un troupeau de bœufs qui s'ébranla, terrorisé, renversant au passage deux ou trois éventaires. Les chiens et les chevaux galopaient derrière, et Sans-Chagrin qui sonnait à se fendre le menton ! Le loup reparut sur la place de l'église dont il fit le tour, les chiens lui soufflant aux fesses. Il enfila une ruelle : c'était un cul-de-sac, s'en allant buter contre un haut mur garni de lierre. Il essaya de le franchir, mais retomba dans un hurlement et fit front. Les chiens l'entouraient, mais n'osaient avancer. Et lui, les regardait d'un œil étincelant. Il s'était assis sur son derrière. Lorsque M. de Quatrelys descendit de la Perle, les babines se retroussèrent sur un rire de démon.

— L'hallali, piqueux ! C'est le moment.

La trompe en avant pour se protéger d'une attaque possible, probable, la lame au poing, il marcha vers le loup. Et celui-ci, comme statufié, le regardait venir. Ses yeux obliques, ses iris d'un roux ardent fixaient le vieil homme. Les chiens enhardis rapprochaient leur truffe. Derrière Sans-Chagrin qui redoublait de zèle, les gens s'assemblaient. M. de Quatrelys vit le poil s'ériger en crête, reçut comme un coup l'incandescence de ce regard-là où cependant n'entrait aucune haine, mais une sorte d'amour désolé. C'était l'instant de vérité, celui où la mort opère son choix. Et l'autre sonnait le triomphe illusoire, mais surtout le prochain retour au bercail. Et les bonnes gens, en coiffes ailées, en blouses bleues et sabots tapants, couraient sur la place. Et les marchands furieux relevaient leurs tentes renversées par les bœufs, cependant que les valets de ferme et les maquignons encordaient ceux-ci.

Les deux ennemis étaient face à face. Cet affrontement paraissait ne jamais devoir finir. Soudain le loup bondit, mais ses crocs butèrent dans les spirales de la trompe, crissèrent sur le cuivre. La dague partit comme un éclair, pénétra dans son flanc où elle resta plantée. La bête lâcha prise, s'abattit, mais lentement, noblement ; s'allongea sur les petits pavés. Quelques gouttes de sang humectèrent les crocs. Les grands yeux jaunes fixaient toujours M. de Quatrelys ; puis la mort étendit sur eux son voile gris et ils s'éteignirent.

Lorsque Sans-Chagrin eut achevé sa sonnerie, les applaudissements crépitèrent, mêlés de vivats ; des casquettes partirent en l'air ; on se rua vers M. de Quatrelys. Mais lui, comme indifférent à l'approbation générale, regardait sa trompe percée, tordue.

— Elle ne pourra plus servir, dit-il simplement. Dommage ! C'était une Dauphine, et ancienne !

— Qu'est-ce qu'il dit ? Silence, vous autres ! Écoutez.

Il disait :

— Mais c'est mieux ainsi.

Et, comme les chiens s'impatientaient :

— Piqueux, ne les fais pas attendre. La curée chaude. Ils l'ont bien méritée. Mais coupe la tête et la droite avant. Parce que cette tête, je la veux garder en souvenir.

Sans-Chagrin s'activa. C'était un habile garçon. En peu de minutes, le grand vieux loup prestement dépouillé ne fut plus qu'une masse d'os et de viscères sanglants sur laquelle la meute se rua avec des abois d'orgueil.

M. de Quatrelys détourna la tête. Ce contentement qu'il éprouvait après chaque victoire, il l'appelait en vain. La besogne était achevée ; la mission remplie, et c'était tout. Il était comme un ouvrier pressé de rentrer chez lui, après une rude journée. Et voilà qu'il se sentait soudain très vieux, avec un grand besoin de se coucher dans un lit, de s'en aller dans un sommeil sans rêve.

Quelqu'un fendit la foule. C'était un bureaucrate si l'on en jugeait par ses manches de lustrine, ses binocles et sa redingote. Il venait prévenir que les autorités de Ploërmel attendaient M. de Quatrelys à la mairie pour « lui donner un gage officiel de la reconnaissance publique ».

M. de Quatrelys répondit :

— Que ces messieurs m'excusent, mais je suis pressé. J'ai à faire chez moi. D'ailleurs, je ne suis guère présentable.

Il enfourcha la Perle. Une foule respectueuse s'ouvrit sur son passage.

TROIS heures de l'après-midi quand il arriva au moulin ! La servante Valérie se précipita et, apercevant cette pâleur verdâtre, des cernes si larges que la barbe semblait en jaillir, telles des herbes au bord d'un trou, elle joignit ses grandes mains rouges.

— Mon Dieu, c'est-il possible ? Et Sans-Chagrin ?

— Il a été retardé par la curée, ou par les godailles. (M. de Quatrelys n'avait plus qu'un filet de voix. Son torse penchait sur la crinière de la Perle.) Tiens, aide-moi à descendre. Je suis rendu, c'est le cas de le dire.

Ainsi, il trouvait encore le courage de plaisanter. Les pattes-d'oie essayèrent de se plisser, n'aboutirent qu'à une grimace assez laide.

— Au moins, not'maître, vous avez mangé ?

— Pas depuis hier soir.

— Et d'où venez vous ?

— De Ploërmel, ma bonne Valérie. J'y ai servi le « Satan » en plein foirail, à l'heure d'affluence. Imagine le tableau !

— Ils ne vous ont pas payé à déjeuner ?

— Allons, presse-toi. Je suis comme une quille.

Sans elle qui l'attrapa par le travers du corps, il se fût écroulé sur les galets. En entrant dans la cuisine-salle à manger, il serrait le bras de la fille si fort qu'elle faillit crier :

— Vos doigts me rentrent dans le gras, not'maître !

« Mais, raconta-t-elle par la suite, je me suis pincé les lèvres. Pensez ! Je voyais bien qu'il était plus à plaindre que moi ; bonnes gens ! Vert comme un mort avant sa mise en bière, il était, et soudé ! »

M. de Quatrelys put néanmoins se traîner jusqu'au fauteuil.

— Occupe-toi de la Perle, souffla-t-il.

Ses yeux fuyaient la réverbération de la neige derrière les carreaux.

— J'm'en vas vous chauffer une pinte de vieux vin, avec dix pierres de sucre, ça vous remontera. La jument peut attendre.

— Non! elle est en sueur et lasse. Fais ce que je te commande.

Elle obéit, comme toujours, en grommelant. Quand elle fut sur le seuil de la porte, il dit :

— Qu'elle aille devant.

— Pourquoi not'Monsieur?

— Pour que je la voie.

La Perle appuya ses naseaux humides aux carreaux, qu'elle embua de son souffle. Les joues noires, les grands yeux d'ardeur et de fidèle tendresse, le chanfrein chevelu, les oreilles fines et agiles s'effacèrent ainsi, peu à peu, reculèrent comme au fond d'un brouillard, disparurent. Alors M. de Quatrelys se tassa encore un peu plus dans son fauteuil. La sueur mouillait son dos entre les omoplates. Son cœur battait à coups si espacés, si ténus, qu'il ne le percevait plus. Il glissa une main sous sa chemise, chercha, entre les côtes, l'endroit où la peau tremble ordinairement sous les pulsations. La table, encombrée d'objets disparates, parut se soulever. Puis ce furent les chaises de paille qui inclinèrent leurs dossiers triangulaires. Puis le fauteuil qui tangua à la façon des barques libérées par la marée montante. M. de Quatrelys empoigna les accoudoirs. La porte était de travers et les murs dansaient la gigue.

— Valérie! voulut-il crier. Valérie! Alors quoi?

Aucun son ne sortit de sa bouche. Il perdit connaissance.

LORSQUE la servante revint du bêtiaire après avoir bouchonné et frictionné la Perle, l'avoir servie d'avoine et d'eau, elle retrouva son maître la barbe sur la poitrine, la chemise ouverte, les jambes bizarrement tendues. Elle courut au buffet, arrosa son mouchoir d'esprit-de-vin et l'appliqua sur le visage inerte, qui ne cilla pas.

— Jésus Seigneur, qu'est-ce qu'on va devenir? Et ce grand paltoquet de piqueux qu'est ailleurs. Personne pour m'aider en cas de besoin! Me v'là dans d'beaux draps, à c'te heure!

Mais c'était une si belle charpente de femme qu'elle enleva aisément ce grand corps du fauteuil et, le portant plié en deux, sur son épaule, traversa la pièce. Pourtant, au milieu de l'escalier, une « faiblesse de tête » la saisit, ou plutôt une peur sans nom qui lui retira ses forces. Elle s'effondra sur son précieux fardeau le plus douillettement qu'elle put. Quelques gouttes de sang emperlèrent la moustache du moribond. Elles achevèrent d'affoler la servante qui dégringola l'escalier, s'ensauva hurlante. Elle courut à perdre haleine, sur la levée de l'étang, au risque de déraper sur les dalles verglacées, tellement hors d'elle-même qu'elle ne voyait pas Sans-Chagrin, ni la meute, ni Persan.

— Où vas-tu, follette ?

Le piqueux avait sa bombe de traviole, visière sur l'oreille, œil allumé.

— Monsieur se meurt !

— Tu parles ! Il a filé comme un chevreuil. J'ai pas pu le rattraper.

Valérie empoigna la botte du piqueux, la secoua.

— Tête de mule d'ivrogne, Monsieur a chuté dans l'escalier. Impossible de le hisser chez lui !

— Mais qu'est-ce que tu dis à la fin ?

— J'étais toute seule, j'ai pas pu !

Le coup dégrisa Sans-Chagrin. Il brocha Persan. Valérie, les chiens coururent à la queue du cheval. Une volée de corbeaux s'arracha du toit, s'éparpilla dans l'air. Le piqueux leur montra le poing :

— Charognards ! Gibier de malheur !

Ce fut déshabillé, couché dans son lit, un bon feu éclairant sa chambre, que M. de Quatrelys revint à lui. D'abord il vit ces flammes qui sifflaient et se crêtaient sur la bûche. Puis Valérie dont les gros doigts luisants égrenaient un chapelet de noyaux d'olive. Puis le piqueux qui se tenait debout ne sachant que faire.

— Piqueux, as-tu pansé la cavalerie ?

— C'est fait, not'maître. On a bellement galopé depuis hier matin que les fers de la Perle et de Persan sont tout juste bons à changer. Usés jusqu'à la corne !

— Et les chiens ?

— C'est fait. Ils ont eu les viandes et reposent.

— Il en manque combien ?

— Sept. Les trois morts et quatre de perdus, mais ils reviendront.

— Sûrement.

Valérie interrompit ses prières. Avec cette insistance propre aux gens de campagne — en apparence si proche du cynisme !

— elle dévisagea M. de Quatrelys. Les reflets verdâtres, qui l'avaient si fort impressionnée, persistaient. Des marbrures violettes tachaient les mains. Les bronches grésillaient, doucement encore : ce n'était qu'un début. La servante se racla la gorge, balbutia timidement :

— Not'Monsieur a de la fatigue sur lui...

— On en aurait à moins, appuya le piqueux qui n'apercevait point où elle voulait en venir.

— ...Not'Monsieur couverait une fluxion, ça m'étonnerait point trop...

— Moi non plus, par ce temps de chien !

— Ce serait p't'être point mauvais de quérir le docteur de Ploërmel. On le prétend connaisseur.

Une voix coléreuse sortit de la barbe :

— Non, tous des empoisonneurs ! Celui de Ploërmel et les autres !

— Un petit remède a jamais tué l'honnête homme... Nous autres, on est dans l'inquiétude...

— Y a de quoi ! renchérit le piqueux.

— Déranger un médecin, c'est bon pour les dames et les demoiselles !

— Mais nous, on serait plus tranquilles.

— Fichue bête, vois-tu pas où je vais ?

Valérie se crut obligée de suffoquer de sanglots.

— Paix, ma belle, disait Sans-Chagrin comme s'il eût parlé à la jument (et il lui tapotait la croupe). Paix, y a rien de perdu ! Reprends-toi...

— C'est le recteur qu'il faut quérir, dit M. de Quatrelys, et promptement. Tu lui diras, piqueux, que j'en ai jusqu'au point du jour, pas plus... Rends-moi ce service.

— Not'pauv'Monsieur qu'était la bonté en personne !

— Cesse tes jérémiades. Ça ne sert à rien. Je me suis forcé le cœur à courre ce damné loup. C'est un mal qui ne pardonne pas... Va, piqueux...

PENDANT l'absence de Sans-Chagrin, un regain de vie anima le vieux corps. Une roseur inattendue poudra les pommettes ; le regard recouvra son éclat.

« Ma parole, je me suis affolé comme une femmelette ! J'ai eu peur, moi ! Voilà que j'ai convoqué le recteur. De quoi aurai-je l'air quand il se présentera ? »

Ensuite les paupières mâchées retombèrent. M. de Quatrelys

partit dans ses rêves. Mais, ce dernier voyage, il l'accomplit sans tristesse, sans ces déchirements qui rendent encore plus tragique la séparation et si pitoyables les dernières paroles des agonisants. Ce fut en toute quiétude qu'il remonta le cours de son existence. La raison de ce calme était qu'il ne se rebellait point contre l'inévitable, mais l'acceptait à la façon discrète des animaux. Si étrange que cela puisse paraître, en cet instant de confrontation avec l'abîme, cet être tourmenté, divisé, ce nœud de contradictions fait homme, se découvrait soudain en paix avec lui-même, apercevait enfin l'explication de sa destinée.

Sereinement, il se revoyait conduisant Jeanne de Quatrelys à Puy-Chablun, par cette journée de fausses espérances, d'exaltation trompeuse. Il entendait la fausse promesse d'abandonner les louveteries, proférée en présence de Joachim de Chablun, et renouvelée mentalement devant les tombeaux de Rochecerf. La honte qu'il avait ressentie à trahir ce serment, voilà qu'il en apercevait l'erreur et l'excès! Car M. de Quatrelys, quoi qu'il fît, tentât et promît, ne pouvait échapper à ce qui le guettait, et depuis si longtemps! Le grand vieux loup « Satan » n'avait été qu'un prétexte fallacieux, l'appât qui attire la bête méfiante. En vérité, depuis la venue de ce loup en Brocéliande, M. de Quatrelys n'avait cessé de ruser avec lui-même, ou plutôt avec la mort.

D'avoir démêlé ces choses pesantes et obscures le soulageait incroyablement. Il se disait encore : « Si je suis fautif, malgré tout, je me rédime en ce moment. Si je ne le suis pas, c'est encore mieux, car j'aurai été, spontanément, jusqu'au bout de ce pour quoi je suis né. »

Il se demanda ensuite si Jeanne aurait de la peine ou si, comme lui, elle accepterait avec la même simplicité. Essayant de recomposer son visage de naguère, il la revit à Puy-Chablun, le jour de leur mariage, toute rose de bonheur, toute blonde d'espérance et comme perdue dans une immense robe de dentelle. Partout il y avait des pommiers en fleur, des arbres parés eux aussi de robes de mariée, à moins qu'ils ne le fussent des guipures du givre… Il ne savait plus si c'était alors l'hiver ou le printemps. Il ne se souvenait que du vaste azur du ciel frémissant sur des blancheurs infinies, celles des vergers, celles de la robe de Jeanne de Quatrelys…

Après, il tint la main du petit Jean et se promena, là-bas, dans les futaies de La Perrière, en conversant. Il pensa avec tout ce qu'il lui restait d'énergie : « Au moins qu'il soit heureux! Que je lui porte chance ! » Et, chemin faisant, il ne sut plus s'il était avec l'enfant, ou lui-même, cet enfant. Et il s'agita, parce que sur la vase et les herbes d'un étang qu'on avait vidé la veille, un corps… ensanglanté…

— Ah ! dit-il tout haut, enfin je vais savoir !

— Monsieur, faut pas vous fatiguer comme ça ! M. le recteur tardera guère…

APRÈS le départ du recteur, il parut enfin entrer dans sa paix. Il ne remuait plus, tenait les yeux fermés, respirait sans bruit. La nuit tombait déjà sur cette neige intacte, embellie par le gel. Valérie avait allumé une chandelle. Assise au chevet du lit, elle égrenait toujours son chapelet. En bas, Sans-Chagrin vidait bouteille ; il se soutenait en prévision de la veillée ; c'était un homme à précautions. Il remonta, quignon de pain et couteau à la main.

— Ce que c'est que de nous, philosopha-t-il. Hier, il se portait comme un pont neuf et le v'là…

Vers minuit, M. de Quatrelys entra dans le coma. Les premiers râles s'échappèrent de sa poitrine.

— Entends-tu ? dit la servante. Le pauv'Monsieur nous quitte.

Et elle entama la prière des agonisants.

MAIS il était dit qu'il ne pouvait finir comme tout le monde, banalement. Les râles cessèrent tout à coup, la respiration reprit, s'accéléra bientôt. La main droite se ferma sur des rênes invisibles. Stupéfaits, la servante et le piqueux entendirent :

— Du nerf, ma Perle ! C'est pas le moment de mollir… Oh ! ma belle fille, que je t'aime ! Tu es mon amour ! Va ! Va ! Il est devant. Ah ! tu es magnifique !

Et le teint se colorait, les iris bleus brillaient comme des agates et, de contentement, les tempes replissaient leurs pattes-d'oie.

— Le plus beau loup que j'aie vu ! Piqueux ! Où es-tu, piqueux de mon cœur ?

— Ici not'maître.

— Le vois-tu ?

— Oui, là-bas.

— Il fait ses cent livres. Tu vois la sacrée collerette, dis ?

— Je la vois. Il est point tout jeune.

— Le plaisir en sera plus vif, garçon !

Sans-Chagrin reconnaissait son maître. Il était si simple qu'il en tressaillit d'une joie non feinte.

— Après, mes beaux ! La Blonde, Bâtard, et toi, Noiraud, après !... Harlou, mon vieux Flambo ! Appuyez, mes chéris, mes petits pères ! La queue lui tombe... Vois-tu pas, Sans-Chagrin ?

— Si fait, il plie l'échine.

— Sonne, sonne, piqueux ! Il nous gagne. Mais où est mon piqueux ? Enfin quoi ! Sans-Chagrin ?

Et ce grand front de rouler, à droite, à gauche, sur l'oreiller, ces yeux ardents de scruter la pénombre, ce bras d'élever une trompe imaginaire.

— Je ne peux sonner ! Hier, l'autre l'a tordue et percée. Elle est hors d'usage. Piqueux, tu musardes ! Il forlonge...

Sans-Chagrin n'y tint plus. Il se rua dans l'escalier, remonta au galop en portant sa trompe.

— Tu vas pas faire ça ! s'exclama Valérie. A un mourant !

— S'il en a plaisir ?

— Piqueux, piqueux, broche Persan ! Ah ! l'animal, toujours en arrière, le nez au vent...

— J'arrive, not'maître. J'étais là. Écoutez !

Il emboucha sa trompe et joua — ô touchante, troublante et merveilleuse inspiration ! — les adieux du cerf à sa forêt natale :

> *Adieu, grands bois, forêts perfides*
> *Trop bien percées,*
> *Vous que le cor, biches timides,*
> *A dispersées ;*
> *Adieu, taillis, forts et gaulis,*
> *Adieu, grands bois, adieu, je fuis...*

— A la bonne heure ! dit M. de Quatrelys en expirant.

ET ce fut ainsi qu'il entra de plain-pied dans la légende, en ce pays où les chênes ont des soupirs et des carrures d'hommes.

GEORGES BORDONOVE

Romancier, essayiste et historien, Georges Bordonove a déjà publié quelque soixante-dix livres, parallèlement à sa carrière à la direction des Archives de France. Lauréat de l'Académie française et de l'Académie Goncourt, titulaire de nombreuses distinctions littéraires, parmi lesquelles le prix des Libraires de France, il a élaboré au fil des ans une œuvre monumentale qui restitue la vie de personnages de premier plan ou les moments les plus significatifs de l'histoire des Français : Guerre des Gaules, Croisades, guerre des Albigeois, Guerre de Cent ans, règnes des plus grands rois, Révolution, Empires, etc. La collection qu'il a consacrée aux « Rois qui ont fait la France » comporte une vingtaine de tomes et constitue, à elle seule, une véritable Histoire de France.

Ses plus récents ouvrages, *la Tragédie cathare* (1991) et *les Croisades et le royaume de Jérusalem* (1992), s'inscrivent dans une nouvelle collection : « Les grandes heures de l'Histoire de France ».

Le Vieil Homme et le Loup s'inspire d'événements réels. M. de Quatrelys, dont le nom seul a été modifié, a existé. Georges Bordonove a rencontré le petit-fils de ce chasseur qui tua deux mille loups en Vendée et dans la forêt de Paimpont, clouant aux portes de ses écuries la patte avant droite de ses victimes.

Lui aussi possédait une trompe Louis XIII en cuivre rouge, portant les marques des dents du dernier loup, et il s'était fait construire une extravagante voiture à trois roues.

Amoureux des forêts et de la vie sauvage, Georges Bordonove l'est aussi de Paris. Il a consacré deux volumes à son histoire et l'a brillamment fait revivre à travers ses biographies de Molière et de Fouquet.

L'édition intégrale des ouvrages présentés
dans « Sélection du Livre »
a été publiée en France par les éditeurs suivants :

Éditions Payot

TIGNES, MON VILLAGE ENGLOUTI
de José Reymond

Éditions Pygmalion/Gérard Watelet

LE VIEIL HOMME ET LE LOUP
de Georges Bordonove

CRÉDITS PHOTOGRAPHIQUES : John Burkey : 6 (à gauche) ; Marc Riboud : 6 (à droite), 254, 255 (en haut à droite et en bas), 256, 257 ; Dan Gonzalez : 7 (à gauche) ; Anny-Claude Martin : 7 (à droite) ; Manuel Alonso : 207 ; Compagnie Corporate/Baranger : 208-209 ; Paris-Match/Segonzac : 255 (en haut à gauche) ; Éd. Payot/D. Carton : 303 ; DR : 423 ; Éd. Pygmalion/L. Monier : 543.

Édité le 9 avril 1993.
Impression : Maury SA, Malesherbes.
Numéro d'impression : 42135 C.
Reliure : Reliures Brun, Malesherbes.
Flashage : Servimage, Paris.
Photogravure : Jovis, Fresnes.
Dépôt légal en France : mai 1993.
Dépôt légal en Belgique : D/1993/0621/55.